LAURENTINO GOMES

ESCRAVIDÃO

VOLUME II

Da corrida do ouro em Minas Gerais até
a chegada da corte de dom João ao Brasil

GLOBOLIVROS

Copyright © 2021 by Editora Globo S.A. para a presente edição
Copyright © 2021 by Laurentino Gomes

Todos os direitos reservados. Nenhuma parte desta edição pode ser utilizada ou reproduzida — em qualquer meio ou forma, seja mecânico ou eletrônico, fotocópia, gravação etc. — nem apropriada ou estocada em sistema de banco de dados sem a expressa autorização da editora.

Texto fixado conforme as regras do Acordo Ortográfico da Língua Portuguesa (Decreto Legislativo nº 54, de 1995).

Editora responsável: Amanda Orlando
Assistente editorial: Isis Batista
Revisão técnica e leitura crítica: Irene Vida Gala
Checagem: Simone Costa
Indexação: Wendy Campos
Revisão: Luiz Antonio Werneck, Daiane Cardoso e Mariana Donner
Tratamento de imagens: Roberto de Souza Bezerra
Diagramação, mapas e gráficos: Equatorium Design
Capa: Alexandre Ferreira
Ilustração de capa: Rogério Maroja

1ª edição: 2021 – 7ª reimpressão: 2025

CIP-BRASIL. CATALOGAÇÃO NA PUBLICAÇÃO
SINDICATO NACIONAL DOS EDITORES DE LIVROS, RJ

G615e

Gomes, Laurentino, 1956 -
Escravidão : da corrida do ouro em Minas Gerais até a chegada da corte de dom João ao Brasil, volume 2 / Laurentino Gomes. - 1. ed. - Rio de Janeiro : Globo Livros, 2021.

512 p. : il. ; 23 cm.
Inclui bibliografia e índice
ISBN 978-65-5567-039-4

1. Escravidão - Brasil - História. I. Título. II. Série.

21-70732

CDD: 326.09181
CDU: 326(091)(81)

Camila Donis Hartmann - Bibliotecária - CRB-7/6472

Direitos exclusivos de edição em língua portuguesa para o Brasil adquiridos por Editora Globo S.A.
Rua Marquês de Pombal, 25 — 20230-240 — Rio de Janeiro — RJ
www.globolivros.com.br

Para Olívia, que nasceu
enquanto este livro também nascia.
E todos os demais que ainda virão.

*"Sem negros não pode haver ouro,
açúcar nem tabaco."*

ANDRÉ DE MELO E CASTRO,
Conde de Galveias, vice-rei do Brasil, 1739

SUMÁRIO

Linha do tempo 11

Introdução 17

1 A FRONTEIRA 35

2 ESPLENDOR E MISÉRIA 53

3 OURO! OURO! OURO! .67

4 O HERÓI INVISÍVEL .79

5 FOME, CRIME E COBIÇA 91

6 SERTÃO ADENTRO 109

7 ESCRAVISMO PIEDOSO 121

8 ISOLAMENTO, CENSURA E ATRASO 133

9 PIRATAS 147

10 CORRUPTOS E LADRÕES 151

11 ONDA NEGRA 167

12 OS CASTELOS 181

13 AJUDÁ 193

14 AGAJA 211

15 CONVERSA DE REIS 229

16 TRAFICANTE ESCRAVIZADO 241

17 ÁFRICAS BRASILEIRAS 249

18	O SAGRADO	267
19	IRMÃOS, REIS E RAINHAS	279
20	O TRABALHO	295
21	A VIOLÊNCIA	311
22	O SONHO	319
23	A FAMÍLIA ESCRAVA	333
24	AS MULHERES	349
25	CHICA NA TERRA DOS DIAMANTES	363
26	FUGITIVOS E REBELDES	379
27	O MEDO	401
28	A LIBERDADE É BRANCA	415
29	QUEBRANDO OS GRILHÕES	427
30	O NAUFRÁGIO	447
31	O PRESENTE	457

Agradecimentos 463

Notas 467

Bibliografia 495

Índice onomástico 507

LINHA DO TEMPO

Alguns acontecimentos que marcaram a história do Brasil e do mundo entre o início do século XVIII e a chegada da corte portuguesa ao Rio de Janeiro.

1697 Notícias do desembarque em Lisboa da primeira "partida de ouro em barra" embarcada no Rio de Janeiro.

1700 O Brasil tem cerca de 300 mil habitantes, sem contar os índios.
Uma gangue de piratas, a Irmandade da Costa, aterroriza a região do Caribe.

1701 Começa a Guerra da Sucessão Espanhola.

1703 A região aurífera de Minas Gerais é assolada pela fome. O preço dos alimentos dispara.

1704 Expedições contra remanescentes do Quilombo dos Palmares, declarado oficialmente extinto em 1694.

1705 O astrônomo Edmund Halley prevê que um cometa, batizado com seu nome, passaria pela Terra a intervalos regulares entre 74 e 79 anos.

1706 Dom João V assume o trono em Portugal.

1707 Início da Guerra dos Emboabas, em Minas Gerais.

1709 Acusadas de contrabando de ouro, as ordens religiosas são proibidas de atuar nas regiões mineradoras.

1710 Guerra dos Mascates, em Pernambuco.

1711 Fundação das vilas de Mariana, Vila Rica e Sabará, em Minas Gerais.

Criação da companhia inglesa South Sea Company [Companhia dos Mares do Sul], que teria entre seus negócios o tráfico de escravos.

1712 Osei Tutu, um dos fundadores do reino africano dos axante, morre numa emboscada.

1713 O Tratado de Utrecht redesenha o mapa da Europa.

1714 O físico Daniel Fahrenheit inventa o termômetro de mercúrio.

1715 Morre Luís XIV, o Rei Sol, da França.

1720 Sedição de Vila Rica, contra a tributação do ouro pela Coroa portuguesa.

1721 Fundação na Holanda da Companhia de Comércio de Midelburgo, cuja atividade principal era o tráfico de escravos.

Os portugueses erguem a feitoria de Ajudá, entreposto de comércio de escravos na atual República do Benim.

1722 O almirante holandês Jacob Roggeveen descobre a Ilha de Páscoa.

1724 Agaja, rei do Daomé, conquista o reino de Aladá e se consolida como grande fornecedor de cativos na costa da África.

1725 Morre Pedro, o Grande, czar da Rússia.

1726 Jonathan Swift publica *As viagens de Gulliver*.

1727 Início do cultivo de café no Brasil.

1729 Anunciada a descoberta de diamantes em Minas Gerais.

1739 O pastor John Wesley funda a Igreja Metodista.

1741 A capitania de Minas Gerais produz 11.500 quilos de ouro por ano.

1742 *Messias*, obra do compositor Georg Friedrich Händel, estreia em Dublin.

1748 Fundação em Nantes, na França, da Societé d'Angola, com o objetivo de traficar escravos na costa de Angola.

Descobertas as ruínas romanas de Pompeia, na Itália.

1750 Pelo Tratado de Madri, Portugal e Espanha revogam na prática o antigo Tratado de Tordesilhas e definem novos limites de suas colônias.

Na Jamaica há doze africanos escravizados para cada morador branco.

Morre o compositor alemão Johann Sebastian Bach.

1751 Início da publicação da *Enciclopédia* francesa, com 10 mil verbetes.

1752 Benjamin Franklin inventa o para-raios.

Cientistas descobrem que o consumo de frutas cítricas combate o escorbuto nas viagens oceânicas.

1754 Início da Guerra Anglo-Francesa na América do Norte.

1755 Um terremoto, seguido de maremoto e incêndio, mata mais de 30 mil pessoas em Lisboa.

Sebastião José de Carvalho e Melo, futuro marquês de Pombal, assume o governo em Portugal.

A Companhia Geral de Comércio do Grão-Pará e Maranhão detém o monopólio do tráfico de escravos na Região Norte do Brasil.

1756 Começa na Europa a Guerra dos Sete Anos.

Inaugurada a primeira fábrica de chocolate na Alemanha.

1759 Os jesuítas são expulsos de Portugal e suas colônias.

O Quilombo do Ambrósio é aniquilado em Minas Gerais.

O Museu Britânico abre as portas ao público.

Fundação da Companhia Geral de Comércio de Pernambuco e Paraíba, encarregada de fornecer mão de obra escravizada para a região Nordeste.

1761 Pombal proíbe o tráfico de escravos para o território metropolitano de Portugal.

1762 O francês Jean-Jacques Rousseau publica *O contrato social*.

Catarina assume o trono da Rússia após um golpe de estado.

1763 A capital do Brasil é transferida de Salvador para o Rio de Janeiro.

1766 Construção da igreja de São Francisco de Assis, em Vila Rica, com projeto de Antônio Francisco Lisboa, o Aleijadinho.

1768 O inglês James Cook inicia sua viagem ao redor do mundo.

O inglês James Watt patenteia a máquina a vapor.

1770 Destruição do Quilombo do Quariterê, em Mato Grosso.

Os quakers norte-americanos proíbem aos seus membros a posse de escravos.

1772 No processo conhecido como "Caso Somerset", um juiz britânico garante a liberdade de um escravo fugitivo.

O pastor John Newton, ex-capitão de navio negreiro, compõe o hino "Amazing Grace" [Maravilhosa Graça].

1773 Primeira publicação da carta de Pero Vaz de Caminha, censurada pela Coroa portuguesa desde 1500.

1776 Declaração da Independência dos Estados Unidos.

O inglês Adam Smith publica *A riqueza das nações*.

A capitania de Minas Gerais tem 320 mil habitantes, dos quais metade são escravos.

1777 Morre dom José I, rei de Portugal. A filha, Maria I, assume o trono.

Abolição gradual da escravidão em Vermont, nos Estados Unidos.

1780 O tráfico negreiro da África para a América atinge a marca de 100 mil cativos transportados ao ano.

A Ilha de São Domingos, no Caribe, tem 800 mil escravos.

Registros de muitos quilombos no rio Amazonas e seus afluentes.

Abolição gradual da escravidão na Pensilvânia, nos Estados Unidos.

1781 O filósofo alemão Immanuel Kant publica a *Crítica da razão pura*.

O astrônomo William Herschel descobre o planeta Urano.

1784 Vincent Lunardi sobrevoa Londres em um balão de ar quente.

1786 Estreia de *As bodas de Fígaro*, de Wolfgang Amadeus Mozart, em Viena.

1787 Promulgação da Constituição dos Estados Unidos.

1788 A chegada de um navio britânico com 730 prisioneiros degredados dá início à colonização da Austrália.

Abolicionistas ingleses fazem manifestos contra o tráfico de escravos.

1789 Queda da Bastilha, a 14 de julho, durante a Revolução Francesa.

Declaração dos Direitos do Homem e do Cidadão, na França.

Joaquim Silvério dos Reis denuncia os inconfidentes mineiros.

A inauguração, em Manchester, da primeira tecelagem a vapor marca a Revolução Industrial inglesa.

1790 Fundação de Washington, hoje capital dos Estados Unidos.

1791 Levantes escravos dão início ao processo de independência do Haiti.

1792 Enforcamento de Tiradentes, a 21 de abril, no Rio de Janeiro.

Dom João vi assume o governo de Portugal como príncipe regente.

As ruas de Londres são iluminadas com lâmpadas a gás.

1793 Luís xvi e Maria Antonieta, reis da França, são decapitados em Paris.

O Museu do Louvre é aberto ao público.

1794 O governo revolucionário extingue a escravidão no Caribe francês.

Reunião na Filadélfia de todas as sociedades abolicionistas norte-americanas.

1795 A França adota o sistema métrico decimal.

1796 Chica da Silva morre em Tijuco, atual Diamantina, Minas Gerais.

1797 O francês André-Jacques Garnerin inventa o paraquedas.

1798 A Coroa portuguesa sufoca a Conjuração Baiana, em Salvador.

Nasce em Portugal o futuro imperador Pedro i do Brasil.

1799 Napoleão Bonaparte assume o governo da França.

1800 O Brasil tem 3 milhões de habitantes, sem contar os índios.
Invenção da pilha elétrica pelo italiano Alessandro Volta.

1801 Thomas Jefferson, dono de escravos, é eleito presidente dos Estados Unidos.

1802 Napoleão Bonaparte restaura a escravidão no Caribe francês.

1804 Na catedral de Notre-Dame, Napoleão coroa a si mesmo imperador da França.

1805 A marinha de guerra britânica derrota a esquadra francesa na Batalha de Trafalgar.

1807 Proibição do tráfico de escravos na Inglaterra.
Napoleão decreta o Bloqueio Continental contra a Inglaterra e invade Portugal.

1808 Proibição do tráfico de escravos nos Estados Unidos.
A corte portuguesa de dom João chega ao Rio de Janeiro.

INTRODUÇÃO

EM MEADOS DO SÉCULO XVIII, a compra e a venda de seres humanos haviam se tornado atividades banais e corriqueiras no Brasil. Exemplo disso pode ser observado atualmente entre os cerca de 2.500 itens que compõem o magnífico acervo do Museu de Artes e Ofícios de Belo Horizonte: uma balança de pesar escravos. O objeto foi trazido de Salvador, na Bahia, outrora um dos maiores territórios escravistas do mundo, e ostenta as insígnias da Coroa portuguesa, indicando que teria pertencido a uma fazenda real, até hoje não identificada. Com cerca de três metros de altura, é um entre muitos outros artefatos similares, de diferentes formatos e tamanhos, que na exposição contam a história do comércio no Brasil colonial, todos usados para definir o valor da "mercadoria" a ser negociada entre compradores e vendedores: balanças de pesar bois e vacas, balanças de pesar porcos, balanças de pesar galinhas, balanças de pesar cereais, balanças de pesar farinha de mandioca, balanças de pesar queijos, balanças de precisão e balanças de ourives, destinadas a calcular quantidades de ouro em pó, pedras e outros minerais preciosos.

Medir, pesar, avaliar, precificar, comprar e vender gente eram, portanto, acontecimentos rotineiros na vasta cadeia de negócios que se estendia pelas regiões ermas da colônia portuguesa nas Américas e na qual se moviam, entre outros agentes, tropeiros, boiadeiros, comerciantes de secos e molhados, feirantes, mascastes, caixeiros-viajantes, mineradores, garimpeiros e traficantes de negros escravizados.

A balança de pesar escravos é um mecanismo de funcionamento relativamente simples, segundo me explica a empresária Ângela Gutierrez, colecionadora de antiguidades, enquanto caminhamos pelos corredores da velha estação de trem que hoje abriga o museu na capital mineira, do qual ela é organizadora e curadora. No centro da peça, uma haste vertical presa ao teto serve de apoio a uma barra transversal de cujas extremidades pendem dois braços metálicos. O do lado direito sustenta um prato de bronze. O da esquerda, dois longos suportes de ferro no formato de um estribo de cavalaria. A pessoa a ser comprada ou vendida era colocada em posição ereta ou agachada, dependendo da estatura, com os dois pés apoiados no estribo e as mãos atadas à parte superior do braço metálico. Enquanto isso, no prato situado na extremidade oposta da barra central, o comerciante de gente ia acrescentando ou retirando blocos maciços de ferro de diferentes volumes, chamados de contrapesos, até que os dois braços se equilibrassem, indicando assim o peso da "mercadoria" humana em avaliação. Um detalhe em particular surpreende os visitantes do museu: a balança de pesar escravos foi cuidadosamente trabalhada em ferro e bronze por um artífice, com ornamentos e monogramas gravados em alto-relevo, incluindo a data da fabricação — 1767 — e o selo do rei de Portugal, como se fosse uma joia de uso pessoal e não um rude instrumento do tráfico negreiro.

No Brasil colonial, produtos agrícolas, animais e escravos eram pesados em arrobas, medida de massa equivalente a 14,7

INTRODUÇÃO

quilos atuais. Na balança do Museu de Artes e Ofícios, um jovem de dezoito anos, do sexo masculino, saudável, sem defeitos, em plena capacidade produtiva, pesaria cerca de 4,5 arrobas, ou 66 quilos. Seria chamado de "peça da Índia", o escravo de melhor preço, vendido em Minas Gerais por aproximadamente 100 mil réis, valor igual ao de cinco cavalos ou três bois. Enquanto isso, uma menina adolescente, no início da sua vida reprodutiva, por volta de doze anos de idade, pesaria pouco menos de três arrobas, ou 44 quilos. Num eventual leilão em praça pública — como era comum em todas as regiões brasileiras na época —, valeria 40% menos do que um garoto da mesma idade e seria arrematada por aproximadamente 60 mil réis, preço de três cavalos.[1]

Em 1767, o ano em que a balança de escravos foi construída, o Brasil já estava no seu terceiro século como o maior território escravista do Hemisfério Ocidental. A compra e a venda de gente começaram logo após a chegada da esquadra de Pedro Álvares Cabral à Bahia, em 1500, com a imediata escravização dos indígenas. Como já se viu no volume anterior desta trilogia, o primeiro registro de tráfico de escravos na história do Brasil é de 1511, ano em que a nau *Bretoa*, de propriedade do florentino Bartolomeu Marchionni e do cristão-novo Fernando de Noronha, chegou a Lisboa com uma carga de papagaios, peles de onças-pintadas, toras de pau-brasil e 35 indígenas cativos que seriam vendidos em Portugal. Quatro anos mais tarde, 85 indígenas brasileiros foram arrematados como escravos em Valência, na Espanha.[2]

O escravismo brasileiro alcançaria cifras industriais a partir da segunda metade do século XVI, com a chegada de milhares de cativos negros africanos. Nos três séculos seguintes, leilões em praça pública para a venda de pessoas no atacado e no varejo se tornaram cenas habituais, especialmente nos três principais portos de entrada dos navios negreiros — Recife, Salvador e Rio de Janeiro. Nessas ocasiões, homens e mulheres eram lavados, depilados, esfregados com sabão, untados com óleo de coco ou dendê, pesados, medidos, examinados e apalpados em suas partes íntimas, obrigados a correr, pular e exibir a língua e os dentes. Ao término desse metódico ritual, vendedores e compradores acertavam o preço de acordo com a idade, o sexo e o vigor físico dos cativos que, em seguida, eram marcados a ferro quente com as iniciais da fazenda ou do nome do seu novo proprietário. Por fim, com argolas e correntes atadas aos pés e ao pescoço, marchavam a pé rumo ao novo local de trabalho. No total, o Brasil escravizou cerca de 4,9 milhões de africanos, o equivalente a 40% dos 12,5 milhões que embarcaram da África para o continente americano até meados do século XIX. O auge do tráfico ocorreu entre o início do século XVIII e meados do século XIX. Em um período de 150 anos, 4 milhões de escravos atravessaram o Atlântico para trabalhar em fazendas, cidades, minas e garimpos brasileiros.

A escravidão começou para fornecer mão de obra ao corte de pau-brasil e à indústria do açúcar no Nordeste, as duas primeiras atividades relevantes do Brasil colônia, mas rapidamente se propagou por todos os segmentos da sociedade e da economia. O impulso decisivo foi dado pela descoberta de pedras e minerais preciosos, primeiro em Minas Gerais, depois em Goiás e Mato Grosso. Expedições capitaneadas pelos bandeirantes paulistas, inicialmente destinadas a escravizar os índios, foram redirecionadas à busca de novas riquezas no interior do território, forçando a expansão das fronteiras do Brasil rumo aos sertões do Centro-Oeste e da Amazônia. Pelos novos caminhos trilhados pelos colonizadores seguiam invariavelmente as caravanas de negros escravizados. Todos os aspectos da vida colonial giravam em torno da escravidão. No final do século XVIII, a posse de pessoas era generalizada entre os brasileiros, incluindo inúmeros escravos ou negros libertos que tinham seus próprios cativos.

INTRODUÇÃO

O século XVIII representa o início do apogeu do escravismo africano não apenas no Brasil, mas em todo o continente americano.[3] Nada menos do que 6 milhões de homens e mulheres cativos cruzaram o Atlântico em direção ao Novo Mundo no intervalo de apenas cem anos. Cerca de 85% das 36.110 viagens de navios negreiros para a América documentadas pelo banco de dados Slavevoyages.org aconteceram depois de 1700.[4] Por volta de 1750, negros escravizados eram vistos numa sucessão ininterrupta de colônias europeias que se desdobravam do Canadá até o sul da Argentina e do Chile atuais. A desproporção entre brancos e negros era enorme. Entre 1760 e 1820, para cada europeu que imigrava para América, outros 5,6 escravos chegavam da África. Na região do Caribe, ocupada por franceses, ingleses, holandeses, espanhóis e dinamarqueses, os negros constituíam mais de 90% da população.[5]

Na África, o impacto do tráfico negreiro seria enorme. A demanda cada vez maior por cativos e os preços crescentes pagos por eles desorganizou a economia do continente. Antigas atividades produtivas, como tecelagem, metalurgia, agricultura e pecuária, foram deixadas de lado sob a pressão do comércio escravista. Em lugar delas, instaurou-se um aumento crescente nas taxas de violência.[6] Aliada aos traficantes, uma nova elite militar africana surgiria à frente de Estados predatórios que, apoiados com armas e recursos europeus, nasceram e se firmaram com o propósito de lucrar com a guerra contra seus vizinhos, vendidos como prisioneiros para capitães de navios portugueses, ingleses, franceses, holandeses, dinamarqueses, alemães e norte-americanos. Assim floresceram os reinos de Futa Jalom, na Alta Guiné, entre os atuais países de Senegal e Guiné Bissau; Axante, cuja dinastia reinante sobrevive e governa ainda hoje no interior de Gana; Daomé e Oió, entre a atual República do Benim e a Nigéria; Cassanje e Lunda, em Angola. Todos eles alimentaram a engrenagem do tráfico, fornecendo escravos em troca de canhões, espingardas, chumbo, pólvora, tecidos, bebidas alcoólicas — em especial a cachaça brasileira —, rolos de fumo da Bahia, barras de cobre e ferro, contas de vidro, ornamentos, conchas marinhas do oceano Índico, entre outras mercadorias.

O século XVIII testemunharia também profundas mudanças na história humana, como o Iluminismo, a Revolução Industrial na Inglaterra, a independência dos Estados Unidos e a Revolução Francesa. Uma dessas transformações, o nascimento do abolicionismo britânico, levaria ao fim da própria escravidão na América no século seguinte. Todas essas novidades chegariam ao Brasil com certo atraso, mas com furor igual ao que redesenhou a paisagem política, filosófica e econômica em outras regiões do planeta. Foram as ideias iluministas que serviram de combustível para o primeiro grande movimento de ruptura na América Portuguesa: a Inconfidência Mineira, que teria seu desfecho mais trágico na manhã de 21 de abril de 1792, data da execução do alferes Joaquim José da Silva Xavier, o Tiradentes — ele próprio dono de seis negros escravizados em Minas Gerais.

O agitado e rebelde século XVIII e a gigantesca onda africana que o marcou são os temas deste segundo livro da trilogia sobre a história da escravidão no Brasil. O volume inicial da obra, lançado em 2019, cobriu um período de 250 anos, do primeiro leilão de cativos africanos em Portugal, ocorrido na vila de Lagos, região do Algarve, em 8 de agosto de 1444, diante do príncipe dom Henrique, o Navegador, até morte de Zumbi dos Palmares, em 20 de novembro de 1695. Este segundo volume concentra-se no período mais decisivo na edificação da hoje grande e bela, embora também sofrida e discriminada, África brasileira. Nos capítulos que compõem esta obra, procuro mostrar essa construção sob diferentes ângulos, como a família escrava, o papel das mulhe-

INTRODUÇÃO

res, as alforrias, a escravidão urbana, as festas, irmandades e práticas religiosas, a assimilação, as fugas, as rebeliões e os movimentos de resistência. São todos temas de uma historiografia relativamente recente e que contribuem de forma decisiva para um novo entendimento a respeito da escravidão. O terceiro e último volume será dedicado ao Movimento Abolicionista, que resultou na Lei Áurea de 13 de maio de 1888, e ao legado da escravidão ainda hoje presente na realidade brasileira.

Estima-se que, no século XVIII, cerca de 600 mil escravos se envolveram na mineração de ouro e diamantes de Minas Gerais, Goiás e Mato Grosso, o que representaria 20% do total de cativos africanos trazidos para o Brasil nesse período. Até 1693, ano da primeira descoberta oficial de ouro, a população negra de Minas Gerais era praticamente zero. Esse número cresceu de forma exponencial nos anos seguintes. Na virada do século, os mineradores já compravam 2 mil escravos por ano, número que subiu para 4 mil por volta de 1720, saltando para 6 mil escravos dez anos mais tarde, até atingir o pico de 7.360 anuais entre 1739 e 1741. Em média, nessa época, vinte novos cativos chegavam todos os dias às regiões auríferas e diamantinas. Como resultado, por volta de 1780, a capitania de Minas Gerais era a mais populosa do Brasil, com 394 mil habitantes, dos quais 174 mil eram escravos. Dos 220 mil moradores restantes, dois terços eram negros forros, ou seja, que tinham alcançado a própria liberdade por variados meios. Os brancos formavam um grupo relativamente pequeno, de cerca de 70 mil pessoas, ou 18% sobre o total de habitantes.[7] No conjunto, cativos e libertos compunham a maior concentração de pessoas de origem africana registrada até então em todo o continente americano.

Tiveram impulso também em Minas Gerais três fenômenos que marcariam profundamente a face do escravismo brasileiro até o final do século XIX. O primeiro foi o nascimento de uma escravidão urbana, de serviços, de características muito diferentes daquela observada nas antigas lavouras de cana-de-açúcar que ainda predominavam na região Nordeste. A escravidão urbana deu maior mobilidade aos escravos e gerou uma nova cultura brasileira, em que hábitos de origem africana se misturaram a outros, de raiz europeia ou indígena, com profundas influências em todos os aspectos da vida colonial, incluindo a culinária, o vestuário, as festas e danças, os rituais religiosos e o uso dos espaços públicos. O trabalho escravo foi responsável pelo surgimento de dezenas de novas vilas e cidades no interior do Brasil. Ouro Preto, mais importante centro de mineração aurífera em Minas Gerais, chegou a ter uma população de 20 mil habitantes por volta de 1740, tão grande quanto as de Salvador e Rio de Janeiro, as duas maiores cidades coloniais da época. Arquitetos, mestres de obra, pintores, escultores e compositores negros ou mestiços, escravos e libertos — caso de Antônio Francisco Lisboa, o Aleijadinho —, construíram palácios e igrejas barrocas que ainda hoje deslumbram turistas e estudiosos do mundo inteiro em visita às cidades históricas mineiras.

O segundo fenômeno foi o crescimento dos processos de alforria. Em média, cerca de 1% dos escravos brasileiros obtinha a própria liberdade anualmente.[8] Essa taxa estendida ao longo de três séculos de regime escravista resultou numa significativa população negra livre no país, maior do que em qualquer outro território escravista da América. Por volta de 1780, havia no Brasil 406 mil afrodescendentes libertos, cifra equivalente a mais de um quarto de toda a população escrava. Em Minas Gerais, o aumento da população negra e mestiça livre foi particularmente acelerado, até que, na primeira década do século XIX, finalmente ultrapassou a de escravos e se tornou o grupo demográfico mais numeroso. Desenhava-se ali um panorama muito diferente daquele observado em outras regiões escravistas da América, em

INTRODUÇÃO

que a possibilidade de alforria era praticamente nula. O terceiro fenômeno importante relacionado à história da escravidão no Brasil do século XVIII diz respeito ao papel das mulheres. Foram elas as protagonistas de inúmeras histórias de resiliência e superação que mudaram a paisagem escravista brasileira.

A pesquisa deste segundo volume da trilogia envolveu, na minha jornada pessoal, uma travessia ao mesmo tempo concreta e simbólica, de certa forma seguindo as ondas deixadas pelos navios negreiros no Atlântico. O trabalho de reportagem do primeiro volume, lançado em 2019, se concentrara no continente africano — pela óbvia razão de que, ao estudar a escravidão, é preciso começar sempre pela África. Ao todo, fiz cinco viagens a oito países africanos: Cabo Verde, Angola, Senegal, Gana, República do Benim, Marrocos, Moçambique e África do Sul. Nessas visitas, conheci as regiões, as rotas, os castelos e as feitorias de onde saíram os escravos trazidos para o Brasil.

Para este segundo livro, o foco da pesquisa foi o Brasil. Em Pernambuco, visitei antigos engenhos de açúcar, alguns com suas casas-grandes e senzalas ainda relativamente bem preservadas. É o caso do engenho Uruaé, no município de Condado, Zona da Mata Norte, que pertenceu ao conselheiro João Alfredo, chefe do gabinete de ministros da princesa Isabel por ocasião da assinatura da Lei Áurea de 1888, hoje transformado em centro pedagógico onde professores e estudantes têm contato com uma notável coleção de instrumentos usados na punição de escravos até o final do século XIX. Na serra da Borborema, Agreste Paraibano, participei de rodas de conversas com as moradoras dos quilombos Cruz da Menina e Caiana dos Crioulos. São ambas comunidades femininas, lideradas por mulheres fortes e corajosas, uma vez que seus maridos, pais, filhos e irmãos se viram obrigados a ir embora, em busca de empregos e oportunidades nas grandes capitais do Sudeste. Também visitei quilombos em Alagoas, Minas Gerais, São Paulo e Rio de Janeiro. Alvos frequentes de ataques e preconceito, inclusive de altas autoridades da República, os quilombolas brasileiros sobrevivem com dificuldades, sem acesso aos mais elementares serviços públicos, assolados pelas intempéries, pela infertilidade do solo e pelo isolamento geográfico, e, ainda assim, conseguem preservar a memória e a identidade de uma parte riquíssima da cultura afro-brasileira.

Em Cachoeira, Recôncavo Baiano, fui testemunha de uma noite de beleza e encantamento ao acompanhar o rufar dos atabaques que ditavam o ritmo das danças de vuduns e orixás de um terreiro de candomblé de tradição jeje-mahi, o *Humpame Ayono Huntoloji*, também conhecido como Alto da Levada. Também tive a oportunidade de conhecer e entrevistar pessoas que me ajudaram a entender melhor o universo cultural dos escravos e seus descendentes, incluindo as religiões de matriz africana, infelizmente hoje também alvo de agressões por parte de grupos fundamentalistas de outros credos religiosos. Em Diamantina, antigo arraial do Tijuco, centro da mineração de diamantes no século XVIII, percorri a pé trechos do Caminho dos Escravos que margeia o rio Jequitinhonha. Em Alagoas, refiz, também a pé, parte da rota de fuga de Zumbi dos Palmares, entre a serra da Barriga, último reduto do famoso quilombo, até a serra Dois Irmãos, onde o mais importante personagem da história negra brasileira morreu, em 1695. Em Ouro Preto, deslumbrei-me diante de igrejas, museus, casarões e antigas minas de ouro, tudo fruto do trabalho escravo. No Rio de Janeiro, estive no cais do Valongo, o mais importante entreposto do tráfico negreiro da América no começo do século XIX, e, ali mesmo nas vizinhanças, no Instituto Pretos Novos, centro cultural instalado sobre uma antiga vala de sepultamento de cativos recém-chegados da África.

INTRODUÇÃO

Seguindo o estilo do volume anterior, este livro reúne na forma de ensaios e reportagens as observações que fiz nessas viagens e também o meu aprendizado pessoal depois de percorrer uma vasta bibliografia sobre o assunto nos últimos sete anos. Ao todo, li cerca de duzentos livros de autores brasileiros e estrangeiros, antigos e contemporâneos, cujas informações e análises procurei consolidar em texto jornalístico, de fácil compreensão, traduzindo desse modo a experiência acumulada ao longo de mais de 42 anos de exercício da profissão como repórter e editor de jornais e revistas. Fugi, sempre que possível, da tentação de uma narrativa linear e cronológica. Em vez disso, cada capítulo pode ser lido separadamente, como se fizesse parte de um painel mais amplo, a escravidão, tema que, como afirmei na introdução do volume anterior, julgo ser o mais importante de toda a história do Brasil.

Os 31 capítulos a seguir poderiam ser divididos em quatro blocos principais. O primeiro, até o capítulo 10, trata da corrida do ouro em Minas Gerais, Goiás e Mato Grosso, da expansão das fronteiras da América Portuguesa que levaria à assinatura do Tratado de Madri, em 1750, e das características principais da sociedade colonial brasileira no século XVIII. O segundo, do capítulo 11 ao 16, é sobre o impacto do tráfico negreiro no continente africano entre 1700 e 1800. O terceiro, do 17 ao 26, aborda a construção das muitas e diferentes faces da África brasileira como consequência da escravidão, incluindo alguns dos seus aspectos mais importantes, como o trabalho, a violência, a possibilidade de alforria e de constituição de famílias no cativeiro, as irmandades religiosas, o papel das mulheres, as fugas e a formação de quilombos. O quarto e último, que vai até o capítulo 31, contém um resumo das grandes revoluções e transformações da segunda metade do século XVIII, cuja consequência principal para os brasileiros e portugueses foi a transferência da corte de dom João para o Rio de Janeiro, em 1808, acontecimento que deu início ao processo de independência do Brasil.

A escravidão é atualmente objeto de uma notável produção acadêmica, no Brasil e no exterior, tão numerosa e variada que às vezes torna-se difícil ao pesquisador manter-se atualizado a respeito dela. A quantidade e a complexidade das informações crescem na medida em que se avança no tempo. As fontes, relativamente escassas entre os séculos XVI e XVII, aumentam significativamente nos dois séculos seguintes. Isso exige de quem se debruça sobre o tema um olhar atento, disposto a aceitar novas interpretações e conclusões que nem sempre estão de acordo com narrativas e análises que, no passado, pareciam inquestionáveis. Desse esforço tem resultado uma visão menos monocromática do escravismo brasileiro.

Uma observação mais atenta do Brasil no século XVIII permite, por exemplo, superar duas visões hoje ultrapassadas a respeito do comportamento do escravo dentro do sistema escravista. A primeira, celebrizada no clássico *Casa-grande & senzala*, de Gilberto Freyre, é a do negro passivo e apático, bem adaptado ao mundo dos brancos e vivendo sob as ordens da casa senhorial e relativamente benévola, incapaz de reagir, protestar ou se rebelar. Segundo Freyre, o português teria sido "o colonizador europeu que melhor confraternizou-se com as raças chamadas inferiores; o menos cruel nas relações com os escravos".[9] A segunda visão anacrônica, nascida das ideias e lutas marxistas do século XX, é a do negro em permanente estado de rebelião, constantemente planejando ações para se livrar do cativeiro. Essa imagem idílica do escravo não corrompido pela opressão dos brancos, que jamais se curvou ao sistema escravista, que se rebelou sempre que pôde e lutou pela liberdade na forma de quilombos ou enfrentamentos armados contra seus opressores, predominou até recentemente em muitos estudos. Pesquisas realizadas nos

INTRODUÇÃO

últimos anos têm ampliado o foco para incluir outros aspectos da resistência negra, menos dramáticos do que as fugas e rebeliões, mas igualmente importantes.

Esses novos estudos têm levado a um entendimento mais complexo e diversificado do sistema escravista, marcado por nuances até pouco tempo atrás ignoradas ou subestimadas, nas quais os cativos se envolviam em processos contínuos e sutis de negociação e barganha, sempre testando os limites do sistema escravista em busca de ampliar seus espaços e oportunidades. "Pequenas faltas, fugas rápidas, corpo mole no trabalho, malfeito ou inacabado, fingir não dominar a língua ou as ordens, eram todas formas de resistência que não necessariamente incluíam o enfrentamento direto", observou a historiadora Maria Helena Pereira Toledo Machado.[10] O objetivo, como escreveu David Brion Davis, tinha pouco a ver com o conceito abstrato de liberdade. Em vez disso, os escravos lutavam por coisas concretas, como o direito de constituir e manter famílias, cultivar suas próprias hortas e pomares e vender seus produtos nas feiras livres, dançar ao som do batuque nas horas de folga e praticar seus cultos religiosos, muitos deles de matriz africana.[11]

Sob essa nova interpretação, os escravos aparecem como agentes de seu próprio destino, negociando espaços dentro da sociedade escravista, organizando irmandades religiosas, formando um sistema complexo de apadrinhamento, parentesco e alianças que muitas vezes incluíam participar de milícias ou bandos armados para defender os interesses do senhor contra os de um vizinho ou fazendeiro rival. Estabeleciam-se, desse modo, contratos não verbais e não escritos, pelos quais se desenhava uma nova fronteira entre senhores e escravos. Resistir, neste caso, significava "a aceitação de certas normas tácitas de convivência mútua", segundo Maria Helena Pereira Toledo Machado.

Por fim, ao estudar a história da escravidão no século XVIII, é preciso sempre levar em conta como a sociedade da época encarava o tema. Como observou a historiadora Mariza de Carvalho Soares, naquele tempo ainda não circulava entre os brasileiros, escravos ou livres, o ideário abolicionista que, sob influência dos britânicos, marcaria o século XIX. A escravidão era um fato da vida aceito, praticamente sem questionamentos, por brancos, negros, livres ou cativos. Mesmo as irmandades religiosas de negros e mestiços eram donas de escravos, uma vez que esse era o costume vigente. Pessoas cativas almejavam a alforria, o que nem sempre era sinônimo de abolicionismo. Uma vez conquistada a liberdade legal, inúmeros ex-escravos se tornaram também donos de escravos, fenômeno que, como se verá neste livro, longe de ser uma exceção, foi uma regra no escravismo brasileiro.[12]

Como nota final desta introdução ao segundo volume da trilogia, gostaria de uma vez mais chamar a atenção dos leitores para algumas sutilezas e preocupações de natureza semântica que me desafiam na escrita da obra. Já havia tratado do assunto na introdução do volume anterior, mas julgo necessário voltar a ele em respeito aos leitores, especialmente os afrodescendentes, que tanto têm lutado para se fazerem ouvir no Brasil de hoje — uma luta intensa e profunda o suficiente para se estender até mesmo ao terreno da linguística e que precisa ser respeitada e levada a sério por todos os brasileiros. A discussão diz respeito ao uso de palavras e expressões que hoje são apontadas como portadoras de conotação pejorativa e racista.

A língua portuguesa, a exemplo de qualquer outro idioma, é um organismo vivo, em constante processo de evolução, transformação e adaptação, como se fosse uma planta, um animal ou um ser humano. Palavras nascem e morrem. Ou se adaptam e mudam de sentido de acordo com a conjuntura de cada momento. Assim sendo, vocábulos nunca podem ser tombados ou con-

INTRODUÇÃO

gelados, como se fossem objetos de museu, na forma original em que entraram para os dicionários. Por outra analogia, uma língua poderia ser comparada a um rio caudaloso que corre para o imenso e belo oceano da comunicação humana. Na sua jornada, um grande rio vai recebendo contribuições de seus afluentes na forma de compostos orgânicos, minerais e nutrientes adicionados às águas pela ação dos ventos, das chuvas e da erosão. Assim também o idioma se transmuta para incluir novos códigos e signos incorporados à cultura de um povo. A história da escravidão e seu legado são hoje um dos tributários da língua portuguesa em mais rápido processo de mutação. Palavras que no passado tinham uso corrente, que eram usadas em documentos e amplamente aceitas e entendidas pelas pessoas, hoje adquiriram outros significados, resultantes principalmente de novas reflexões que estão sendo feitas a respeito do seu sentido original.

Até algum tempo atrás, usava-se com certa naturalidade o verbo "denegrir", que ainda hoje aparece nos dicionários da língua portuguesa como sinônimo de tornar negro, escurecer, enegrecer e também de desacreditar, difamar, antônimo de enaltecer, glorificar, enobrecer e exaltar. A associação entre os dois significados faz de "denegrir" uma palavra obviamente ofensiva para a população afrodescendente que, portanto, deve ser evitada. Outro exemplo é o vocábulo "mulato" ou "mulata". Um dos maiores sucessos de todos os tempos nos bailes de carnaval foi a marchinha "O teu cabelo não nega", de Lamartine Babo com os irmãos João e Raul Valença, cujos versos diziam:

> *O teu cabelo não nega mulata*
> *Porque és mulata na cor;*
> *Mas como a cor não pega, mulata,*
> *Mulata quero teu amor*

Até algum tempo atrás, muitos foliões brasileiros cantariam a famosa marchinha sem pensar duas vezes no seu conteúdo obviamente racista. Hoje, felizmente, essa percepção mudou.

Existem duas teorias para a origem da palavra mulato. Na primeira, viria do árabe *mowallad* (ou *muladi*), termo usado para definir o indivíduo nascido de pai árabe e mãe estrangeira, portanto, "filho de pais de etnias diferentes". Sob influência da ocupação moura da Península Ibérica, entre os séculos VIII e XV, teria sido incorporado aos dicionários e documentos franceses (*mulâtre*), britânicos (*mulatto*), holandeses (*mulat*), portugueses e espanhóis (*mulato*, em ambos os idiomas).

Pela segunda teoria, a expressão "mulato" teria raízes claramente racistas e pejorativas. Seu prefixo "mula" viria do latim *mulus*, designação de um animal híbrido, incapaz de se reproduzir, resultante do cruzamento do jumento com a égua. Desse modo, por semelhança, mulato seria o termo adotado para designar pessoas também híbridas ou mestiças, descendentes de negros e brancos, produto de uma raça ou linhagem "impura". A expressão era assim definida já em 1713, no *Vocabulário portuguez e latino*, de Dom Raphael Bluteau:

> *Filho e filha de branca e negro ou de negro e mulher branca. Este nome mulato vem de mú ou mulo, animal gerado de dois outros de diferentes espécies.*

No mesmo dicionário, o vocábulo "branco" aparecia como sinônimo de "bem-nascido, e que até na cor se diferencia dos escravos, que de ordinário são pretos ou mulatos". Pardo, por sua vez, era definido como "cor entre branco e preto, própria do pardal, donde lhe parece veio o nome".[13]

Seja lá qual for a origem correta de "mulato", só a raiz etimológica de uma palavra não a isenta dos signos pejorativos

INTRODUÇÃO

hoje associados a ela. Se o vocábulo — venha ele do árabe *mo-wallad* ou do latim *mulus* — tornou-se ofensivo para uma parte da população brasileira, é preciso respeitar essas sensibilidades e, tanto quanto possível, evitá-lo. Palavras, portanto, carregam significados que transcendem a sua própria etimologia. Como bem observou o jornalista e escritor Sérgio Rodrigues, o uso ou não dessas palavras é "uma decisão moral que cada falante, de posse das informações pertinentes, deve tomar sozinho".[14]

É preciso também lembrar que a palavra "mulata" acabou se tornando um ícone da proverbial misoginia brasileira ao associá-la a mulheres voluptuosas, de fácil acesso, sexualmente disponíveis — a mitológica "mulata que encanta os turistas estrangeiros no carnaval brasileiro", segundo uma mensagem muito recorrente em propagandas do turismo nacional no exterior. Merece atenção, portanto, o alerta da historiadora gaúcha Liliam Ramos da Silva, da Universidade Federal do Rio Grande do Sul: "Os estudiosos da língua portuguesa no Brasil não escutam os movimentos negros em suas reivindicações, mantendo as situações de poder através da língua".[15]

Para quem se envolve na escrita de um livro, especialmente a respeito de um tema delicado como o da escravidão, este é um grande e complexo desafio. Tanto quanto possível, procurei evitar o uso aleatório de palavras consideradas pejorativas ou preconceituosas a pelo menos uma parte dos leitores, como os afrodescendentes. Sempre que plausível, procurei substituir "mulato" por "mestiço", mesmo correndo o risco de uma certa imprecisão. Ao grafar "crioulo", palavra igualmente sensível aos ouvidos de parte da população brasileira, preocupei-me sempre em explicar que assim eram chamados os negros, escravos ou libertos, nascidos no Brasil, enquanto os africanos recém-chegados eram denominados "pretos novos" e "boçais". Por vezes, no entanto, o uso desses vocábulos torna-se inevitável por constar da grafia original dos documentos. Era assim que apareciam, por exemplo, nos textos do padre jesuíta André João Antonil, do começo do século XVIII. Na mesma época, membros de irmandades religiosas negras ou mestiças se autodenominavam de "crioulos", "mulatos" ou "pardos". Seria incorreto mudar essas designações atualmente, já que essas expressões são marcas de uma época e estão inseridas em seu contexto temporal, o que também torna necessária essa ressalva para o leitor do século XXI, que as compreende de acordo com outro contexto.

Portanto, recomendo aos leitores que, ao percorrer as páginas deste livro, tenham sempre em mente o meu esforço de fugir de palavras ofensivas, mantendo, ao mesmo tempo, o compromisso de fidelidade ao seu significado na documentação original. Esses vocábulos, como se sabe, estiveram por tanto tempo de tal forma arraigados à nossa maneira de pensar e falar que, por maior que tenha sido meu empenho, com certeza nem sempre fui bem-sucedido. Mas, honestamente, tentei.

Laurentino Gomes
Itu, São Paulo, maio de 2021

1. A FRONTEIRA

"Mouro, branco, negro, índio,
mulato e mestiço, tudo serve."

CONDE SILVA-TAROUCA, diplomata português, sobre
a necessidade de gente para povoar o Brasil, em 1752

VILA BELA DA SANTÍSSIMA TRINDADE, Mato Grosso, é longe de tudo. Até o Rio de Janeiro são 2.500 quilômetros. Até São Paulo, 2.050. Até Cuiabá, a capital do estado, 520. O fuso horário, uma hora a menos que o de Brasília, é o mesmo de Manaus, Boa Vista e Porto Velho. A pé pode-se chegar à fronteira com a Bolívia, na margem oposta do rio Guaporé, que atravessa o município e cujas águas correm para o oeste, rumo aos rios Mamoré, Madeira e Amazonas. Além da distância, há o isolamento geográfico. A leste e ao norte erguem-se, majestosos, os contrafortes da Serra dos Parecis, de cujas vertentes descem os riachos que formam duas das mais importantes bacias hidrográficas brasileiras — a Amazônica e a dos rios Paraguai e Paraná. Ao sul está o Pantanal Mato-Grossense, uma das maiores áreas alagadas do planeta.

A oeste, as florestas e pântanos do Chaco Boliviano, que se estendem por centenas de quilômetros até o sopé da cordilheira dos Andes.

Dois pormenores despertam a curiosidade dos raros visitantes que por lá passam atualmente. O primeiro são as ruínas de um edifício imponente, de estilo arquitetônico espanhol, sólido e austero, erguido no centro da cidade. É uma gigantesca catedral inacabada. Por alguma razão, à primeira vista misteriosa, ficaram prontos apenas o frontispício e metade do que seria a nave principal da igreja. O restante nunca chegou a ser construído. As paredes laterais, enormes, de pedra e argamassa de barro, com mais de dois metros de espessura, acabam de forma abrupta no vazio. Pela ação das chuvas e dos ventos, parte do conjunto desabou há muito tempo. Sem dinheiro para preservá-lo, as autoridades locais improvisaram uma cobertura de acrílico e lona plástica, hoje esburacada pelas tempestades de granizo.

O segundo detalhe pitoresco é o aspecto da população local. Com 16.128 habitantes,[1] Vila Bela da Santíssima Trindade é uma cidade negra. Dois entre três moradores são descendentes de africanos. É gente simples, alegre e simpática, de sorriso fácil, que luta para manter vivas tradições herdadas de muitos séculos atrás e nas quais se misturam elementos de diferentes origens — africanos, indígenas e europeus. O calendário dos festejos concentra-se no meio do ano, entre junho e final de julho. Na dança do Congo, os homens tocam tambores, vestem túnicas, barretes e adereços tipicamente africanos. Na cabeça, porém, levam penachos de aves, fitas e flores de cores vivas, de feição indígena, semelhantes à indumentária dos grupos de maracatu do carnaval pernambucano. Na dança do chorado, as mulheres se apresentam com saias rodadas e estampadas, que lembram muito as roupas das mães e filhas de santo do candomblé da Bahia e as vestimentas das *cholas*, famosas mestiças de índios e brancos que

A FRONTEIRA

vivem nos altiplanos da Bolívia. O sincretismo cultural e religioso se completa com a participação de todos em missas, rezas e procissões em homenagens a são Benedito, santo católico de devoção negra no Brasil colonial, ao Divino Espírito Santo e às Três Pessoas da Santíssima Trindade. Uma bebida de origem africana e indígena, a *kanjinjin* (ou *kangingin*), à base de cachaça, ervas, gengibre, mel, cravo e canela, serve de combustível na intensa maratona de festas e danças que atravessa as madrugadas.

Primeira capital de Mato Grosso, fundada em 1752, Vila Bela da Santíssima Trindade é uma cápsula do tempo e do espaço. Nas suas estranhas ruínas e no rosto de seus habitantes estão os registros das dores e dos sonhos de riqueza fácil que alimentaram os grandes enfrentamentos e ambições do Brasil colonial no século XVIII. Os tempos de esplendor e glória de Vila Bela nasceram do nada e desapareceram com a mesma rapidez. Sua história é parte do processo épico e violento que empurrou a fronteira brasileira rumo ao oeste, impulsionado pela fome de ouro e pela escravidão africana.

Até o início do século XVIII, a área geográfica hoje ocupada pelos estados de Goiás, Tocantins, Mato Grosso e Mato Grosso do Sul estava situada muito além dos limites fixados pelo Tratado de Tordesilhas, que, assinado em 1494, dividia ao meio o Brasil atual. Pelos termos do tratado, uma linha imaginária partia da Baía de Marajó, no estuário do Amazonas, e ia até Laguna, em Santa Catarina, ficando a porção leste do território com os portugueses e o restante com os espanhóis. Ainda assim, a região já era frequentada desde o século anterior pelos bandeirantes paulistas, em suas incursões de captura dos índios nos sertões. Uma dessas expedições, a bandeira dos irmãos Fernando e Arthur Paes de Barros, chegou até as margens do rio Guaporé em 1731. O objetivo era escravizar os parecis, habitantes da chapada que hoje lhes toma o nome de empréstimo. Ao acampar, no entanto,

3 7

às margens dos riachos Sararé e Galera, afluentes do Guaporé, os bandeirantes descobriram uma riqueza inesperada e ainda mais valiosa: ouro, muito ouro, tão à flor da terra que se podia pegar as pepitas com as mãos.

Acontecimento semelhante ocorrera algum tempo antes, em 1719, quando a bandeira de Paschoal Moreira Cabral Leme, depois de sofrer uma derrota para o povo Coxiponé que tentavam escravizar entre os rios Mutuca e Coxipó, localizou os primeiros depósitos e veios de ouro que mais tarde seriam conhecidos como as Minas do Cuyabá — a segunda maior descoberta de pedras e minerais preciosos no Brasil depois de Minas Gerais. As jazidas eram tão ricas que, no espaço de um mês, produziram quatrocentas arrobas de minério, quase seis toneladas, a carga de um caminhão de porte médio atual.

A divulgação de notícias tão espetaculares provocou uma corrida aos sertões do Centro-Oeste. No dia 1º de janeiro de 1727, na presença do governador da capitania de São Paulo, Rodrigo César de Meneses, o pequeno e caótico arraial de Vila Real do Bom Jesus do Cuiabá seria elevado à categoria de vila. Para chegar até lá, o governador viajou quase dois meses à frente de uma "monção", um comboio fluvial composto por mais de trezentas canoas, nas quais seguiam cerca de 3 mil pessoas. Entre as provisões que mandou embarcar constavam, além da dieta básica da época, composta por farinha de mandioca, milho, feijão e trigo, curiosidades como quatro arrobas de chocolate, sete de manteiga, quatro de cuscuz, sessenta queijos, oito barris de vinho, três de aguardente e cinco de azeite de oliva.[2]

Naquele mesmo ano já havia 2.600 índios e negros escravizados labutando nas novas minas de ouro da região. Duas décadas mais tarde, por uma carta régia de 9 de maio de 1748, seria criada a nova capitania de Mato Grosso. A implantação do governo, no entanto, só ocorreria em 1751, com a chegada do capitão-

-general Antônio Rolim de Moura, português nascido na Vila de Moura, no Alentejo, que trazia instruções do Conselho Ultramarino português para erguer a nova capital o mais a oeste possível no território colonial na América.

Em 19 de março de 1752, Rolim de Moura fundou Vila Bela da Santíssima Trindade, o posto mais avançado do império colonial lusitano dentro dos antigos territórios espanhóis. No seu primeiro censo populacional, feito no mesmo ano, foram registradas 2.227 almas, das quais 1.175 eram escravas. Os demais 1.052 moradores, pessoas livres, eram em sua maioria mulatos. Os brancos somavam apenas setenta, dos quais só 10% eram casados. A escassez aguda de mulheres fez com que o governador pedisse que lhe enviassem de Cuiabá "uma negra forra", para a qual, depois de chegada, "mandou fazer casa e forno à sua custa".[3] Em um mapa de 1777, a vila aparecia identificada como "a capital mais ocidental do Brasil". No desenho estão demarcadas oito ruas, o palácio do governo, a catedral ainda em construção, o quartel dos soldados, uma forja, uma olaria e a "casa das canoas", o depósito onde eram guardados os barcos que desciam a bacia do Amazonas, penetrando ainda mais profundamente o coração do Brasil.

Vila Bela funcionou como capital até 1835, treze anos depois da Independência, quando o governo imperial brasileiro decidiu transferir a sede administrativa da capitania de Mato Grosso para Cuiabá, cuja região por volta de 1860 teria 19.543 habitantes, dos quais 7.158 eram escravos. A mudança teve efeito catastrófico para Vila Bela. Como os depósitos de ouro de aluvião do Guaporé já estavam esgotados, os colonizadores brancos foram todos embora, incluindo mineradores, comerciantes, militares e funcionários públicos que até então animavam a cidade. Para trás, abandonados à própria sorte, ficaram seus escravos idosos e mais frágeis, mulheres, crianças e doentes, dos quais descendem os atuais habitantes do município. A construção da magnífica catedral, iniciada na segunda metade do século anterior, foi subitamente interrompida, pela metade, como se vê hoje nas suas ruínas. O comércio entrou em declínio. Restaram apenas as lavouras e atividades de subsistência, como a caça, a pesca e a fabricação de farinha de mandioca. Ao passar por ali, já no final do século xix, o general, médico e professor João Severiano da Fonseca, irmão do proclamador da república, Deodoro da Fonseca, relatou que os moradores permaneciam o ano todo no mais completo isolamento. A única escola primária era frequentada por 51 alunos.

Responsável pela criação de fenômenos surpreendentes e fugazes como Vila Bela da Santíssima Trindade, a febre do ouro mudou por completo a paisagem econômica e geográfica da América Portuguesa. Nos duzentos anos anteriores, a colonização se dera apenas ao longo do litoral. Entre as dezesseis vilas e cidades fundadas pelos portugueses no século xvi, apenas uma, São Paulo de Piratininga, de 1554, estava localizada além da serra do Mar, a enorme barreira topográfica que separava a costa brasileira dos planaltos no interior do território. O mesmo padrão se repetiria no século seguinte. Até 1700, a maioria das novas comunidades urbanas localizava-se em pontos estratégicos de defesa da costa brasileira, como Paraty, no Rio de Janeiro, Belém, no Pará, e São Francisco do Conde, na Bahia. Entre as exceções estava a vila de Itu, chamada de "a Boca do Sertão", fundada em 2 de fevereiro de 1610, e de onde os bandeirantes paulistas desciam o rio Tietê à caça de indígenas para escravizar.

Frei Vicente de Salvador, considerado o primeiro historiador do Brasil, reclamava que os portugueses, embora fossem gente corajosa e desbravadora de sertões, contentavam-se a viver ao longo do mar, "como caranguejos", sem se arriscar continente adentro:

Da largura, que a terra do Brasil tem para o sertão não trato,
porque até agora não houve quem a andasse, por negligência
dos portugueses, que sendo grandes conquistadores de terras
não se aproveitam delas, mas contentam-se de as andar ar-
ranhando ao longo do mar, como caranguejos.[4]

A busca por ouro e diamantes mudaria radicalmente o perfil da ocupação do território. Entre 1700 e 1800 foram fundadas nada menos que 49 vilas, a maioria delas muito além da serra do Mar em direção ao interior, caso de Vila Boa, atual cidade de Goiás, também conhecida como Goiás Velho, terra da poetisa Cora Coralina. Interligando essas novas localidades nasceria também uma extensa rede de comunicação por rios e caminhos, ao longo dos quais se estabeleceriam os chamados registros, pontos de fiscalização para coleta de impostos e combate ao contrabando. Ao todo, mais de cem desses registros foram criados durante o século XVIII. Alguns estavam situados em lugares longínquos, como Arraias, no sudeste do atual estado do Tocantins, quase na divisa com Goiás e Bahia; Jauru, no Mato Grosso; e nas margens do rio Madeira no hoje estado de Rondônia.

Em Minas Gerais, um dos registros ficava no Sítio das Abóboras, onde uma capela dedicada a são Gonçalo do Amarante daria origem ao arraial de São Gonçalo da Contagem das Abóboras, atual município de Contagem, no cinturão industrial de Belo Horizonte. No sul, feiras e postos de tributação das tropas de muares e animais de tração que faziam o comércio de mercadorias com demais regiões estariam na gênese dos atuais municípios de Viamão, no Rio Grande do Sul, Lapa, no Paraná, e Sorocaba, em São Paulo. Esses postos de fiscalização às vezes iam mudando de lugar à medida que os contrabandistas e sonegadores de impostos abriam novas rotas clandestinas para burlar os controles já estabelecidos. Documentos atestam pelos menos quatro diferentes localizações do registro de Lages, em Santa Catarina, uma das rotas favoritas do contrabando de ouro e diamantes rumo à bacia do Prata.[5]

Marco das transformações na geografia do Brasil colonial foi o Tratado de Madri, firmado em 1750 pelos reis João v, de Portugal, e Fernando vi, da Espanha. Negociado e redigido pelo diplomata brasileiro Alexandre de Gusmão, nascido em Santos, litoral paulista, o acordo revogou, na prática, o Tratado de Tordesilhas ao reconhecer as novas fronteiras coloniais pelo critério *uti possidetis, ita possideatis*, um princípio do direito privado romano segundo o qual quem possui um bem ou território de fato, deve possuí-lo também por direito. Com isso, o mapa oficial do Brasil adquiriu seus contornos aproximados de hoje e mais do que dobrou de tamanho, passando a incorporar, ao norte, toda a Bacia do Amazonas, indo até as margens do rio Guaporé a oeste (no atual estado de Rondônia) e as margens dos rios Paraguai e Paraná dali para o sul. A criação da capitania de Mato Grosso, com sua capital em Vila Bela da Santíssima Trindade, foi uma das consequências imediatas do tratado.[6] Dali, o governador do Mato Grosso, Luís Albuquerque de Melo Pereira e Cáceres, comandaria, na segunda metade do século, a construção de uma linha de defesa nos limites do novo território brasileiro, como os fortes Príncipe da Beira, no hoje município de Costa Marques, em Rondônia, e Coimbra, à margem direita do rio Paraguai, na região do atual município de Corumbá, no Mato Grosso do Sul.

As preocupações da Coroa portuguesa com a ocupação do território e a segurança das fronteiras estavam resumidas nas instruções enviadas por Sebastião José de Carvalho e Melo, futuro marquês de Pombal, então ministro do rei dom José i, a Morgado de Mateus, governador de São Paulo, em 1765:

O espírito pode ser reduzido a três pontos principais: o primeiro, garantir as fronteiras; o segundo, povoar de modo que elas possam ser defendidas; terceiro, fazer uso proveitoso das minas e riquezas que possam ser descobertas nesse vasto continente.[7]

Em outra carta, anterior a essa, com o carimbo de "secretíssima", enviada em 21 de setembro de 1751 a Gomes Freire de Andrade, governador da capitania do Rio de Janeiro e futuro conde de Bobadela, Carvalho e Melo tratava da necessidade de "povoar, guarnecer e sustentar uma tão desmedida fronteira". O grande desafio, segundo ele, seria encontrar gente para ocupar um território tão imenso, de dimensões continentais. Portugal, na época, tinha cerca de dois milhões de habitantes e já havia sofrido uma grande sangria populacional nos dois séculos anteriores, durante a expansão dos limites do seu vasto império ultramarino. Por essa razão, ponderava o futuro marquês de Pombal:

Este grande número de gente não pode humanamente sair deste reino e ilhas adjacentes; porque ainda que as ilhas e o reino ficassem inteiramente desertos, isso não bastaria para que esta vastíssima raia fosse povoada.

Onde achar tanta gente para ocupar a "desmedida fronteira" colonial brasileira? "Mouro, branco, negro, índio, mulato e mestiço, tudo serve", defendia o duque Silva-Tarouca, diplomata português, em carta a Pombal de 1752.

Dentre todas as opções sugeridas na frase de Silva-Tarouga, a solução mais óbvia para os colonizadores brancos estava na África negra.

Em meados do século XVIII, o coração econômico e escravista do Brasil pulsava no eixo Rio de Janeiro–Minas Gerais, para onde havia se deslocado ao fim de dois séculos de predomínio das lavouras e engenhos de açúcar do Nordeste. A importância do Centro-Sul na geografia da colônia levaria à mudança da capital de Salvador para o Rio de Janeiro em 1763. Transportadas de Minas Gerais em lombo de burros e mulas, toneladas de barras de ouro ficavam estocadas na fortaleza da Ilha das Cobras, na Baía de Guanabara, à espera das frotas que levariam o tesouro para Lisboa.

Nas regiões auríferas de Minas Gerais a ocupação do território foi particularmente acelerada. A população da capitania alcançaria 319.769 habitantes em 1776, quase o dobro da capitania do Rio de Janeiro, que à época contava com 170 mil habitantes. O número de negros escravizados passaria de 27.909 por volta de 1717 para 174.135 em 1786 — a maior concentração de pessoas cativas de todo o continente americano. Eram empregadas nas mais diversas atividades rurais e urbanas, como serviços domésticos, comércio, mineração, pecuária, agricultura, transporte de mercadorias, segurança dos comboios de ouro e pedras preciosas.[8] Novos centros urbanos nasciam da noite para o dia. No curto período de apenas três anos, entre 1711 e 1714, sete vilas foram criadas nas serras e vales mineiros, incluindo Vila Rica de Ouro Preto, que Simão Ferreira Machado, um cronista português, descreveria em 1734 como "a cabeça de toda a América e, devido à opulência de suas riquezas, a mais preciosa gema de todo o Brasil".

A riqueza do ouro ergueu em Vila Rica os casarões, igrejas barrocas e palácios de um requinte arquitetônico que ainda hoje deslumbram os turistas. Essas edificações espetaculares conviviam com casas de adobe, madeira e pau a pique, todas invariavelmente cobertas com telhas ao estilo português, distribuídas por um notável labirinto de ladeiras, ruas estreitas, becos e vielas ín-

A FRONTEIRA

gremes que desembocavam num amplo largo central, onde estava situada a casa da Câmara, a cadeia e o pelourinho. Sete chafarizes incrustrados nos muros e paredes abasteciam a cidade com água potável. Elaboradas pontes de alvenaria, construídas com pedra e argamassa, pintadas a cal e enfeitadas com arcos, pilares, parapeitos e assentos, haviam substituído as antigas e precárias estruturas de madeira. O homem mais rico da cidade, o contratador João Rodrigues de Macedo, responsável pela cobrança dos tributos sobre todas as mercadorias que circulavam na região, era também dono do palacete mais admirado de toda a capitania, a Casa dos Contos, assentado sobre um alicerce de pedras, com uma escadaria monumental, um mirante, muitas janelas e inúmeras portas. O Palácio do Governador, feito de pedra e cal, ficava na parte mais alta do antigo morro de Santa Quitéria. Era um edifício sólido, ao estilo das antigas fortalezas militares, com quatro pontas e uma rampa de acesso em curva guarnecida por guaritas.[9]

Ao percorrer o interior de Minas Gerais já no começo do século XIX, o geólogo e viajante alemão Von Eschwege ainda contabilizou 555 minas de ouro e diamantes, que empregavam diretamente 6.662 trabalhadores, dos quais só 169 eram livres. Ao fazer o mesmo percurso, o botânico francês Auguste de Saint-Hilaire ficou impressionado com a paisagem devastada pelo garimpo e pela atividade mineradora. "Por todos os lados, tínhamos sob os olhos os vestígios aflitivos das lavagens, vastas extensões de terra revolvida e montes de cascalho", descreveu. "Tanto quanto a vista alcança, está a terra toda revirada por mãos humanas, de tanto que o sonhado lucro excitou o desejo de trabalhar."[10]

Criadas por atos régios, as vilas coloniais brasileiras eram administradas de acordo com o trinômio juiz, Senado da Câmara e pelourinho. O juiz era ao mesmo tempo presidente da Câmara, eleita pelos "homens bons", ou seja, os donos de propriedades, dotados de prestígio social e "sangue limpo", o que

4 5

excluía automaticamente negros, indígenas, mestiços, ciganos, mouros (muçulmanos), judeus e cristãos-novos (judeus convertidos ao cristianismo por força de decisões régias). O pelourinho era a coluna de madeira ou pedra erguida sempre numa praça central, símbolo da autoridade e da justiça do rei de Portugal. Ao seu pé eram lidas as determinações da Câmara, as proclamações das autoridades e as notícias que chegavam da metrópole. Era também usado como local para punição de criminosos e açoite público de escravos fugitivos ou acusados de faltas e contravenções.[11]

Um segundo efeito colateral da corrida do ouro foi o fortalecimento do mercado interno de alimentos e mercadorias. Em Minas Gerais, as jazidas minerais estavam espalhadas por um território imenso — maior do que a França, segundo a comparação do historiador Roberto B. Martins.[12] As comunicações eram difíceis. Garantir o abastecimento das novas povoações foi um problema constante nos primeiros anos da corrida do ouro. A inexistência de lavouras produtoras de comida e rotas organizadas de fornecimento fez com que os milhares de aventureiros que chegaram à região fossem vítimas de pelo menos duas grandes epidemias de fome, como se verá em outro capítulo deste livro. A crise e a inflação de preços que seguiu as epidemias fizeram com que muitas pessoas desistissem de arriscar a sorte na mineração e passassem a produzir alimentos. Pequenas granjas de criação de porcos e galinhas, fazendas de gado, roças de milho, abóbora, batata e feijão foram se estabelecendo ao longo das estradas, moldando uma nova paisagem mineira.

Outra solução foi abrir nas capitanias vizinhas novas rotas e fontes de abastecimento de gêneros alimentícios. Uma delas vinha dos pampas gaúchos, passando pela capitania de São Paulo. De lá chegavam, no final do século XVIII, as mantas de carne seca que, produzidas em gigantescas charqueadas situadas ao redor da

A FRONTEIRA

atual cidade de Pelotas, seriam a principal fonte de proteína animal para os escravos que labutavam nas lavouras de cana-de-açúcar, café, tabaco e algodão em diversas regiões do país. Tropas de mulas percorriam centenas de quilômetros transportando toneladas do produto. Uma charqueada típica empregava 80 pessoas escravizadas e abatia entre 200 e 250 reses por dia.[13] A primeira teria sido aberta por volta de 1780, após uma devastadora seca que aniquilou os rebanhos e a produção de carne seca no sertão nordestino. Já em 1790, o Rio Grande do Sul vendia 300 mil arrobas (4.500 toneladas) de charque por ano para a Bahia, além de queijos e farinha de trigo. A soma total dos comboios anuais empregados nessa atividade chegaria a 20 mil animais de carga. A feira de Sorocaba, em São Paulo, negociava 10 mil mulas anualmente.

A expansão das fronteiras e o crescimento do mercado interno teve enormes consequências no comercio de escravos. No final do século XVIII, o Rio Grande do Sul tinha 21 mil pessoas cativas e 5 mil negros libertos numa população total de 71 mil habitantes. Na região dos chamados Campos Gerais, ao redor de Curitiba, onde se estabeleceram numerosas fazendas de criação de gado, cavalo e mulas, 20% dos habitantes eram escravos, segundo o censo de 1798. Nos distritos pecuaristas de Castro e Palmeira, havia presença de mão de obra cativa em metade de todos os domicílios. Cada fazenda empregava, em média, seis vaqueiros e um capataz, todos escravizados.

Números parecidos se repetiam em outras atividades, como a navegação costeira. Em 1800, o porto de Salvador recebeu mais navios procedentes do Rio Grande do Sul do que de Lisboa. Cerca de 2 mil embarcações faziam o transporte de gente e mercadorias na costa brasileira entre Cabo Frio, capitania do Rio de Janeiro, e o litoral gaúcho. Cada uma delas levava, em média, cinco escravos como tripulantes, o que significa que, no total, empregariam cerca de 10 mil cativos marinheiros. Outra ocupação importante movida à escravidão era a pesca da baleia, que fornecia carne para a alimentação, óleo para a iluminação urbana e gordura para a composição da argamassa das construções. Fábricas na ilha de Santa Catarina, atual Florianópolis, capturavam e processavam mais de mil baleias por ano. A maior delas, a Armação de Nossa Senhora de Piedade, empregava 125 escravos.

Em 1779, os "pretos" (definição usada nos censos da época) representavam a imensa maioria da população dos distritos da capitania de Goiás, criada pela Coroa portuguesa em 1744 em decorrência da descoberta de ouro e diamantes na atual região Centro-Oeste.[14] Nas cidades mineradoras, mais de 70% dos habitantes eram escravos ou negros forros. Um caso extremo era o de Crixás, onde os negros constituíam 80% dos moradores. Numa população total de 2.814 pessoas, eles eram 2.247, enquanto os brancos somavam apenas 219. Os homens eram maioria, uma vez que o sexo masculino predominava nas cargas que os navios negreiros despejavam nos portos do Rio de Janeiro e de Salvador. Era a partir dessas cidades que os cativos enfrentavam longas e penosas jornadas, que duravam meses, até os garimpos de ouro e diamantes.

Os distritos mineradores de Goiás estavam entre os locais que mais concentravam quilombos no Brasil, redutos de escravos fugitivos (tema de outro capítulo neste livro). Afastada dos centros administrativos portugueses do litoral, a capitania permanecia distante das forças coloniais militares responsáveis pela destruição desses redutos. A capital, Vila Boa (Goiás Velho), ficava a meses de viagem de Salvador e do Rio de Janeiro. Negros fugidos de lugares tão distantes como Maranhão, Bahia e Pernambuco percorriam as rotas do sertão, a pé ou em canoas que subiam o curso dos rios até as florestas e cerrados de Goiás e Mato Grosso. Relatos da época dizem que os primeiros não índios a navegarem o curso do rio Tocantins teriam sido três negros fugidos das minas de Goiás, em 1723.

Segundo a historiadora norte-americana Mary Karasch, os quilombos de Goiás eram geralmente grupos transitórios, sem continuidade no tempo e no espaço, devido a uma peculiaridade das regiões mineradoras: algumas vezes, grupos de escravos fugitivos achavam novas jazidas de ouro e, de posse de uma certa quantidade de mineral precioso, negociavam com seus proprietários o retorno ao trabalho e a compra da alforria. O arraial que daria origem ao atual município de Jaraguá, na região de Anápolis, teria nascido de minas de ouro descobertas por "negros foragidos que desejavam comprar alforria". Ou seja, escravos fugidos de seus senhores com o objetivo de encontrar ouro e, em seguida, negociar a compra da própria liberdade.

Desse modo, em vez de quilombos fixos (como os de Pernambuco, Bahia e outras regiões produtoras de açúcar), em Goiás havia pequenos grupos de garimpeiros errantes, constituídos por negros fugitivos, muitos dos quais usavam conhecimentos ancestrais relacionados à mineração de ouro trazidos da África e que seriam responsáveis pela descoberta de inúmeras jazidas de minérios nas regiões ermas e distantes do Brasil. Uma vez descoberto o ouro (e negociada a alforria de seus descobridores), os luso-brasileiros rapidamente ocupavam as jazidas e assumiam o controle sobre a produção.

Curiosamente, um segundo grupo de fugitivos em Goiás, quase tão numeroso quanto o dos negros, eram os indígenas escravizados nas chamadas "guerras justas" promovidas pelos portugueses na sua marcha de ocupação dos sertões brasileiros. Oficialmente, a escravização dos índios seria proibida por lei em meados do século XVIII. Na prática, continuou a ocorrer por muito mais tempo, em larga escala, com base na desculpa da "guerra justa", aquela que, a exclusivo critério das autoridades portuguesas, era travada em nome da defesa dos interesses dos colonizadores. Entre os indígenas que fugiam de bandeiras paulistas estavam os carijós, de língua tupi, que buscavam refúgio no vale do rio Tocantins e que, a partir de 1720, se tornariam inimigos ferozes dos colonos luso-brasileiros por se recusarem, armados, a serem "pacificados". Refugiavam-se em aldeias e ali se mantinham isolados, pelo medo de serem reescravizados. Caiapó, Xavante e Krahó eram povos que apareciam no rol dos indígenas cativos.

Mary Karasch conta a história da fundação da cidade de Muquém, hoje distrito do município de Niquelândia, cerca de 250 quilômetros ao norte de Brasília, e famosa como um centro religioso graças à romaria de Nossa Senhora da Abadia, realizada todo dia 15 de agosto. Segundo ela, na primeira metade do século XVIII, ali existia um mocambo de escravos fugitivos das regiões mineradoras de Goiás. O reduto foi atacado por uma expedição luso-brasileira, incluindo alguns "homens livres" (provavelmente negros forros), em 20 de dezembro de 1740, dia de são Tomé. Ao se aproximarem do quilombo, os atacantes notaram que havia uma festa em andamento, com os negros a dançar e a cantar em torno de uma fogueira sob o "rufo de tambores", enquanto comiam "carne moqueada, batatas e mandioca" com aguardente. Quando a festa acabou, já de madrugada, e os negros se recolheram aos seus casebres, o capitão do mato que liderava a expedição ordenou que seus soldados atacassem. Capturados, os fugitivos foram todos devolvidos aos seus senhores. Em agradecimento pela vitória — e pela boa quantidade de ouro que lá encontrou —, o capitão ordenou a construção de uma igreja dedicada a são Tomé e iniciou a ocupação do povoado que teria o nome de São Tomé do Muquém. Mais tarde, uma imagem de Nossa Senhora da Abadia foi importada de Portugal e colocada na igreja, onde está até hoje como objeto de veneração dos romeiros que para lá acorrem todos os anos, incluindo milhares de descendentes de escravizados negros goianos de outras regiões.

A FRONTEIRA

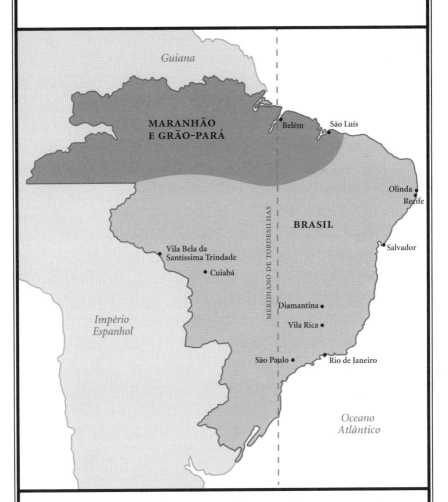

O BRASIL NO SÉCULO XVIII

A corrida do ouro e do diamante, somada às expedições para escravizar os indígenas, empurraram a fronteira rumo ao Centro-Oeste e à Amazônia. Por volta de 1750, a ocupação territorial já era um fato consumado e reconhecido pelo Tratado de Madri, que revogou, na prática, o antigo Tratado de Tordesilhas.

2 . ESPLENDOR E MISÉRIA

"O meu avô temia e devia; o meu
pai devia; eu não devo nem temo."

Dom João v, rei de Portugal, gabando-se
das riquezas que chegavam do Brasil

O corpo e a alma do brasil[1] se misturavam na barriga dos dezesseis galeões que, na manhã de 11 de dezembro de 1742, após 81 dias de travessia do Atlântico, adentraram pela barra do rio Tejo e aportaram no cais de Lisboa.

O corpo, majestoso, era representado pelas riquezas extraídas do território brasileiro, tão valiosas que a frota portuguesa, sempre alvo da cobiça de corsários e piratas, viajava protegida por dois navios de guerra armados com dezenas de bocas de canhões. Ansiosamente aguardada na metrópole, a prodigiosa carga incluía 235 quilos de ouro, milhares de moedas de prata e uma grande quantidade de diamantes — um deles totalizando nada menos do que 87,5 quilates, cerca de dezoito gramas,[2] uma das maiores e mais preciosas gemas de que os europeus tinham

ESCRAVIDÃO VOL. II

ouvido falar até então. O restante era composto por centenas de caixas de açúcar, mantas de couro curtido, barricas de óleo de peixe, barbatanas de baleia e toras de pau-brasil, entre outras mercadorias.[3]

A alma, miserável e dilacerada, estava nas sombras, escondida abaixo de todas essas riquezas, nos cárceres situados nos porões dos navios. Eram três escravos negros. Domingos Álvares e Luiza Pinta, africanos jeje-mahi, povo de uma região hoje situada na fronteira entre a Nigéria e a República do Benim, chegavam a Lisboa para serem julgados pelo tribunal da Inquisição Católica, que os acusava de práticas demoníacas nas sessões de curas que promoviam no Rio de Janeiro e em Sabará, Minas Gerais. A outra prisioneira, Luiza da Silva Soares, identificada nos autos da Inquisição como "crioula" por ter nascido no Brasil, era apontada como "feiticeira" na região de Mariana, também Minas Gerais, onde, segundo os documentos, teria cometido uma miríade de crimes e contravenções.

A história de Luiza Soares era particularmente trágica. Seus donos, um casal de mineradores, a acusavam, entre outras coisas, de ter lançado uma maldição nas jazidas de propriedade deles, interrompendo de forma abrupta e inexplicável a extração de ouro. Também a responsabilizavam pela morte de seus dois filhos. O caçula, recém-nascido, amanhecera morto no berço, pálido e sem indícios de que lhe restasse sangue nas veias. Segundo a documentação anexada ao processo, teria sido vítima de um extraordinário caso de vampirismo noturno por parte da escrava. Sob a proteção das sombras da madrugada, Luiza teria fugido da senzala e se infiltrado na casa dos senhores pelo buraco de uma janela "na forma de uma borboleta". Uma vez lá dentro, e já novamente na sua configuração humana, sugara o sangue do bebê pela boca e o nariz. Ainda segundo a denúncia, depois do sepultamento da criança, Luiza a teria desenterrado e usado partes do cadáver em poções de feitiços. As pernas e os braços, assados num forno da senzala, foram enterrados na entrada da propriedade. Os intestinos, cozidos, acabaram misturados à sopa servida à própria dona da casa.

Como uma história tão fabulosa e macabra foi parar diante de um tribunal eclesiástico em Lisboa? A explicação aparece nos próprios arquivos da Inquisição Portuguesa. Soares havia "confessado" esses crimes depois de submetida a excruciantes suplícios e torturas. Inicialmente, o casal de mineradores teria aquecido uma tenaz de ferro sobre um braseiro até que o metal ficasse vermelho, da mesma cor do fogo. A peça incandescente fora usada para arrancar pedaços da pele da escrava enquanto era submetida ao interrogatório. Como, ainda assim, se recusasse a falar, sua língua foi perfurada com uma agulha. Depois, seus algozes a amarraram no topo de uma escada portátil e a debruçaram, inteiramente nua, sobre as chamas de uma fogueira. Em seguida, aplicaram cera derretida em seus genitais. A órbita de um dos olhos foi extirpada com um graveto de madeira e parte dos ossos esmigalhada com um torniquete metálico. Por fim, Luiza foi açoitada até que as costas ficassem em carne viva. Com o corpo todo coberto de sangue, foi atada a um tronco de árvore e deixada ao relento, sob o sol, a chuva e o frio da noite, para que os insetos a atacassem e se introduzissem em suas feridas.

Ao término de tão prolongada sessão de tortura, Luiza finalmente "confessou": disse ter feito um pacto com o demônio e praticado todos os crimes de que a acusavam, o que resultou na sua prisão e envio para julgamento em Lisboa. Só ao chegar a Portugal teve coragem de contar diante dos juízes os horrores por que havia passado. O relato, obviamente, era assustador, mesmo para as autoridades da Inquisição, habituadas a usar de meios cruéis para extrair confissões de seus réus que, muitas vezes, acabavam queimados na fogueira a fim de expiar os pecados. Por isso, os inquisidores decidiram reabrir o processo no Brasil. As novas investigações, dessa vez comandadas diretamente da metrópole, concluíram que, de fato, as alegações de maus-tratos da escrava eram verídicas. Absolvida de todas acusações, Luiza foi colocada em liberdade, para ir "aonde bem entendesse". Não se tem notícia do seu paradeiro depois disso.

Quanto aos outros dois escravos recém-chegados na frota do Brasil, os africanos Domingos Álvares e Luiza Pinta, acabaram trancafiados dezoito meses na cadeia em Lisboa, enquanto respondiam aos interrogatórios. No final, após também "confessarem" e se declararem arrependidos de seus "crimes", foram condenados ao desterro na colônia penal de Castro Marim, uma antiga cidadela murada portuguesa debruçada sobre o oceano Atlântico na fronteira com a Espanha.

Observada da margem do Rio Tejo em 1742, o ano da chegada dos navios levando a fabulosa carga de ouro e diamantes e os três escravos investigados pela Inquisição, Lisboa pareceria uma cidade cosmopolita e vibrante. Com cerca de 200 mil habitantes, era dez vezes maior que o Rio de Janeiro e Salvador. Atracados ao longo do cais que se estendia da atual Praça do Comércio até a Torre de Belém, navios desembarcavam mercadorias procedentes de várias partes do mundo: especiarias do Extremo Oriente, chás do Ceilão, tecidos de Goa e Cochim, pimentas e peças de marfim da África, madeira, açúcar, ouro e diamantes brasileiros. As casas eram ornamentadas com tapeçarias orientais e varandas cobertas por colchas da Índia, o que lhes dava um ar pitoresco e exótico.

O encantamento inicial, porém, dava lugar à decepção tão logo o visitante adentrasse as ruelas estreitas e escuras que conduziam ao alto das colinas. A capital portuguesa era suja, escura e perigosa. Os moradores tinham o péssimo hábito de atirar pela janela, a qualquer hora do dia ou da noite, água suja em que se misturavam lavaduras dos objetos domésticos, urina e dejetos acumulados durante a noite. "Quem anda nas ruas desta cidade está sempre em risco de ficar encharcado e coberto de porcaria", registrou o francês J. B. F. Carrère.[4] As ruas eram lavadas apenas uma vez por ano, às vésperas da procissão de Corpus Christi, no mês de junho.

Viajantes estrangeiros que chegassem a Lisboa sempre se surpreenderiam com a quantidade de escravos africanos nas ruas. Segundo o cálculo de um observador inglês, eles somariam cerca de um quinto da população. "Nesta grande cidade, é grande o número de negros em cada esquina, [...] o que faz um viajante duvidar se Lisboa, de fato, fica na Europa", observou em 1760 o poeta, escritor e crítico literário italiano Giuseppe Marco Antonio Baretti. "Nenhum navio aqui chega sem trazer alguns deles, de ambos os sexos. [...] A continuar assim, não restará aqui uma gota de puro sangue português e tudo estará corrompido entre judeus e negros."[5]

Africanos escravizados eram os responsáveis pelo desembarque e o transporte das mercadorias que chegavam ao porto e também pelo aparentemente vão trabalho de limpeza da cidade. "Todo mundo é obrigado a levar as imundices para o rio e há uma quantidade de negras que fazem esse trabalho, mas essa ordem não é exatamente cumprida", escreveu o viajante francês Jácome Ratton.[6] A falta de bons hábitos de higiene propiciava a disseminação de pragas e doenças. O enterro de cadáveres em cemitérios só se tornou obrigatório a partir de 1771. Até então, os corpos eram abandonados, queimados ou enterrados em covas improvisadas na periferia da cidade. Uma dessas valas coletivas estava situada na travessa do Poço dos Negros, esquina com a rua do Poço dos Negros, endereço que ainda hoje pode ser visitado em Lisboa. "Poço dos Negros" era a denominação do local designado em 1515 pelo rei dom Manuel I, fora dos muros da cidade, para servir de sepultura a negros escravizados que morriam sem assistência depois de chegar da África ou do Brasil.

Portugal vivia nessa época o esplendoroso, porém efêmero, surto de prosperidade alimentado pelo descobrimento de ouro e diamantes no Brasil, a maior e mais rica colônia escravista do mundo. Entre 1700 e 1750, o Brasil respondeu sozinho pela metade da produção mundial de ouro. Um dos primeiros grandes carregamentos atracou em Lisboa em 1699 levando meia tonelada de minério. A quantidade foi aumentando até bater em 25 toneladas em 1720. No total, estima-se entre oitocentas e mil toneladas o total de ouro garimpado em Minas Gerais, na Bahia, em Goiás e no Mato Grosso de 1697 até 1810. Só de Minas Gerais foram despachadas para Portugal cerca de 535 toneladas entre 1695 e 1817, no valor equivalente a cerca de 167 bilhões de reais em 2021. Outras 150 toneladas de ouro teriam sido contrabandeadas no mesmo período.[7] Uma segunda boa notícia seria a descoberta de diamantes, comunicada oficialmente à metrópole em 1729. Em 1714, diante do crescimento da riqueza e da importância da colônia portuguesa na América, o rei dom João V transformaria o governo-geral em vice-reinado, posto que passou a ser ocupado pelos mais altos fidalgos e nobres portugueses, como condes e marqueses.

A descoberta de ouro aconteceu em um momento no qual Portugal parecia fadado à ruína. Como se viu no volume anterior desta trilogia, o século XVII tinha sido uma sucessão de tragédias para os portugueses. A guerra contra os holandeses e espanhóis havia depauperado o outrora vasto e próspero império colonial. As rotas de comércio com a Ásia foram destroçadas e conquistadas pelos inimigos. Em troca de uma aliança desesperada com a Inglaterra, a Coroa portuguesa concordara em ceder aos ingleses as partes mais ricas de suas possessões na Índia e no

Mediterrâneo. Expulsos do Nordeste, os holandeses transferiram-se para o Caribe, onde se tornariam fortes concorrentes dos produtores de açúcar no Brasil. Devido ao aumento da oferta, o preço do produto despencou na Europa, tornando mais crítica a arrecadação de impostos da Coroa. Uma epidemia de varíola em Angola, por volta de 1680, e outra de febre amarela no Brasil, alguns anos mais tarde, só agravaram a situação. A mortalidade nos dois surtos foi enorme e afetou profundamente o tráfico de escravos, do qual as lavouras brasileiras dependiam.

Numa carta de 1689, o padre Antônio Vieira observava a situação de forma sombria e sarcástica:

> *Este ano, muitos engenhos de açúcar deixaram de moer cana, e para o [próximo] ano só alguns poderão funcionar. As pessoas prudentemente aconselham-nos a vestirmo-nos de algodão, a comermos mandioca e a voltarmos a usar arcos e flechas por falta de armas modernas: para que brevemente regressemos à selvageria primitiva dos índios e nos tornemos nativos brasileiros em vez de cidadãos portugueses.*[8]

Três anos mais tarde, Antônio Luís Gonçalves da Câmara Coutinho, governador da Bahia, escrevia novamente em tons dramáticos ao rei Pedro II, de Portugal. Segundo ele, não havia dinheiro em caixa para pagar os soldados devido à "miséria e penúria a que todo este Estado do Brasil se vai". Em seguida, pedia ao soberano que, "por benefício de caridade ou indulto de justiça", lhe mandasse 40 mil cruzados em moedas miúdas:

> *Toda opressão, senhor, e ruína que se teme nascem da falta de dinheiro, que é aquele nervo vital do corpo político ou o sangue dele, que [...] correndo pelas veias, [...] o anima e lhe dá forças. E, do contrário, [...] desmaia e enfraquece.*[9]

A sorte mudou com o aparecimento de ouro de aluvião — substantivo feminino definido nos dicionários como áreas de terras alagadas por chuvas, cheias e enxurradas — no leito dos rios ou à flor da terra, a cerca de quatrocentos quilômetros do Rio de Janeiro, numa região montanhosa, selvagem, pouco habitada, que, a partir de então, seria chamada pelo nome genérico de "As Minas". Ninguém sabe com precisão o local e a data do achado da primeira pepita dourada ou o nome do seu descobridor, mas teria acontecido no início da década de 1690. A partir daí nada mais seria igual na até então isolada, pacata e modorrenta colônia portuguesa nos trópicos.

A corrida para as zonas mineradoras esvaziou as cidades do litoral e produziu o primeiro grande êxodo migratório para o interior brasileiro. Só de Portugal, entre meio milhão e 800 mil pessoas mudaram-se para o Brasil de 1700 a 1800. Ao mesmo tempo, o tráfico de escravos se acelerou. Uma gigantesca onda humana, negra, africana e cativa cruzava o oceano Atlântico nos porões dos navios negreiros. No espaço de apenas cem anos, cerca de 2 milhões de homens e mulheres escravizados desembarcaram na América Portuguesa, mais do que o dobro do número registrado nos duzentos anos anteriores.[10] A população da colônia, estimada no final do século XVII em apenas 300 mil pessoas (atualmente inferior à de cidades como Petrolina, em Pernambuco, e Blumenau, em Santa Catarina), se multiplicaria por dez e ultrapassaria os 3 milhões às vésperas da chegada da corte de dom João ao Rio de Janeiro, em 1808.[11] Foi nesse clima de ânimo e prosperidade que subiu ao trono, em janeiro de 1707, um jovem monarca, dom João v, "O Magnânimo", de apenas dezessete anos. Seu longo reinado durou 43 anos e foi um dos mais prósperos da história portuguesa. Pouco depois da coroação, ao lembrar os tempos de infortúnio de seus antepassados, o rei teria dito: "O meu avô temia e devia; o meu pai devia; eu não devo nem temo".

Palácios, conventos, monumentos e obras de arte despontaram na paisagem da metrópole. O luxo da corte rivalizava ao das mais ricas monarquias europeias. Situado a cerca de trinta quilômetros de Lisboa, o Palácio de Mafra tornou-se um dos ícones dos tempos de glória e abundância do império colonial português. Mistura de castelo, igreja e convento, tinha 264 metros de fachada, 5.200 portas e janelas e 114 sinos. O refeitório media cem metros de comprimento. Além dos aposentos da corte e de seus serviçais, havia trezentas celas usadas para alojar centenas de frades. Sua construção levou 34 anos e chegou a mobilizar 45 mil homens. O mármore tinha vindo da Itália. A madeira, do Brasil. Ficou pronto em 1750, no auge da produção de ouro e diamantes em Minas Gerais.

Uma das muitas demonstrações de fausto do rei português ocorreu em 1715, ao final da guerra pela sucessão espanhola, na qual Portugal e outros países da Europa se envolveram. Interessado em melhorar as relações com o rei da França, o também exibicionista Luís XIV, conhecido como Rei Sol, dom João V despachou para Paris o conde de Ribeira Grande à frente de uma embaixada cuja entrada pública na capital francesa causou enorme repercussão em todo o continente. Enquanto o cortejo, composto por cinco magníficas carruagens puxadas por cavalos de diferentes cores, atravessava as ruas da capital francesa, lacaios atiravam aos parisienses 10 mil moedas de prata e duzentas de ouro cunhadas especialmente para a ocasião. A carruagem do embaixador, toda dourada, atualmente pode ser vista no Museu Nacional dos Coches, em Lisboa. No ano seguinte, em nova embaixada, dessa vez em visita ao papa Clemente XI, um cortejo igualmente luxuoso, mas ainda maior, composto por quinze coches, atravessou as ruas de Roma em direção ao Vaticano.

Além de rico e extravagante, dom João V foi também um soberano aventureiro e libertino, famoso pelas suas relações extraconjugais — traço que, de resto, marcaria toda a dinastia de Bragança em Portugal e no Brasil. O caso mais conhecido envolveu uma freira, Paula Teresa da Silva e Almeida, a madre Paula, superiora do Convento de Odivelas. Com ela, o rei teve um romance tão prolongado e intenso que chegou a construir uma casa para seus encontros amorosos perto do convento, com teto dourado, camas forradas com lâminas de prata, portas de madeira nobre do Brasil e janelas de vidro provenientes da Boêmia. Nesse mesmo local manteve relações com outras duas freiras, uma francesa e outra portuguesa. Envolveu-se ainda com uma cigana, Margarida do Monte, logo enviada para um monastério, de forma que deixasse de receber outros amantes. As paixões conventuais de dom João v, bem conhecidas na época, valeram-lhe o apelido de "Rei Freirático" — aquele que gosta de freiras. Dessas relações, nasceram-lhe três filhos bastardos, todos reconhecidos oficialmente numa declaração assinada pelo monarca em 1742. O primeiro, dom Antônio, sagrou-se doutor em Teologia pela Universidade de Coimbra. Dom Gaspar foi arcebispo da Sé de Braga. Dom José, o terceiro, foi inquisidor-mor, ou seja, o chefe da Inquisição Portuguesa.[12]

O luxo e as excentricidades da corte portuguesa sustentavam-se no trabalho escravo no Brasil. Tudo dependia do sangue e do suor africano, base e motor da economia colonial. Dele usufruíam mineradores, senhores de engenho, bispos, padres e missionários, oficiais e funcionários, tropeiros e comerciantes. Nada se fazia sem escravos. "Sem Angola, não há Brasil", afirmava, ainda em 1646, o padre jesuíta Gonçalo João. Frase que seria repetida à exaustão por todos os observadores e testemunhas da realidade brasileira dessa época. "Excetuando-se as pessoas do mais baixo nível, aqui dificilmente se encontra alguém que não tenha escravos em casa", anotou o navegador e corsário inglês

ESPLENDOR E MISÉRIA

William Dampier, depois de passar um mês na Bahia entre março e abril de 1699, a caminho da Austrália. "Os brancos só servem para determinar aos escravos o que hão de fazer", completava o arcebispo da Bahia, Sebastião Monteiro da Vide, em 1702, ao descrever para a Coroa portuguesa a sua diocese, na qual a maioria dos 90 mil habitantes era de negros cativos.[13]

No início da corrida do ouro em Minas Gerais, a fome do Brasil por mão de obra escravizada era insaciável a ponto de exasperar as autoridades coloniais portuguesas. "A principal causa de dano que padece este Estado do Brasil procede da falta de escravos", reclamava em 1706 o governador-geral Luís Cesar de Meneses ao constar a impossibilidade de o tráfico negreiro suprir toda demanda dos mineradores, senhores de engenho e fazendeiros. "Este Estado não pode subsistir sem escravos para o trabalho dos engenhos, culturas das fazendas de cana, tabaco, roças de mandioca e o lavor das minas", ecoava o vice-rei Vasco Fernandes César de Meneses, conde de Sabugosa, em 1731.[14]

Em 1725, em carta a dom João v, o governador do Rio de Janeiro, Luis Vahia Monteiro, conhecido pelo curioso apelido de "O Onça", impressionava-se com a inaptidão dos brancos para o trabalho braçal e sua absoluta dependência da mão de obra escravizada: "As minas não se podem cultivar senão com negros, porque fazem o serviço vigoroso e porque os brancos, os reinóis, em pondo os pés no Brasil, nenhum quer trabalhar".[15]

Em outra carta, de 1729, o governador insistia:

São os escravos a propriedade mais sólida do Brasil e mede-se a riqueza de um homem pela quantidade maior ou menor de escravos que possui [...], pois muitas são as terras, mas só pode cuidar delas quem tem escravos!

Nas áreas de mineração, homens e mulheres escravizados construíam barragens, drenavam rios, cavavam barrancos, revolviam cascalho, manuseavam bateias, carregavam suprimentos, preparavam a comida e faziam a segurança dos comboios que transportavam as valiosas cargas de minérios e pedras preciosas. Também criavam gado, pescavam e caçavam, produziam arroz, feijão, milho e mandioca, cuidavam dos afazeres domésticos, transportavam pessoas e mercadorias, erguiam casas, palácios, igrejas e edifícios públicos, fabricavam móveis, selas para cavalos e ferramentas, teciam roupas e agasalhos, entre outras atividades. Apesar disso, eram vistos com medo e suspeição pelos brancos colonizadores.

No imaginário escravista europeu, os africanos tinham hábitos bárbaros e selvagens, praticavam religiões e rituais demoníacos, eram capazes de envenenar seus senhores, matar crianças, enfeitiçar os animais, entre outros prodígios, como os que resultavam nos processos da Inquisição Católica relatados nos primeiros parágrafos deste capítulo. Nas regiões mais distantes do interior, aonde não chegavam sequer os braços da Inquisição Católica ou da justiça civil, escravos suspeitos de prejudicar seus donos com feitiços eram brutalmente torturados. Na vila de Itu, interior de São Paulo, por exemplo, os africanos Manuel Cabral e Thereza Mina foram acusados em 1740 de matar pessoas em rituais de magia. Para obrigá-los a confessar seus "crimes", o dono da fazenda em que trabalhavam os imobilizou com uma corrente ao redor do pescoço e durante quinze dias seguidos aplicou cera e óleo fervente sobre seus corpos nus.[16]

O trabalho escravo e a riqueza do ouro e dos diamantes alimentaram a vaidade e a futilidade do reino de Portugal, mas não plantaram alicerces de riqueza e prosperidade. Foi tudo uma ilusão passageira. Tanto quanto a legião de aventureiros que ocupou as serras e vales de Minas Gerais, o rei português também se comportou como se a riqueza jamais tivesse fim e gastou mais do que podia. Como resultado da irresponsável gastança, na segunda metade do século XVIII, passada a voragem, Portugal estava novamente falido e endividado, tão ou mais do que na fase anterior à descoberta de ouro e diamantes. "O pior é que a maior parte do ouro que se tira das minas passa em pó e em moedas para outros reinos estranhos e a menor é a que fica em Portugal e nas cidades do Brasil", reclamava o padre André João Antonil.[17]

A farra de gastos promovida por dom João V pode ser medida no pagamento de pensões para a nobreza, que saltou do equivalente a 4,5 toneladas de ouro anuais em 1681 para 8,5 toneladas em 1716 e inacreditáveis 27,4 toneladas em 1748.[18] Com números assim, se poderia dizer, em linguagem de hoje, que a "previdência" da corte portuguesa já na época andava quebrada.

3. OURO! OURO! OURO!

Os primeiros esforços sistemáticos em busca do ouro de Minas Gerais datam de 1671, ano em que Afonso Furtado de Castro do Rio de Mendonça, primeiro visconde de Barbacena, foi nomeado governador-geral do Estado do Brasil com a espinhosa missão de encontrar meios de recuperar a economia colonial, àquela altura combalida pela crise do mercado internacional do açúcar e incapaz até mesmo de gerar os dividendos necessários para pagar a burocracia portuguesa instalada na América. Outras duas tarefas de Barbacena seriam expandir a colonização para o interior do território e combater os indígenas que atormentavam a vida dos senhores de engenhos no litoral.[1]

A busca pelo ouro no Brasil era uma antiga obsessão dos portugueses. Algumas décadas após a chegada de Pedro Álvares Cabral à Bahia, em 1500, expedições já percorriam os sertões à procura do cobiçado minério. Uma delas, capitaneada por Gabriel Soares de Souza, partira do litoral baiano em meados do século XVI e subira a bacia do rio São Francisco. O resultado foi um desastre, que incluiu a morte do seu comandante. Outras saíram do atual estado do Espírito Santo. Todas fracassaram, embora atualmente se saiba, com base nas referências da época, que algumas delas chegaram bem perto das serras e vales de Minas Gerais, onde no final do século XVII se acharia grande quantidade de ouro.

Minas Gerais, a mais antiga formação geológica do território brasileiro, caracteriza-se por um grande planalto cortado ao centro por uma cadeia de montanhas, a Serra do Espinhaço, que delimita as bacias do rio Doce, a leste, e do rio São Francisco, a oeste. Originalmente, os filões de ouro estavam situados nos flancos dessas montanhas. Submetidos ao processo de erosão, foram se decompondo lentamente em pepitas e partículas finíssimas que, ao longo de milhões de anos, escorreram montanha abaixo e se depositaram no leito de córregos, rios e várzeas — as aluviões, áreas de terras alagadas por chuvas, cheias e enxurradas já mencionadas no capítulo anterior.

A data e o local exatos da descoberta do primeiro depósito de minerais preciosos são ignorados. O mais provável é que tenha ocorrido entre 1693 e 1695. Até essa época, Minas Gerais era uma terra erma e escassamente habitada, mas já bem conhecida pelos bandeirantes paulistas. Na segunda metade do século XVII, importantes e numerosas expedições tinham cruzado a região de norte a sul à procura de indígenas para escravizar e também do mítico eldorado, onde se acreditava existirem enormes jazidas de ouro, esmeraldas e prata.

Os bandeirantes constituíam um grupo diverso na sociedade colonial brasileira. A diferença começava pela própria maneira de se comunicar. Em São Paulo, no dia a dia, falava-se o tupi-guarani, a língua geral dos índios. O uso do idioma português ficava restrito ao reduzido grupo de moradores mais letrados, entre eles padres e missionários, oficiais e funcionários da Coroa. Outra disparidade estava no estilo de vida. Os paulistas viviam perambulando pelo interior do Brasil, nas famosas entradas, bandeiras ou monções, que se tornariam responsáveis pela exploração e ocupação efetiva do território. Passavam meses ou anos enfurnados no sertão. Usavam chapelões de abas largas, barbas compridas, camisas e ceroulas. Gibões acolchoados com algodão serviam de proteção contra a umidade, o frio e as flechas indígenas. Caminhavam descalços, em fila indiana — à maneira dos índios. Só raramente cortavam a barba e os cabelos, o que lhes dava um aspecto selvagem e temível. Assim os descreveu o historiador britânico Charles Boxer:

> *Esses bandos perambulantes eram conhecidos como bandeiras, termo de início aplicado às companhias de milícia portuguesas, e organizavam-se em bases paramilitares. Variavam em forças, indo desde uma reunião de apenas quinze ou vinte homens até a concentração de centenas de membros, acompanhados por um ou dois frades, no papel de capelães. A maioria, em qualquer bandeira, consistia, habitualmente, em auxiliares ameríndios, em servidão ou livres, usados como batedores de caminhos, coletores de alimentação, guias, carregadores, e tudo o mais, com os paulistas brancos e mestiços formando o núcleo. Com o correr do tempo, os paulistas tornaram-se tão habilitados nas artes do sertão e dos matagais quanto os ameríndios já o eram, ou mesmo, segundo alguns contemporâneos, como os próprios animais.*[2]

Em geral, para chegar a Minas Gerais, as expedições bandeirantes partiam de um local situado no Vale do Paraíba, onde hoje se encontra a cidade de Taubaté. Depois de cruzar a monumental serra da Mantiqueira, atingiam os Campos Gerais, que se estendem até os sopés da Serra do Espinhaço. Esse território era chamado de Minas dos Cataguazes devido ao fato de ser inicialmente dominado por esse grupo indígena. No total, levava-se cerca de 25 dias de viagem entre as margens do rio Paraíba e os depósitos de ouro onde atualmente se localizam as cidades de Ouro Preto, Mariana e Sabará. Contando o tempo de permanência no território mineiro, os paulistas demoravam meses, às vezes mais de um ano, para ir e voltar ao ponto de partida. Nas rotas mais frequentadas, abriam clareiras e plantavam roças de mandioca, mas em geral dependiam, para sobreviver, da caça, da pesca e da coleta de frutas, mel e outros produtos dos campos e florestas.

A frequência com que as bandeiras adentravam os sertões brasileiros fazia com que, em Lisboa, as autoridades portuguesas suspeitassem que os paulistas já conhecessem muito bem a localização das sonhadas minas, mas se recusassem a revelar o segredo enquanto não obtivessem da Coroa a contrapartida a que julgavam ter direito. Uma rápida sequência de acontecimentos num período de apenas três anos demonstrou que a suposição tinha fundamento.

No dia 18 de março de 1694, aconselhado pelos seus altos funcionários no Brasil, o rei dom Pedro II de Portugal jogou a isca que os paulistas buscavam. Numa curta mensagem, de apenas um parágrafo, o soberano autorizava o governador-geral do Brasil a prometer cartas de nobreza e outras honrarias às pessoas que, "de livre vontade, tencionem fazer descobertas de ouro e prata". Em seguida, afirmava que, "descobrindo uma mina rica, esta pertencerá ao inventor". A orientação régia mudava o entendimento da legislação mineral que nos duzentos anos anteriores vigorava no império português e segundo a qual qualquer mina era considerada propriedade da Coroa. De posse dessa nova orientação, "como num passe de mágica",[3] os paulistas começaram a achar ouro em Minas Gerais.

Duas décadas antes, em 1674 (três anos depois de sua chegada ao Brasil), o visconde de Barbacena havia convocado um experiente bandeirante, Fernão Dias Paes Leme, com a missão de ir em busca das minas. Aos 66 anos, Fernão Dias era já um homem de idade relativamente avançada para a época. Mesmo assim, aceitou a tarefa e se embrenhou nos sertões mineiros até sua morte, em 1681, depois de encontrar pedras verdes que acreditava serem esmeraldas, quando, na verdade, eram apenas turmalinas de menor valor. Em seu lugar entraria em cena alguns anos mais tarde outro bandeirante famoso. Manuel de Borba Gato, genro de Fernão Dias Paes Leme, hoje homenageado com estátua de dez metros de altura e vinte toneladas de peso no bairro de Santo Amaro, em São Paulo, era um fugitivo da lei. Acusado de matar dom Rodrigo de Castelo, fidalgo português administrador-geral das Minas, em 28 de agosto de 1682, tinha se acobertado com seu bando na região do rio das Velhas. Nas vizinhanças do refúgio de Borba Gato estava localizada a serra de Sabarabuçu, atualmente no município de Sabará, a 23 quilômetros de Belo Horizonte, de onde brotariam as primeiras pepitas de ouro.

Hoje acredita-se que, por mais de uma década, Borba Gato tenha mantido segredo da descoberta para não atrair a cobiça de concorrentes e dos cobradores de impostos da Coroa portuguesa, além de, em especial, obter o perdão real para o crime de que era acusado. Foi, de fato, o que aconteceu. Em troca da localização das minas, o rei de Portugal não apenas anistiou o bandeirante como lhe cumulou com cargos, honrarias e terras nas quais poderia explorar os depósitos de ouro. Num piscar de olhos, Borba Gato deixou de ser considerado um criminoso fugido da lei e foi imediatamente promovido ao posto de guarda-mor das minas de Caetés, tornando-se fidalgo do rei de Portugal, conforme especificava a carta patente — um documento público assinado pelas autoridades que garante direitos, posses e títulos a pessoas físicas ou jurídicas — concedida pelo governador Artur de Sá e Menezes:

*Confiado de sua prudência e de que se haverá muito confor-
me ao real serviço, como dono do posto gozará de todas as
honras, privilégios, liberdades e isenções; em razão disso
mando a todos os oficiais de guerra e justiça que o honrem,
estimem e a todos que o acompanharem que o obedeçam.*[4]

O negócio se revelaria lucrativo não apenas para Borba
Gato, mas também para o representante do rei. Ao ter a confirmação da existência de ouro, Artur de Sá e Menezes deixou suas
funções no Rio de Janeiro e se embrenhou com os paulistas
nas serras de Minas Gerais. Lá chegando, tirou mais de trinta
arrobas (cerca de 440 quilos) de ouro de um lugar apontado pelo
bandeirante e voltou rico para Portugal.

Em 1697, a notícia já corria o mundo e aparecia nos relatórios do governador Sebastião de Castro Caldas enviados à Coroa, em Lisboa, nos quais dizia que os garimpos "se estendem de
tal modo ao longo do sopé de uma cadeia montanhosa que os
mineiros são levados a crer que o ouro nessa região dure uma
grande quantidade de tempo". Em setembro desse mesmo ano, o
rei de Portugal pôde sentir com as próprias mãos o produto do
novo eldorado ao receber no cais de Lisboa doze navios que, embarcados no Rio de Janeiro, traziam para a metrópole uma "partida de ouro em barras", conforme registrado na documentação
da época. A presença desse metal precioso era algo inusitado na
frota do Brasil, cujas cargas predominantes eram até então compostas de açúcar, couro e madeira. Por essa razão, os relatórios
de diplomatas franceses sediados em Lisboa atribuíram sua origem ao Peru, região do império colonial espanhol reconhecida-
mente rica em ouro. Na verdade, era mesmo de Minas Gerais.
"Continuamente se vão descobrindo novos ribeiros de grandís-
simo valimento", comemorava Artur de Sá e Menezes em carta
de 29 de abril de 1698. "O ouro é excelentíssimo."[5]

Escrevendo alguns anos mais tarde, o padre André João Antonil afirmava:

Há mais outras minas novas, que chamam de Caeté, entre as minas gerais e as do rio das Velhas, cujos descobridores foram vários, e entre elas há a do ribeiro que descobriu o capitão Luís do Couto, que da Bahia foi para essa paragem com três irmãos, grandes mineiros, além de outras, que secretamente se acham e se não publicam, para se aproveitarem os descobridores delas totalmente, e não as sujeitarem à repartição, e as que ultimamente descobriu o capitão Garcia Rodrigues Pais, quando foi abrir o caminho novo detrás da cordilheira da Serra do Órgãos, no distrito do Rio de Janeiro, por onde corta o rio Paraíba do Sul.

As lavras mais ricas, exploradas pelo bando de Borba Gato, estavam localizadas nas imediações do córrego Tripuí, cujas nascentes situam-se nos contrafortes da Serra do Espinhaço, a 1.580 metros de altitude. Ali havia um ouro escuro, sem brilho, que os bandeirantes chamaram de ouro preto. A cor escura devia-se ao composto químico paládio, que produzia uma alta concentração de ouro, enquanto a tonalidade branca (o ouro branco) sugeria a presença de níquel, resultando em um composto de menor valor. O mineral aparecia em quantidades fenomenais e nos mais diferentes formatos: em pó, em grãos, ramificações e folhetas, em pepitas arredondadas, algumas grandes como batatas, outras "em forma de língua de boi". Uma dessas pepitas gigantes, que três sócios de um garimpo teriam dividido a golpes de machado, pesava 1,3 quilos. Outra, ainda maior, chegava a 2,7 quilos. Os depósitos eram tão generosos e tão à flor da terra que, nos primeiros anos, cada garimpeiro retirava do solo, em média, 200 gramas de ouro por ano.

Segundo Antonil, em 1709 o homem mais rico de Minas Gerais era um garimpeiro chamado Francisco Amaral, que em poucos anos tinha acumulado cinquenta arrobas de ouro (cerca de 730 quilos). Caso mais triste foi o de Tomás Ferreira que, ao tentar cobrar algumas dívidas, depois de angariar uma fortuna também equivalente a cinquenta arrobas de ouro, acabou recebendo em troca "umas poucas balas de chumbo", ou seja, foi assassinado, o que, segundo Antonil, "é o que sucede não poucas vezes nas minas".[6]

Em 1697, foi inaugurada no Rio de Janeiro uma casa da moeda, destinada a receber, fundir e taxar o ouro que começava a escoar em abundância de Minas Gerais. O viajante francês Louis Antoine de Bougainville, que passou pelo Rio de Janeiro naquele ano, registrou em seu diário:

A Casa da Moeda do Rio de Janeiro é um dos mais belos prédios existentes na cidade. É dotado de todas as comodidades necessárias para realizar com agilidade as operações que aí têm lugar. Como o ouro chega das minas quase ao mesmo tempo em que as frotas chegam de Portugal, é necessário que o trabalho de fundição seja rápido, o que é conseguido com uma eficácia surpreendente.[7]

Em 1702, a Coroa portuguesa criou uma lei para organizar e controlar a produção aurífera, o regimento de superintendentes, guardas-mores e oficiais deputados para as minas de ouro, cuja execução ficou a cargo da Intendência de Minas. Com jurisdição independente das demais autoridades coloniais, reportava-se diretamente ao governo em Lisboa e estava encarregada de cobrar o quinto real, resolver disputas entre os mineradores, além de tomar providências para estimular a produção de pedras e minerais preciosos. A ela estava também subordinada a

Casa de Fundição, onde o ouro era derretido e transformado em barras cunhadas, que circulavam livremente depois do recolhimento dos impostos e taxas.

A legislação portuguesa também definia como seriam distribuídas as áreas de mineração. Quem achasse uma nova jazida tinha a obrigação de comunicar imediatamente às autoridades. Em seguida, funcionários da Coroa iam até o local e dividiam a área em "datas" — lotes de 66 metros de extensão, que seriam concedidos aos garimpeiros. O descobridor da jazida tinha prioridade na escolha do primeiro lote. Os demais eram arrematados em leilão pela melhor oferta. O critério mais importante para a distribuição dessas áreas era o número de escravos que o candidato possuísse. Para obter a concessão de uma data, era preciso ser dono de pelo menos doze escravos, supostamente todos adultos e aptos para o trabalho. O imposto sobre a mineração, em vez de levar em conta o total de ouro produzido, baseava-se também no número de escravos empregados na atividade. A exploração das áreas assim distribuídas deveria começar no prazo máximo de quarenta dias, caso contrário o lote seria retomado pela Coroa e entregue a outros candidatos.

Em 1729, o fluxo de riquezas para a metrópole aumentou ainda mais com a descoberta das jazidas de diamante na colônia. Cinco anos mais tarde, a Coroa criava nova repartição pública, a Intendência dos Diamantes, com a tarefa de implementar normas rígidas relacionadas à exploração de pedras preciosas e fiscalizar o seu cumprimento. Ninguém poderia se estabelecer no Distrito Diamantino, localizado na comarca de Serro Frio, ou mesmo entrar ou sair dessa região sem a autorização prévia do intendente. A principal preocupação das autoridades era controlar a produção e o preço das pedras, combater o contrabando e assegurar a arrecadação de taxas e impostos. A extração foi livre, ainda que mediante o pagamento do quinto real, até 1740. Depois disso, até 1771, realizou-se pela venda de concessões e contratos. Por fim, após essa data, a própria Coroa passou a responsabilizar-se diretamente pelo negócio. O historiador Pandiá Calógeras avaliou em cerca de três milhões de quilates, aproximadamente 615 quilos, o total de diamantes extraído no Brasil entre meados do século XVIII e começo do século XIX — incluindo pedras comercializadas legalmente e contrabandeadas.[8]

Em meados do século XVIII o número médio de escravos por proprietário em Minas Gerais era de treze, mas havia plantéis enormes, com cem ou mais cativos. Em 1738, estimava-se em 101.607 o total de escravos em toda a capitania. A maior concentração estava na comarca de Ouro Preto, com 47.544 cativos, sendo 21.012 no perímetro urbano de Vila Rica.[9] Na vizinha Vila de Nossa Senhora do Carmo, atual Mariana, eram 26.892. No arraial de Água Quente, situado no atual estado de Goiás, labutavam 16 mil africanos. Foram eles os responsáveis pela localização de uma das maiores pepitas de toda a corrida do ouro no Brasil, pesando extraordinários vinte quilos, despachada para Lisboa como presente para o rei dom João V em março de 1734.[10]

OURO! OURO! OURO!

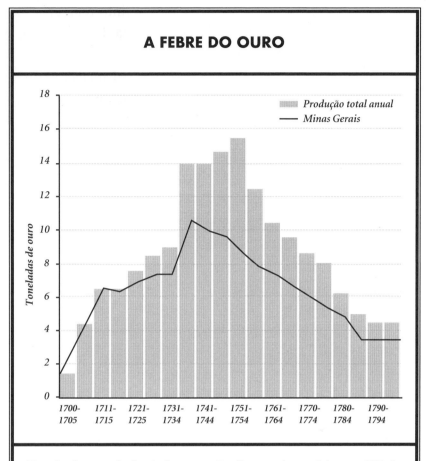

A FEBRE DO OURO

Na primeira metade do século XVIII, o Brasil respondeu sozinho por 50% da produção mundial de ouro. Estima-se entre oitocentas e mil toneladas o total garimpado em Minas Gerais, na Bahia, em Goiás e no Mato Grosso de 1697 até 1810.

Fonte: Virgilio Noya Pinto, *O ouro brasileiro e o comércio anglo-português* (1979), p. 114.

4. O HERÓI INVISÍVEL

UM HOMEM NEGRO OU MESTIÇO descendente de africanos escravizados teria salvado a Coroa portuguesa da ruína no finalzinho do século XVII. Seria ele o responsável pela descoberta de ouro em Minas Gerais, dando assim início à corrida por pedras e minerais preciosos que mudaria por completo a paisagem brasileira e restauraria, ainda que por um breve período, a glória perdida do Reino de Portugal. O único registro que dele sobrou está nesta passagem do livro *Cultura e opulência do Brasil por suas drogas e minas*, do padre jesuíta André João Antonil, um dos documentos mais importantes do Brasil colonial:

> *Dizem que o primeiro descobridor foi um mulato que tinha estado nas minas de Paranaguá e Curitiba. Este, indo ao sertão com uns paulistas a buscar índios, e chegando ao cerro Tripuí desceu abaixo com uma gamela para tirar água do ribeiro que hoje chamam do Ouro Preto, e, metendo a gamela na ribanceira para tomar água, e roçando-a pela margem do rio, viu depois que nela havia granitos da cor do aço, e sem saber o que eram, nem os companheiros, aos quais mos-*

trou os ditos granitos, souberam conhecer e estimar o que se tinha achado tão facilmente, e só cuidaram que aí haveria algum metal não bem formado, e por isso não conhecido.[1]

Por essa versão de Antonil, inicialmente o garimpeiro não conseguira identificar os tais "granitos da cor do aço" que havia "achado tão facilmente". Por isso, os teria vendido, "por meia pataca a oitava" (3,54 gramas), para um comerciante de Taubaté, interior de São Paulo, chamado Miguel de Sousa que, também sem saber exatamente que substância seria aquela, os enviou ao Rio de Janeiro, onde exames determinados pelo governador Arthur de Sá e Meneses revelaram, finalmente, tratar-se de "ouro finíssimo".

Essa narrativa da descoberta de minerais preciosos em Minas Gerais obviamente não combina com a outra descrita no capítulo anterior, segundo a qual os bandeirantes paulistas sabiam exatamente o que era ouro e onde estavam localizadas as jazidas, mas só teriam revelado o segredo depois de obter concessões e privilégios da Coroa portuguesa. Ainda assim, é possível que haja alguma conexão entre as duas histórias. Uma hipótese é que o "mulato" citado por Antonil trabalhasse para um dos bandos liderados por Borba Gato. A versão de que, de início, aqueles homens não saberiam identificar os "granitos da cor do aço" teria sido espalhada por iniciativa do próprio bandeirante apenas como um disfarce para acobertar suas artimanhas durante as negociações com as autoridades coloniais.

Feitas essas considerações, restam algumas perguntas até hoje sem respostas. Qual seria o nome do "mulato" responsável por tão grande façanha? Onde teria nascido, em que família, em quais condições? Era escravo ou liberto? O que teria acontecido com ele depois de achar ouro em Minas Gerais? Enriqueceu? Continuou pobre, percorrendo os sertões, trabalhando para "os paulistas" à caça de índios para escravizar, como tinha feito até então? Infelizmente, ninguém sabe desses detalhes. O relato de Antonil, porém, nos dá algumas pistas a respeito do personagem.

A primeira, obviamente, é que em suas veias corria sangue africano. "Mulato" era a designação que no século XVII, e já na época de conotação pejorativa, se dava aos filhos da miscigenação entre brancos e negros. A segunda pista diz respeito à geografia. Antes de seguir para Minas Gerais em companhia dos paulistas caçadores de índios, o mestiço teria trabalhado em minas de ouro situadas no atual estado do Paraná, que naquele tempo ainda não existia. A região citada por Antonil era então parte da capitania de São Paulo e seria promovida a província autônoma pelo imperador Pedro II só um século e meio mais tarde, em 1853, tomando de empréstimo o nome do caudaloso rio situado à oeste, hoje na fronteira com o Paraguai, que os índios chamavam de *paranã* —"rio grande, semelhante ao mar", em tupi-guarani.

Até meados do século XVII, havia exploração de ouro em pequenas quantidades na serra do Jaraguá, dentro do perímetro urbano da atual cidade de São Paulo, e na região litorânea do hoje estado do Paraná. No primeiro mapa cartográfico da Baía de Paranaguá, de 1653, são apontadas as localizações das diversas minas existentes nas vertentes da Serra do Mar. De lá, subindo por trilhas por onde atualmente corre a bucólica estrada da Graciosa, os garimpeiros teriam chegado a Curitiba, onde também havia ouro. Um dos pontos de mineração estava situado nas encostas de um morro que nos dias atuais é parte do parque do Barigui, uma das maiores e mais agradáveis áreas verdes da capital paranaense.

André João Antonil se refere às minas de Paranaguá e Curitiba como de "rendimento no catar limitado", ou seja, apresentavam lucros relativamente modestos, embora, ainda segundo o jesuíta, a produção tenha chegado a "alguma arroba", na medida da época. Mas nada que se comparasse ao que aconteceria em Minas Gerais graças à sorte e às habilidades do tal "mulato" paranaense.

Até recentemente, uma historiografia ufanista atribuía quase que exclusivamente aos bandeirantes, todos homens e supostamente brancos, a façanha pela descoberta de ouro e diamantes e a consequente ocupação do território brasileiro na primeira metade do século XVIII. Assim eles aparecem, por exemplo, nas imponentes estátuas e nos quadros pintados a óleo reunidos no Museu do Ipiranga, em São Paulo,[2] e na iconografia de muitos dos livros didáticos, nos quais predomina o fenótipo do colonizador português. São eles também os grandes homenageados com monumentos e nomes de rodovias, bairros e cidades em todo o Brasil. Essa imagem, no entanto, é distorcida. Os bandeirantes formavam um grupo multiétnico, composto por indígenas, brancos, negros e mestiços, em especial, de mamelucos (mistura de brancos e índios).[3] Embora hoje estejam relegados ao segundo plano nos museus, livros e salas de aula, negros e mestiços foram, muitas vezes, protagonistas, em vez de atores secundários, nesses grandes acontecimentos.

O tráfico negreiro era menos aleatório e irracional do que se imagina. Ao contrário do que, por muito tempo, sustentou a versão preconceituosa e excludente do colonizador, os africanos escravizados que chegavam à América não eram uma massa informe de mão de obra cativa ignorante, selvagem, bárbara, despreparada para os desafios impostos pelas diferentes atividades econômicas desenvolvidas pelos europeus no Novo Mundo. Por esse olhar, caberia aos feitores e capatazes orientá-los nas tarefas diárias, sob a ameaça do chicote, sobre o que fazer nas fazendas, minas e cidades coloniais, como se fossem meros animais de tração e carga. Novos estudos têm demonstrado o oposto disso.

O HERÓI INVISÍVEL

Os africanos escravizados não eram apenas *commodities*, mercadorias como outras quaisquer, cujo valor e preço dependiam somente do vigor físico ou da força dos músculos definidos pelo sexo, pela idade e pelas condições de saúde (como poderia sugerir, por exemplo, a balança de pesar escravos descrita na introdução deste livro). Além de seres humanos acorrentados e marcados a ferro quente, os porões dos navios negreiros transportavam conhecimentos e habilidades tecnológicas desenvolvidas na África que seriam cruciais na ocupação europeia do Novo Mundo.

No continente africano, cada povo, etnia e região detinha experiências, informações e habilidades singulares que eram do alto interesse dos colonizadores e, que, por isso, pagavam também preços diferenciados de acordo com essas especializações. Africanos escravizados na chamada Alta Guiné, onde hoje situam-se países como Senegal, Mauritânia e Gâmbia, eram habilidosos criadores de gado e foram utilizados intensamente nas atividades pecuárias do interior do Brasil e outras regiões da América. Um pouco mais ao sul, onde hoje estão Guiné-Bissau, República da Guiné, Serra Leoa e Costa do Marfim, praticava-se havia muitos séculos o cultivo do arroz — e de lá veio a maioria dos cativos empregados na rizicultura do vale do Mearim, no Maranhão, e nas duas Carolinas, a do Norte e a do Sul, nos Estados Unidos. Africanos escravizados do Congo, onde a metalurgia era já bastante desenvolvida antes da chegada dos portugueses à África Subsaariana, desenvolveram a indústria do cobre em Santiago de Cuba e trabalharam nela, assim como o fizeram nas forjas e fábricas rudimentares de ferro do interior do Brasil, onde estiveram em grande demanda por séculos. Em outras regiões, eram mergulhadores especializados na coleta de pérolas marinhas.

Ao longo de quase quatro séculos de escravidão na América, os africanos trabalharam como ferreiros, metalúrgicos, escultores e gravadores, prateiros e ourives, ferramenteiros, curtidores de couro e carne salgada, sapateiros, seleiros, tanoeiros, cocheiros, criadores e treinadores de cavalos, vaqueiros, carpinteiros, marinheiros, tecelões e pintores de tecidos, alfaiates e costureiras, cozinheiros, ceramistas, salineiros, projetistas e construtores de casas, armazéns, edifícios públicos, igrejas, estradas, canais e represas, entre outras atividades. Alguns ficaram famosos como escultores, arquitetos, músicos e pintores, como se verá em outros capítulos desta obra. "Todos os povos que se encontraram e se misturaram nas Américas deram contribuições fundamentais para a sua economia, cultura, estética, linguagem e habilidades de sobrevivência", escreveu a historiadora norte-americana Gwendolyn Midlo Hall. "Os africanos e seus descendentes receberam muito pouco reconhecimento por seus esforços e sacrifícios, e muito pouco dos benefícios (gerados por esse trabalho). É hora de tornar visíveis os africanos invisíveis".[4]

Segundo o historiador britânico John Russell-Wood, sem a "transferência de tecnologia" da África para o Brasil, a corrida pelo ouro e pelos diamantes em Minas Gerais provavelmente não teria alcançado a dimensão desejada na época pela Coroa lusitana. Até o início do século XVIII, de acordo com Russell-Wood, os colonos portugueses não detinham grande conhecimento na área de mineração e metalurgia. Sabiam, e bem, fazer açúcar, mas não como achar e garimpar ouro e diamantes. Para isso, uma alternativa seria importar mineiros especializados da Hungria e da Saxônia, mas a opção foi logo descartada porque a Coroa temia que os segredos a respeito das riquezas minerais brasileiras vazassem para potências rivais. Coube aos africanos escravizados transferir essa experiência para a América Portuguesa. Nos estados do povo acã, no interior da atual República de Gana, o ouro em pó era processado e transformado em moedas de alta qualidade. A chamada lavagem aluvial, que consistia na retirada do minério depositado no fundo de rios e alagadiços, era praticada antes ainda da chegada dos portugueses à costa africana, no século xv. Na Cidade do Benim, havia ferreiros e fundidores bastante sofisticados — como mostram as famosas esculturas de bronze, ferro e latão que ainda hoje encantam visitantes de museus ao redor do mundo.[5]

Entre todos os africanos escravizados com especializações, os que apareciam com mais frequência nos documentos do tráfico negreiro e nos registros dos senhores de escravos no Brasil e outras partes da América, especialmente no auge da corrida do ouro, eram os chamados "mina", designação genérica de diferentes povos e etnias habitantes da Costa da Mina, uma vasta faixa litorânea hoje situada entre Gana e a Nigéria, passando pelo Togo e pela República do Benim. Entre os exploradores de ouro e diamante de Minas Gerais, os africanos da Costa da Mina ganharam fama de ser bons "farejadores" de minerais preciosos. Mulheres escravizadas registradas como mina eram as parceiras preferidas pelos mineradores porque, segundo se acreditava, davam sorte na busca por novas jazidas. "Não há mineiro que possa viver sem nem uma negra mina, dizendo que só com elas tem fortuna", escreveu o governador Vahia Monteiro. Os mina tinham, porém, reputação de serem mais rebeldes, propensos a fugas e desordens, ao contrário dos cativos originários de Angola, considerados mais submissos e aptos para o serviço doméstico, como explicava, em 1725, o vice-rei Vasco Fernandes César de Meneses:

> *Os negros de Angola não servem para o trabalho das minas, mas somente como domésticos, para acompanhar a gente [...] como lacaios; é impossível impedir o transporte de negros da Costa da Mina.*[6]

ESCRAVIDÃO VOL. II

A importância da denominação mina era tão desproporcionalmente maior nos plantéis de escravos que, em 1741, Antônio Costa Peixoto publicou um dicionário mina/português, a *Obra nova da língua geral de Mina*, para que os senhores pudessem se comunicar com os escravos, entender as conversas deles e, dessa forma, controlá-los com maior facilidade.[7] Costa Peixoto nasceu na região Entre-Douro-e-Minho, norte de Portugal, e chegou ao Brasil no início do século XVIII na leva de milhares de aventureiros que atravessavam o Atlântico para arriscar a sorte nas recém-descobertas jazidas de ouro de Minas Gerais, Goiás e Mato Grosso. Aprendeu o idioma mina convivendo com escravos originários dessa região da África. Eram todos do grupo linguístico fon/gbe, cujo vocabulário tem influência iorubá, acã e de outros povos vizinhos.

Ao tentar traduzir as palavras africanas para o português, Costa Peixoto acabou por estabelecer uma curiosa ponte de significados culturais entre escravizadores e escravizados, especialmente na área espiritual e religiosa. No seu dicionário, conceitos cristãos foram incorporados ao léxico dos vuduns, divindades cultuadas ainda hoje na República do Benim e nos terreiros de candomblé jeje-mahi da Bahia. Por exemplo, o vocábulo "Deus" (ou "Nosso Senhor") do idioma português se converteu em *hihávouvódum* na língua mina, cujo sentido literal seria "o vodum do homem branco". Da mesma forma, "padre" (ou "sacerdote") foi traduzido como *Avóduno* ou *Vodunon*. Outras palavras e expressões, como "contas do rosário" (*avódumgê*), "quaresma" (*avódumcu*), Páscoa (*avódumnhi*), domingo (*avódumzambe*) e "Dia de Todos os Santos" (*avódumzampê*), tinham todas "vodun" nas suas raízes. Na interpretação do historiador norte-americano James H. Sweet, as consequências dessa associação eram óbvias: para os mina que chegavam ao Brasil, o catolicismo passava a ter diversos elementos em comum com suas práticas rituais africanas, o que teria facilitado o chamado sincretismo religioso em Minas Gerais.[8]

Nas três primeiras décadas do século XVIII, escravos procedentes da Costa da Mina perfaziam 57% de todo o contingente de cativos de Vila Rica e Vila do Carmo, contra 28% provenientes da região de Angola. Ou seja, havia dois mina para cada angolano. Alguns anos mais tarde, em meados do século, cerca de 60% de todos os africanos desembarcados no porto de Salvador, em sua maioria destinados à capitania de Minas Gerais, eram registrados como mina.

Seria, portanto, natural que o "mulato" citado por Antonil, provavelmente de descendência mina, tivesse sido o primeiro a encontrar ouro em Minas Gerais. Era exatamente essa a preciosa contribuição tecnológica que os colonizadores esperavam dos cativos vindos dessa região. Pela tecnologia importada da África, em Minas Gerais explorava-se ouro de duas formas.[9] A primeira, chamada de "lavagem", era feita mediante o desvio ou o represamento do curso de um rio ou córrego, no qual o minerador instalava equipamentos para separar o minério do cascalho. Em geral, consistia em uma prancha de madeira inclinada e revestida com uma camada de pele de boi crua, sem nenhum tipo de tratamento. A água despejada na parte superior da prancha escorria entre os pelos, que retinham o ouro por precipitação. Nas explorações de larga escala, chamadas de lavras, como a realizada nos arredores de Vila Rica e Vila do Carmo, os escravos trabalhavam em turmas supervisionadas por feitores ou capatazes. Ali havia uma organização e uma disciplina semelhantes às das antigas lavouras e engenhos de açúcar da Bahia e de Pernambuco. Os investimentos eram altos, já que eram necessárias grandes obras hidráulicas para desviar ou represar os rios, a construção de canais para transportar a água por longas distâncias e a instalação de sistemas de dragagem e lavagem do cascalho, além da escavação das encostas dos morros. Tudo isso requeria muitos escravos cujas habilidades iam muito além do garimpo de ouro.

A segunda forma de mineração era chamada de faiscação. Faiscadores eram pessoas que trabalhavam sozinhas, isoladas no curso dos rios ou encostas de barrancos, à procura do ouro de aluviões cujas partículas, segundo se dizia, "faiscavam" pelo reflexo da luz do sol. Nesse grupo havia muitos escravos que, ao final da jornada, deveriam pagar uma determinada quantia em ouro ao seu proprietário. Quem garimpasse mais do que a quantia combinada, poderia ficar com o ouro excedente e, depois de algum tempo, comprar sua própria alforria. Mineiros com pouco capital para explorar uma lavra ou sem cativos suficientes para requerer uma concessão de datas recorriam à faiscação itinerante, sozinhos ou acompanhados de poucos escravos. Um censo realizado nos principais distritos mineradores em 1718 revelou que 60% dos 2.120 proprietários de escravos possuíam no máximo cinco cativos.[10]

O perfil da população escravizada brasileira foi mudando ao longo do século XVIII. Nas primeiras décadas da corrida do ouro, os cativos eram majoritariamente homens, adultos e africanos. Em um levantamento feito em quatro distritos de Minas Gerais, 88% do total de 12.842 escravos eram originários da África. Só 12% tinham nascido no Brasil. A proporção do sexo masculino era enorme, chegando muitas vezes a dez ou mais homens para cada mulher. Havia apenas dez crianças para cada adulto. No fim do século, havia mais crioulos (nascidos no Brasil), mulheres, jovens e crianças. Também aumentou o número de negros forros.[11]

Os preços da mão de obra cativa variaram bastante, de acordo com a procura e a quantidade de riquezas extraídas do subsolo mineiro. Em 1692, um africano escravizado custava em Salvador 143 gramas de ouro, em média. Duas décadas mais tarde, valia 478 gramas, um aumento de 234%. Um "negro bem feito, valente e ladino", segundo a expressão usada na época pelo padre André João Antonil para designar o cativo considerado padrão, custava o dobro disso, cerca de um quilo de ouro (o equivalente a cem galinhas, três bois, sessenta pares de sapato ou três barricas de aguardente).[12]

À primeira vista, um índice de inflação dessa natureza poderia parecer muito alto. Mas não era considerado nenhum absurdo para um senhor de escravos que tivesse a sorte de encontrar um bom filão ou depósito de ouro. Na primeira metade do século XVIII, um homem adulto em Minas Gerais conseguiria recolher, em média, duzentos gramas de ouro por ano. Sendo assim, um "negro bem feito, valente e ladino", empregado na mineração, se pagaria em apenas cinco anos de trabalho. Como a expectativa média de vida útil dos cativos era de doze anos, seu dono poderia esperar, portanto, um retorno de, no mínimo, 100% sobre o preço que havia pagado por ele. A partir de 1760, já na fase de decadência da mineração, os preços despencariam novamente, para patamares ainda inferiores aos do século XVII, só voltando a se recuperar na primeira metade do século XIX, quando o tráfico se tornou ilegal por força do movimento abolicionista britânico.

O MAPA DAS MINAS

A Serra do Espinhaço e os principais centros de mineração de ouro e diamantes em Minas Gerais no século XVIII (com os nomes e a localização das cidades e estados atuais).

5. FOME, CRIME E COBIÇA

*"A terra parece que evapora tumultos,
a água exala motins."*

PEDRO DE ALMEIDA PORTUGAL, conde de Assumar,
ao descrever Minas Gerais em 1717

A CORRIDA DO OURO teve o efeito de um terremoto em todo o império colonial português. Uma onda de fome, violência e criminalidade assolou o interior do Brasil. Milhares de pessoas abandonaram suas casas, terras e famílias e partiram em busca de riqueza fácil nas novas áreas de mineração. Nos decadentes centros produtores de açúcar, senhores de engenho falidos mudaram-se para "as minas" com toda a sua escravaria, movidos pelo sonho de refazer rapidamente a fortuna. Os precários caminhos coloniais ficaram congestionados de homens e mulheres, jovens e idosos, brancos, negros e mestiços, nobres e plebeus, religiosos de diversas ordens, vagabundos, desordeiros e prostitutas — "sendo a maioria deles da classe baixa e imorais", conforme a descrição do governador da Bahia num relatório de 1701.

Chegava gente de todo lado, a pé, em canoas, no lombo de mulas ou cavalos. "Jamais coisa assim fora vista e jamais coisa assim se tornou a ser vista, até que surgisse a corrida do ouro na Califórnia, em 1849", escreveu o historiador britânico Charles Boxer.[1] No Minho, região Norte de Portugal próxima da fronteira com a Espanha, a sangria populacional foi tão grande que a Coroa se viu obrigada a baixar leis proibindo os moradores de migrarem para o Brasil. Em São Paulo, soldados desertaram em massa de seus postos. Nos portos do Recife, do Rio de Janeiro e de Salvador, navios deixaram de zarpar por falta de marinheiros. Todos rumavam para "as minas", ao lado de alfaiates, sapateiros, açougueiros, comerciantes, artesãos e outros trabalhadores. Em 1709, havia cerca de 30 mil pessoas nos garimpos de Minas Gerais. Meio século mais tarde, em 1776, o número tinha se multiplicado por dez. Com cerca de 320 mil habitantes, um quinto do total da população brasileira, a capitania concentrava também o maior plantel de africanos escravizados de todo o continente americano,[2] como já se viu em capítulo anterior. O padre André João Antonil, um dos vários cronistas desse fenômeno, deixou o seguinte relato:

> *A sede insaciável do ouro estimulou a tantos a deixarem suas terras e a meterem-se por caminhos tão ásperos como são os das minas [...]. Cada ano, vem nas frotas quantidade de portugueses e de estrangeiros [...]. Das cidades, vilas, recôncavos e sertões do Brasil, vão brancos, pardos, pretos e muitos índios, de que os paulistas se servem. A mistura é de toda a condição de pessoas: homens e mulheres, moços e velhos, pobres e ricos, nobres e plebeus, seculares, clérigos e religiosos de diversos institutos, muitos dos quais não têm no Brasil convento nem casa.*

FOME, CRIME E COBIÇA

O mesmo Antonil relata que os recém-chegados viviam em condições precárias e anárquicas, sem lei ou controle algum. Os crimes ficavam sem punição. Matavam-se pessoas à luz do dia, em ritos de grande crueldade. Os corpos eram esquartejados ou queimados.

> *Não há ministros nem justiças que tratem ou possam tratar do castigo dos crimes, que não são poucos, principalmente dos homicídios e furtos. [...] Nas minas, a justiça humana não teve ainda tribunal nem o respeito de que em outras partes goza.*[3]

Em um relatório ao Conselho Ultramarino em 1701, dom João de Lencastre, governador-geral do Brasil, referia-se às hordas de aventureiros que levavam "uma vida licenciosa e nada cristã", transformando as regiões mineiras em "valhacouto de criminosos, vagabundos e malfeitores".[4] A cobiça e a desordem alcançavam até mesmo padres, monges e religiosos, "que escandalosamente por lá andam, apóstatas ou fugitivos". Tentados pela possibilidade da riqueza fácil, muitos religiosos simplesmente abandonavam suas paróquias, colégios e mosteiros para se embrenhar nas minas à procura de ouro. Eram acusados de contrabandear ouro usando, entre outros expedientes, fundos falsos de imagens de santo de madeira — origem da expressão "santo do pau oco". Em 1711, a Coroa tomou a drástica decisão de proibir a presença de frades e o estabelecimento de ordens religiosas na região mineradora. Na Bahia, em Pernambuco e no Rio de Janeiro, áreas tradicionais de produção de açúcar, a drenagem populacional para as regiões de garimpo causou enorme preocupação nas autoridades.

Antes da descoberta do ouro, havia dois caminhos pelos quais se podia chegar aos sertões de Minas Gerais. O mais antigo, aberto pelas bandeiras paulistas, saía do vale do Paraíba e era conhecido como Caminho Geral do Sertão. Por volta de 1700, estabeleceu-se uma bifurcação desse caminho que partia dos contrafortes da Mantiqueira e ia dar no porto de Paraty, litoral do Rio de Janeiro. Passou a ser chamado de "Caminho Velho" quando abriram, anos depois, o "Caminho Novo", que ia direto até o Rio de Janeiro. A outra via de acesso às minas corria paralela ao rio São Francisco, entre as capitanias de Pernambuco e Bahia, saindo da cidade de Cachoeira, no Recôncavo Baiano. Uma variante do mesmo caminho levava aos campos do Maranhão e Piauí. Era bem mais longo que o dos paulistas, porém mais rápido, devido à ausência de grandes obstáculos geográficos — como a serra da Mantiqueira. Além disso, antigas roças e fazendas de criação de gado às margens do São Francisco serviam para abastecer as levas de garimpeiros que, a pé ou no lombo de mulas, percorriam a região.

Em 1701, na tentativa de controlar o fluxo de gente e o contrabando de ouro, a Coroa portuguesa fechou o caminho do São Francisco. Também decretou que seria necessário ter um passaporte para ir às regiões auríferas, como se Minas Gerais fosse um outro país. Os documentos só seriam concedidos a pessoas julgadas idôneas e de posses, cujos propósitos fossem aprovados pelas autoridades. Em seguida, determinou a construção do Caminho Novo, entre Minas e o Rio de Janeiro, ao longo do qual seriam colocados controles mais rígidos.

Devido à alta demanda de mão de obra nas minas de ouro e diamantes, o preço dos escravos disparou. Como se viu no capítulo anterior, em 1692, um africano escravizado era comprado em Salvador por preço equivalente a 143 gramas de ouro. Duas décadas mais tarde, valia 478 gramas, um aumento de 234%. Por volta de 1703, André João Antonil menciona preços ainda maiores: um "negro bem feito, valente e ladino" era arrematado por

FOME, CRIME E COBIÇA

um quilo de ouro; um "molecão", por novecentos gramas; e um "crioulo", por 1,8 quilos.[5] Na linguagem do comércio escravista, "ladino" era o africano escravizado que sabia falar português e geralmente tinha sido batizado. "Molecão" seria um adolescente, com idade entre doze e quinze anos. "Crioulo" era o negro nascido no Brasil, já fluente na língua portuguesa e bem adaptado aos costumes da colônia, em geral com alguma especialização no trabalho. "Todo dano de que padece o Brasil [...] procede da falta de negros, e de não bastarem os que se introduzem para a fábrica dos engenhos, cultura de tabacos e trabalho nas minas", alarmava-se o governador-geral dom Rodrigo da Costa em carta enviada a Lisboa em 1706. "Os moinhos de açúcar e as plantações desta conquista se vão arruinando, seja pela falta de escravos para as fábricas de açúcar e tabaco, seja pelos preços exorbitantes pelos quais estão sendo vendidos", ecoava, também em carta a Lisboa de 27 de novembro de 1718, o vice-rei do Brasil, dom Sancho de Faro e Sousa, visconde de Vimieiro.[6]

A Coroa tentou inutilmente controlar o número e os preços dos cativos destinados às minas. Em janeiro de 1701 determinou que só duzentos africanos escravizados poderiam ser importados anualmente via porto do Rio de Janeiro. Proibiu também que outras regiões vendessem ou transportassem escravos para Minas Gerais. Outro decreto, de fevereiro de 1711, ordenou que negros ocupados em trabalhos agrícolas não pudessem ser vendidos ou transferidos para a mineração. Na prática, nada disso funcionou e os regulamentos foram revogados em 1715. O próprio mercado negreiro acabou por resolver o problema dos portugueses. Estimulados pelo aumento dos preços, os traficantes reagiram rapidamente à nova demanda. Na Bahia, entre 1681 e 1700, uma média de 76 navios por década partia rumo à Costa da Mina. Entre 1701 e 1710, esse número quase triplicou, para 217. Navios negreiros de Angola passavam ao largo de Recife e Salvador, indo direto para o Rio de Janeiro, que logo se tornaria o principal fornecedor de mão de obra cativa para a região das minas.[7]

Para a imensa maioria dos aventureiros recém-chegados às minas, a febre do ouro e dos diamantes foi uma trágica e fugaz ilusão. Nem todos enriqueceram. Por falta de lavouras que produzissem alimentos ou de redes comerciais que fornecessem as quantidades necessárias de produtos de primeira necessidade, a região foi atingida por duas grandes epidemias de fome, em 1697 e 1700. Milhares de pobres e destituídos morreram sem ter o que comer. O custo de vida explodiu. Por volta de 1703, um boi, que na Bahia custava dez gramas de ouro, era vendido em Minas Gerais por 359 gramas, quantidade de minério que um garimpeiro, em média, só conseguiria acumular depois de um ano e nove meses de trabalho. Um alqueire de farinha (cerca de catorze quilos ou 36 litros) custava 43 mil réis, 67 vezes mais do que o preço praticado em outras regiões da colônia (640 réis). Uma libra de açúcar (aproximadamente meio quilo) era comprada por 120 réis em São Paulo e por dez vezes mais, 1.200 réis, nas minas. Uma galinha, vendida por 160 réis nas cidades e vilarejos paulistas, chegava a Minas Gerais por 4 mil réis[8] (veja no final deste capítulo um quadro com uma lista mais detalhada de alguns desses preços inflacionados da corrida por diamantes e metais preciosos atualizados para 2021, em reais e dólares, com base na paridade do ouro citada por Antonil em 1703).

O impacto da inflação nos alimentos e mercadorias se fez sentir em toda a colônia. Em São Paulo, entre 1690 e 1700, o preço do feijão saltou 220%. O do açúcar, 300%. O toucinho e o milho aumentaram, respectivamente, 500% e 1.300%. A carestia — expressão em voga na época como símbolo de escassez ou

FOME, CRIME E COBIÇA

elevado custo de vida — era agravada pela voracidade do governo da metrópole na cobrança de tributos, que o historiador inglês Charles Boxer chamou de "rede entorpecedora e vexatória de impostos, direitos e taxas".[9]

Em meados do século XVIII, cerca de oitenta diferentes taxas e impostos sobrecarregavam a vida dos mineiros.[10] Cobravam-se tributos sobre virtualmente todas as atividades. O mais importante deles era o chamado "quinto real". Pela legislação, o ouro extraído nas minas e aluviões devia ser entregue às casas autorizadas de fundição de cada distrito, que cobravam os direitos da Coroa. Um quinto do total da produção, ou seja, 20%, era reservado ao rei. Entre 1700 e 1820, só esse imposto somaria 104.841 quilos de ouro recolhidos aos cofres portugueses, média de quase uma tonelada por ano.[11] Outros 18% eram pagos às casas de cunhagem. O restante ficava com os garimpeiros e mineradores na forma de barras certificadas e marcadas com seu peso, quilate, número e as armas do rei. Para facilitar o comércio, autorizava-se também a circulação de ouro em pó, em pequenas quantidades, usadas em pagamentos nas compras do dia a dia.

Além do quinto, cobrava-se em Minas Gerais o dízimo real, na proporção de 10% sobre todos os produtos agrícolas, recolhido nas comarcas de Ouro Preto, Rio das Mortes, Sabará e Serro do Frio. Era uma antiga contribuição à Igreja que o monarca português arrecadava na condição de grão-mestre da Ordem de Cristo e representante oficial da Santa Sé em todos os seus territórios. Gado, escravos, mercadorias, alimentos e outras provisões arcavam ainda com impostos de entrada e saída nas três estradas que davam acesso à região mineradora partindo da Bahia, do Rio de Janeiro e de São Paulo. O sal, fornecido em regime de monopólio régio, chegava do Rio de Janeiro custando 720 réis o alqueire, mas, para entrar em Minas Gerais, era necessário o pagamento de outros 750 réis. Viajantes e animais de carga desembolsavam mais uma quantia para ter o direito de passagem na travessia de rios, uma espécie de pedágio da época.

As cobranças de taxas e tributos eram feitas por destacamentos armados em pontos estratégicos ao longo das estradas, como desfiladeiros e travessias de rios, que os viajantes dificilmente conseguiriam burlar. Nesses locais, chamados de "registros", a carga era inspecionada pelos fiscais. Em seguida, o viajante pagava os tributos em troca de um recibo com o qual poderia circular livremente pela região mineira. Como se tudo isso não bastasse, a Coroa exigia periodicamente "donativos" dos moradores para cobrir despesas extras, como o pagamento do dote das princesas que se casavam com nobres estrangeiros ou subsídios para guerras.

Fome, especulação nos preços, impostos escorchantes, contrabando, rebeliões e crimes violentos faziam parte da rotina das legiões de forasteiros, escravos e maltrapilhos que se aventuravam pelas regiões ermas do interior do Brasil. Minas Gerais era uma terra sem lei, à margem dos controles da metrópole portuguesa, "dominada por homens poderosos que faziam valer seus interesses por meio da violência", na descrição da historiadora Adriana Romeiro. "A inexistência de órgãos de justiça dava lugar [...] às tropas de negros fortemente armados e às impressionantes vinganças pessoais, marcadas por extrema crueldade, como mutilação e esquartejamento de corpos e ateamento de fogo aos inimigos".[12]

Nomeado governador da capitania em 1717, com a missão de restabelecer a ordem, dom Pedro Miguel de Almeida Portugal e Vasconcelos, futuro terceiro conde de Assumar e primeiro marquês de Alorna, anotou em seu diário a seguinte reflexão sobre o caráter das Minas e dos mineiros:

FOME, CRIME E COBIÇA

Os dias nunca amanhecem serenos; o ar é nublado perpétuo; tudo é frio naquele país, menos o vício, que está ardendo sempre [...]; a terra parece que evapora tumultos; a água exala motins: o ouro toca desaforos; destilam liberdades os ares; vomitam insolências as nuvens; influem desordens os astros; o clima é tumba da paz e berço da rebelião; a natureza anda inquieta consigo e, amotinada por dentro, é como no inferno.[13]

Como curiosidade, vale registrar que, antes de assumir o controle dos negócios públicos em Minas Gerais, Assumar foi personagem involuntário de um dos episódios mais importantes da história religiosa brasileira: a pesca milagrosa, nas águas barrentas do rio Paraíba do Sul, da imagem de uma santa negra, hoje padroeira do Brasil, o país no mundo de maior população negra ou descendentes de africanos fora da própria África. Ao chegar de Portugal em meados 1717, o conde fez uma travessia entre Rio de Janeiro e Santos, litoral paulista, de onde iniciou uma longa jornada rumo às regiões de mineração de ouro. Primeiro esteve em São Paulo, até então sede da capitania que, três anos mais tarde, seria desmembrada para a criação de Minas Gerais. Em seguida, atravessara o vale do Paraíba, região em que os moradores, conforme registrou em seu diário de viagem, eram "violentos e assassinos", responsáveis por nada menos do que dezessete homicídios no ano anterior.[14] Na sua passagem pelo então vilarejo de Santo Antônio de Guaratinguetá, a Câmara decidiu homenageá-lo com um banquete. Incumbidos de providenciar a maior quantidade possível de peixes, diversos pescadores saíram de um porto particular na fazenda do capitão José Correia Leite, na vizinha Pindamonhangaba. Entre eles estavam João Alves, Domingos Garcia e Felipe Pedroso que, ao lançar suas redes, pescaram — primeiro o corpo, depois a cabeça — a imagem enegrecida de Nossa Senhora da

Conceição, padroeira de Portugal, depois rebatizada como Nossa Senhora Aparecida, o nome simplificado pelo qual é hoje conhecida entre os brasileiros.

Seriam esses três famosos pescadores homens escravizados? Embora não existam registros a respeito disso, algumas pistas indicam que, provavelmente, sim. A primeira, mais óbvia, é que, nessa época, a pesca no Brasil era uma atividade de escravos, indígenas ou negros. A segunda é o fato de o capitão Correia Leite, de cuja fazenda partiram os barcos em outubro de 1717, ter sido dono de terras e muitos escravos. Eles aparecem registrados em testamento, como herança, depois de sua morte, em 1744. Três deles se chamavam João, Domingos e Felipe, os mesmos nomes dos pescadores da imagem da santa. Coincidência ou não, Nossa Senhora Aparecida logo se ligaria à história da escravidão no Brasil por outro episódio. Um de seus primeiros milagres teria sido a libertação de um cativo, Zacarias, fugido de uma fazenda no Paraná. Ao ser recapturado no vale do Paraíba, Zacarias fez um pedido ao feitor ou capitão do mato que o conduzia imobilizado por correntes. Queria rezar aos pés da santa negra de Aparecida. Segundo a tradição, quando o escravo se ajoelhou, as correntes misteriosamente se partiram.[15]

Uma série de insurreições e episódios violentos precederam a chegada do conde de Assumar a Minas Gerais. Todos eles causados pela recusa dos mineiros em pagar impostos e ceder espaços aos controles da Coroa portuguesa. À frente dos tumultos em geral estavam os paulistas, que julgavam ter direito a privilégios e posições de mando na condição de primeiros descobridores das jazidas de ouro em Minas Gerais.

Além das práticas culturais mestiças e do modo peculiar de se vestir (já descritos no terceiro capítulo), os paulistas se pautavam por um código de valores assentado em ideais de bravura e honra. Expressavam, na definição da historiadora Adriana Romeiro, "um nativismo exaltado, no qual despontava o orgulho de ser paulista", amadurecido nos dois séculos anteriores da colonização, em que São Paulo havia sido praticamente o único posto avançado da civilização portuguesa no interior do território brasileiro. "Isolados pela serra do Mar, desligados dos circuitos da economia açucareira e voltados para o apresamento de índios, organizavam-se em clãs e parentelas, que disputavam entre si a honra e o prestígio social, associados diretamente às virtudes da coragem e da bravura", escreveu a historiadora.[16]

O isolamento geográfico deu a São Paulo fama de refúgio de malfeitores, desertores, fugitivos da justiça, valentões e rebeldes. De passagem pelo Rio de Janeiro em 1696, o viajante espanhol Francisco Correal, ao comentar as notícias a respeito da descoberta de fabulosas minas no interior do Brasil, registrou:

> Dizem que a região é muito rica em ouro e que os paulistas estão longe de pagar o quinto de tudo o que encontram, o que, provavelmente, é verdade. Todavia, como obrigar essa gente, que não só vive no meio de montanhas inacessíveis como ainda instala constantemente novas defesas naqueles lugares em que crê que a natureza é falha, a pagar tributos com lisura?

Alguns anos mais tarde, o navegador e pirata inglês William Dampier escreveu sobre São Paulo e os paulistas: "Os habitantes deste lugar [...] são tidos como espécie de bandidos, de gente perdida, sem nenhum governo".[17]

A primeira tentativa da Coroa portuguesa de implantar ordem nas minas ocorreu em 1702. Nomeado como superintendente da atividade mineradora, o desembargador José Vaz Pinto foi logo expulso pelos paulistas. Mas nem por isso teria perdido a viagem. Segundo relatório de um membro do Conselho Ultramarino, ao voltar para Lisboa, Vaz Pinto estaria rico graças ao contrabando de ouro, levando na bagagem 40 mil cruzados de minério em pó, fortuna incalculável e muito acima dos seus vencimentos como funcionário da Coroa portuguesa — prova incontestável de que o desembargador não teria recolhido o quinto real. Cinco anos após a expulsão de Vaz Pinto, a resistência dos paulistas aos controles da Coroa portuguesa, somada à disputa pelas áreas produtoras de minério, seria o estopim de uma série de conflitos conhecida como "A Guerra dos Emboabas".

Emboaba era o nome dado pelos paulistas a todos aqueles que não haviam nascido ou instalado residência na capitania de São Paulo. Isso incluía portugueses, baianos, pernambucanos, cariocas e uma infinidade de outros aventureiros. Era, portanto, sinônimo de forasteiro, aquele que chegava para disputar o território onde até então os bandeirantes reinavam sozinhos. E os forasteiros chegavam de todas as partes, em número maior do que os paulistas, vindos de outras regiões do Brasil, da África, de Portugal e até da Índia. Muitos deles conseguiram enriquecer rapidamente e logo se tornaram uma ameaça ao poder dos paulistas.

Um caso exemplar de emboaba bem-sucedido é o do português Manuel Nunes Viana. Natural da região do Minho, de estatura mediana, rosto redondo, olhos castanhos e cabelos pretos, Viana chegou pobre a Salvador no final do século XVII. Ali começou a trabalhar incorporando-se à rede de mascates, ou vendedores ambulantes, que percorriam os sertões brasileiros vendendo mercadorias. Devido à grande mobilidade, os mascates eram também suspeitos de participar de uma rede de comércio ilegal. Abasteciam escravos fugitivos com armas de fogo, compravam mercadorias roubadas e contrabandeavam ouro. Como procurador da Casa da Ponte, uma grande rede de criação de gado estabelecida em Salvador pela família Garcia D'Ávila, Nunes trocava cabeças de vacas e bois vindas do Nordeste por ouro em pó. Essa forma de escambo lhe permitia desviar o minério sem pagar o quinto real. Assim enriqueceu rapidamente e montou um exército particular, comandado por um escravo africano chamado Bigode, que moldou suas tropas com disciplina e postos hierárquicos rígidos — coisa rara naquela época nos sertões do Brasil.[18] Além de fazendas e lavras, seu patrimônio incluía 167 escravos e setecentos quilos de ouro que estocava, junto com armas, munições e mantimentos, numa casa-forte construída no arraial do Caeté. Um de seus parceiros nos negócios, o também português Pascoal da Silva, igualmente mascate no interior de Minas Gerais na mesma época, era dono de fortuna ainda maior, trezentos escravos, uma tonelada e meia de ouro, além de fazendas e áreas de mineração.

Em 1707, graças ao carisma político e ao poder de seu exército particular, Nunes Viana foi aclamado pelos emboabas governador das Minas do Ouro, um cargo ainda inexistente na burocracia da colônia. A aclamação ocorreu à revelia da Coroa portuguesa e contra a vontade dos paulistas. Nessa condição, Nunes Viana logo entrou em confronto com o bandeirante Manuel Borba Gato, que até então mandava e desmandava no território em nome dos paulistas. Os ânimos foram se esquentando com escaramuças esparsas entre os dois lados até que um grupo de paulistas foi massacrado pelos emboabas no capão da Traição, na região do rio das Mortes, nas vizinhanças das atuais cidades de Tiradentes e São João Del Rei. Preocupada com os acontecimentos, a Coroa despachou para o Brasil o hábil dom Antônio de Albuquerque, ex-governador do Estado do Maranhão e do Grão-Pará, com a incumbência de apaziguar os ânimos. Ao chegar a Minas Gerais, Albuquerque deu anistia geral aos envolvidos na Guerra dos Emboabas, mas privilegiou os adversários dos paulistas na nomeação de funcionários para cargos públicos e na distribuição de novas datas de mineração. Derrotados e desgostosos, os paulistas partiram novamente para o sertão, dessa vez rumo ao Centro-Oeste brasileiro, e lá fariam, repetindo a façanha já realizada em território mineiro, uma nova e sensacional descoberta: as minas de ouro e diamantes de Mato Grosso e Goiás, já descritas em capítulo anterior.

Terminada a guerra e expulsos os paulistas, seria a vez de os próprios emboabas resistirem a todas as tentativas da Coroa portuguesa de controlar a produção e o comércio de ouro, de modo a garantir a arrecadação de impostos. O último grande confronto ocorreu entre 28 de junho e 16 de julho de 1720, três anos após a chegada do conde de Assumar. Foi a chamada Sedição de Vila Rica, a mais importante revolta na América Portuguesa antes da Conjuração Mineira, de 1789. Um de seus líderes era Pascoal da Silva, o ex-mascate e sócio de Nunes Viana, que a essa altura ocupava o cargo de superintendente da atividade mineradora na comarca de Ouro Preto. Os rebeldes queriam forçar a Coroa a suspender o estabelecimento de uma nova casa de fundição na comarca, onde todo o ouro seria obrigatoriamente entregue e transformado em barras depois de deduzido o quinto real. O momento de maior tensão ocorreu ao anoitecer de 28 de junho, quando homens encapuzados e armados desceram em disparada até o centro de Vila Rica aos gritos de "Viva o povo e morte aos enviados do rei". Numa das investidas, a casa do ouvidor-geral, Martinho Vieira de Freitas, foi saqueada e destruída. Vieira de Freitas escapou por pouco de ser linchado e fugiu para o Rio de Janeiro.

A reação de Assumar foi rápida e implacável. Com o apoio de alguns homens poderosos da vizinha Vila de Ribeirão do Carmo (atual Mariana), o conde mobilizou a Companhia dos

FOME, CRIME E COBIÇA

Dragões, elite das forças militares na região, e um enorme contingente de escravos composto, segundo descrições da época, por 1.500 negros fortemente armados. Em seguida, mandou incendiar as casas e propriedades de Pascoal da Silva, que, junto com três líderes do movimento, o doutor Manoel Mosqueira da Rosa e os freis Vicente Botelho e Francisco de Monte Alverne, foi imediatamente preso e mandado para o Rio de Janeiro, a pé e acorrentado. Por fim, Assumar condenou à morte, sem julgamento, um dos mais pobres e insignificantes agitadores. Felipe dos Santos era um português que, no início da corrida do ouro, abandonara a mulher em Lisboa para tentar a vida no Brasil e, sem nunca fazer fortuna, ganhava a vida conduzindo mulas com a ajuda de cinco escravos idosos e doentes. Acabou enforcado em praça pública. Seu corpo esquartejado foi atado a cavalos e arrastado pelas ruas de Vila Rica. O que sobrou dele, incluindo a cabeça e os membros, ficaram expostos no alto de postes e árvores ao longo das estradas para servir, nas palavras do próprio Assumar, como "exemplo horroroso" para os inquietos e rebeldes mineiros, definidos pelo conde como "homens brutos e facínoras [...], cheios de todo o gênero de maldades, luxúrias, cobiças, dolos, invejas, homicídios, contendas, enganos, malícias e murmurações".[19]

Apesar da crueldade com que o conde tratou os amotinados de 1720, o "exemplo horroroso" não produziria os resultados esperados por ele. Os mineiros continuariam inquietos e amotinados ao longo de todo o século XVIII. Pela sua condição social e a maneira como fora executado, Felipe dos Santos seria a prefiguração de um outro herói rebelde, o alferes Joaquim José da Silva Xavier, que, décadas mais tarde, entraria para as páginas da história brasileira como o Tiradentes — tema de um dos próximos capítulos deste livro.

PREÇOS DE ANIMAIS, MERCADORIAS E GENTE

A corrida do ouro e dos diamantes provocou vertiginosa inflação nos preços em Minas Gerais. A seguir, alguns exemplos de valores praticados na época, em ouro, e quanto representariam hoje, em real e dólar.[*]

Um boi
Em 1703: 360 gramas de ouro
Em 2020: R$ 111.960
US$ 20.733

Uma vaca
Em 1703: 286 gramas de ouro
Em 2020: R$ 88.946
US$ 16.471

Uma galinha
Em 1703: 14 gramas de ouro
Em 2020: R$ 4.354
US$ 806

Um pastel
Em 1703: 3,6 gramas de ouro
Em 2020: R$ 1.119
US$ 207

Manteiga (um quilo)
Em 1703: 7,2 gramas de ouro
Em 2020: R$ 2.239
US$ 415

Um queijo de Minas
Em 1703: 14,3 gramas de ouro
Em 2020: R$ 4.447
US$ 824

[*] Preços citados por André João Antonil, *Cultura e opulência do Brasil por suas drogas e minas*, pp. 229-230, atualizados de acordo com as seguintes equivalências: uma oitava de ouro era igual a 3,58 gramas, sendo em maio de 2021 o valor do grama em torno de R$ 311,00 e a cotação do dólar, de R$ 5,40.

FOME, CRIME E COBIÇA

Marmelada (pacote)
Em 1703: 10,7 gramas de ouro
Em 2020: R$ 3.328
　　　　　US$ 616

Barrica de aguardente
Em 1703: 360 gramas de ouro
Em 2020: R$ 111.960
　　　　　US$ 20.733

Uma camisa de linho
Em 1703: 14,3 gramas de ouro
Em 2020: R$ 4.447
　　　　　US$ 824

Meias de seda (par)
Em 1703: 28,8 gramas de ouro
Em 2020: R$ 8.957
　　　　　US$ 1.659

Sapatos (par)
Em 1703: 17,9 gramas de ouro
Em 2020: R$ 5.567
　　　　　US$ 1.031

Uma espingarda
Em 1703: 57,3 gramas de ouro
Em 2020: R$ 17.820
　　　　　US$ 3.300

Uma pistola
Em 1703: 35,8 gramas de ouro
Em 2020: R$ 11.133
　　　　　US$ 2.062

Uma faca de ponta
Em 1703: 21,5 gramas de ouro
Em 2020: R$ 6.686
　　　　　US$ 1.238

Um canivete
Em 1703: 7,2 gramas de ouro
Em 2020: R$ 2.239
US$ 415

"Um negro bem feito, valente e ladino" *
Em 1703: 1.080 gramas de ouro
Em 2020: R$ 335.880
US$ 62.200

"Um molecão" **
(escravo adolescente)
Em 1703: 895 gramas de ouro
Em 2020: R$ 278.345
US$ 51.545

"Uma negra ladina cozinheira" ***
Em 1703: 1.260 gramas de ouro
Em 2020: R$ 391.860
US$ 72.567

"Um crioulo" ****
Em 1703: 1.790 gramas de ouro
Em 2020: R$ 556.690
US$ 103.090

"Um mulato, bom oficial"
Em 1703: 1.790 gramas de ouro
Em 2020: R$ 556.690
US$ 103.090

---

* Expressão usada por Antonil para definir um homem jovem, em boas condições de saúde e plena capacidade física. Ladino era o escravo batizado que sabia falar português.

** Escravo adolescente, entre doze e quinze anos de idade.

*** Escrava que soubesse cozinhar e falar português.

**** Escravo negro nascido no Brasil.

6. SERTÃO ADENTRO

VIAJAR PELOS RIOS E PELAS ESTRADAS ERMAS do Brasil escravocrata era demorado, perigoso e desconfortável. Feijão, farinha e toucinho compunham a ração básica ao longo do caminho. Nem sempre havia sal. Completava-se a dieta com a caça, a pesca e a coleta de frutos, raízes e ervas. "Quatro macacos preparados de quatro modos diferentes" foi a ceia de Natal de 1788 do astrônomo Francisco José de Lacerda e Almeida, participante da expedição encarregada de delimitar as fronteiras da colônia após a assinatura do Tratado de Madri de 1750. Repleta de sustos, imprevistos e doenças, sua longa viagem começara em 1780, em Belém do Pará, e demoraria nove anos para chegar a São Paulo. Dormia-se em redes, armadas num rancho velho, na prainha de um rio ou numa clareira de floresta. O mosquiteiro, cobertura de tecido leve vedada até o chão, servia de proteção, em geral inútil, contra o ataque inclemente dos insetos. "Eram tantos que nos cansávamos de os enxotar", registrou o capitão-general Antônio Rolim de Moura, primeiro governador de Mato Grosso, ao descrever sua jornada rumo a Cuiabá, em 1751.[1] Quatro anos mais tarde, em 1755, ao ser nomeado vice-rei do Brasil, dom Marcos

José de Noronha e Brito, sexto conde dos Arcos, até então governador de Goiás, demorou oitenta dias para chegar a Salvador, descendo o rio São Francisco e cruzando os sertões em canoas, lombo de burro e, em alguns trechos, a pé.[2]

Além das lonjuras e do ambiente hostil, havia o perigo representado pelos indígenas, que defendiam suas terras contra a invasão do colonizador, e pelos bandos de fugitivos e criminosos que infestavam os rincões brasileiros. Durante todo o século XVIII, o interior de Minas Gerais foi assolado por quadrilhas de salteadores que roubavam os viajantes e, às vezes, os matavam e enterravam em covas rasas. A de Manuel Henrique, conhecido como Mão de Luva porque usava uma luva de couro no lugar da mão decepada numa briga, atuava nas vizinhanças do rio Paraibuna e da Cachoeira do Macacu, na divisa com o Rio de Janeiro. Tinha duzentos homens em arma, entre brancos, mulatos, negros forros e mamelucos. Além de assaltar os viajantes que seguiam para Vila Rica, explorava ouro em garimpos e minas clandestinas, cujos impostos não eram pagos à Coroa. A Quadrilha da Mantiqueira atuava no alto da serra. Era comandada por José Galvão, conhecido como Montanha, um gigante de pele morena, barba e cabelos compridos. Assaltava os comboios que levavam ouro e mercadorias pela estrada entre Minas Gerais e o Rio de Janeiro. A quadrilha foi desbaratada por volta de 1783 pelo alferes Joaquim José da Silva Xavier, o Tiradentes, então comandante do destacamento do Caminho Novo.[3]

Particularmente difíceis e arriscadas eram as monções dos bandeirantes paulistas que desciam o rio Tietê rumo às regiões mineradoras de Mato Grosso. Partindo do vilarejo de Araritaguaba (ou Araraitaguaba, "lugar de pedra onde comem as araras", em tupi-guarani), atual município de Porto Feliz, no interior de São Paulo, percorria-se um trajeto de quase 3.700

quilômetros, ao longo dos quais era necessário transpor 113 saltos, cachoeiras e corredeiras de dez diferentes rios, em viagens que duravam entre quatro e seis meses.[4]

Essas jornadas eram empreendidas em enormes canoas cavadas no tronco de uma só árvore, com mais de quinze metros de comprimento por dois de largura. Cada embarcação levava entre oito e vinte pessoas e até cinco toneladas de carga (a capacidade de um caminhão semipesado de hoje). Seus tripulantes frequentes incluíam garimpeiros, funcionários da Coroa portuguesa, escravos negros e indígenas, cozinheiros, batedores e homens armados para proteger a expedição dos frequentes ataques desfechados por índios nas margens dos rios. Muitos deles eram vítimas de recrutamento forçado, operações determinadas pelas autoridades coloniais em que soldados invadiam as casas, sequestravam os jovens mais fortes e saudáveis e os levavam para os leitos dos rios sem possibilidade de reação. Tudo dependia da força de trabalho escravizada. No começo do século XIX, ao observar a partida de uma das monções, o francês Hercule Florence, considerado o pioneiro da fotografia no Brasil, registrou:

> Uns tantos pretos, nus da cintura para cima, carregam caixas e caixões para os barcos abicados à barranca do Tietê. As provisões embarcadas consistem, sobretudo, em farinha de milho e de mandioca, feijão, toucinho e sal.

Nos trechos de cachoeiras ou corredeiras, em que a navegação seria impossível, os batelões e canoas eram retirados dos rios e arrastados por terra — trabalho pesadíssimo, executado por escravos e animais de carga. O ponto mais difícil era o chamado Varadouro de Camapuã, no qual os viajantes eram obrigados a percorrer a pé um segmento terrestre de aproximadamente quinze quilômetros para transpor o divisor de águas entre as bacias do rio Paraná e do Alto Paraguai. Ali existe ainda hoje uma fazenda, a Camapuã, fundada em 1720 pelos irmãos Leme, bandeirantes paulistas, que fornecia os carros e juntas de bois necessários para a difícil travessia.[5] Em 1730, um ataque dos índios Caiapó à fazenda queimou as roças e as casas onde os forasteiros se reabasteciam e pernoitavam. Com medo das investidas indígenas, os colonos trabalhavam sempre com armas ao alcance das mãos. Malária, ataques de onças, cobras, formigas e marimbondos, chuvas torrenciais e pântanos alagados completavam as agruras dos passageiros.

O mais impressionante e detalhado registro de uma dessas monções foi feito pelo sargento-mor[6] Teotônio José Juzarte.[7] À frente de uma expedição com 36 canoas e cerca de oitocentas pessoas ("homens, mulheres, rapazes e crianças de todas as idades, trinta soldados de linha, gente de mareação e equipagem", na sua descrição), Juzarte partiu de Araraitaguaba no dia 13 de abril de 1769 rumo ao longínquo presídio (ou fortaleza) de Nossa Senhora dos Prazeres de Iguatemi, posto avançado de defesa da América Portuguesa situado na fronteira com o Paraguai, no atual estado do Mato Grosso do Sul. Seguia ordens do governador da capitania de São Paulo, dom Luís Antônio Botelho de Sousa e Mourão, sob cuja responsabilidade estavam o fortalecimento e a proteção dos novos limites territoriais da colônia. A navegação de mais de mil quilômetros pelos rios Tietê, Paraná e Iguatemi demorou dois meses e dois dias.

Seu destino era um dos lugares mais inóspitos de todo o império colonial português. Fundada em 1767 pelo ituano João Martins de Barros, longe de tudo e de todos, sem linhas regulares de fornecimento de comida ou de apoio militar e logístico, a fortaleza do Iguatemi era famosa pelas epidemias de fome e de malária, pelos ataques dos índios e pela constante ameaça dos espanhóis — um lugar muito ruim de se viver, definido pelo historiador paulista Afonso d'Escragnolle Taunay como "o cemité-rio de milhares de brasileiros".

Foi uma viagem épica, digna de roteiro de cinema. Antes ainda da partida, todos os passageiros foram acometidos por um surto de diarreia. Dias depois, uma praga de carrapatos obrigou todos a ficarem nus, para que seus corpos fossem esfregados com cera de abelha e caldo de fumo. Um dos soldados foi atacado por uma manada de porcos-do-mato e teve de refugiar-se na copa de uma árvore. Surpreendidos por uma tempestade fortíssima, os tripulantes tiveram de amarrar as canoas nas raízes da barranca do rio, evitando que emborcassem e fossem levadas pelas águas. No percurso, nasceram quatro crianças. Uma delas era filha de uma mulher indígena da nação bororo, que deu à luz junto a uma prainha, lavou o recém-nascido nas águas do próprio rio e no dia seguinte já estava plenamente recuperada, às voltas com as tare-fas rotineiras a bordo. A outra criança era filha de uma adolescen-te, cujos pais, sem saber até então que a menina estava grávida, ten-taram matá-la. Enquanto alguns nasciam, outros morriam. Três passageiros faleceram no decurso da navegação. Dois corpos foram enterrados no mato que cobria as margens dos rios. O terceiro, de uma jovem solteira, foi colocado a pedido dos pais numa caixa de madeira usada para transportar toucinho, coberto com terra, e se-guiu viagem até o destino final da expedição, onde foi sepultado.

Ao fim de tantos tormentos, a comitiva finalmente chegou ao forte Iguatemi. Lá encontrou uma guarnição anterior, com-posta por cerca de trezentos homens e mulheres, em estado de penúria. As muralhas inacabadas não permitiam defesa alguma contra eventuais ataques. A comida tinha se esgotado fazia tem-po. Por falta de roupas e agasalhos, algumas pessoas andavam nuas. O teto da igreja era feito de casca de palmito. As casas frá-geis foram construídas com barro e pau a pique, cobertas com folhas de capim.

Juzarte permaneceu cerca de dois anos no Iguatemi. Nesse período, ele e seus companheiros de viagem sofreram todo tipo de percalços, como ataques de indígenas, pestes sucessivas de ratos, pulgas, baratas, gafanhotos e mosquitos borrachudos. Inúmeras outras pessoas morreram. Atacado pela "sezão" (termo usado no relato para se referir à malária), o sargento-mor regressou a São Paulo em maio de 1771, mas ainda cumpriu outras missões semelhantes nas mais diversas regiões brasileiras a mando da Coroa portuguesa. Morreu em 22 de janeiro de 1794. Tanto sofrimento foi inútil. A fortaleza de Iguatemi acabou tomada pelos espanhóis em 1777, seis anos após sua partida do local. Dela restam hoje apenas vestígios das ruínas tomadas pelo matagal que cobre a margem do rio Iguatemi no município de Paranhos, no Mato Grosso do Sul.

A seguir, alguns trechos selecionados do relato de Juzarte:[8]

A rotina da viagem:

Navega-se comumente das oito da manhã até as cinco da tarde, pela razão das muitas neblinas que encobrem os perigos destes rios. [...] Há dias em que o sol não se levanta senão ao meio-dia. O pouso que se faz para descansar de noite é antes que o sol se ponha, para haver tempo de se arrancharem, cearem e cozinhar o que no outro dia se há de comer. Sendo horas para se fazer o pouso, se embicam as canoas pelos barrancos do rio, presas com cipó, e se bota abaixo o mato roçando-se o necessário para se acomodar a gente em terra. Isto feito, se armam as redes de pau e se cobrem com um mosquiteiro [...], o qual deve ficar bem unido porque, do contrário, são tantos os mosquitos e insetos, de tanta qualidade, que mortificam e fazem desesperar, além do dano que causam aos que não tem cautela.

SERTÃO ADENTRO

Mosquitos, outros insetos e animais selvagens:

Os insetos que perseguem são mosquitos chamados pólvora, borrachudos, pernilongos e em tanta quantidade que formam nuvens. Além desses, há os vermes que, picando na cútis, introduzem dentro um bicho negro gadelhudo, à semelhança de uma lagarta de couve. Há os carrapatos de várias qualidades e uns miúdos à semelhança de piolhos de galinha que formam em bolas do tamanho de nozes e estão pendentes nas folhas das árvores que, caindo uma destas sobre qualquer pessoa, a enche de tal sorte que para se tirarem é preciso despir-se nu e outra pessoa correr-lhe todo o corpo com uma bola de cera da terra ou esfregá-lo com caldo de tabaco de fumo, ou sarro de pito. Há também muita quantidade de moscas grandes louras que têm um ferrão do comprimento de uma polegada, e que, picando na gente, é como uma lanceta. [...] Além destes insetos, há os bichos que se metem muito, os quais são as cobras de extraordinária grandeza e diversas qualidades [...], como jararacas, cascavéis, corais, e sobretudo as grandes e monstruosas sucuris. Há as onças e os tigres e as grandes manadas de porcos-do-mato que são bravíssimos, e de muito longe se ouve o estrépito que fazem com os dentes. De tudo isso se tem grande cuidado durante a noite.

Uma tempestade:

Ao meio-dia, embarcando toda a gente, navegamos por tempo de quatro horas, e porque nos viesse uma grande tempestade de chuva, trovões e raios nos vimos obrigados a embicar as embarcações no barranco do rio, sem que ninguém pudesse saltar em terra [uma vez que] o barranco era bastantemente

*alto e com grossos matos. E assim, prendendo as embarca-
ções aos pés das raízes das árvores com correntes de ferro e
outras com grossos cipós, passamos esta noite sofrendo tão
horrorosa tempestade, molhando-se tudo. E caindo dois
raios que, despedaçando e desgalhando grossas árvores, nos
vimos quase nos últimos fins da vida. Entoando a ladainha
de Nossa Senhora, cada um se recomendava ao seu santo de
maior devoção. [...] Neste dia amanhecemos como quem passou uma noite tenebrosa e perigosa. E achamos uma criança
morta, à qual se deu sepultura no mato. Amanhecendo uns
com fome e todos molhados de chuva, aí se deu de modo possível a ração de farinha.*

As cachoeiras do Tietê e o ataque de carrapatos:

*Pelas oito horas da manhã, chegamos a uma cachoeira, a
qual passamos com muito trabalho e susto, indo tudo embarcado. Daí, passada a cachoeira, demos em um estirão de
rio morto, que tem mais de duas léguas, todo rumo ao noroeste. Depois passamos por outra cachoeira chamada Pu-
tanduva, que, em português, quer dizer "onde a vista se faz
escura". É muito perigosa e medonha. Se metem as embarcações por ela com gente dentro [confiada apenas] a Deus e à
ventura. Daí mais abaixo passamos pela cachoeira de Ibau-
ru-guaçú, e foi preciso saltar gente em terra, aliviar as embarcações de alguma carga, para poderem passar por cima
das pedras, e a gente e a carga, abrindo-se picada pelo mato
para ir sair abaixo, sofrendo muito trabalho e incômodo,
carregando-se os doentes, sofrendo muitas mordidelas de
mosquitos e bernes na passagem pelo mato. [...] A maior parte dos que passamos por terra nos achamos cheios dos tais
carrapatinhos. Despindo-nos, nus, nos esfregamos uns nos*

outros, uns com bolas de cera da terra e outros com caldo de tabaco de fumo. As mulheres lá se remediavam umas com as outras, e todos conforme podiam e permitia a ocasião.

O poço fantasmagórico:

Depois de embarcados, nos demoramos a esperar que levantasse uma densa neblina, a qual quase sempre se encontra de manhã e à noite. Enquanto não levantasse não se podia navegar, porque encobre os perigos que por este sertão se encontram. Depois que levantou, às oito horas, largamos. E, navegando, passamos por um poço que é um estreito que faz o rio morto, muito fundo, suas águas denegridas com paredões de pedra de um e outro lado muito fúnebres e tristes. Ao passar esta paragem, encontramos muito fétido. Este lugar se chama pela língua da terra "O Poço de Pirataraca", onde temiam muito passar os antigos, por dizerem que havia ali um grande bicho.

A fortaleza do Iguatemi, destino final da monção:

É esta praça situada sobre o barranco do rio Iguatemi o qual terá de largura oito braças, e daí para cima cada vez vai a menos até se perder na campanha. Delineou esta fortificação o capitão João Alves Ferreira, que para isso foi mandado pelo conde da Cunha, vice-rei do Estado do Brasil. [...] Porém esta obra estava só principiada com terra e faxinas que não davam para defesa alguma, porque se penetrava de dentro para fora e de fora para dentro quase por toda a parte. A razão disto era o não haver com que se pudesse continuar a sua construção, porque não havia ferramentas, não havia artífices, nem os homens podiam trabalhar por falta do diário sustento, e vestuário. Na dita praça achamos uma igreja que teria quarenta palmos de comprido e doze de alto. Fabricada de parede de mão [pau a pique], seu telhado era de cascas de um palmito a que chamam jarauba. As casas eram poucas, fabricadas da mesma sorte de parede de mão, e os tetos de capim. Tinha esta povoação duas fontes de nativas com boa água, porém pedra não se encontrava por todo aquele continente. É esta campanha abundante de índios Cauan [ou Cauã]; e este clima muito doentio.

O ataque dos índios:

No dia seis deste mês [novembro], nos entrou pela praça adentro um pedestre, o qual vinha ainda vivo, trazendo cinco flechadas que lhe dera o gentio no campo. Para se lhe tirarem, quando se lhe fez a cura, se lhe viam as entranhas. Seguiu o gentio o quanto rancho apanhou por fora da povoação. A tudo pôs fogo, quebrou e despedaçou, tudo quanto achou dentro nas casas — caixas, trastes, tudo quebrou. Achando-se uma pobre mulher em um rancho com dois filhos, um de peito e outro de sete anos, sentindo o rumor do gentio, ao romper da lua, fugiu levando consigo nos braços o filhinho de peito, esquecendo o outro maior que se achava dormindo em uma rede. Entrando o gentio em casa, acordou o menino, o qual mataram metendo-lhe três flechas, que parecia um são Sebastião. A mãe escapou, metida no rio com a água pelo pescoço e com o outro filhinho, sem que o gentio soubesse. No outro dia, deu sepultura ao inocente.

O fim da expedição e o retorno a São Paulo:

A este tempo já eu me achava com sezões [febres]. Embarquei em uma canoa a todo o risco com os homens de marea-

ção dela também doentes com sezões, sem outro algum preparo para uma viagem tão dilatada mais do que um pouco de feijão, e uma pouca farinha, e um pedaço de toucinho, dois pratos de sal, e nada mais, o que tudo comprei por alto preço na povoação das roças, depois que chegou a expedição, porque até aí nada havia. E com esse pouco mantimento, eu doente, e os homens que me conduziam também doentes, me meti ao sertão a todo risco, e logo no Paraná me morreram dois remeiros, ficando comigo apenas cinco pessoas, das quais só o piloto vinha são.

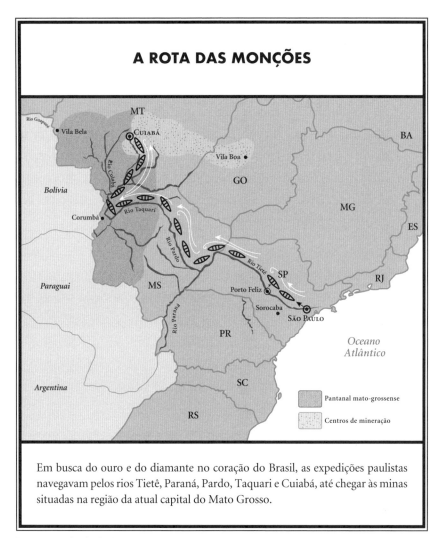

A ROTA DAS MONÇÕES

Em busca do ouro e do diamante no coração do Brasil, as expedições paulistas navegavam pelos rios Tietê, Paraná, Pardo, Taquari e Cuiabá, até chegar às minas situadas na região da atual capital do Mato Grosso.

Fonte: Lucas Figueiredo, *Boa ventura*, pp. 56-59.

7. ESCRAVISMO PIEDOSO

"Quando os sinos tocam,
todos os homens tiram os chapéus."

JOHN BARROW, viajante inglês,
ao descrever o Rio de Janeiro em 1792

O BRASIL DO OURO E DOS DIAMANTES era uma colônia católica, devota, vigiada e controlada, cuja prosperidade dependia da exploração do trabalho de pessoas escravizadas. A contradição entre a piedade religiosa e a brutalidade da escravidão gerou algumas situações irônicas. Dos 43 navios negreiros que faziam o transporte de africanos cativos sob a bandeira da Companhia Geral de Comércio do Grão-Pará e Maranhão, 41 tinham nomes de santos católicos. As exceções eram *Delfim* e *Africana*. Na Companhia Geral de Comércio de Pernambuco e Paraíba, congênere da primeira, quarenta das cinquenta embarcações também homenageavam santos. Os nomes preferidos eram os de Nossa Senhora com seus diversos apostos, como Nossa Senhora da Conceição, Nossa Senhora da Guia ou Santa Maria das Neves.

Numa lista de navios registrados na Bahia, quase todos dedicados ao tráfico negreiro, a denominação Nossa Senhora aparecia 1.154 vezes, quase o mesmo número de nomes associados a santos masculinos (1.158). Neste caso, o mais popular era santo Antônio, com 695 registros. Bom Jesus era citado 180 vezes. São José era o patrono de uma irmandade dos traficantes de escravos em Salvador, que a ele pediam a proteção para que seus navios fossem à África e de lá voltassem em segurança. Após a Revolução Francesa e sua influência anticlerical sobre os liberais portugueses e brasileiros, já às vésperas da Independência, os nomes de santos católicos entrariam em declínio. Em lugar deles apareceriam denominações emprestadas do panteão de divindades pagãs da antiguidade, como Diana, Vênus, Minerva e Hércules.[1]

A crua realidade da escravidão misturada às demonstrações exageradas de religiosidade foi registrada mais de uma vez por viajantes que por aqui passaram no século XVIII. O engenheiro militar, botânico e navegador francês Amédée François Frézier, que permaneceu dez dias em Salvador em 1714, estimou que a cidade tivesse cerca de 2 mil casas e que mais de 90% dos moradores fossem "negros e negras despidos", o que, no seu entender, não combinava com o fervor religioso:

> Quem o acreditaria! Há mercados cheios desses pobres infelizes que lá são expostos completamente nus, e que aí são comprados como animais, sobre os quais se adquire poder. Não sei como se pode conciliar essa barbárie com os preceitos da religião, que os faz membros do mesmo corpo que os brancos, desde que os batizam, e que os elevam à dignidade de filhos de Deus. [...] Os portugueses são cristãos de grande exteriorização religiosa, mais ainda do que os espanhóis. A maioria anda nas ruas de rosário na mão, com um santo Antônio sobre o peito, ou pendurado no pescoço. [...] Efetivamente,

são essas marcas exteriores de religião muito equivocadas entre eles.[2]

O capitão inglês James Cook, ao passar pelo Rio de Janeiro de 1768 rumo às ilhas do Pacífico Sul, observou que na frente da maioria das casas havia pequenos nichos, guarnecidos com vitrais e aos quais os moradores se dirigiam para rezar aos santos de sua devoção. Eram, segundo o inglês, suficientes para prestar devoção "a todos os santos do calendário". Ficou também admirado com a grandiosidade das procissões que percorriam as ruas da cidade, acompanhadas de cantos recitados com tal veemência que era possível escutá-los até mesmo do navio, ancorado a cerca de um quilômetro do cais. A luz das velas e lanternas carregadas pelos fiéis nessas ocasiões, ainda segundo o capitão, era tão forte que a tripulação do navio chegou a acreditar que a cidade estivesse em chamas.[3]

Alguns anos mais tarde, em 1782, o tenente espanhol Juan Francisco de Aguirre avaliou os cariocas como o "povo mais devoto em todo o mundo católico", a julgar pelo número de igrejas, o uso disseminado de escapulários, medalhas e santinhos, e a presença de nichos com imagens de santos em praticamente todas as esquinas, alguns tão ricamente adornados que nada ficam a dever aos altares das igrejas mais ricas. Ao caminhar pelas ruas ao anoitecer, Aguirre podia ouvir as "vozes descompassadas e atordoantes" dos moradores recitando o rosário.

Em 1792, foi a vez de John Barrow, acompanhante da embaixada inglesa que conduzia lorde Macartney em missão diplomática à China. Em escala no Rio de Janeiro, ficou impressionado com as demonstrações locais de religiosidade:

Quando os sinos tocam, todos os homens que se encontram na rua tiram seus chapéus, atitude que se repete a cada vez que passam diante dos pequenos oratórios. Além disso, quando os foguetes e petardos estouram, os olhos se voltam naturalmente para as montanhas que abrigam as igrejas e mosteiros.[4]

As imagens levadas nas procissões eram cobertas por pedras preciosas, como finos diamantes e topázios, e envolvidas por mantas rendadas com fios de ouro e prata.

No Brasil colonial, a Igreja funcionava como instrumento eficaz de normatização e controle social. Desde o início da expansão portuguesa, ainda no século xv, a evangelização, o batismo e a educação religiosa eram vistos como uma obrigação da Coroa e serviriam também de justificativa e manto ideológico para todo o sistema escravista. De um lado, a Igreja sancionou, por inúmeros documentos e bulas papais, a escravização de africanos, seu transporte e comércio para a América, e assentou as bases ideológicas do cativeiro em textos como os dos jesuítas Antônio Vieira, Jorge Benci, José Ribeiro Rocha e André João Antonil — todos já citados no primeiro volume desta trilogia. De outro, impôs um conjunto de comportamentos, crenças e valores que deviam ser respeitados tanto pelos senhores como pelos seus escravos. Entre esses códigos estavam, por exemplo, a obrigação dos senhores de batizar os cativos e dar-lhes um mínimo de proteção. *As constituições primeiras do arcebispado da Bahia*, documento de 1707 que adaptava algumas leis canônicas à realidade brasileira, reiteravam o direito dos escravos ao sacramento do matrimônio e mandavam que os senhores não separassem os cônjuges por meio da venda de um deles para lugares distantes — determinação que, obviamente, nem sempre foi respeitada pelos fazendeiros. Os senhores eram também chamados a lhes garantir folgas nos dias santos para que frequentassem as missas e participassem de procissões e outras atividades religiosas.

No início do século XVIII, o jesuíta André João Antonil recomendava que os senhores deixassem seus escravos participarem livremente das festas religiosas:

Negar-lhes totalmente os seus folguedos, que são o único alívio do seu cativeiro, é querê-los desconsolados e melancólicos, de pouca vida e saúde. Portanto, não lhes estranhem os senhores o criarem seus reis, cantar e bailar por algumas horas honestamente em alguns dias do ano, e o alegrarem-se inocentemente à tarde depois de terem feito pela manhã suas festas de Nossa Senhora do Rosário, de são Benedito e do orago da capela do engenho.[5]

Em 1719, o governador Pedro de Almeida, conde de Assumar, a primeira autoridade designada para botar ordem na caótica região mineira do início da corrida do ouro, ordenava que os párocos da região assegurassem que os escravos fossem catequizados e batizados. Aqueles que recusassem os sacramentos deveriam ser denunciados aos juízes ouvidores. Segundo o conde, a soberania real se baseava no compromisso do rei de evangelizar os povos e cristianizar os pagãos. "Exortamos a todos os fregueses que mandem seus filhos e escravos a aprender a doutrina", conclamava o inspetor da capela de são João Batista, em Vila Rica, em 1754. "Saibam os pais e o senhor dos escravos que têm obrigação gravíssima de ensinar a doutrina a toda a sua família."[6]

Missas, terços, procissões, aulas de catecismo, festas e comemorações pautavam a rotina da vida na colônia. Desde a fixação dos dias santos de guarda e santificados pelo papa Urbano VIII (1623-1644), a Igreja Católica prescrevia que seriam respeitados, entre outros feriados religiosos, o Natal, a Circuncisão de Jesus, a Páscoa e suas oitavas, a Ascenção do Senhor, o Pentecostes, o Corpo de Deus (*Corpus Christi*), a Anunciação, a Assunção e a Concepção de Nossa Senhora, são Miguel, santo Antônio, são Pedro e são Paulo e os onze apóstolos, santo Estevão, santo Inocêncio, são Silvestre, são José, santa Ana, Todos os Santos e o Coração de Jesus. Eram mais de vinte dias santos que, acrescidos aos domingos as datas dedicadas aos padroeiros de cada cidade, vila e freguesia, perfaziam mais de cem dias por ano. Responsável em 1793 pela feitura de um plano de trabalho para a fazenda Santa Cruz, confiscada pela Coroa Portuguesa aos jesuítas, no atual bairro que leva o nome da propriedade, no Rio de Janeiro, o tenente-coronel Manoel Martins Couto Reis acrescentou a esse cálculo feriados cívicos, que somados aos religiosos totalizavam 134 dias, mais de um terço do calendário anual. Os cientistas bávaros Karl Friedrich Philipp von Martius e Johann Baptist von Spix fizeram observação semelhante ao visitar Salvador no começo do século xix. Segundo eles, na capital baiana, os feriados religiosos somavam 35 dias, enquanto os civis eram apenas 18. Somados aos 52 domingos, dariam 105 dias de folga por ano.[7]

A historiadora Silvia Hunold Lara descreve em detalhes uma dessas festas, promovida na vila de Nossa Senhora da Purificação e Santo Amaro, atual cidade de Santo Amaro, no Recôncavo Baiano, em homenagem ao casamento da princesa do Brasil, futura rainha dona Maria i, com seu tio, o infante dom Pedro, em 1760. Para isso, baseou-se no relato de título longuíssimo de Francisco Calmon, membro da Academia Brasílica dos Renascidos, entidade literária fundada em Salvador em 1759:

> *Relação das faustíssimas festas que celebrou a Câmara da vila de Nossa Senhora da Purificação e Santo Amaro, da Comarca da Bahia, pelos augustíssimos desponsórios da sereníssima dona Maria, princesa do Brasil, com o sereníssimo senhor dom Pedro, infante de Portugal.*[8]

A notícia dos "augustíssimos desponsórios" chegou à Câmara de Santo Amaro em outubro de 1760, quatro meses após o casamento real em Lisboa. Caberia aos vereadores planejar detalhadamente as celebrações, que começaram dois meses mais tarde, em 1º de dezembro, com pregões públicos que anunciavam o grande acontecimento pelas ruas da cidade e convocavam os moradores a participar dos festejos. Ao todo foram 22 dias de festas, desfiles, procissões, missas, rezas, jogos e espetáculos de dança e teatro, e noites de lanternas acesas nas janelas e parapeitos das casas. Houve diversas apresentações de danças organizadas por corporações de ofício, incluindo os oficiais de cutelaria e carpintaria, os alfaiates, os sapateiros e correeiros (fabricantes ou vendedores de correias e outros artefatos de couro). No dia 14, os ourives apresentaram uma "dança dos congos", uma tradição dos escravos vindos da região de Angola e do Congo. No dia 15, houve a oração solene do *Te Deum* em ação de graças, seguida por uma procissão que reuniu todo o clero, os membros do Senado e da Câmara, o capitão-mor e seu regimento, com cerca de seiscentos soldados. No dia 17, foi a vez de uma "magnífica cavalaria" de oito parelhas, um desfile de origem medieval no qual os cavaleiros tocavam instrumentos musicais enquanto atiravam lanças, simulando uma batalha. Entre os dias 18 e 21 aconteceram novas apresentações do "reinado dos congos" e desfiles de cavalaria. Uma comédia e uma ópera encerraram as três semanas de "festas tão augustas [...] e tão alegres".

A religiosidade como instrumento de controle social se estendia pelas regiões ermas da colônia, nas quais os braços burocráticos da Coroa portuguesa nem sempre estavam presentes, por falta de recursos e de pessoal. O governo colonial não podia estar em todos os lugares. Estima-se que por volta de 1800, apenas duas décadas antes da Independência, menos de 5% do atual território brasileiro tinham sido efetivamente ocupados. O restante era esparsamente habitado por índios "não pacificados" e escravos fugitivos.[9] Estas eram as primeiras impressões do vice-rei marquês do Lavradio ao chegar ao Brasil em 1768. Segundo ele, até aquela altura a América Portuguesa não seria muito diferente do sertão bravio, isolado, distante e pitoresco descrito pelos portugueses na sua chegada à Bahia em 1500: "Este país o achei com pouco mais adiantamento que aquele que lhe estabeleceu Pedro Álvares Cabral quando fez a descoberta desta conquista; o tempo tem-nos polido muito devagar".[10]

No relatório final de seu governo, Lavradio fazia uma avaliação curiosa e desabonadora da índole dos brasileiros para servir de orientação ao seu sucessor, Luís de Vasconcelos e Souza:

> O caráter de alguns americanos destas partes da América que eu conheço é de um espírito muito preguiçoso. Em um país tão dilatado, tão abundante, tão rico, [...] a maior parte dos mesmos povos [é] de gente da pior educação, de um caráter o mais libertino como são negros, mulatos, cabras, mestiços e outras gentes semelhantes.

Cabia à Igreja exercer o papel de guardiã das leis e dos costumes. A regra valia para brancos e negros. Pelo menos uma vez por ano, párocos liam do púlpito, durante as missas, os chamados "éditos de fé", que depois permaneciam afixados nas paredes das sacristias. Esses textos lembravam os paroquianos que, entre suas obrigações religiosas, estava o dever de denunciar parentes, vizinhos e amigos por crimes contra a fé católica, incluindo blasfêmia, heresia, superstição e bruxaria. Pela lei canônica, os católicos tinham um prazo de até trinta dias para comunicar essas transgressões ao padre, caso contrário corriam o risco de serem excomungados ou eles próprios denunciados. Isso torna-va os negros, escravos ou libertos, particularmente vulneráveis à perseguição das autoridades, devido às práticas religiosas que herdavam da África. Dessas denúncias nasciam os famosos processos da Inquisição Católica, que muitas vezes se desdobravam em investigações e julgamentos em Lisboa (como se viu no segundo capítulo deste livro).

A biografia de Chica da Silva, a escrava que, depois de alforriada, alcançou fama e prestígio na sociedade mineira do século XVIII (tema de outro capítulo neste volume), registra um exemplo da sanha persecutória dos inquisidores no Brasil. Em 1750, ainda adolescente, Chica mantinha um relacionamento com seu dono, o juiz e médico português Manuel Pires Sardinha, pai de seu primeiro filho, Simão, quando chegou ao arraial do Tijuco, atual Diamantina, o reverendo visitador Miguel de Carvalho Almeida. Entre as atribuições do padre estava "vasculhar os quartos e camas do arraial, a fim de impor vigilância sobre o corpo e a vida íntima dos moradores", segundo escreveu a historiadora Júnia Ferreira Furtado, biógrafa de Chica da Silva.[11] O edital de sua chegada convidava todos os moradores a comparecerem diante dele, no prazo de 24 horas, para confessar as próprias culpas e delatar vizinhos cujos pecados fossem "públicos e escandalosos".

Temendo ser punido com o fogo do inferno, o minerador português Manuel Vieira Couto, de 42 anos, apresentou-se ao visitador para denunciar que o juiz Pires Sardinha "trata ilicitamente com uma sua cativa, que a comprou para este efeito, por nome Francisca". A acusação, aparentemente, não chegou a ser averiguada e ficou por isso mesmo. Em 1753, porém, Pires Sardinha foi novamente denunciado como pai de outras duas crianças nascidas de relacionamentos com escravas. Dessa vez, intimado a comparecer perante a mesa da Inquisição, declarou-se culpado, diante do que o visitador eclesiástico Manuel Ribeiro Taborda chamou à sua presença tanto o juiz como as mulheres e os "admoestou paternalmente [...] para que de todo se apartassem da ilícita comunicação [...] evitando por este meio as ofensas de Deus, escândalo ao próximo e o perigo que vêm expor as suas almas". Nas duas visitações, de 1750 e 1753, um total de 57 homens e 58 mulheres foram denunciados em Tijuco pelo crime de concubinato.

A interferência da Igreja no comportamento sexual de senhores e escravos às vezes gerava situações dramáticas. Em 1723, um padre visitador a Itatiaia, vilarejo situado a cerca de vinte quilômetros de Ouro Preto (na época Vila Rica), descobriu que um certo Francisco Teixeira estava amancebado com uma de suas escravas e forçou-o a casá-la com outro cativo. Durante a cerimônia, inconformado com o fim da relação, Teixeira teria chorado convulsivamente. Depois passou a burlar as determinações do padre impedindo que o novo casal, oficialmente ligado pelo matrimônio religioso, mantivesse relações sexuais.[12]

A Inquisição Portuguesa não tinha presença institucional fixa no Brasil — ao contrário da espanhola, que havia estabelecido tribunais permanentes na Cidade do México, em Lima, no Peru, e em Cartagena das Índias, na atual Colômbia. Em vez disso, a jurisdição sobre os territórios ultramarinos portugueses era feita diretamente de Lisboa. De lá, as autoridades canônicas nomeavam comissários e escrivães com a tarefa de administrar a justiça eclesiástica no Brasil. Em geral, as principais cidades — como Recife, Salvador, Rio de Janeiro e Vila Rica — recebiam entre dois e quatro desses funcionários que, com a ajuda de leigos, apreendiam suspeitos, intimavam testemunhas e instruíam os inquéritos antes de os encaminhar para a fase final de julgamento em Lisboa. Entre os séculos XVI e XVIII, a Inquisição Portuguesa abriu cerca de 40 mil processos em todo o império colonial. Em 1742, o arcebispo da Bahia recomendava especial atenção aos africanos suspeitos de feitiços e bruxarias:

Além de os negros aqui já serem muitos, não passa um mês sem que cheguem a estes portos dois ou três navios cheios dessa gente da Costa da Mina e outras, não apenas praticando seus ritos bárbaros e diabólicos, mas também estimulando os que já aqui estão e que os acompanham [nessas práticas].[13]

O fervor religioso era também o que assegurava os recursos para a estrutura da Igreja no Brasil. Missas, sacramentos e outras obrigações religiosas eram cobrados a preços extorsivos. Para ter direito à comunhão, um fiel teria de pagar uma oitava de ouro (equivalente a 3,56 gramas). Se não comungasse, pagava mesmo assim: meia oitava de ouro. Uma missa cantada custava dezesseis oitavas. Um serviço fúnebre, quatro. Abrir as proclamas de casamento, três. O batismo de um recém-nascido, uma oitava. Um sermão, vinte. Para se ter uma ideia aproximada desses valores, basta lembrar que, em 1718, um carpinteiro ganhava, em média, duas oitavas de ouro por dia. Em 1745, batizados ou crismas rendiam ao bispo de Mariana 2 mil cruzados por ano, pagos em espécie — ouro e cera de abelhas, que eram imediatamente revendidos no mercado. Além do grande ônus financeiro que representavam para os fiéis, os padres da corrida do ouro eram motivo de escândalo, segundo acusava o governador Braz Balthazar da Silva, em 1716: "A maioria deles tem a vida tão licenciosa [...] sendo o mau exemplo destes a maior causa de viverem os homens nestas minas sem temor de Deus".[14]

8. ISOLAMENTO, CENSURA E ATRASO

"Defluxos, sarnas, impigens, e outras misérias."

CONDE DA CUNHA, vice-rei,
descrevendo as doenças que assolavam
os funcionários da Coroa no Brasil colonial

PIEDOSO NA APARÊNCIA DE SUAS PRÁTICAS RELIGIOSAS, ímpio na crueldade do comércio escravista, o Brasil do século XVIII era também um dos lugares mais proibidos do mundo, onde só entravam os colonizadores portugueses e os africanos escravizados. Todos os demais tinham de se manter afastados. Leis e regulamentos portugueses vedavam a entrada de estrangeiros, sob pena de prisão. Tanto zelo tinha motivo. A riqueza de Portugal estava no Brasil. Suas minas de ouro e diamantes alimentavam a curiosidade e cobiça dos europeus rivais dos portugueses.

Como se viu no volume anterior desta trilogia, um dos documentos mais importantes para o estudo da história do Brasil colonial é um livro de pouco menos de trezentas páginas, que, durante mais de um século, a Coroa portuguesa fez questão de manter em segredo, sob censura, longe da curiosidade pública. *Cultura e opulência do Brasil por suas drogas e minas*, de André João Antonil (já citado em capítulos anteriores também deste volume), foi publicado em Lisboa em 1711, mas por pouco não se perdeu para sempre. No mesmo ano da publicação, a obra foi proibida em Portugal por ordem régia, que determinava a retirada de circulação e a imediata destruição de todos os exemplares. Por milagre — e para sorte dos historiadores — sobreviveram sete cópias. O motivo: a obra de Antonil tratava da cultura do tabaco, da mineração do ouro e da pecuária no Brasil colônia, descrevendo nos mínimos detalhes o funcionamento de um engenho de açúcar, o Sergipe do Conde, pertencente à Companhia de Jesus, no Recôncavo Baiano, com detalhes técnicos que poderiam ser úteis aos concorrentes dos portugueses nessa atividade. Informava também a localização das minas de ouro em Minas Gerais, sua produção e o funcionamento da atividade garimpeira. A riqueza e a prosperidade dos portugueses dependiam dessas informações.

Na América Portuguesa, tudo se inibia e censurava. Livros e jornais eram impedidos de circular livremente. Pela mesma razão, a indústria gráfica no Brasil foi proibida por lei até a chegada da corte de dom João em 1808. As raras e esporádicas tentativas de contornar a censura haviam sido duramente reprimidas ao longo do século XVIII.[1] Em 1706, foi instalada no Recife, aparentemente sob a proteção do então governador Francisco de Castro Morais e os cuidados do tipógrafo jesuíta Antônio da Costa, uma pequena prensa destinada a imprimir letras de câmbio e orações devotas, iniciativa logo interditada pelo governo português que, por ordem régia de 8 de julho, determinou ao governador "que mandasse sequestrar as letras impressas e notificar os donos delas e oficiais da tipografia, e que não consentisse que se imprimissem livros, nem papéis alguns avulsos".

Em 1747, o impressor Antônio Isidoro da Fonseca, que se supunha fugido da Inquisição em Lisboa, sob a proteção de um governador amante das letras, Gomes Freire de Andrade, o conde de Bobadela, chegou a imprimir quatro modestas obras no Rio de Janeiro, todas de cunho religioso. A ordem das autoridades portuguesas de 19 de maio de 1747, depois de alertar que "não é conveniente que se imprimam papéis no tempo presente", determinava que a impressora fosse sequestrada e enviada ao reino, que seus donos fossem advertidos a nunca mais imprimir quaisquer livros ou papéis sob pena de que, "fazendo o contrário, serão remetidos presos para este Reino". Esta é única tipografia de que se tem notícia no Brasil em todo o período colonial.

No Rio de Janeiro, no mesmo período, há o registro de apenas duas livrarias, estabelecimentos modestos que só vendiam obras religiosas. A livraria do Mosteiro dos Beneditinos, organizada em 1766 pelo frei Gaspar da Madre de Deus, natural de São Vicente, no litoral paulista, continha cerca de 3 mil volumes, dos quais quatro eram marcados como "proibidos" por conterem informações e ideias julgadas contrárias à doutrina católica. O acervo era composto de obras religiosas, como sermões, bulas papais, livros de orações, vidas de santos, manuais de medicina e agricultura, textos de alguns filósofos gregos e latinos, caso de Aristóteles e Cícero, e as histórias de algumas casas reais europeias. "A colônia que emergia dos livros da livraria do Mosteiro do Rio de Janeiro era uma colônia inteiramente católica, construída nas páginas de sermões, panegíricos [fúnebres e festivos], orações, discursos moralizantes, obras de devoção, vidas de homens da Igreja, umas poucas obras históricas e uns tantos versos laudatórios", observou o historiador Jean Marcel Carvalho França. A situação não era muito diferente no próprio reino. Em 1755, Lisboa, a capital portuguesa, tinha apenas dez tipografias, enquanto Londres dispunha de 128.

A intenção portuguesa de conservar o Brasil fechado para o mundo é ilustrada pela ordem de prisão emitida em julho de 1800 contra o barão, naturalista e geógrafo alemão Alexander von Humboldt, que hoje dá nome a uma importante universidade em Berlim e que na época percorria a região amazônica em busca de novas espécies da fauna e da flora. Ignorando o valor científico da expedição, o governo português considerou sua presença prejudicial aos interesses da Coroa pelas ideias perigosas que ele poderia disseminar na colônia. Uma carta do ministro dom Rodrigo de Sousa Coutinho para seu irmão Francisco de Sousa Coutinho, então governador da província do Grão-Pará, alertava que a viagem de Humboldt era "suspeita" porque ele poderia, "debaixo de especiosos pretextos, [...] tentar com novas ideias de falsos e capciosos princípios os ânimos dos povos". Ordens semelhantes foram expedidas para os governadores do Maranhão e da Paraíba.[2] Alguns anos antes, em 10 de fevereiro de 1696, o rei de Portugal pedia ao governador da Bahia especial cuidado com os estrangeiros "hereges" protestantes que moravam em Salvador. Era preciso evitar que comprassem escravos no mercado local, "pelo perigo de lhes ensinarem os seus erros ou de os não mandarem doutrinar na verdadeira fé".

Apesar disso, inúmeros viajantes passaram pelo Brasil nessa época. Poucos se aventuraram pelas ricas regiões do interior. A maioria limitou-se a passar dias ou semanas nos portos principais, como Recife, Salvador e Rio de Janeiro, enquanto seus navios eram consertados ou reabastecidos. Outros estavam em missões oficiais de seus governos. A lista inclui ainda piratas, corsários e aventureiros, como os primeiros navegadores a explorar a Austrália e a Nova Zelândia. Seus relatos, anotados em diários pessoais, correspondências e documentos oficiais oferecem um panorama privilegiado de um Brasil a respeito do qual se teria poucas notícias por outras fontes.

ISOLAMENTO, CENSURA E ATRASO

Esses depoimentos mostram uma colônia isolada, atrasada, sem educação, comunicação ou refinamentos, dominada pela escravidão. A maioria da população era pobre, analfabeta e carente de tudo. Foi o que registrou a inglesa Jemima Kindersley em agosto de 1764, ao fazer uma escala em Salvador a caminho da Índia:

Os habitantes parecem saber bem pouco acerca dos requintes da vida, passando a maior parte do tempo na mais completa indolência e lendo pouquíssimos livros, pois o conhecimento não está no rol de suas preocupações. É política assente do governo manter o povo na ignorância, já que isso o faz aceitar com mais docilidade as arbitrariedades do poder.[3]

As vilas e cidades brasileiras eram pequenas, mesmo comparadas aos menores municípios brasileiros de hoje. Com exceção das capitais e das prósperas vilas nascidas no ciclo do ouro e do diamante, a arquitetura e o desenho urbanístico eram pobres, sem inspiração. Em 1780, a cidade de São Paulo era um pequeno ajuntamento de choupanas construídas com taipa e cobertas com sapê. No total, havia catorze ruas. A maioria da população vivia isolada no campo, sem comunicação com os grandes centros urbanos. Ali, fazendeiros e senhores de engenho eram a lei. Ficaram famosas as casas-grandes do engenho de açúcar, construídas com paredes de adobe, cobertas com telhas portuguesas e "esparramadas" com suas amplas varandas, segundo a expressão utilizada pelo sociólogo pernambucano Gilberto Freyre. Eram, no entanto, lugares relativamente simples, sem mobiliário refinado ou grande ostentação. As paredes permaneciam nuas, sem quadros, espelhos ou tapeçarias que as ornamentassem.

Dormia-se em redes ou esteiras estendidas no chão. Camas com colchões eram raras. As roupas e os objetos pessoais ficavam guardados em grandes arcas de madeira ou de couro. Em lugar de cadeiras, sofás ou almofadas, as pessoas geralmente sentavam-se em tamboretes. Os utensílios domésticos eram compostos por cerâmica artesanal, muitas vezes de fabricação indígena, alguns objetos de estanho, cobre e ferro. Poucas casas tinham talheres. Em geral, as pessoas comiam com as mãos, usando as facas de caça ou defesa pessoal para cortar as carnes. Os símbolos de prestígio e poder não estavam nos objetos presentes dentro das casas, mas no número de escravos e no tamanho das fazendas. Os cativos responsáveis pelo serviço doméstico dormiam no chão, sobre esteiras, muitas vezes na soleira da porta dos patrões, prontos para atendê-los em alguma necessidade durante a noite. Como não havia banheiros, as fezes e a urina da noite eram recolhidas em penicos — recipientes de louça ou cerâmica, guardados debaixo da cama e esvaziados pela manhã.[4]

No começo do século XVIII, Salvador e Rio de Janeiro tinham a mesma população, cerca de 20 mil habitantes. Ambas as cidades eram maiores do que o Recife, que contava com aproximadamente 10 mil moradores. Esses números dobrariam até o fim daquele século, mas a proporção se manteria igual.[5] Até a transferência da capital para o Rio de Janeiro, em 1763, era em Salvador que se concentrava a máquina burocrática do império colonial português no Brasil. A estrutura civil incluía o vice-rei, o secretário de Estado, juízes da alta corte e o tesoureiro-geral. Nos degraus inferiores da pirâmide burocrática estavam os secretários, escrivães, meirinhos, porteiros, assistentes e guardas.

A estrutura eclesiástica, cujos salários eram pagos pela Coroa portuguesa, era composta pelos arcebispos, vigários-gerais, decanos, cônegos, capelães e pelo clero secular, todos assistidos por sacristãos, meninos do coro, organistas, sineiros e ajudantes de sacristia. Só na catedral estavam empregados 39 religiosos assistidos por 16 leigos. Em paralelo, existiam as ordens religiosas, caso dos jesuítas, dos beneditinos e franciscanos. Em 1756, 201 religiosos residiam no colégio e nos dois seminários jesuítas da Bahia, além de haver mais 80 em treinamento. Os carmelitas eram 96, os beneditinos, 70, os franciscanos, 45, os capuchinhos, 28, os agostinianos, apenas 6. Havia ainda 65 freiras de Santa Clara do Desterro, 20 de Nossa Senhora da Lapa e 50 ursulinas. Ao todo, seriam mais de 2 mil pessoas ligadas às ordens religiosas em toda a capitania.

Além disso, havia o braço militar do império, com regimentos que totalizavam 1.200 soldados e um batalhão de infantaria com trezentos homens, além de 5.312 auxiliares não remunerados. Os comerciantes e homens de negócios somariam 197 pessoas em 1759, boa parte deles envolvida com o tráfico de escravos. Existia ainda um número relativamente modesto de profissionais liberais, como advogados, médicos e cirurgiões. Em seguida vinham os donos de lojas, taberneiros, mascates e artesãos. Na base estavam os escravos, os negros recém-libertos, os pobres e os desamparados.[6] Situado na parte mais alta da cidade, o Colégio dos Jesuítas era uma ilha de saber e cultura num Brasil analfabeto e sem escolas. Em 1694, sua biblioteca tinha cerca de 3 mil volumes. Entre os jesuítas havia professores de retórica, pintores profissionais, escultores, entalhadores e metalúrgicos. Era baiano o mais importante poeta satírico do Brasil colonial. Conhecido como Boca do Inferno, Gregório de Mattos morria no Recife em 1696.

Ao passar pela capital baiana em 1699, o navegador e corsário inglês William Dampier, anotou:

A vila propriamente consiste de cerca de duas mil casas, colocadas sobre elevações, que oferecem uma perspectiva muito agradável. Aqui vive um arcebispo, que tem belo palácio, e o palácio do governador é um belo edifício de pedra, embora por dentro o mobiliário não mostre requinte algum. As casas da vila têm dois ou três andares, com telhados cobertos de telhas curvas. Muitas delas têm sacadas. As ruas principais são grandes e todas pavimentadas ou cobertas com pedregulho. Há também passeios públicos nos lugares mais notáveis da vila, e muitos jardins. Ali são cultivadas árvores frutíferas, plantas medicinais, verduras e flores em grande variedade.[7]

Outro viajante, o francês Le Gentil de Barbinais, permaneceu na Bahia de 16 de novembro de 1717 a 18 de fevereiro de 1718, voltando de uma viagem à China, e fez o seguinte relato:

A cidade de Salvador está situada na entrada de uma baía. Seu porto é belo, mas poderia ser muito mais se a arte e a indústria ajudassem um pouco a natureza. A cidade está dividida em alta e baixa. Todos os comerciantes, os homens de negócio e de mar fazem sua moradia na cidade baixa por causa da comodidade do porto [...]. A cidade alta fica situada no topo da montanha. As casas são bastante espaçosas e cômodas, mas a desigualdade do terreno lhes tira parte do seu ornamento e torna as ruas desagradáveis. A grande praça, que é quadrada, fica no centro [...]. O palácio do vice-rei, a Câmara Municipal e a Casa da Moeda formam suas faces.

Mais adiante, depois de reclamar da "confusão" e da "desordem" promovida pelos escravos nas cidades, "apesar de serem rigorosamente castigados", Barbinais fazia uma constatação devastadora, e repleta de preconceitos, a respeito dos brasileiros: "O Brasil é apenas um antro de ladrões e assassinos; nele não se vê nenhuma subordinação, nenhuma obediência".[8]

ISOLAMENTO, CENSURA E ATRASO

Meio século mais tarde, seria a vez de um nobre português, o marquês do Lavradio, recém-nomeado vice-rei, descrever a capital baiana como um lugar decadente e desguarnecido contra eventuais ataques:

> *Achei a tropa em miserável estado, as fortalezas sumamente arruinadas, e todas elas desprovidas do que lhes é necessário, o comércio bastante abatido e desanimado, [...] tudo em total confusão que [...] não descansando eu uma hora, nem de dia nem de noite, ainda não me posso desembrulhar de todo este labirinto.*[9]

No Rio de Janeiro, as casas, em geral, eram em sua maioria térreas. A parte da frente era dedicada ao comércio. Um corredor lateral levava à banda dos fundos, usada como residência. As paredes eram feitas de tijolos cozidos e cobertos com argamassa à base de argila e óleo de baleia. Nas casas mais humildes, o chão era de terra batida. O mobiliário era sempre escasso e pobre. Na falta de vidro, as janelas eram cobertas com treliças de madeira, que permitiam ao morador enxergar o que se passava na rua, sem ser visto. O telhado era outro indicativo de hierarquia social. Nas casas mais ricas, com eira e beira, as telhas se projetavam para fora, permitiam que a água da chuva escoasse rapidamente. Nas mais pobres, "sem eira nem beira", acabavam de forma abrupta, rente à parede e sem graça arquitetônica alguma.[10]

Em 1750 um problema crônico do Rio de Janeiro, o precário abastecimento de água potável, foi resolvido com a inauguração dos Arcos da Carioca (ou da Lapa), um aqueduto de 42 arcos duplos, que trazia água da floresta da Tijuca para o centro da cidade, obra realizada no governo do conde de Bobadela. Ainda assim, alguns anos mais tarde, em 1767, o primeiro vice-rei do Brasil no Rio de Janeiro, conde da Cunha, reclamava das doenças que assolavam os funcionários da Coroa no Brasil e das quais ele próprio se dizia vítima — "defluxos, sarnas, impigens [erupções cutâneas], e outras semelhantes misérias".[11] Obviamente, se o próprio vice-rei era acometido dessas doenças, imagine a população comum, em especial os escravos.

No Recife, durante todo o período colonial, o centro urbano era composto de dois bairros contíguos, um situado na ilha de Santo Antônio e outro na ilha do Recife, entre os quais corriam as águas do rio Capibaribe antes de desaguarem no Atlântico. Pontes de madeira construídas sobre pilares de pedra e conchas marinhas conectavam os dois lados da cidade. A paisagem era dominada por casas e edifícios de três ou quatro andares, igreja, fortalezas e o porto que recebia dezenas de navios vindos de todos os rincões do império marítimo português. Nas ruas havia legiões de vendedores ambulantes, não muito diferentes das que ainda hoje marcam a região central da capital pernambucana. Quase todos eram negros escravizados. O abastecimento da cidade dependia desse comércio informal, mas os demais moradores brancos reclamavam do barulho que os escravos faziam e os acusavam de contrabando e sonegação de impostos. Em 1732, o juiz de fora — magistrado nomeado pelo rei para atuar em deliberações nas quais era necessária a intervenção de um juiz imparcial, normalmente de fora da localidade — mandava uma carta à Coroa em Lisboa na qual denunciava o excessivo número de ourives e joalheiros em Olinda, Recife e outras comunidades da capitania, o que, segundo ele, resultava em roubos e desvio de dinheiro. Ironicamente, na mesma época, membros do Senado da Câmara do Recife eram acusados de enviar seus cativos às ruas com o objetivo de comprar e vender mercadorias sem pagar impostos.[12]

Sinônimo de trabalho escravo desde o início da colonização, o açúcar era a base da economia pernambucana, e assim se manteria durante todo o século XVIII, mas, a essa altura, tinha novos e poderosos concorrentes. Expulsos do Nordeste em meados do século anterior, os holandeses tinham levado para a região do Caribe a tecnologia de produção que haviam adquirido nos engenhos brasileiros. A concorrência teve duas principais consequências. A primeira foi uma queda generalizada dos preços. A segunda, o aumento na demanda de escravos, que também resultou no aumento dos preços praticados pelo tráfico negreiro. Tudo isso reduziu o lucro dos senhores de engenho no Brasil, mesmo que a produção continuasse a crescer.

Como resultado, a economia açucareira entrou em declínio. De 36 mil toneladas em 1730, caiu para 20 mil toneladas por volta de 1770, quando representava menos de 10% do total produzido no continente americano. O Brasil, que já fora o maior fornecedor mundial do produto, a essa altura ocupava um modesto terceiro lugar, atrás de São Domingos (atuais Haiti e República Dominicana) e Jamaica. Além disso, houve a expansão da cultura do açúcar para outras regiões do país. Na segunda metade do século XVIII, São Paulo e Rio de Janeiro se destacavam entre os grandes produtores. Em 1790, Campos dos Goytacazes, na região norte fluminense, tinha 378 engenhos, responsáveis por mais da metade da produção total de açúcar da capitania. Os cinco maiores deles contavam com mais de cem escravos cada um. Os cativos representavam mais da metade da população, estimada em 30 mil habitantes.[13]

A mesma escravidão que movia a economia colonial também alimentava o escandaloso luxo dos brancos, descrito pelos viajantes estrangeiros. O inglês Aeneas Anderson, que passou quinze dias no Rio de Janeiro em 1792, registrou:

Os moradores são muito preocupados com seu vestuário. [...] As mulheres usam um grande manto de seda, com uma espécie de cauda que é levada por uma escrava, enquanto outra segura uma sombrinha aberta para preservar o rosto de sua senhora dos raios do sol.[14]

Relato semelhante aparece nas memórias de Luiz dos Santos Vilhena, nesse caso não um estrangeiro, mas um português, professor de grego e gramática que viveu em Salvador por muitos anos no final do século XVIII. Ele reclamava do exagero e do luxo no vestuário das baianas donas de escravos:

> *As peças com que se ornam são de excessivo valor e, quando a função permite, aparecem com suas mulatas e pretas vestidas com ricas saias de cetim, becas de lemiste finíssimo, e camisas de cambraia, ou cassa, bordadas [...]; tanto é o ouro que cada uma leva em fivelas, cordões, pulseiras, colares ou braceletes e bentinhos que sem hipérbole basta para comprar duas ou três negras ou mulatas como a que o leva.*

Nas cidades, as negras forras e escravas das famílias mais abastadas usavam roupas coloridas tecidas com "panos da costa", trazidos da África, sempre cobertas de joias, ouro e pedras preciosas. O meio de transporte definia a posição social dos moradores. Carruagens eram ainda raras na segunda metade do século XVIII. Quem era pobre, escravizado ou negro forro, andava a pé. Os homens mais abastados ou poderosos deslocavam-se a cavalo. Suas mulheres seguiam em redes ou cadeirinhas de arruar, cujos varões eram sustentados por escravos.

Escravos eram o bem mais universal e acessível à população livre, incluindo à de baixa renda. Segundo o historiador Manolo Florentino, que estudou 1.067 inventários *post-mortem*, rurais e urbanos, entre os anos de 1790 e 1835, "quase todos os homens livres inventariados eram proprietários de pelo menos um escravo".[15] No Rio de Janeiro, os registros de nascimentos e óbitos na

ISOLAMENTO, CENSURA E ATRASO

paróquia de Nossa Senhora da Candelária e Santíssimo Sacramento entre 1737 e 1740 revelam que os negros de origem africana nessa região central da cidade representavam 78% dos habitantes, ficando o restante com brasileiros natos, brancos e negros. A população escrava passava por um momento de transformação. Nos primeiros anos do século XVIII, entre recém-chegados da África, mais de 60% vinham da região de Angola e do Congo. A partir daí, no entanto, passariam a predominar os escravos mina, vindos da faixa litorânea situada entre as atuais repúblicas de Gana e da Nigéria, no assim chamado Golfo do Benim. Quase a metade de todos eles era imediatamente transferida para as regiões auríferas de Minas Gerais, Goiás e Mato Grosso.[16]

9. PIRATAS

ATÉ O COMEÇO DO SÉCULO XVIII, o Rio de Janeiro era uma cidade de defesa relativamente frágil, situação que ficou ainda mais evidente após a descoberta das riquíssimas jazidas minerais em Minas Gerais. Transportado por tropas de mula, o ouro ficava estocado na Ilha das Cobras, situada na Baía de Guanabara, e, dali, era embarcado nos navios da chamada Frota do Brasil, que seguiam para Lisboa escoltados pela marinha de guerra portuguesa. Na condição de entreposto de metade do total da produção mundial de ouro na primeira metade do século XVIII, a cidade tornou-se um alvo natural dos ataques de piratas e corsários que infestavam o Atlântico Sul e as regiões do Caribe. Os temores dos cariocas se confirmaram em duas invasões consecutivas de corsários franceses.[1]

A primeira ocorreu em 1710, por uma pequena esquadra de seis naus e cerca de mil homens sob o comando do capitão de fragata Jean-François Du Clerc, nascido na Ilha de Guadalupe, colônia francesa no Caribe. Ao entardecer do dia 17 de agosto, um domingo, Du Clerc tentou enganar os soldados da Fortaleza de Santa Cruz, situada na entrada da Baía de Guanabara, hasteando nos mastros de seus navios bandeiras da Inglaterra, antiga aliada dos portugueses. Prevenido com antecedência de presença suspeita nas costas fluminenses, o então governador Francisco de Castro Morais, apelidado pelos cariocas de o Vaca, não se deixou enganar. Sob fogo dos canhões das fortalezas, Du Clerc teve de recuar. Mas não desistiu do ataque. Em vez disso, ancorou seus navios em Ilha Grande, no litoral sul fluminense, onde suas tropas foram reabastecidas. Em seguida, desembarcou no porto de Guaratiba, onde os soldados iniciaram um ataque por terra, percorrendo a pé cerca de sessenta quilômetros em menos de uma semana, para atacar a cidade no seu ponto mais vulnerável: as florestas, os pântanos e charcos pontilhados por montanhas e fazendas de produção de cana-de-açúcar, onde hoje se situam os bairros da Zona Norte do Rio de Janeiro.

Nessa jornada, Du Clerc usou como guias quatro escravos negros que, foragidos da fazenda de Bento do Amaral Coutinho, se encontravam em Ilha Grande e rapidamente aderiram aos franceses. Depois de atravessar as regiões de Jacarepaguá, Andaraí e as ricas plantações de Engenho Novo e Engenho Velho, os franceses passaram pelo bairro da Tijuca e avançaram até o centro da cidade sob fogo pesado de cerca de 8 mil soldados brasileiros e portugueses. Depois de uma batalha de dez horas, Du Clerc acabou se rendendo. Preso a mando do governador, foi assassinado no cárcere em 18 de março por homens encapuzados, crime nunca devidamente esclarecido.

Uma segunda invasão, mais devastadora e bem-sucedida do que a primeira, foi comandada por Duguay-Trouin na manhã de 12 de setembro de 1711. Alguns autores sustentaram que esta expedição teria sido organizada pelo rei da França, Luís XIV, com o propósito de vingar o assassinato de Du Clerc no Rio de Janeiro. O historiador Jean Marcel Carvalho França contesta essa versão. Segundo ele, Duguay-Trouin só ficou sabendo da morte de Du Clerc ao chegar ao Brasil. À frente de uma poderosa esquadra composta por dezessete navios e 4 mil homens bem armados, o corsário aproveitou-se da espessa neblina que cobria a cidade ao amanhecer para furar as defesas das fortalezas situadas na entrada da Baía de Guanabara. Quando o nevoeiro se dissipou, por volta da uma hora da tarde, as sentinelas foram surpreendidas pela presença de toda a esquadra francesa fundeada nas imediações da atual Praça xv, com seus canhões voltados para o centro da cidade.

Nas semanas seguintes, os franceses saquearam o Rio de Janeiro de forma impiedosa. Os bens e produtos arrecadados na pilhagem foram depois devolvidos aos moradores mediante o pagamento de um resgate negociado com as autoridades portuguesas no valor de cem contos de réis em dinheiro, cem caixas de açúcar e duzentos bois. Duguay-Trouin não conseguiu, porém, botar a mão no butim mais valioso e cobiçado: o ouro de Minas Gerais. Por um lance de sorte, a frota do reino partira do Rio de Janeiro alguns dias antes da invasão.

A constatação de que o Rio de Janeiro era por demais vulnerável fez com que, em 1712, a Coroa portuguesa enviasse ao Brasil o engenheiro e brigadeiro francês João Massé, com a missão de tornar a cidade inexpugnável. Seu plano de defesa incluía a conclusão da fortaleza de Nossa Senhora da Conceição, inaugurada em 1718 e equipada com "36 bocas de fogo", canhões capazes de disparar mil balas de diferentes calibres. Além disso, previa a construção de uma muralha, à semelhança das cidades medievais europeias, ligando o Morro da Conceição ao antigo Morro do Castelo, nas proximidades do atual Museu Histórico Nacional. A obra, iniciada por volta de 1714, nunca ficou pronta. Em 1756 já não restavam nem vestígios dela: suas pedras haviam sido roubadas pelos moradores para construir casas e outros edifícios na cidade, incluindo um novo seminário da Companhia de Jesus.[2]

10. CORRUPTOS E LADRÕES

"Senhor, nesta terra todos roubam,
só eu não roubo."

Luís Vahia Monteiro, o Onça,
governador do Rio de Janeiro,
em carta ao rei dom João v

Injusto, desumano e violento, o sistema escravista português e brasileiro era corrupto e corrompido dos alicerces até o topo da pirâmide. Seu funcionamento dependia de suborno, extorsão, malversação dos recursos públicos, contrabando, sonegação de impostos, clientelismo e nepotismo, entre outas contravenções. Havia gente honesta no Brasil colonial? Obviamente, sim. Mas o exemplo que chegava de cima não contribuía para fixar essa imagem. Dois importantes governadores de Minas Gerais na fase inicial da corrida do ouro e dos diamantes voltaram para Lisboa muito mais ricos do que permitiam seus rendimentos. Sebastião Fernandes do Rego, responsável pela arrecadação do quinto real nas minas de Mato Grosso, foi acusado de falsificar moedas e de desviar sete arrobas (mais de cem quilos) de ouro, trocando-o por chumbo nas cargas embarcadas para o Rio de Janeiro. Em 1728 foi preso e remetido a ferros, ou seja, preso por algemas e correntes, para Lisboa, além de ter os seus bens sequestrados. As artimanhas dos traficantes de escravos para burlar o fisco e as leis eram inúmeras e uma mais criativa do que a outra. O desvio de ouro, pedras preciosas e outras riquezas dominavam boa parte do comércio da América Portuguesa.

Autora de um importante estudo sobre o tema, a historiadora Adriana Romeiro, doutora pela Universidade Estadual de Campinas (Unicamp) e professora da Universidade Federal de Minas Gerais (UFMG), observou que durante o período colonial brasileiro enriquecer no exercício de um cargo público não constituía, por si só, em delito.[1] Ao contrário, esperava-se que os funcionários reais aproveitassem as oportunidades para acumular fortunas que pudessem engrandecer suas casas e redes de clientelas e parentelas. É nesse contexto que, segundo a historiadora, se deve entender a frase pronunciada pelo rei dom João II em 1495 ao se despedir do capitão-mor Lopo Soares de Albergaria, recém-nomeado governador da Fortaleza de São Jorge da Mina, ou Elmina, entreposto de tráfico de escravos na costa da África: "Eu vos mando à Mina, não sejais tão néscio [tolo] que venhais de lá pobre".

Havia, portanto, um delicado equilíbrio entre o enriquecimento ilícito e o respeito ao patrimônio régio. "Afinal, o roubo à Fazenda Real equivalia ao roubo à pessoa do rei", escreveu Adriana Romeiro. "De modo geral, a coroa foi mais tolerante com os furtos e extorsões praticados contra os vassalos do que aqueles que prejudicassem diretamente suas rendas". Oficiais da Coroa deveriam se manter dentro de certos limites de licitude, de maneira a salvar as aparências e não ferir os interesses do rei, postura que poderia ser resumida nesta frase do marquês do Lavradio, vice-rei do Brasil: "O caso não está em ser gentil--homem, o ponto está que a todos assim pareça".

No império ultramarino português havia monopólios de toda natureza — e sobre todos eles pesavam impostos, taxas e, principalmente, o pagamento de propina às autoridades. Isso incluía o comércio de escravos, açúcar e sal; o quinto real sobre a produção de ouro; a exploração das minas de diamantes; os contratos de pesca de baleias na Bahia e no Rio de Janeiro; o corte de madeiras com substâncias corantes e das árvores utilizadas na construção naval; a venda de certos cargos e comandos, como o posto de capitão de uma fortaleza ou navio, diversas funções administrativas e os ocupantes de cartórios. Em 1660, o monopólio da produção e do comércio do sabão branco foi concedido a uma irmã carmelita, a condessa da Calheta. Os dois funcionários responsáveis pela concessão ganhavam propinas participando dos lucros no negócio. O capitão de uma das fortalezas que guarneciam a entrada da Baía de Guanabara cobrava uma gratificação de cada navio que passava pela frente de seus canhões. Mesmo coisas banais, como os serviços de travessia de rios e pequenas taxas cobradas dos garimpeiros e mineradores ajudavam a enriquecer os responsáveis pela sua coleta em nome da Coroa.

Nos anais da história da corrupção no Brasil ficou famosa a frase atribuída a uma alta autoridade colonial, o coronel de infantaria Luís Vahia Monteiro, governador do Rio de Janeiro de 1725 a 1732. Em carta ao rei dom João v, teria dito: "Senhor, nesta terra todos roubam, só eu não roubo".[2]

Vahia Monteiro tinha um apelido curioso: o Onça, origem de uma expressão usada até muito recentemente no Brasil: "No tempo do onça... era melhor". Com fama de mal-humorado,

ESCRAVIDÃO VOL. II

truculento, fiel cumpridor do dever e impaciente com as sutilezas da política e as mazelas que observava na colônia, o governador colecionou uma notável galeria de inimigos durante sua administração no Rio de Janeiro. Entre eles estavam os religiosos de três mosteiros da cidade, que Vahia Monteiro acusava em carta ao rei de Portugal de acobertar ladrões e criminosos:

> *Não posso deixar de dar conta a Vossa Majestade que este mosteiro [de São Bento], e o Convento do Carmo, e Santo Antônio são três valhacoutos públicos aonde estão continuamente seguros criminosos, e devedores, havendo muitos que se conservam um ou dois anos dentro dos conventos com tanto escândalo da justiça que se não acautelam dela.*[3]

Em 1627, ainda um século antes de Vahia Monteiro, da corrida do ouro e do auge do tráfico de escravos, frei Vicente do Salvador já avaliava de forma pouco lisonjeira os padrões éticos e morais dos habitantes da América Portuguesa da seguinte forma: "Nenhum homem nesta terra é repúblico, nem zela, ou trata do bem comum, senão cada um do bem particular".[4]

O comportamento das autoridades coloniais parecia confirmar o vaticínio. Quando Pedro Mello deixou o comando da capitania do Rio de Janeiro, em 1666, um relatório do Conselho Ultramarino dizia que ele era o único governador colonial contra quem não havia denúncias de ladroagem. Dois anos mais tarde, os conselheiros recomendaram uma medida drástica para acabar com a corrupção na administração colonial: "Os roubos e excessos de muitos governadores são tais que [esses políticos] deviam ser não só julgados mas também decapitados imediatamente".[5]

CORRUPTOS E LADRÕES

Ao retornar a Lisboa, em 1720, dom Pedro de Almeida Portugal, o conde de Assumar, governador da capitania de São Paulo e das Minas do Ouro, desembarcou um baú contendo 100 mil moedas de ouro, fortuna infinitamente superior aos seus vencimentos. Era um dos homens mais ricos da metrópole. Irritado com tal demonstração de enriquecimento ilícito, o rei dom João v inicialmente recusou-se a recebê-lo para a cerimônia do beija-mão, como seria de praxe. Mas logo o perdoou e, mais do que isso, nomeou-o vice-rei da Índia, de onde Assumar voltou ainda mais rico e ainda ganhou o título de marquês!

Grande parte dos negócios do conde de Assumar foram feitos por meio de procuradores (que, em linguagem de hoje, talvez seriam chamados de "testas de ferro" ou "laranjas"). Eram eles que, valendo-se da proximidade com o governador, intermediavam a compra e a venda de lotes e lavras de mineração nas quais privilegiavam sócios e parentes — tudo mediante um generoso pagamento de propinas. Um desses procuradores, Matheus Collaço, era também o responsável por negociações de africanos escravizados em nome do conde.

O sucessor do conde de Assumar, dom Lourenço de Almeida, primeiro governador da capitania de Minas Gerais (desmembrada da de São Paulo em 1720), era acusado de roubo de diamantes e sonegação de impostos. Demorou quase uma década para comunicar oficialmente à Coroa portuguesa da descoberta de pedras preciosas em Minas Gerais. Os primeiros diamantes teriam sido encontrados em 1721 nas lavras do rio Morrinhos, de propriedade de Bernardo da Fonseca Lobo. Ele teria avisado imediatamente o governador Lourenço de Almeida que, em vez de notificar a Coroa portuguesa, decidiu se juntar ao ouvidor da comarca do Serro Frio, Antônio Rodrigues Banha, numa sociedade para extrair ilegalmente as pedras. Da trama fariam parte ainda um padre, o frei Elói Torres, e um vendedor ambulante chamado Felipe de Santiago, ambos conhecedores do segredo bem guardado pelo governador.[6]

O esquema de mineração clandestina e contrabando das pedras tornou o governador um dos homens mais ricos da colônia. Irmão do cardeal patriarca de Lisboa e cunhado do secretário de Estado, um dos mais altos cargos da corte de Portugal, dom Lourenço retornou à metrópole em 1731 com uma fortuna avaliada em 18 milhões de cruzados, o dobro do patrimônio que possuía por volta de 1712, quando era capitão-mor da Índia. Nas cerimônias oficiais, um de seus criados ostentava no dedo uma pedra de diamante de 82,5 quilates, cerca de 16,5 gramas.

Em 1720, onze anos antes da chegada de dom Lourenço a Lisboa, o rei João v, já alarmado com a persistência das denúncias contra seus súditos, determinava que as altas autoridades do reino a serviço nos territórios ultramarinos não misturassem os negócios públicos com seus interesses pessoais:

> *Daqui em diante nenhum vice-rei, capitão-general ou governador, ministro ou oficial de justiça ou fazenda, nem também os de guerra que tiverem patente que são do posto de capitão para cima inclusive, assim deste reino como de suas conquistas, possam comerciar per si, nem por outrem, em lojas abertas, assim em suas próprias casas, como fora delas, nem atravessar fazendas algumas.*[7]

A medida, como se pode imaginar, nunca deu resultado.

Para fugir à escorchante carga tributária imposta pela Coroa, o contrabando era generalizado. Segundo o historiador britânico Charles Boxer, em 1701, apenas 36 pessoas pagaram o quinto real sobre a extração de ouro em Minas Gerais. No ano seguinte, menos ainda: só uma única pessoa. Em 1703, os contribuintes aumentaram para onze. Esses números eram irrisórios,

CORRUPTOS E LADRÕES

levando em conta que a população estimada era de 30 mil habitantes.[8] Entre 1711 e 1715, teriam chegado à Europa mais de nove toneladas de ouro brasileiro, quase 50% além das 6,5 toneladas registradas oficialmente no Brasil. Para o quinquênio 1750-1754, auge da produção aurífera brasileira, a diferença teria sido maior ainda, superior a quatro toneladas.[9]

O jesuíta André João Antonil avaliou que, nessa época, apenas um terço do ouro era realmente declarado. O restante circulava em pó, como moeda, nas próprias regiões mineiras, ou era desviado pelo contrabando. O historiador Francisco Adolfo de Varnhagen calculou em 40% o total do ouro desviado de forma ilegal ao longo de todo o século XVIII.[10] Parte disso descia pelo Rio do Prata, em direção a Buenos Aires, onde embarcava em navios britânicos. Outra parte seguia nos navios negreiros para a compra de escravos na costa da África.

Uma carta escrita em 1697 pelo governador Artur de Sá e Menezes ao rei dom Pedro II, de Portugal, se referia ao contrabando de ouro e à sonegação fiscal, antes ainda que as jazidas começassem a ser exploradas:

> *É de tão grande utilidade para os vassalos a riqueza que estas minas produzem e Vossa Majestade tão generosamente lhes concede, e eles, esquecendo-se das suas obrigações, extraviam aquela pequena parte que Vossa Majestade manda reservar para a sua Real Fazenda; e é justo que se busque todo o remédio para que a ela se pague o que cada um deve.*[11]

A Coroa tentou de todas as formas possíveis combater o contrabando. Ordem régia de 8 de fevereiro de 1711, assinada por dom João V, proibia qualquer navio estrangeiro que não estivesse junto às frotas portuguesas de fundear em portos brasileiros.

Outra lei, de 1733, vedava a abertura de novas estradas. Nos caminhos já existentes, as guarnições militares foram reforçadas. A punição para os contrabandistas era drástica: prisão, confisco de todos os bens e deportação para a África ou para a Índia. Criou-se também um sistema de "delação premiada", pelo qual quem denunciasse algum contrabando teria direito a receber metade dos bens confiscados. Se fosse cúmplice, a pena lhe seria perdoada. O escravo que denunciasse um senhor contrabandista receberia imediatamente uma carta de liberdade emitida pelo rei de Portugal, além de parte dos bens do infrator.

No chamado Distrito Diamantino a repressão contra escravos, negros e mestiços livres, suspeitos de garimpo ilegal, foi implacável,[12] a ponto de serem todos, literalmente, despejados da região por um bando (decreto) do governador em 1731. Quem não saísse imediatamente seria condenado à pena de duzentos açoites em praça pública. Ficava proibido adquirir diamantes de escravos, sob pena de confisco de todos os bens do comprador. Também nesse caso, quem denunciasse a prática receberia um terço da riqueza confiscada. No dia 5 de agosto de 1734, arautos percorreram as ruas do arraial do Tijuco (Diamantina) para anunciar, ao som de caixas e tambores, a seguinte ordem emitida pelo governador André de Mello e Castro, conde de Galveias:

> Todo escravo ou pessoa livre que for achado nos córregos, gupiaras ou lavras que forem de diamantes, com suspeita de que quer extraí-los, será preso: os escravos açoitados e vendidos, metade para o denunciante e metade para a Fazenda Real; os homens livres pagarão 100$000 (100 mil reis) de multa com dois meses de prisão, e serão exterminados da comarca.

Outra ordem régia, de 1º de março de 1743, tinha como alvo as mulheres negras, escravizadas ou forras, que percorriam a região diamantina vendendo comida e quitutes para mineradores e garimpeiros. O governo suspeitava que fossem receptadoras de diamantes contrabandeados:

> *As negras ou mulatas forras ou cativas [ficam proibidas de] andarem com tabuleiros pelas ruas ou lavras, só lhes sendo permitido venderem os gêneros comestíveis nos arraiais ou nos lugares que para esse fim lhes foram marcados, sob pena de duzentos açoites e quinze dias de prisão.*

Córregos, rios e áreas de jazidas eram patrulhados dia e noite pelo Corpo dos Dragões, destacamento militar composto por quarenta soldados armados e a cavalo. Milhares de pessoas foram forçadas a deixar suas casas e terras e a mudar para outras regiões da capitania. Foi inútil. As denúncias de desvio de minérios se tornaram cada vez mais frequentes, incluindo a participação de estrangeiros. Em 1785, Martinho de Melo e Castro, ministro da rainha Maria I, mandou instruções a todos os governadores da América Portuguesa para que fossem rigorosos no combate ao contrabando e à sonegação de impostos:

> *Têm chegado à real presença informações constantes e certas dos excessivos contrabandos e descaminhos, que da mesma sorte se praticam nos portos e no interior das capitanias. Os efeitos destas perniciosas transgressões se têm já feito e vão cada vez mais fazendo sentir nas alfândegas deste reino. [...] Se não cuidar eficazmente nos meios e modos de as coibir, a consequência será que todas as utilidades e riquezas destas importantíssimas colônias ficarão sendo patrimônio dos seus habitantes e das nações estrangeiras, com quem eles repartem, e Portugal não conservará mais que o aparente, estéril e inútil domínio nelas.*[13]

ESCRAVIDÃO VOL. II

Viajando pelo interior de Minas Gerais já nos primeiros anos do século XIX, o inglês John Mawe testemunhou a prisão de um contrabandista na aldeia de Conceição, situada na região de Tijuco, atual cidade de Diamantina:

> *Uma semana antes da minha chegada, a aldeia fora teatro de extraordinária aventura. Um tropeiro, que ia ao Rio de Janeiro com vários burros carregados, foi alcançado por dois soldados de cavalaria, mandados em sua perseguição; pediram--lhe a espingarda e furaram a coronha com prego. Vendo que ela estava oca, tiraram a guarnição de ferro que lhe recobria a base e descobriram uma cavidade que continha trezentos quilates de diamantes. A sorte desse homem apresenta um exemplo terrível ao rigor das leis: ele perderá todos os seus bens e será encerrado, provavelmente pelo resto dos dias, em uma prisão lúgubre no meio de criminosos e assassinos.[14]*

O exemplo de cima era seguido pelos de baixo. A historiadora Maria Helena P. T. Machado observou que, em um Brasil em que todo mundo roubava e trapaceava, era natural que o comportamento fosse abraçado pelos escravos, frequentemente acusados de furtar produtos estocados ou sobras, que eram consumidos às escondidas nas senzalas ou vendidos a donos de vendas e outros atravessadores nas vizinhanças.[15] A justificativa poderia ser encontrada nessa quadrinha popular entre os africanos e seus descendentes no Brasil colonial, citada pelo antropólogo Arthur Ramos:

> *Nosso preto fruta galinha,*
> *Fruta saco de fuijão;*
> *Sinhô baranco quando fruta,*
> *Fruta prata e patacão.*

"Fruta" e "baranco" eram corruptelas de "furta" e "branco" no linguajar dos escravos, que nem sempre dominavam bem a pronúncia das palavras na língua portuguesa. Patacão, por sua vez, era uma moeda de prata de 960 réis usada na época, equivalente à soma de três patacas de 320 réis. O inglês Henry Koster, durante sua estada em Pernambuco no começo do século xix, anotou expressão semelhante corrente entre os escravos: "Furtar do senhor nam he furtar". Seria, portanto, uma versão arcaica de um ditado ainda hoje corrente no Brasil: "Ladrão que rouba ladrão tem cem anos de perdão".

O contato dos africanos escravizados com as falcatruas da América Portuguesa começava antes ainda da travessia do Atlântico. Nas crônicas do tráfico, de acordo com o historiador Joseph Miller, Angola era chamada de "escola de ladrões" devido às falcatruas cometidas pelos capitães de navios negreiros ao embarcarem cativos rumo ao Brasil:

> *Eles subornavam, mentiam sobre o destino dos navios, faziam declarações falsas sobre o conteúdo das caixas que carregavam, escondiam parte dos escravos que levavam a bordo da inspeção feita pelos agentes do governo.*[16]

Segundo a historiadora Mariana Cândido, em Angola, os governadores abusavam de sua autoridade impondo taxas arbitrárias, como, por exemplo, exigindo de propina dos traficantes um africano escravizado em cada grupo de dez embarcados nos seus navios. O interesse pessoal predominava sempre, como escrevia de Luanda no final do século xviii o governador Manuel de Almeida de Vasconcelos de Soveral que, a exemplo de Vahia Monteiro no Rio de Janeiro, reclamava para si o título de honesto:

Não é a ignorância que embaraça a execução, mas sim o maldito interesse, pois que, entrando o negócio, é infalível a dependência, a intriga, a parcialidade e as grandes injustiças, a ociosidade e as queixas; as ordens não se executam e tudo vai perdido.[17]

Na região de Benguela, o roubo de pessoas servia como compensação dos parcos salários que a Coroa portuguesa nem sempre pagava. Oficiais e soldados simplesmente sequestravam os moradores negros e os vendiam como escravos, vendo assim uma forma de compensar os soldos atrasados. Para enganar o fisco, ao pagar o quinto real, as autoridades declaravam apenas os escravos de menor valor, geralmente pessoas com debilidades físicas, mulheres ou crianças muito pequenas. Em um inventário de 1738, mulheres e crianças compunham a maior parte das cargas de cativos declaradas à Coroa portuguesa. Em um grupo de 77 pessoas embarcadas nos navios negreiros de Benguela em 1738, só doze homens apareciam na lista, sendo que um deles tinha uma deficiência na perna e o outro, um ferimento no olho. As demais eram mulheres e crianças. Esses números contrariavam as estatísticas regulares do tráfico, em que predominavam homens jovens, saudáveis e fortes para o trabalho exigido pelos compradores no Brasil.[18]

Dom João de Lencastre, governador-geral de Angola de 1688 a 1692 e do Brasil de 1694 a 1702, era apontado como um grande contrabandista de cachaça, bebida muito valorizada na compra de cativos na África.[19] Um dos casos mais flagrantes de contrabando foi protagonizado por João Correa de Souza, também governador de Angola que, em 1623, após uma administração particularmente desastrosa, abarrotou um navio com trezentos cativos e foi vendê-los em Cartagena das Índias (atual Colômbia), sem recolher um centavo de impostos para o tesouro real.[20]

CORRUPTOS E LADRÕES

Em 1792, outro governador, Paim da Câmara Ornelas, e o juiz de paz de Benguela foram presos e tiveram seus bens confiscados sob acusação de contrabando. Segundo as investigações, Ornelas exportava ilegalmente mais de 2 mil africanos escravizados por ano para o Brasil, onde tinha diversos parceiros comerciais no Rio de Janeiro e na Bahia.[21]

Os chefes africanos que participavam da engrenagem do tráfico fornecendo cativos aos portugueses logo se adaptaram ao ambiente de promiscuidade entre os interesses públicos e privados, de modo a dele tirar proveito. Em Angola, antes de fechar as negociações, os sobas (soberanos locais) tinham o hábito de enviar às autoridades presentes na forma de escravos ou cabeças de gado. Em 1763, o responsável pela fortaleza de Caconda recebeu sete escravos como mimo pessoal enviado pelo soba de Angalange. Em 1770, o soba de Humbe enviou presentes ao governador de Benguela junto com seus agentes que levavam um grupo de escravos para o embarque no porto. Anos mais tarde, em 1794, o soba de Ambailundu remeteu treze escravos e doze cabeças de gado de presente para outro governador de Benguela. No percurso, entre o interior e o litoral, uma mulher e dois dos animais morreram, mas o governador prontamente aceitou as gorjetas e elogiou a boa aparência dos cativos sobreviventes. Em seguida, retribuiu a gentileza despachando tecidos, chapéus, meias, camisas, bebidas alcoólicas, armas e pólvora, entre outras mercadorias, para o chefe africano que, por sua vez, mandou mais um grupo de treze escravos de presente para o governador. Tudo isso era feito para "adoçar" o comportamento dos agentes da Coroa na hora de fechar os negócios ou recolher os impostos.[22]

As falcatruas envolviam até padres e ordens religiosas. Em Benguela, o padre João Teixeira de Carvalho negociava escravos com traficantes europeus. Acabou preso sob a acusação de contrabando e sonegação de impostos, além de manter um sem-

-número de concubinas. Paulo Caetano de Albuquerque, governador de Angola, dizia ser ele "o mais escandaloso de todos os religiosos do império português". As denúncias se repetiam do outro lado do Atlântico. Um caso de nepotismo foi registrado em 22 de setembro de 1795, quando o padre Quintiliano Álvares Teixeira Jardim, de Congonhas do Campo, foi contratado pela Câmara de Mariana como orador das festividades pelo nascimento do príncipe da Beira, primogênito varão de dom João VI. Essa contratação foi muito suspeita, uma vez que em Mariana, sede de um bispado e um importante seminário, havia inúmeras pessoas letradas e com total capacidade para exercer a função. A explicação: Quintiliano era padrinho de um dos filhos do doutor José Pereira Ribeiro, vereador responsável pela contratação.[23]

Por vezes, em nome dos altos interesses do tráfico negreiro, as autoridades em Lisboa preferiam fechar os olhos diante do comportamento suspeito de seus súditos no Brasil e na África. Joseph Torres, capitão de mar e guerra, um dos grandes traficantes de escravos do século XVIII na Bahia, era contrabandista de ouro e sonegador de impostos. Havia contra ele inúmeros processos, queixas, denúncias e ordens de prisão. Entre outras coisas, tinha dado um calote no embaixador britânico em Lisboa, John Methuen, que o processou. O diplomata ganhou a causa, porém catorze anos mais tarde nada havia recebido graças aos bons contatos de Torres entre as autoridades metropolitanas e coloniais, que o protegiam.

Em 1721, mesmo depois de comprovadas suas falcatruas pelo Conselho Ultramarino em Lisboa, Torres foi autorizado pelo vice-rei do Brasil, Vasco Fernandes César de Meneses, a construir a fortaleza de Ajudá, o principal entreposto de comércio de escravos luso-brasileiro na Costa da Mina, levando em conta que só ele tinha conhecimento, relações e parcerias, tanto com europeus quanto com os chefes africanos, que permitiriam aumentar o tráfico de escravos na região. Em nome desses altos interesses do comércio escravista, em 25 de outubro do mesmo ano, o secretário de Estado, Diogo de Mendonça Corte Real, despachava ao vice-rei correspondência nos seguintes termos:

> *Sua majestade ordena que se suspenda a resolução do Conselho Ultramarino sobre a conduta de Joseph Torres, acusado de haver cometido diversas fraudes no comércio com a Costa da Mina e igualmente daquilo que fez em conveniência com estrangeiros, pois não é oportuno agir com ele atualmente.*[24]

Um dos sócios de Joseph Torres no Brasil era o governador de Minas Gerais, dom Lourenço de Almeida, acusado de roubo e contrabando de diamantes, como se viu nos parágrafos anteriores.

11. ONDA NEGRA

Em fevereiro de 1756, a galeota *São José*, um navio negreiro português, estava ancorada nas margens de um rio em Cacheu, na atual Guiné-Bissau.[1] A missão dos tripulantes era enchê-la com escravos trazidos em canoas do interior do continente africano. Os cativos eram transferidos para bordo nus, acorrentados e vigiados de perto por sentinelas armados. Um padre os aspergia de forma displicente com água benta enquanto pronunciava algumas palavras ininteligíveis para eles. Era um ritual de batismo coletivo, no qual recebiam uma nova identidade. A partir dali seriam chamados de José, João, Sebastião, Maria, Catarina, Brígida, Rosa, entre outros nomes, todos cristãos e europeus. Assim, renomeados e batizados, os "gentios" deixavam para trás a "barbárie" e a "selvageria", segundo as expressões usadas na época pelos portugueses para descrever os costumes na África, e adentravam em um novo e desconhecido mundo. Um total de 97 negros foram acomodados nos porões do navio, sete dos quais eram crianças, lançadas nos registros de bordo como "crias de peito", ainda em fase de amamentação. Era gente de diversas origens e etnias. Os documentos falam em angicos, balantas, bayuinas, bijagós, papels, fulas (ou fulupos), brames e bambaras. Quase a metade, 43%, era do grupo mandinga, vindo de uma região mais distante do litoral. A viagem durou cinquenta dias até o Maranhão.

A galeota *São José* era um dos primeiros navios negreiros da recém-criada Companhia Geral de Comércio do Grão-Pará e Maranhão a chegar à costa da região da Alta Guiné. Criada no ano anterior e também conhecida pela longuíssima sigla CGCGPM, a empresa tinha o monopólio do tráfico negreiro entre Bissau e Cacheu e os portos de São Luís e Belém. Nessa condição, prometia abastecer de escravos os colonos das regiões Norte e Nordeste do Brasil com condições e preços mais acessíveis do que os oferecidos pelos traficantes privados. Era parte dos grandes esforços coloniais para garantir a ocupação do território e saciar a fome escravista do Brasil na segunda metade do século XVIII. Preocupado em assegurar a presença portuguesa na Amazônia, Sebastião José de Carvalho, futuro marquês de Pombal e poderoso ministro do rei dom José I, havia nomeado seu irmão, Francisco Xavier de Mendonça Furtado, como governador do estratégico Estado do Grão-Pará e Maranhão, unidade administrativa relativamente autônoma que abrangia todas as capitanias entre a divisa dos atuais estados de Ceará e Piauí até o rio Negro, no hoje estado do Amazonas. A primeira iniciativa de Mendonça Furtado ao assumir o cargo foi propor a criação da CGCGPM, conforme justificou em carta datada de 1752:

> *A nova companhia há de ser a redenção deste Estado, principalmente quando os seus fins são tão interessantes, como o de trazer grande cópia [quantidade] de escravos [e] de regular o comércio.*

Uma segunda companhia, nos mesmos moldes, seria criada em 1759. A Companhia Geral de Comércio de Pernambuco e Paraíba detinha o monopólio de todas as transações comerciais, incluindo o tráfico negreiro, na região Nordeste, com exceção da Bahia. Ambas as empresas acabariam indo à falência, mas seriam elas as responsáveis pelo tráfico de milhares de cativos para as regiões mais distantes do Brasil até por volta de 1787.

Nessa época, a escravidão já havia penetrado fundo no território brasileiro. A impressionante onda negra que cruzou o oceano Atlântico rumo ao Brasil no século XVIII até os confins da Amazônia, pode ser observada nos seguintes números. Segundo o banco de dados Slavevoyages.org, no primeiro século da colonização, da chegada da esquadra de Pedro Álvares Cabral à Bahia até 1600, entraram na América Portuguesa cerca de 30 mil africanos escravizados. O número teria se multiplicado 26 vezes, para aproximadamente 784 mil, entre 1600 e 1700, em razão principalmente do cultivo das lavouras de cana-de-açúcar no Nordeste brasileiro. No século seguinte, cresceria mais duas vezes e meia, chegando perto da casa de 2 milhões num espaço de apenas cem anos. Outros 2 milhões desembarcariam até a metade do século XIX, o auge da cultura do café no Vale do Paraíba e na região oeste de São Paulo, transformando o Brasil no maior território escravista do Hemisfério Ocidental, responsável pela importação de 4,9 milhões de africanos escravizados, cerca de 40% do total desembarcados em todo o continente americano nos primeiros 350 anos de ocupação europeia.

Como resultado, no final do século XVIII, o Brasil teria a maior concentração de negros escravizados de todo o Novo Mundo. "Um verdadeiro formigueiro de negros", comparava um oficial francês depois de passar um mês no Rio de Janeiro.[2] "Todos os serviços públicos desta cidade são feitos por escravos acorrentados", acrescentava o cirurgião inglês George Hamilton, em 1790. "Esses trabalhadores, para mitigarem a sua penosa labuta, entoam uma triste e melancólica canção recitativa, a qual, acompanhada pelo retinir das correntes, é a própria voz do infortúnio."[3]

ESCRAVIDÃO VOL. II

Um censo de 1789, encomendado pelo governador Luís de Vasconcelos e Souza, mostrou que 49% dos 168.709 habitantes da capitania do Rio de Janeiro eram escravos. Em uma das freguesias da cidade do Rio de Janeiro, a de São José, a proporção era de três pessoas negras ou mulatas para cada branco. Outro levantamento realizado, dessa vez, na cidade de Salvador em 1775, registrou 35.253 habitantes, dos quais 42% eram escravos. Brancos somavam 36%, enquanto negros e mulatos livres totalizavam 22%.[4] Em 1798, a população do Brasil era estimada em 3,25 milhões de pessoas, sem incluir os indígenas "bravios" — ou seja, que não foram incorporados à civilização colonial portuguesa. Os índios "pacificados" correspondiam a 7,7% do total. Os brancos, a 31,1%. Negros e mulatos libertos, 12,5%. Os demais 48,7% (quase a metade do total) eram escravos. Nas regiões mineradoras e produtoras de açúcar, a proporção chegava a 70% ou mais.

Entre 1751 e 1842, cerca de 100 mil africanos desembarcaram no porto de São Luís do Maranhão. Quase a metade disso, 49 mil, foi redirecionada para o Pará. Dali, seguiam em comboios de barcos e canoas até as longínquas vilas de Barcelos, Moura e São Gabriel da Cachoeira, no alto rio Negro. Seriam eles os responsáveis pela construção da fortaleza de São José de Macapá, na atual capital do Amapá, com o propósito de conter as invasões francesas pelo rio Oiapoque. Na Ilha de Marajó, dariam início à criação de búfalos, ainda hoje a marca registrada da economia dessa região. Desse modo, a Amazônia seria a última grande fronteira escravista negra do Brasil depois que doenças, guerras e fugas tornaram inviável o trabalho cativo indígena praticado desde a chegada dos colonizadores europeus à região.

O primeiro desembarque de cativos trazidos diretamente da África em São Luís teria ocorrido em 1665. Os documentos falam de forma imprecisa em "alguns negros". Vinham de Cacheu, território na época designado como Alta Guiné. Sua escolha não era por acaso. Africanos dessa região dominavam as técnicas de cultivo de arroz, cujas lavouras floresciam nas terras baixas do vale do Mearim maranhense. Um segundo grupo de cinquenta escravos desembarcou em 1673, seguido de outro, bem mais numeroso, de novecentos cativos, transportado por um navio holandês para trabalhar nas terras de um fazendeiro chamado João Dias. Apesar das antigas rivalidades entre Portugal e Holanda, o capitão do navio conseguiu convencer as autoridades maranhenses a desembarcar os escravos, originalmente destinados às plantações holandesas no Caribe, porque estavam muito doentes e não chegariam com vida ao destino final. Ele aceitou o melhor preço disponível e, como havia pouco dinheiro em circulação, os homens foram trocados por açúcar, algodão, carne seca, madeira, redes de pesca, e até macacos e pássaros vivos. O último desembarque de navio negreiro na Amazônia ocorreu em 1846, quatro anos antes da completa abolição do tráfico de escravos para o Brasil, estabelecida pela Lei Eusébio de Queirós, de 1850.[5]

Nesse período também se desenvolveria no Maranhão uma nova atividade agrícola, a do cultivo do algodão, estimulado pela Revolução Industrial da Inglaterra. O primeiro carregamento de algodão brasileiro chegou à Inglaterra em 1781. O produto já era nativo em algumas regiões do Brasil e usado de forma artesanal tanto pelos indígenas como pelos colonos nos séculos anteriores. Em 1800, representava 11% do total das exportações brasileiras, volume que quase dobraria, para 20%, entre 1821 e 1830. Entre 1785 e 1792, o Brasil ultrapassou o império otomano entre os grandes fornecedores para as fábricas britânicas, com um total de mais de 3.600 toneladas, e passou a responder sozinho por um terço das importações de algodão bruto da Inglaterra. No Maranhão, as exportações duplicaram entre 1770 e 1780, dobraram novamente em 1790 e triplicaram em 1800. O algodão maranhense era particularmente valorizado nas fábricas inglesas pela sua fibra mais longa, de maior produtividade nos teares a vapor.[6]

Embora a escravidão africana tenha chegado tardiamente ao Maranhão, no começo do século XIX esse já era um dos principais destinos do comércio negreiro, responsável sozinho pela importação de 41 mil cativos só no breve período de 1812-1820. Essa colossal força de trabalho cativa estava concentrada nas fazendas de algodão, arroz e açúcar situadas nos vales dos rios Itapecuru, Mearim e Pindaré. Uma típica fazenda de algodão possuía, em média, cinquenta escravos. Cerca de 30 mil trabalhavam nessas lavouras. Ao contrário das regiões Sul e Sudeste, o Maranhão nunca conseguiu atrair uma significativa imigração europeia. Como resultado, a população branca, em 1821, não passava de 15% do total de habitantes. A porcentagem de população escrava, em média de 55% sobre o número total de habitantes, era a mais alta do Brasil.[7]

A expansão da fronteira brasileira e a intensificação do tráfico transatlântico tiveram um enorme impacto na geografia e nas sociedades africanas. Um censo do governo português na colônia de Angola entre 1777 e 1778 demonstrou o efeito devastador do tráfico negreiro na demografia do continente: havia duas mulheres para cada homem adulto na faixa etária entre quinze e sessenta anos.[8] No Brasil, a proporção era inversa. Homens jovens, fortes e saudáveis eram a mão de obra preferida dos senhores de engenho, fazendeiros e mineradores de ouro e diamantes. Como consequência, alcançavam preços mais altos no comércio de cativos. Guerras, sequestros e conflitos generalizados se tornaram a regra. Um estudo feito no começo do século XIX sobre as origens dos escravos libertados por navios britânicos no Atlântico demonstrou que 30% deles tinham sido sequestrados por outros africanos. Onze por cento haviam se tornado cativos em consequência de processos judiciais em que eram acusados de variados crimes, como adultério. Outros 14% foram vendidos aos negreiros para saldar dívidas contraídas por eles próprios ou seus familiares. Por fim, a maior parcela, de 34%, era composta por prisioneiros de guerra.[9]

Os europeus estimulavam as guerras fornecendo armas, munições, cavalos, armaduras e, às vezes, treinamento militar aos seus aliados africanos. Em Angola eram chamadas de "guerras pretas", expedições punitivas promovidas pelas autoridades coloniais portuguesas como pretexto para aumentar o número de cativos em oferta nas regiões costeiras. O historiador Paul E. Lovejoy estima que no século XVIII os europeus tenham vendido pelo menos 20 milhões de armas de fogo aos chefes africanos. Entre 1750 e 1807, a Inglaterra, o maior de todos esses fornecedores, teria embarcado para a África mais de 22 milhões de toneladas de pólvora, média de 384 mil quilos por ano, além de outros 5 milhões de toneladas de chumbo, metal usado para a fabricação de projéteis para fuzis e espingardas.[10] Um relatório português de 1725 dizia que a quantidade de pólvora estocada em Luanda era tão grande que seria suficiente para garantir a defesa militar de Angola e de todo o Brasil, e ainda sobraria para outras necessidades.[11]

A ordem política e econômica até então existente entrou em colapso. Soberanos ou líderes tradicionais eram mortos, afastados do poder ou cooptados pelas engrenagens do comércio de gente, a principal atividade econômica do continente. Nas chamadas "cerimônias de vassalagem", chefes africanos aliados dos portugueses, os sobas, eram marcados a ferro quente no peito com o selo real, de modo a "serem respeitados pelos seus súditos e reconhecidos como vassalos do rei de Portugal". A onda escravista alterou vínculos familiares, a dieta alimentar, o modo de se vestir e até mesmo os nomes pelos quais as pessoas eram reconhecidas. Em meados do século, segundo a historiadora Mariana Cândido, as pessoas que viviam no interior de Benguela, a cerca de trezentos quilômetros do litoral, já estavam habituadas a cultivar milho trazido do Novo Mundo, beber cachaça brasileira e batizar os filhos com nomes cristãos designados por padres católicos. Todas as suas atividades estavam direcionadas ao tráfico de escravos no Atlântico.[12]

Angola e Congo foram as duas principais regiões fornecedoras de cativos na África ao longo do século XVIII, com números bem superiores aos da Costa da Mina e da Costa do Ouro, que serão descritos nos capítulos seguintes deste livro. A corrida do ouro fez com que a demanda por escravizados em Luanda quase dobrasse no início do século XVIII, de 110 mil embarcados entre 1675 e 1700 para 180 mil nos 25 anos seguintes. Como resultado, ali o preço médio de um escravo saltou de 22 mil réis em 1697 para 44 mil réis em 1701. O destino principal dos negreiros que partiam de Angola era o porto do Rio de Janeiro, situado mais próximo das regiões mineradoras. Segundo um relatório do governador de Angola, Luís César de Meneses, em 1699 havia dez compradores para cada "peça da Índia", ou seja, escravos de primeira qualidade, à venda em Luanda. "Os preços dispararam para níveis que, em algumas ocasiões, chegavam a dez vezes o que se praticava alguns anos antes", escreveu o governador.[13]

Entre 1762 e 1775, os navios que partiam de Luanda com destino ao Rio de Janeiro e a Salvador levavam, em média, 354 escravos. Para Pernambuco, 462. Para o Maranhão, houve o registro de uma embarcação com 714 escravos. Na mesma época, a Bahia tinha 88 navios com capacidade para fazer viagens transoceânicas. Desse total, 41, quase a metade, estavam dedicados ao tráfico de escravos. Os índices de mortalidade às vezes eram devastadores. Em 1736, o traficante baiano João da Costa Lima encarcerou mais de oitocentos africanos no seu navio no porto negreiro de Jaquim, hoje no litoral da Nigéria. Sem água e suprimentos adequados, mais de quatrocentos deles morreram antes que Costa Lima desembarcasse os demais na Ilha de Zambores, situada na costa de Serra Leoa. Para os traficantes de escravos, no entanto, "doença, sofrimento e perdas de vidas humanas eram apenas parte do risco do negócio", como observou o historiador James H. Sweet.[14]

No Delta do rio Níger, próximo à atual fronteira da Nigéria com Camarões, mercadores de gente viajavam para o interior do continente em flotilhas de canoas fortemente armadas e impulsionadas por remadores escravizados. Na volta, traziam 120 pessoas ou mais, com as mãos e os pés acorrentados, para serem vendidas aos capitães negreiros, segundo a minuciosa descrição feita em 1789 pelo capitão inglês William James:

> *Os fornecedores negros de Bonny e Calabar chegam uma vez a cada quinze dias com escravos, transportados em vinte ou trinta canoas, também com vinte a trinta cativos cada uma. As vendas geralmente acontecem às sextas-feiras. Os braços são amarrados às costas com cordas, pedaços de madeira ou bambus e outros modos de imobilizar uma pessoa. Se o escravo for muito forte, é atado também na altura dos joelhos. Desse jeito são jogados no fundo da canoa. Ao desembarcar, são levados para o mercado, onde são untados a óleo, alimentados e preparados para a venda. Os doentes nunca são comprados. Uma vez fechada a compra, são imediatamente levados para bordo dos navios, presos a ferros e correntes, e assim permanecem durante toda a travessia do oceano, a não ser que fiquem doentes.[15]*

Na África, os preços de escravos variavam de acordo com a demanda, as guerras e os conflitos, as secas, epidemias e outros fatores. Nem tudo era pago em dinheiro, mas em produtos vindos

ESCRAVIDÃO VOL. II

de diversas partes do mundo e cuja percepção relativa de valor era diferente para quem vendia o escravo (os chefes africanos) e quem o comprava (os europeus ou brasileiros). Medido em libras esterlinas de 1780, moeda relativamente mais estável do que as outras no período, o preço médio de um escravo teria subido gradativamente, de £ 10, em 1550, para £ 14 em 1600 e £ 25 em 1730, estimulado pela corrida do ouro no Brasil, patamar em que se manteve até quase o final do século XVIII. Com as guerras napoleônicas e a abolição do tráfico nos domínios ingleses e norte-americanos, no começo do século XIX, caiu novamente para £ 15 e assim permaneceu até 1867, ano do último desembarque documentado de navio negreiro em Cuba, onde o preço de um cativo recém-chegado da África nessa época era de £ 10.[16] Mesmo com todas essas variações, o preço de um escravo nunca foi superior a quatro vezes o custo anual de sua própria subsistência. Portanto, para os senhores escravistas, sempre foi um ótimo negócio.

As mercadorias mais valorizadas no tráfico negreiro compunham uma lista com mais de mil itens, incluindo conchas marinhas, artefatos de ferro e cobre, cordas, pregos, martelos, serrotes e outras ferramentas, bacias, panelas, facas, enxadas e objetos de adorno, como contas de vidro produzidas em Veneza e na Holanda. Roupas e tecidos, fabricados na Europa ou trazidos da Ásia, especialmente da Índia, representavam metade do total das negociações. Outros 20% eram de bebidas alcoólicas, que incluíam vinhos portugueses ou franceses e, principalmente, cachaça do Brasil. Em média, compravam-se dez escravos por pipa de quinhentos litros de cachaça. Armas, pólvora e munições representavam o terceiro item mais valioso. Em 1760, no porto de Luanda entravam entre 6 mil e 7 mil espingardas por ano, descontando-se ainda um número grande que passava pelo contrabando, sem registro das autoridades.[17]

ONDA NEGRA

O século XVIII testemunhou uma importante mudança na estrutura do comércio de escravos no Atlântico. Inicialmente, as viagens negreiras eram organizadas por companhias estatais ou contratos arrematados, em regime de monopólio, por particulares em leilões promovidos pelos governos dos países envolvidos no tráfico, caso da Royal African Company (RAC), na Inglaterra, e da Companhia Holandesa das Índias Ocidentais (WIC). Logo, porém, a demanda por mão de obra cativa cresceu de tal forma que esses monopólios já não tinham fôlego para fornecer africanos no ritmo e nas quantidades exigidas pelos compradores no Novo Mundo.

A solução foi "privatizar" o tráfico, abrindo-o para qualquer empresário que tivesse capacidade para mobilizar dinheiro e outros recursos necessários para organizar as expedições negreiras. Em 1698, o parlamento britânico abriu a possibilidade para esses livres "empreendedores", com a condição de que pagassem uma taxa de 10% sobre seus resultados para a RAC, até então detentora da exclusividade nesse comércio. Os franceses seguiram o exemplo em 1725, oportunidade rapidamente aproveitada pelos comerciantes da cidade costeira de Nantes, que a partir de então se tornaria a capital do tráfico na França. Os holandeses trilharam o mesmo caminho a partir de 1730. Portugal e Brasil ainda persistiram por algum tempo no modelo antigo, até o fracasso das duas companhias de comércio criadas pelo marquês de Pombal nas regiões Norte e Nordeste. A partir daí o tráfico de escravos se tornou uma atividade basicamente privada.

A Coroa portuguesa tentava controlar e abocanhar uma fatia cada vez maior dos lucros do tráfico, mudando sempre que possível as regras da coleta de impostos. Até 1758, a tributação de escravos embarcados de Angola tinha como referência a chamada "peça da Índia", unidade equivalente a um cativo homem,

177

adulto, sem defeito físico algum, com boa saúde e capacidade de trabalho, e cerca de 1,50 metro de altura. Crianças, pessoas com algum tipo de deficiência e adultos de baixa estatura eram considerados uma fração da "peça da Índia". A partir de 1758, o critério mudou. Os escravos passaram a ser taxados por "cabeça", ou seja, do ponto de vista tributário, todos eram iguais. O novo regulamento os diferenciava apenas por idade. Cativos adultos, homens ou mulheres, pagavam 8.700 réis de impostos. Crianças, identificadas como "crias de pé", 4.350. Recém-nascidos, ainda em fase de amamentação, chamados "crias de peito", estavam livres de impostos, desde que embarcassem com as mães. Para ser considerado criança, um cativo não poderia medir mais do que quatro palmos, cerca de 88 centímetros. No século XVIII, cerca de 17% de todos os cativos embarcados em Angola eram crianças. Mais tarde, durante o período do tráfico ilegal, a partir de 1831, esse percentual aumentaria para 57%. O motivo: prevendo o inevitável fim do tráfico, sob pressão da Inglaterra, os fazendeiros queriam ter plantéis relativamente jovens, que pudessem assegurar o uso prolongado da mão de obra cativa até muito depois do fim do tráfico africano. [18]

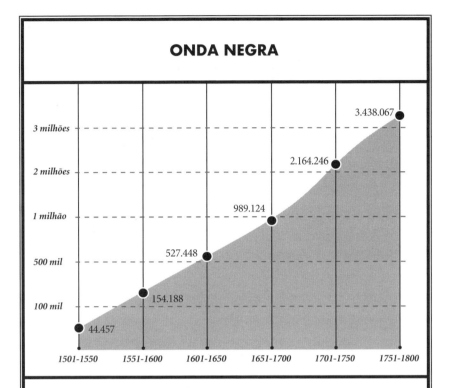

O século XVIII foi o auge do tráfico de africanos escravizados no Atlântico. Cerca de 6 milhões de cativos, de um total de 12,5 milhões, chegaram à América entre 1700 e 1800. O Brasil sozinho importou 2 milhões, um terço do total do continente inteiro.

12. OS CASTELOS

"Quando um negro é posto à venda em perfeitas condições, o negócio é imediatamente fechado, pelo preço cheio, sem nenhuma barganha."

PAUL ERDMANN ISERT, médico e botânico dinamarquês, descrevendo o comércio de gente na costa da África

A COSTA DO OURO, na atual República de Gana, está situada entre o cabo das Três Pontas, próximo à fronteira com a Costa do Marfim, a oeste, e os pântanos do estuário do rio Volta, na divisa com o Togo, a leste. É um dos poucos trechos do litoral da África Ocidental abaixo do deserto do Saara em que a densa floresta tropical não chega até o mar. Em vez disso, é pontilhado por colinas rochosas, coqueirais e praias de areias escuras cobertas por vegetação rasteira. Continente adentro estão as montanhas mais altas, que podem ser avistadas do oceano. Em meados do século XVIII, esse pequeno segmento geográfico, de cerca de trezentos quilômetros, abrigava a maior concentração de fortalezas em todo o mundo. Eram 25 no total, algumas tão próximas entre si que um vizinho poderia atingir o outro com um tiro de canhão. Funcionavam todas como entrepostos do comércio de escravos.[1] Dali saíram 20% de todos os africanos escravizados nas primeiras décadas do século XVIII.

Cada castelo exibia no mastro da torre mais alta a respectiva bandeira nacional, de modo que ainda do alto-mar os capitães dos navios pudessem identificar quem mandava ali. Em 1731, os holandeses controlavam quinze fortes, os ingleses, nove, e os dinamarqueses, um. Além das fortalezas, existiam ainda pequenas feitorias temporárias que, muitas vezes, não passavam de barracões erguidos junto à praia. Nesses locais, pequenos fornecedores africanos, que operavam de forma independente das grandes fortificações, tinham o hábito de acender fogueiras à noite como forma de avisar aos comandantes de navios negreiros que havia cativos disponíveis para a venda.

Por trás da linha de fortalezas europeias, o território era pontilhado por uma miríade de estados africanos independentes, cerca de trinta no total. E todos fornecedores de mão de obra cativa. Era uma região na qual os europeus não se arriscavam a entrar. Preferiam, em vez disso, comprar os cativos que lhes eram oferecidos na praia. Mercadores negreiros que vinham do interior do continente, viajando muitas vezes grandes distâncias, atravessavam esses territórios escravistas, pagando direitos de passagem na forma de taxas e tributos, antes de vender seus escravos para os europeus no litoral. Cabia também aos reis africanos dar permissão para a construção das fortificações, mediante uma espécie de comodato por prazo determinado, durante o qual os europeus pagavam um aluguel anual, além de garantir a participação dos chefes locais nos lucros do tráfico.

No começo do século XVIII, um novo e poderoso reino se consolidaria na região alimentado pelo tráfico de escravos, o dos axante, sob o comando do rei Osei Tutu, cuja dinastia reina

OS CASTELOS

ainda hoje no interior da República de Gana. Descendentes do povo acã, antigos parceiros dos portugueses no comércio de ouro e escravos, os axante eram valentes guerreiros. Por volta de 1780, tinham cerca de 80 mil homens em armas. Com essa força militar, passaram a controlar todos os demais estados da região e a negociar diretamente com os compradores europeus de escravos.[2] Dessas guerras civis resultaram a exportação de 350 mil africanos escravizados entre 1700 e 1750, nos cálculos do historiador Paul E. Lovejoy.[3] O tráfico era uma atividade tão fundamental na economia axante que, em 1817, o rei Zey enviou uma carta pessoal ao rei Jorge III, da Inglaterra, pedindo que os ingleses voltassem atrás na decisão de acabar com o comércio negreiro, adotada pelo parlamento britânico dez anos antes.[4]

Em 1700, só os holandeses venderam 20 mil toneladas de pólvora na Costa do Ouro. Estima-se que em 1730 entravam 180 mil armas por ano na região. Em 1718, enquanto se preparavam para a guerra contra seus vizinhos Wassa e Aowin, os axante compraram três toneladas numa única transação. Curiosamente, os mesmos Wassa e Aowin também providenciavam estoques de armas e munições recorrendo aos próprios holandeses no forte de Axim, situado nas proximidades de Elmina. "A enorme quantidade de armas e pólvora que os europeus trazem para cá tem causado guerras terríveis entre os reis, príncipes e chefes destas terras, que fazem de seus prisioneiros escravos", dizia um memorando holandês de 1730. "Esses cativos são comprados imediatamente pelos europeus, a preços cada vez mais elevados. Como consequência, agora existe pouco comércio de mercadorias entre os próprios negros, com exceção de escravos. As antigas rotas de comércio estão todas fechadas".[5]

A linha de fortificações europeias junto ao litoral tinha inicialmente construções relativamente frágeis, erguidas com tijolos rústicos assentados sobre argamassa de barro e argila.

Uma exceção era o Castelo de São Jorge da Mina, ou Elmina, construído pelos portugueses em 1482 com rochas e pedras transportadas do reino como lastro dos navios que ali chegavam para negociar com o povo acã. Em 1637, o forte foi capturado pelos holandeses e passou a funcionar como o quartel--general da WIC. A partir de 1660, um acordo permitiu aos traficantes portugueses e brasileiros que operavam no Golfo do Benim passarem diante do castelo sem serem molestados. Em troca, eram obrigados a pagar pedágio aos holandeses, equivalente a 10% do valor da carga de seus navios — conta que, obviamente, incluía os cativos. Embarcações que tentassem escapar ao controle eram perseguidas pelas rápidas e eficientes galeras holandesas que, sob a mira de canhões, obrigavam os capitães negreiros a honrar com os tributos exigidos. "Esse lugar é considerado inexpugnável", escreveu em 1731 o tenente francês Robert Durand, tripulante do navio negreiro *Diligent*. "É armado com mais de duzentos canhões, muitos deles de aço. Os portugueses que aqui passam são obrigados a pagar tributo aos holandeses. E não ousam comprar sequer um escravo sem antes parar e pagar o que devem."

Em Elmina, vivia o diretor da WIC para todo o território africano, cercado de quatrocentos funcionários civis, soldados, marinheiros e artífices, além de trezentos escravos. À sombra do castelo havia um pequeno vilarejo, com aproximadamente mil habitantes. No subsolo, uma gigantesca cisterna fornecia água para os moradores e também para os capitães dos navios que ali se abasteciam de escravos. Por volta de 1770, os axante forneciam cerca de mil cativos por ano para Elmina. As relações entre africanos e holandeses eram próximas e amigáveis. Um dos reis axante enviou catorze de seus filhos para serem educados na Holanda.

Nas vizinhanças de Elmina estava o mais importante entreposto do tráfico negreiro britânico, o Cape Coast Castle. A fortaleza foi erguida pelos suecos em 1655 e capturada pelos ingleses nove anos mais tarde, em 1664. Era considerada pelos capitães negreiros o melhor ponto de atracagem de navios de toda a Costa do Ouro. No começo do século XVIII, despachava em média 6 mil cativos por ano para o outro lado do Atlântico. Protegida por 76 bocas de canhão, era equipada com torres fortificadas e alojamentos para oficiais e soldados, depósitos de comida e bebida, e cisternas de água potável usada tanto pela guarnição do castelo como pelos navios que transportavam escravos. No pátio interno havia hortas para o cultivo de frutas, verduras e legumes. A capela central era emoldurada por um belo jardim. O diretor-geral vivia em apartamentos espaçosos situados no topo da fortificação com ampla vista para o mar. O conforto, porém, era só aparente. A África era um ambiente hostil para os europeus, que viviam praticamente sitiados dentro dessas fortificações.

Estima-se que no século XVIII, devido às doenças tropicais, a expectativa de vida dos funcionários ingleses no Cape Coast Castle fosse de apenas 45 anos. Em média, havia um funeral a cada dez dias. Dos 48 soldados que desembarcaram no castelo em fevereiro de 1769, nada menos que quarenta (83% do total) já estavam mortos no final de maio. Anos antes, em 1753, vinte pessoas morreram acometidas de malária em menos de seis semanas, incluindo o governador e um capitão de navio negreiro. Em março de 1779, num único mês, nada menos que 120 europeus foram sepultados no castelo de Elmina, então sob domínio holandês, vítimas de malária, febre amarela, disenteria, e outras doenças.

Em 1749, havia 376 moradores fixos no Cape Coast, entre europeus e africanos, incluindo 79 mulheres e 76 crianças. A maioria era composta de soldados, 137 no total. Havia ainda 29 tripulantes de canoas empregados no transporte de escravizados até os navios.[6] Nos porões, ficavam as gigantescas prisões destinadas a armazenar os escravos à espera da chegada dos navios negreiros. Tinham capacidade para estocar até 1.500 cativos de uma só vez. Cavadas diretamente na rocha dos subterrâneos do castelo, com alas separadas para homens e mulheres, eram lugares escuros e úmidos, sem ventilação ou instalações sanitárias, o que resultava em uma alta taxa de mortalidade entre os cativos. Ali, as fugas eram quase impossíveis.

Em 1718, o médico residente na fortificação sugeriu que fossem construídos aposentos especiais para os doentes e que as laterais e o piso dos porões fossem forrados com camadas de madeira, de modo a conter a infiltração de umidade das rochas. Propôs ainda que os cativos passassem a dormir em plataformas suspensas, em vez de se deitar diretamente sobre o chão frio e encharcado. Por fim, sugeriu a instalação de canais de esgoto, onde os negros escravizados poderiam "se aliviar durante a noite". Os porões deveriam ser limpos toda manhã com suco de limão e fumigados uma vez por semana, de modo a reduzir o mau cheiro. Nada disso foi feito. Os cativos recém-chegados do interior eram tão numerosos e os preços tão baratos que os responsáveis pela fortificação chegaram à conclusão que seria mais vantajoso arcar com os prejuízos da mortalidade entre os prisioneiros do que investir em obras de melhoria.[7]

Um dos principais compradores de escravos em Cape Coast na segunda metade do século XVIII era o próprio governo britânico. Os cativos eram incorporados às forças armadas. Entre 1795 e 1808, o governo comprou 13.400 homens para o Regimento das Índias Ocidentais (West India Regiment), pagando quase um milhão de libras esterlinas aos comerciantes negreiros. Esse número correspondia a cerca de 7% de todos os homens escravizados transportados para o Caribe britânico nesse período. O estudo da correspondência entre as autoridades bri-

OS CASTELOS

tânicas e os principais comerciantes de escravos de Liverpool revela que mesmo no auge do movimento abolicionista, o governo forçou o adiamento da implementação da proibição do tráfico, aprovada em 25 de março de 1807, para dar tempo ao exército de comprar um lote final de cativos. Composto principalmente por africanos, o West India Regiment continuou a incorporar escravos libertados de navios interceptados pela Marinha britânica até por volta de 1860, dez anos após a total proibição do tráfico para o Brasil pela chamada Lei Eusébio de Queirós e 28 anos antes da Lei Áurea.[8]

Hoje restaurado e bem preservado, o Cape Coast Castle é um monumento à memória do tráfico de escravos no Atlântico, alvo de peregrinação de milhares de turistas norte-americanos, descendentes de africanos, que lá depositam coroas de flores em homenagem aos que ali morreram ou dali partiram. Barack Obama, primeiro presidente negro dos Estados Unidos, visitou o local em 2009, numa viagem repleta de emoções e significados: sua esposa, Michelle Obama, é descendente de escravos dali embarcados para a América. O músico e ícone do jazz Louis Armstrong, intérprete de "What a Wonderful World", uma das mais belas canções de todos os tempos, acreditava que seus ancestrais tinham partido de uma fortificação vizinha, Anamabu, construída pelos ingleses em 1750.

Os chefes africanos competiam entre si para fazer negócios com os europeus, tomando o cuidado para não criar dependência em relação a nenhum comprador em particular. Procuravam, ao contrário, estimular a concorrência entre os traficantes, de modo a ter a oportunidade de definir preços e condições nas negociações. Em 1698, Incinhate, rei do povo papel de Bissau, mandou prender e açoitar o capitão português José Pinheiro por ter insistido em expulsar a tiros de canhões barcos holandeses e ingleses que tentavam comprar escravos na região. Pinheiro morreu em consequência da surra.[9] Em 1743, o rei Tegbesso, do Daomé, conquistou e destruiu a feitoria de Jaquim, para impedir que fizesse concorrência ao comércio de escravos na fortaleza de São João Batista da Ajudá, onde ele, aliado aos portugueses, tinha o controle nas negociações. Os europeus, por sua vez, procuravam explorar as rivalidades regionais e abrir novas feitorias, onde tivessem condições mais favoráveis nas negociações. Havia, portanto, uma queda de braço entre fornecedores africanos e traficantes europeus — ou brasileiros. "Os africanos não eram atores passivos nem pessoas inocentes nesse mercado, mas capazes de negociar com os europeus em bases iguais", observou o historiador Herbert S. Klein.[10]

Como parte dessa queda de braço, em 1775, o rei de Ardra, Porto Novo (atual República do Benim), Dé Ayikpé, mandava uma carta ao governador da Bahia, Manuel da Cunha e Meneses, usando como portador o capitão de navio negreiro Luiz Vieira da Silva. O rei propunha que os portugueses erguessem uma nova fortificação em seus domínios:

> *Vou por esta pedir a Vossa Excelência queira mandar criar nesta minha terra de Ardra uma fortaleza ou casa forte, donde eu e os vassalos tenhamos o gosto de ver a bandeira de Sua Majestade Fidelíssima alvorada, mandando Vossa Excelência seguir os mesmos costumes da fortaleza de Ajudá.[11]*

As autoridades portuguesas acharam conveniente recusar a oferta, para não provocar a ira do rei do Daomé, seu aliado em Ajudá.

Na chamada Costa dos Escravos, situada entre as atuais repúblicas do Benim e da Nigéria, traficantes europeus tinham de pagar o equivalente a 37 ou 38 escravos, no valor total aproximado de 375 libras esterlinas por navio, antes de começar as compras de cativos na região. Esses custos incluíam as taxas cobradas pelos reis locais, o pagamento de oficiais africanos e de intérpretes capazes de traduzir os idiomas locais para o inglês, francês, holandês ou português, dependendo da bandeira nacional do navio traficante. Reis e nobres africanos também tinham o direito de vender seus escravos em primeira mão e pelo melhor preço. Por fim, cobrava-se também uma taxa de exportação sobre a carga geral dos navios.

Além de todos esses tributos, os europeus tinham de comprar suprimentos de água e comida de fornecedores locais, custos que poderiam ser bastante elevados, dependendo do tempo que o navio permanecesse na costa africana. Entre 1762 e 1763, por exemplo, a galera *Nossa Senhora de Guadalupe e Bom Jesus dos Navegantes* demorou três meses para completar sua carga de 410 escravos em Luanda. Também por essa razão, os preços dos cativos em oferta tendiam a aumentar no final das negociações. Os vendedores africanos sabiam que os capitães negreiros, nessa fase, estavam ansiosos para completar a carga e partir imediatamente. A complexidade dessas relações fez com que se desenvolvesse um relativamente sofisticado sistema de crédito em toda a costa africana, pelo qual os europeus antecipavam a entrega de mercadorias a representantes locais, de modo que pudessem comprar e estocar escravos antes que os navios chegassem.[12]

Portugueses, brasileiros, ingleses, franceses, espanhóis e holandeses eram os maiores traficantes de escravos nessa região da África. Mas não os únicos. O comércio de gente cativa envolveu quase todos os países europeus, incluindo Noruega, Dinamarca, Suécia e Alemanha. Até mesmo a pequena Suíça, sem acesso ao mar e sem colônias, fez parte da economia da escravidão durante séculos.[13] Nesse caso, sua atuação se fazia pelo sistema de crédito que sustentava o tráfico. Entre 1773 e 1830, banqueiros suíços ajudaram a financiar mais de cem expedições escravistas. Um deles, Christophe Bourcard, patrocinou sozinho mais de vinte viagens, nas quais foram transportados 7 mil africanos escravizados para a América. No dia 14 de abril de 1719, a República de Berna comprou 150 mil libras em ações da South Sea Company, de Londres, uma das maiores empresas do comércio de escravos. Os navios negreiros bancados pelos suíços em geral partiam do porto de Nantes, na França, e ostentavam nomes como *La Ville de Bâle* ("A cidade da Basileia"), *Ville de Lausanne* e *Helvética*.

Os traços do envolvimento de noruegueses e dinamarqueses no tráfico negreiro podem ser observados ainda hoje em Acra, capital de Gana. Um deles é o hábito de plantar árvores de tamarindo nas ruas e avenidas. Na população local, contam-se cerca de setenta nomes de famílias originárias desses dois países, como Wulff e Richter. A maior evidência, porém, está na arquitetura de um imponente edifício situado à beira-mar. O Christiansborg Castle, usado pelo tráfico negreiro entre os séculos XVII e XVIII, é uma réplica em miniatura do castelo de mesmo nome localizado em Copenhagen, capital da Dinamarca. Por ali passou, no final do século XVIII, o médico e botânico Paul Erdmann Isert, uma testemunha privilegiada dos acontecimentos daquela época.

Nascido em 20 de outubro de 1755, Isert chegou à Costa do Ouro em 1783 como cirurgião chefe dos estabelecimentos dinamarqueses na costa da Guiné. Permaneceu na África por três anos e de lá enviou para casa doze cartas. Nesses textos estão alguns dos relatos mais detalhados sobre a vida e os costumes no continente africano, incluindo informações a respeito do tráfico que drenava milhões de seus habitantes para as minas e lavouras da América. A seguir, dois trechos de suas famosas cartas:[14]

OS CASTELOS

Sobre a venda de africanos escravizados:

Quando um negro é posto à venda em perfeitas condições, o negócio é imediatamente fechado, pelo preço cheio, sem nenhuma barganha. Se, porém, ele tiver algum defeito, como a falta de um ou mais dentes, um desconto correspondente será aplicado. Feridas nas pernas, muito comuns aqui, a falta de um olho ou de um dedo, reduzem o preço de forma drástica. A altura é um item igualmente importante. Um jovem adulto, homem, precisa ter, no mínimo, quatro pés e quatro polegadas [aproximadamente 1,32 m]. Se for mulher, quatro pés [cerca de 1,22 m]. Ao atingir essa altura, são considerados mulheres ou homens adultos, embora geralmente não tenham mais que doze anos. Na América, os compradores preferem homens mais jovens, porque assim podem explorá-los por tempo mais longo.

Sobre as negociações com os chefes africanos:

Negociar com os negros exige tempo e paciência. Eles chegam aos barracões das nossas mercadorias e ficam logo encantados com tudo que veem. Querem adquirir tudo imediatamente. Como isso é impossível, as negociações às vezes se arrastam por horas ou dias até que o preço correto seja acordado entre as partes. Seria inútil tentar enganá-los só porque a maioria não sabe ler, escrever ou fazer contas no estilo europeu. São ótimos negociadores, conhecem exatamente o valor de cada mercadoria e de cada escravo que estão vendendo, e não desistem até conseguir o preço que lhes convém.

Em 7 de outubro de 1786, Isert embarcou de volta a Copenhagen. Estava apenas dois dias em alto-mar quando uma revolta de escravos estourou a bordo do navio em que viajava. Os cativos erroneamente acreditaram que Isert era o dono da embarcação e contra ele dirigiram toda a fúria. A rebelião foi sufocada, mas o médico foi gravemente ferido. Conseguiu chegar ao Caribe dois meses mais tarde. Lá permaneceu os oito meses seguintes em recuperação. Vivamente impressionado com os leilões de pessoas em praças públicas, tornou-se abolicionista. Em novembro de 1788, estava de volta a Acra, desta vez à frente de um mirabolante projeto de estabelecer fazendas agrícolas na região e, dessa forma, oferecer uma alternativa econômica ao tráfico negreiro. O projeto fracassou graças a doenças tropicais e dificuldades logísticas. Isert morreu em 21 de janeiro de 1789.

Balança de pesar escravos no Museu de Artes e Ofícios de Belo Horizonte: a banalidade do comércio de gente.

Acervo pessoal Laurentino Gomes.

Dom João V, rei de Portugal na corrida do ouro no Brasil: vaidade, farra de gastos e romances em conventos.

João V de Portugal, Pompeo Batoni, século XVIII. The Picture Art Collection/Alamy Stock Photo/Fotoarena.

Mineração de ouro em Minas Gerais: tecnologia trazida da África a bordo dos navios negreiros.

Mineração de ouro por lavagem perto do morro do Itacolomi (Ouro Preto), Johann Moritz Rugendas. *Circa* 1820-1825. The Picture Art Collection/Alamy Stock Photo/Fotoarena.

Lavagem de diamantes: o trabalho escravo sustentava a riqueza e a prosperidade do reino.

Les laveurs de diamants, autor desconhecido, *circa* 1780/1850. AKG-images/Fotoarena.

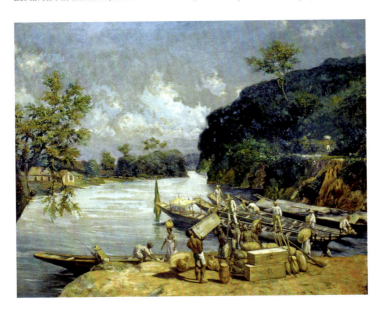

Escravos carregam canoas de uma monção no Rio Tietê: sertão adentro, rumo ao coração do Brasil.

Carga das canoas, Oscar Pereira da Silva, 1920. Acervo do Museu Paulista.

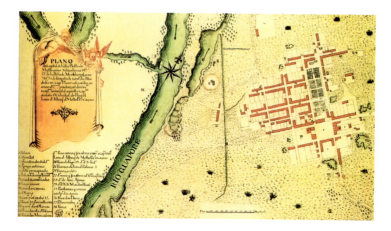

Mapa de Vila Bela da Santíssima Trindade, primeira capital do Mato Grosso em mapa do século XVIII: posto avançado na fronteira.

Plano da capital de Vila Bela da Santíssima Trindade do Mato Grosso, autoria desconhecida. Coleção Casa da Ínsua, Portugal.

Negros diante de uma venda no Recife: todas as atividades do Brasil colonial giravam em torno da escravidão.

"Venta a Reziffé", Thierry Frères a partir de Johann Moritz Rugendas, 1835. *Voyage pittoresque et historique au Brésil*. Acervo da Fundação Biblioteca Nacional.

Rei Gezo, do Daomé: parceiro dos europeus no tráfico de escravos para o Brasil.

Gezo, King of Dahomey, Frederick E. Forbes, 1851. British Library Board/TopFoto/AGB Photo Library.

Cerimônia na corte do Daomé: a história do continente africano transformada pelo tráfico negreiro.

The King of Dahomey's Levee, Robert Norris, 1793. Historical Picture Archive/Corbis Historical/Getty Images.

Trono africano: relíquia destruída no incêndio do Museu Nacional do Rio de Janeiro, em setembro de 2018.

Trono de Daomé — provavelmente data da passagem do século XVIII ao XIX. Museu Nacional.

Coroação de um rei negro no Brasil: tradição mantida pelas irmandades religiosas de homens e mulheres escravizados.

Coroação de um rei negro nos festejos de Reis, Carlos Julião, (s.d.). Acervo da Fundação Biblioteca Nacional.

Festa de Nossa Senhora do Rosário: a mais antiga e mais importante irmandade negra.

"Fête de Ste. Rosalie, patrone des négres", Louis-Jules-Frédéric Villeneuve a partir de Johann Moritz Rugendas, 1835. *Voyage pittoresque et historique au Brésil*. Acervo da Fundação Biblioteca Nacional.

Festas e batuques negros: herança africana criticada e reprimida pelas autoridades coloniais.

Danse Batuca, 1835, Johann Moritz Rugendas, 1835. The Picture Art Collection/Alamy Stock Photo/Fotoarena.

Casamento de negros em casa de família rica: acomodação e resistência no sistema escravista brasileiro.

Mariage de nègres d'une maison riche, Jean-Baptiste Debret, 1839. Geff Reis/AGB Photo Library.

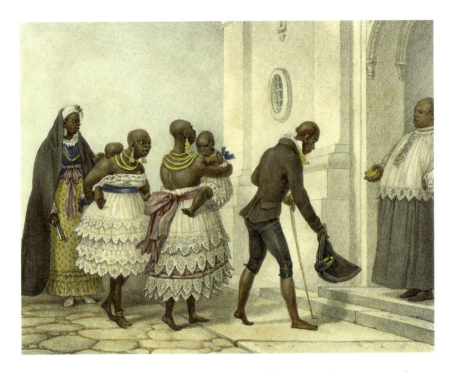

Negros se dirigem à igreja para um batismo: a religião como instrumento de controle social sobre os escravos.

"Negresses allant a l'église, pour être baptisées", Thierry Frères a partir de Jean-Baptiste Debret, *Voyage pittoresque et historique au Brésil*. Acervo da Fundação Biblioteca Nacional.

Mulher negra da Bahia com ornamentos: a ourivesaria era uma das especialidades africanas no Brasil.

Baiana, autor desconhecido. Acervo do Museu Paulista.

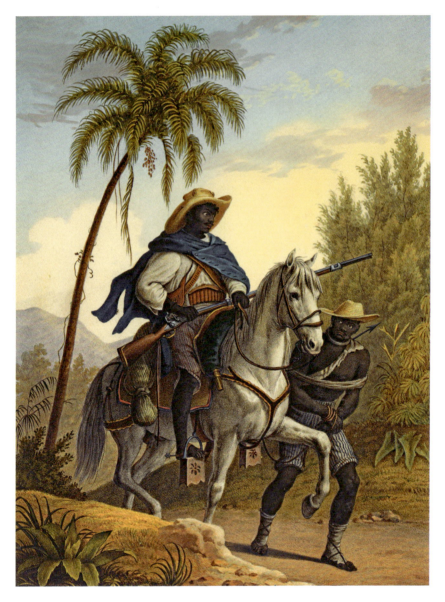

Um capitão do mato e sua presa: recompensa por fugitivos mortos ou recapturados.

Capitão do mato com um prisioneiro, Johann Moritz Rugendas, 1827-35. Christie's Images/Bridgeman Images/Keystone Brasil.

Batalha entre brancos e negros durante a revolução no Haiti: o pavor das rebeliões escravas.

Batalha de São Domingo, também conhecido como *Batalha por Palm Tree Hill*, January Suchodolski, 1845. IP Archive/Glow Images.

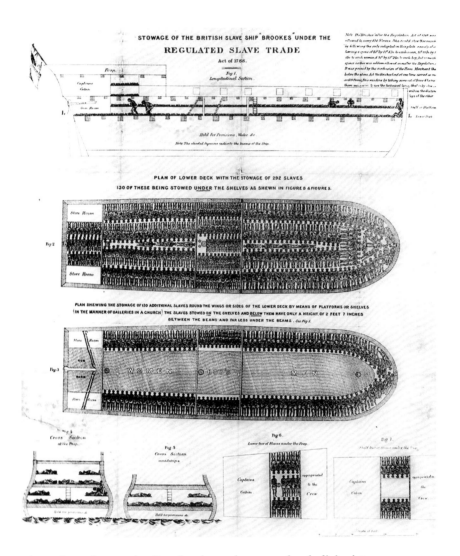

Planta do navio negreiro *Brookes*: ícone da campanha abolicionista na Inglaterra.

Alamy/Fotoarena.

Tiradentes: herói da Inconfidência Mineira e dono de escravos.

Tiradentes, Oscar Pereira da Silva. Acervo do Museu Paulista.

Maria I, rainha de Portugal: transtornos mentais, decadência e fuga apressada para o Brasil.

Maria I, rainha de Portugal, Thomas Hickey ou Giuseppe Troni (atribuído), 1783. Heritage Image Partnership Ltd/Alamy Stock Photo/ Fotoarena.

13. AJUDÁ

*"O negócio mais certo dessa terra
é em negros da Costa da Mina."*

Francisco Pinheiro, traficante português,
no começo do século XVIII

No dia 14 de abril de 1715, Domingo de Ramos e início da Semana da Paixão de Cristo segundo o calendário litúrgico, uma embarcação à vela de três mastros e com nome de dois santos passou rente ao maciço do Pão de Açúcar, contornou suavemente as obras inacabadas da fortaleza da Lage, guarnição militar portuguesa ainda em construção sobre um afloramento rochoso de cem metros de comprimento por oitenta de largura na entrada da Baía de Guanabara, e tomou o rumo do cais situado nas imediações da atual Praça XV, no centro do Rio de Janeiro. A galera *Nossa Senhora da Atalaia e Santo Antônio* era um navio negreiro recém-chegado da África. Em seus porões, viajavam 169 negros escravizados. Seminus, imobilizados por argolas e correntes de ferro e exauridos pelos sofrimentos da travessia do oceano, seriam postos em leilão dois dias mais tarde e vendidos pelo melhor lance conforme a avaliação dos compradores que ansiosamente aguardavam pela chegada da expedição.

A jornada negreira do *Nossa Senhora da Atalaia e Santo Antônio* tinha sido particularmente trágica.[1] Em setembro de 1714, o traficante português Francisco Pinheiro abarrotara os porões do navio com variadas mercadorias em Lisboa. Com a carga completa, o capitão Jozeph Vieira Marques, afilhado de Pinheiro, foi então orientado a seguir para a Costa da Mina com a missão de comprar e transportar quatrocentos africanos para o Brasil. Partiu da capital portuguesa no dia 19 de setembro e três meses mais tarde, em 10 de dezembro, iniciou as compras no forte de São João da Ajudá, situado na atual República do Benim. As negociações, no entanto, foram mais difíceis e demoradas do que se previa. Devido à alta demanda por mão de obra cativa em todo o continente americano, o número de pessoas à venda era relativamente escasso. Os preços tinham aumentado de forma abrupta.

Em uma primeira investida, o capitão trocou alguns rolos de tecido e barras de ferro por cinco negros. E nada além disso. À medida que os dias passavam, ao perceber que demoraria muito tempo para completar o carregamento, passou a incluir na barganha mercadorias consideradas mais valiosas, como ouro em pó do Brasil, conchas marinhas das ilhas Maldivas chamadas cauris, que serviam como moeda de troca em parte da África, e barricas de aguardente. Ainda assim, a oferta de escravos continuou reduzida. A cada nova rodada de negociação, Vieira conseguia embarcar, no máximo, dois ou três cativos. No início de janeiro, havia apenas 88 negros encarcerados no porão do navio. Passou-se outro mês de espera e as compras minguaram ainda mais. Até o dia 1º de fevereiro, só mais 28 africanos subiram a bordo. Para piorar a situação, uma violenta tempestade equatorial se abateu sobre a região na tarde daquele mesmo dia. Em meio à tormenta, um raio partiu em dois o mastro dianteiro do navio e matou instantaneamente o contramestre, um dos membros mais importantes da tripulação.

No dia 8 de fevereiro, já com o mastro refeito, o capitão Vieira desistiu de seguir adiante com as negociações e zarpou de Ajudá levando a bordo somente 173 africanos, menos da metade da encomenda feita em Lisboa. Do total embarcado, 116 pertenciam ao próprio organizador da expedição, Francisco Pinheiro, e por isso foram marcados a ferro quente com as letras *FP* sobre o peito direito. Os demais 57 estavam reservados a outros compradores, incluindo alguns membros da tripulação. No dia 26, o navio fez uma escala de uma semana na Ilha de São Tomé, onde o capitão renovou os suprimentos de água e comida. A travessia do oceano Atlântico demorou 39 dias. Portanto, entre a partida de Ajudá e a chegada ao Rio de Janeiro, passaram-se dois meses e uma semana. Nesse período, os escravos trancafiados no porão viveram uma experiência infernal, incluindo uma epidemia de varíola e de oftalmia, doença ocular que frequentemente provocava cegueira. Quatro cativos morreram ainda no oceano. Um quinto morreria onze dias depois de chegar ao Brasil.

Ainda assim, 48 horas após a atracagem no Rio de Janeiro, todos os negros foram meticulosamente inventariados e postos à venda. Os detalhes do inventário estão registrados na troca de correspondência entre Francisco Pinheiro e seus agentes no Brasil, que lhe prestavam contas dos 112 africanos que lhe pertenciam — já excluídos os quatro mortos no mar. Metade desse lote era composta de homens com idades entre quinze e 35 anos. Só quatro estavam acima dessa faixa etária. Crianças e adolescentes representavam 22% do total. Três meninos e uma menina tinham idade tão tenra que sequer foram computados no inventário, mas sabe-se de sua existência porque apareceram nos registros finais do negócio depois de serem arrematados juntos com suas mães. Além disso, havia uma mulher grávida de oito meses.

No que diz respeito à aptidão física e às condições de saúde, nove africanos foram considerados "muito magros". Outros dois foram descritos como "barbados", expressão usada na época para designar homens com idades acima de 35 anos, portanto já considerados relativamente idosos para o trabalho pesado. Cinco estavam parcialmente cegos ou tinham sérios problemas nos olhos devido à oftalmia. Quatro foram anotados de forma genérica como "doentes", um deles com sinais e sintomas da varíola. No total, cerca de 20% de todos os cativos que partiram de São João da Ajudá estavam com alguma doença ou problema físico. Apesar disso tudo, em apenas três dias dois terços da carga do navio estava vendida. Os preços obtidos nos leilões foram considerados muito bons pelos vendedores. Mesmo o homem contaminado pela varíola foi arrematado pela razoável soma de 120 mil réis. Rejeitados no primeiro leilão por estarem desnutridos e doentes, outros 36 acabaram encontrando compradores no mês seguinte.

Ajudá, o ponto de partida da calamitosa travessia oceânica da galera *Nossa Senhora da Atalaia e Santo Antônio*, está situado no Golfo do Benim, entre os pântanos do estuário do rio Volta e a atual cidade de Lagos, na Nigéria, onde o continente africano faz uma acentuada inflexão para dentro de si próprio, como se fosse uma gigantesca barriga encolhida. Observado nos mapas, ou numa fotografia de satélite, esse formato côncavo se encaixa quase que perfeitamente na protuberância do mapa brasileiro que avança sobre o oceano entre o Litoral Sul da Bahia e a costa do Ceará. Nada disso é mera coincidência. Bilhões de anos atrás, quando o planeta Terra ainda estava em formação, América, África, Europa, Ásia, Oceania e Antártida formavam uma única e colossal placa terrestre, batizada pelos estudiosos como Pangeia. Desde então, os movimentos da crosta do planeta fizeram com que os continentes se afastassem. Geologicamente separados ao longo de milhões de anos, Brasil e África se aproximaram novamente pela ação do tráfico negreiro, e durante quase quatro séculos funcionaram como se estivessem situados em margens opostas de um mesmo rio, o Atlântico.[2]

Nesse trecho de contornos topográficos brasileiros invertidos, o litoral africano é dominado por uma sequência de lagoas não muito distantes do oceano, tão numerosas e próximas umas das outras que permitem a navegação quase contínua ao longo de toda a costa, sem que seja necessário enfrentar as ondas do mar agitado. A vegetação rasteira lembra a da savana africana e também a mata de restinga que cobre parte do litoral nordestino brasileiro. Serve de pastagem para bois, vacas, cavalos, cabritos e ovelhas. Os peixes são abundantes e fáceis de capturar.

Tudo isso fez com que, desde os tempos mais remotos, essa fosse uma região densamente povoada, sede de pequenos reinos que viviam da agricultura, pesca, criação de gado e produção de sal — mercadorias que eram transportadas pelas caravanas até o coração do continente africano. Essa área era frequentada pelos portugueses desde o final do século xiv. Em 1486, o português João Afonso de Aveiro tornou-se o primeiro navegador europeu a subir o rio Benim, rebatizado significativamente como "Rio dos Escravos". Aveiro chegou até a cidade de Ughoton, cerca de 65 quilômetros acima da foz. No caminho, deparou-se com uma sociedade tipicamente agrícola e pastoril.

Segundo o historiador escocês Robin Law, antes da chegada dos europeus, o principal produto ali cultivado era o milhete, também conhecido como "milho da Guiné", base da alimentação naquela parte do continente africano. Além disso, produzia-se arroz, sorgo, inhame, banana, feijão, noz-de-cola, pimenta, gengibre e óleo de dendê extraído dos frutos de uma palmeira que também fornecia matéria-prima para um tipo de vinho a partir da seiva drenada do tronco. Entre os produtos não alimentícios, destacavam-se o algodão e o anil, usados na fabricação e na tintura de tecidos. Das forjas metalúrgicas saíam utensílios agrícolas e armas de ferro. Além disso, criavam-se inúmeros animais domésticos, como bois, vacas, cavalos, ovelhas, galinhas e cachorros.

O ciclo das grandes navegações europeias e o início do comércio de escravos no Atlântico resultaram na entrada de novos animais e plantas alimentícias. Os porcos foram introduzidos pelos portugueses no século XVI. Da América chegaram o milho, a batata, a mandioca, o mamão, o abacaxi e o tabaco. Todos esses produtos eram comercializados em grandes feiras, principalmente na base do escambo, mas também mediante o uso de alguns produtos que funcionavam como moedas locais, como peças de tecidos e barras de ferro. O principal meio de pagamento, no entanto, eram as cauris, conchinhas de búzios extraídas nas ilhas Maldivas, no oceano Índico, e na ilha de Luanda, em Angola, e usadas como referência monetária ao longo de toda a costa ocidental da África. Em 1681, uma onça de ouro (28 gramas) tinha valor equivalente a 19.200 cauris. Por dez cauris podia-se comprar uma galinha. Por 1.600, uma ovelha. Por 8 mil, uma vaca. Os serviços de uma prostituta custavam apenas três conchas. O aluguel de um escravo carregador de mercadorias, vinte conchas por dia.[3]

Esse rico e populoso território era chamado de Costa da Mina nos documentos europeus da época. Recebeu esse nome devido ao antigo Castelo de São Jorge da Mina, ou Elmina, que, no entanto, está situado mais a oeste, na Costa do Ouro, atual

AJUDÁ

Gana, descrita no capítulo anterior. Outra denominação era Costa dos Escravos. Nesse caso, por uma razão óbvia: no começo do século XVIII, aquela região era a meca do comércio de gente escravizada. Ali, um cativo podia ser comprado por quinze libras esterlinas britânicas, equivalente em moeda local a oitenta conchas de búzios (cauris), doze barras de ferro, cem manilhas de bronze, cinco espingardas, dois barris de pólvora, três peças de tecidos da Índia ou doze galões de aguardente.[4]

O registro do primeiro carregamento de negros embarcado no Golfo do Benim é de 1479. Numa só viagem, os portugueses transportaram dali para a atual costa de Gana quatrocentos cativos, trocados por ouro com os mercadores da etnia acã, que controlavam as áreas de mineração. Nos quatro séculos seguintes, o total chegaria a cerca de 2 milhões de negros escravizados. Quase a metade (cerca de 900 mil) viajou em navios portugueses ou brasileiros. Os portugueses alimentavam especial predileção pelos cativos dessa área que, segundo se acreditava na época (e como já citado em capítulo anterior), tinham uma capacidade misteriosa de achar depósitos de ouro. No Brasil, todo grande minerador tinha escravos dessa região em seus plantéis.

Saciar a fome do Brasil escravista dependia dos negócios na Costa da Mina e da eficiência de gente como o português Francisco Pinheiro, o dono da galera *Nossa Senhora da Atalaia e Santo Antônio*. Sua entrada no negócio negreiro se dera por meio de provisão régia obtida em 17 de agosto de 1709. Pinheiro era um homem detalhista e disciplinado nos negócios, segundo revela sua correspondência comercial. Em uma carta de instruções ao capitão Antônio Cubellos, dizia que as mercadorias embarcadas em Lisboa deveriam ser usadas na compra de "negros machos e melhores" na Costa da Mina. Ainda na mesma carta, determinava que, ao chegar ao Rio de Janeiro, os escravos seriam vendidos "pelo mais alto preço que puder". Em seguida, "o seu líquido rendimento" seria enviado para Lisboa "em barras de ouro ou em moedas de ouro". Apesar de todos os cuidados, Francisco acabaria sendo ludibriado pelo mesmo capitão negreiro. Em 1711, durante os tumultos causados pela invasão de corsários franceses ao Rio de Janeiro, Cubellos fugiu para Minas Gerais levando mais de quarenta escravos de propriedade de Francisco. Nunca mais se teve notícias dele nem dos cativos que roubara do traficante português.

Mesmo diante desse prejuízo, Francisco Pinheiro nunca desistiu de comprar e vender gente nas duas margens do Atlântico. Em 1715, sua rede de atuação interligava a África com Minas Gerais, passando por Bahia, Pernambuco e Rio de Janeiro. Seus negócios tinham a típica estrutura triangular do tráfico negreiro: os navios saíam de Lisboa carregados com as mais diversas mercadorias, trocadas por escravos na costa da África, que, por sua vez, eram revendidos no Brasil. O resultado final da operação voltava a Portugal convertido em barras ou moedas de ouro. "O negócio mais certo dessa terra é em negros da Costa da Mina; por muitos que venham sempre se vendem a dinheiro [...] logo", afirmava Francisco Pinheiro em carta dirigida a um de seus sócios no Rio de Janeiro.[5]

Na época da viagem da galera *Nossa Senhora da Atalaia e Santo Antônio*, o principal fornecedor de escravos na Costa da Mina era o reino de Ajudá (ou Hueda).[6] Embora fosse um território minúsculo, com apenas 64 quilômetros de comprimento por 42 de largura e menos de 100 mil habitantes, conseguia exportar 20 mil escravizados por ano, mais do que qualquer outro porto negreiro na costa da África naquele período. Estima-se que, entre 1700 e 1725, saíram de Ajudá mais de 400 mil cativos, cerca de 40% do total que no mesmo período cruzou o Atlântico em direção à América. "Se tivéssemos que escolher o lugar que melhor representasse a força do tráfico de escravos na África, seria Ajudá", escreveu o historiador Robert Harms.[7]

Em Ajudá, todos os homens adultos e saudáveis eram mobilizados para o serviço militar em tempos de guerra. Estima-se que seu exército no final do século XVII somasse aproximadamente 50 mil homens. Ao ser convocado para o campo de batalha, cada guerreiro tinha de trazer suas próprias armas. Se fossem vitoriosos, os soldados tinham a prerrogativa de pilhar as armas e bens dos mortos e capturar como escravos os inimigos derrotados. Dez por cento deles eram destinados ao rei. O restante poderia ser vendido diretamente ao tráfico negreiro.

No início do século XVIII, o viajante francês Des Marchais descreveu Ajudá como uma região tão populosa que se tinha a impressão de que os diferentes povoados contíguos formavam uma única e imensa cidade. Outro viajante, o holandês Willem Bosman, registrou que o excessivo número de habitantes fazia com que a região tivesse chegado no limite da sua capacidade de produção agrícola e pecuária. Segundo ele, uma única safra malsucedida poderia gerar "uma incrível fome", e em consequência desse fato muitos homens livres eram vendidos como escravos para que suas famílias pudessem sobreviver.[8]

Ajudá era capaz de exportar tantos escravos sem reduzir o número de seus próprios habitantes porque tinha se consolidado como entreposto final de inúmeras rotas do tráfico que chegavam do interior do continente. Acredita-se que ali eram vendidos escravos de trinta diferentes grupos étnicos, transportados em caravanas muçulmanas e vindos de regiões tão longínquas quanto as fraldas do deserto do Saara, situado oitocentos quilômetros ao norte, ou o interior do atual Sudão, 1.600 quilômetros a oeste.

A identificação de cada povo ou etnia pelos europeus se dava por diferentes marcas ou incisões que os cativos traziam no rosto. Os aqueras eram reconhecidos por tatuagens de lagartos e serpentes feitas nas costas e no peito. Os traficantes os consideravam de trato dócil e cordial. Por isso, eram preferidos no serviço doméstico. Os ardras (ou aladás), marcados com incisões nas bochechas, eram avaliados como bem adaptados ao trabalho pesado. Já os nagôs, de língua iorubana, traziam marcas em forma de raios na testa. Eram considerados belos pelos europeus e impressionavam pelo porte físico, mas eram tidos também como mais rebeldes e propensos a fugas do que os demais. Os oió, também do grupo linguístico iorubá, apresentavam o rosto escarificado em forma de raios que partiam dos olhos em direção às orelhas. Tinham a reputação de serem grandes guerreiros, engenhosos e empreendedores, mas eram igualmente temidos por organizarem revoltas ainda a bordo dos navios negreiros. Segundo relato do francês Des Marchais, mais de uma viagem negreira havia terminado em tragédia devido à rebeldia dos oió. Numa delas, toda a tripulação do navio, incluindo o capitão, havia sido massacrada.

Na Costa da Mina, o negócio negreiro diferenciava-se das outras regiões por uma particularidade: a alta demanda por fumo cultivado no Recôncavo Baiano. De um total de 2.871 viagens de navios negreiros da Bahia para a África entre 1649 e 1800 catalogadas pelo banco de dados Slavevoyages.org, nada menos do que 1.848, dois terços do total, tiveram como direção a Costa da Mina — mais do que o dobro das 777 viagens registradas no mesmo período para o segundo principal destino, Angola. Assim como o açúcar que o precedera como primeiro grande bem de consumo de massa, o tabaco era mais uma das plantas originárias da América que começavam a conquistar milhões de adeptos no mundo todo. No começo do século XVIII, o padre jesuíta André João Antonil já se referia à nova prosperidade gerada na Bahia pelas lavouras de fumo: "Uma folha antes desprezada e quase desconhecida tem dado e dá atualmente grandes cabedais aos moradores do Brasil e incríveis emolumentos aos erários dos príncipes".[9]

Nessa mesma época já se organizava uma distinta segmentação do mercado. Da Bahia, os rolos de tabaco de melhor qualidade seguiam para a Europa, onde eram consumidos de diferentes formas: fumados em charutos, cachimbos ou cigarros, mastigados ou aspirados (o chamado rapé). Um subproduto conhecido como "soca", desvalorizado entre os europeus, ganhou grande popularidade na costa da África. Eram folhas consideradas de categoria inferior que sofriam um tratamento especial para evitar que se ressecassem ou apodrecessem rapidamente. Untadas com melado de cana antes de serem torcidas e enroladas em cordas, exalavam um agradável aroma, que rapidamente conquistou o olfato e o paladar africano, a tal ponto que, no século XVIII, a mercadoria era considerada vital na compra de escravos na Costa da Mina e em outras partes do Golfo do Benim. Até mesmo holandeses, ingleses e franceses compravam (ou contrabandeavam) tabaco brasileiro para fazer o tráfico de cativos na região, como revelam essas instruções da Coroa portuguesa ao marquês de Valença, em 10 de setembro de 1779, antes que assumisse o governo da Bahia:

> *É constatado que o tabaco do Brasil é tão necessário para o resgate dos negros quanto os mesmos negros são precisos para a conservação da América Portuguesa. Nas mesmas circunstâncias se acham as outras nações que têm colônias; nenhuma delas se pode sustentar sem escravatura e todas precisam do nosso tabaco para o comércio do resgate.*[10]

Em Ajudá, ingleses, franceses e portugueses tinham suas próprias fortificações. A presença e o funcionamento de todas elas dependiam da boa vontade do soberano local. Como todos os demais entrepostos negreiros na costa da África, serviam menos de fortalezas do que como depósitos de mercadorias e escravos, que ali ficavam à espera do embarque nos navios negreiros. O forte francês chamava-se São Luís. O inglês, forte William. O português, ainda com as obras inacabadas, São João Batista. Ao passar por eles, no final do século XVIII, o médico e botânico dinamarquês Paul Erdmann Isert registrou:

> *Há três fortes europeus aqui, um francês, um inglês e um português. Todos construídos da mesma maneira: um grupo de casas construídas em fileiras numa praça bem espaçosa. As laterais são protegidas por torres de guarda, com doze canhões de bronze, porém não mais que um metro de altura. Ao redor de toda a área, um fosso com cerca de sete metros de profundidade, mas geralmente sem água. Uma ponte que poderia ser rapidamente removida em caso de ataque. O forte francês é o que se encontra em melhores condições. O português, nas piores. A casa de pólvora fica no centro da praça.*[11]

As fortificações europeias erguiam-se lado a lado, cerca de três quilômetros de distância da praia onde ancoravam os navios negreiros. Para chegar até eles era necessário cruzar uma área pantanosa repleta de lagoas e canais, o que deixava seus ocupantes bastante vulneráveis a um eventual ataque do continente e, principalmente, à malária, endêmica na região. "Nosso entreposto está situado [...] em meio aos pântanos, lugar bem pouco saudável", relatou Petley Weybourne, agente da RAC britânica por volta de 1700. "Os brancos enviados para este lugar dificilmente retornam para contar suas histórias."[12]

Em geral, os escravizados ficavam encarcerados nas fortificações, mas as negociações entre os europeus e os fornecedores africanos eram feitas na praia, em tendas erguidas pelos capitães dos navios negreiros, sob a vigilância da guarnição dos fortes. As principais mercadorias usadas nessas transações eram tabaco, aguardente, búzios (cauris), bacias de bronze, contas de vidro, manilhas de ferro e tecidos. Espingardas e pólvora eram vendidas em pequenas quantidades, mas muito valorizadas. Negociações em grandes números eram privilégios do próprio rei, de maneira a impedir que esse tipo de mercadoria chegasse às mãos de seus inimigos. Por essa razão, qualquer súdito que fosse pego com mais do que um punhado de pólvora seria considerado rebelde, capturado e vendido como escravo pelas autoridades reais.

Com a descoberta das minas de ouro em Minas Gerais, desenvolveu-se imediatamente um intenso contrabando de minerais preciosos no comércio de escravizados na Costa da Mina, apesar de todos os esforços das autoridades portuguesas, que proibiam terminantemente o uso de ouro no tráfico negreiro. Os ingleses participavam ativamente dessa forma de contrabando. A direção da RAC, que tinha o monopólio do tráfico, recomendava aos seus representantes na Costa da Mina que fossem amáveis e conciliadores com os navios que chegavam do Brasil, a fim de obter deles o ouro do contrabando. "Recomendamos-vos que os tratem com civilidade e vos esforçais para encorajar o comércio do ouro com eles e por conta da Companhia", advertia uma carta da empresa ao seus representantes na África em 14 de dezembro de 1720.[13] Quatro anos mais tarde, em 30 de julho de 1724, a RAC firmava um contrato com um traficante brasileiro chamado Bento de Arousio e Souza, no qual se previa a troca de 239 onças e 150 moedas de ouro por 65 escravos embarcados na Cape Coast Castle, na atual costa de Gana, nas seguintes condições:

Serão todos machos, não com menos de 18 anos nem acima de 24, bons, sãos, negros vendáveis, para os transportar de

Cape Coast ao Rio de Janeiro; o navio estará pronto a rece-bê-los a bordo dentro de 30 a 40 dias após a chegada do aviso do presente contrato.

Um segundo contrato, de 6 de agosto de 1724, estipulava que Arousio e Souza poderia, sempre que quisesse, adquirir cativos dos ingleses em Cape Coast em troca de ouro. Os homens seriam vendidos por quatro onças e um quarto (cerca de 120 gramas), as mulheres por quatro onças (113 gramas) e as crianças por três onças e três quartos (105 gramas).

Pela sua riqueza e importância no tráfico negreiro, a Costa da Mina era alvo frequente de ataques de piratas. Os dois episódios mais famosos ocorreram entre julho de 1721 e janeiro de 1722 e tiveram como protagonista o inglês Bartholomew Roberts, um dos mais famosos ladrões dos oceanos em todos os tempos. No primeiro ataque, Roberts saqueou toda a costa entre as atuais Nigéria e República do Benim. O pavor causado pelas notícias de sua aproximação foi tão grande que, no porto de Ajudá, quatro capitães de navios negreiros fugiram deixando para trás vinte de seus tripulantes. Na segunda investida, o pirata encontrou ancorados nesse mesmo porto onze navios de diferentes nacionalidades, cujas tripulações estavam em terra negociando a compra de escravos. Pegos de surpresa, dez dos capitães negreiros renderam-se imediatamente e concordaram em pagar, cada um, o resgate de 3,6 quilos de ouro para que seus navios pudessem seguir viagem. A única exceção foi o navio *Porcupine* (porco-espinho, em inglês), cujo comandante se recusou a aceitar as condições impostas. Foi inútil. O pirata mandou atear fogo na embarcação. Impossibilitados de fugir, oitenta negros cativos que se encontravam acorrentados no porão pereceram no incêndio. Três semanas mais tarde, Roberts morreu durante o confronto com um navio de guerra britânico. Naquele mesmo ano, outro navio de piratas tripulado por trinta marinheiros brancos e 22 negros atacou Ajudá e capturou um navio negreiro francês.[14]

Algum tempo depois dos ataques piratas, Ajudá parou para aclamar um novo rei, Huffon. A cerimônia de coroação, realizada em 1725 na cidade de Savi, a capital do reino, serviu de termômetro para a importância de Ajudá no comércio negreiro.[15] Compareceram representantes de todos os principais países europeus envolvidos no tráfico. Situado no centro da cidade, o palácio real era protegido por uma cerca de bambu com três quilômetros e diâmetro e ricamente decorado com cadeiras almofadadas, sofás e confortáveis camas espalhadas pelos diversos ambientes repletos de espelhos. A cozinha real tinha estoques de cafés de diversas procedências, chás, chocolates e geleias de fabricação europeia, além de uma adega adjacente com vinhos franceses, espanhóis e da Madeira, e uma grande variedade de licores. Na ala separada, viviam as mulheres do rei, em número superior a mil, segundo relatos de alguns viajantes.

No dia da coroação, por volta das quatro horas da tarde, o rei entrou no pátio acompanhado por quarenta dessas mulheres, as suas favoritas. Sua indumentária incluía, da cintura para baixo, roupas de seda, em diversas cores e camadas. O torso nu era coberto por correntes de ouro. Nos dedos trazia anéis de pérolas. Na cabeça envergava uma coroa dourada emoldurada com plumas vermelhas e brancas, presente dos ingleses. Huffon sentou-se num trono de madeira com assento bordado a ouro, presente do rei da França. Um enorme guarda-sol, também com motivos dourados, o protegia do sol. Do lado direito postaram-se todos os dignitários das nações escravistas que com ele negociavam cativos. Eram os diretores da Companhia Francesa das Índias, da britânica RAC, da holandesa WIC e, por fim, os embaixadores do rei de Portugal.

Após a coroação, toda a corte e seus convidados participaram da "Procissão da Serpente", o mais importante ritual religioso do reino de Ajudá, que tinha como divindade nacional a serpente sagrada Dangbe, também chamada de Dan, na forma abreviada. Os sacerdotes do templo de Dangbe, situado a dois quilômetros do palácio real, tinham grande prestígio e poder político no reino. Do seu apoio dependia o sucesso do novo soberano. A procissão era aberta por quarenta mosqueteiros que marchavam em fileiras com as armas nos ombros. Em seguida, vinham sessenta músicos tocando tambores, cornetas e flautas. Depois, as quarenta mulheres do rei levavam presentes para a deusa-serpente na forma de conchas marinhas, aguardente e tecidos. Fechava o cortejo a rainha-mãe levada sobre uma cadeira estofada. Três meses depois, a cerimônia se repetiu, desta vez liderada pelo próprio rei, transportado numa rede especial.

O novo rei chegava ao poder ao final de uma longa disputa pelo trono, cujo desfecho só foi possível pela intervenção das potências escravistas europeias. Quando seu pai morreu, em 1708, Huffon era ainda um adolescente de treze anos. Em razão da pouca idade, a nobreza local se dividiu entre ele e seus outros dois irmãos. Os temores de uma guerra civil só se dissiparam quando franceses e ingleses desembarcaram soldados de seus navios negreiros e deixaram clara sua preferência por Huffon, que a partir daquele momento se tornou, na prática, sócio dos europeus no tráfico de escravos. Em troca de facilidades para o comércio negreiro, o soberano recebia uma cota fixa de vinte escravos, mais um imposto alfandegário no valor de 1.080 cauris de cada capitão de navio negreiro autorizado a comercializar em seus domínios.

O que o rei Huffon certamente não imaginava é que, apenas dois anos após a sua apoteótica coroação, ele e toda a sua corte seriam obrigados a fugir do palácio a toda a pressa para salvar a própria vida. O perigo estava se formando a apenas cem quilômetros ao norte dali, na cidade de Abomei, capital do reino do Daomé. Os acontecimentos que se seguiram iriam redese-nhar a geografia política africana com profundas consequências no comércio de escravos.

14. AGAJA

"Se tivesse chovido sangue,
o solo não estaria tão encharcado."

O INGLÊS BULFINCH LAMBE,
descrevendo o fim dos combates entre
os guerreiros africanos de Aladá e Daomé

NA NOITE DE 4 DE MARÇO DE 1727, os moradores de Savi, capital de Ajudá, foram acordados pelo estrondo de um tiro de canhão.[1] Era um alarme disparado pelas sentinelas que guardavam as entradas da cidade. O reino estava sendo invadido pelos exércitos de Agaja, soberano do Daomé, um homem com fama de implacável, que mandava decapitar os inimigos derrotados na guerra, promovia sacrifícios humanos coletivos regularmente e cercava o palácio com os crânios de suas vítimas espetados em estacas. A julgar pelos relatos enviados dos vilarejos situados mais ao norte, a devastação era total. Milhares de pessoas tinham sido mortas. Campos, lavouras e cidades inteiras estavam reduzidas a cinzas pelos incêndios que se seguiam à passagem dos invasores.

Tão grande era o flagelo que, na localidade de Paon, a uma distância de apenas 22 quilômetros de Savi, todo o exército de Aladá tinha fugido antes mesmo de entrar em batalha. "Suas tropas lançam um tal terror no espírito de todos os negros, que apenas o boato de sua aproximação os faz fugir e tudo abandonar", descrevia um memorando francês da época.[2] Diante de notícias tão inquietantes, o pavor logo se espalhou por toda a região. Ruas e estradas ficaram congestionadas de pessoas que tentavam escapar levando seus pertences na cabeça. Em pânico, os agentes europeus do tráfico de escravos buscaram proteção dentro de seus precários fortes. Convencido de que suas forças não conseguiriam deter o avanço do inimigo, o próprio rei Huffon achou por bem refugiar-se em uma ilha situada no meio do rio Glehué, onde julgava estar, ao menos temporariamente, a salvo.

Os temores se materializaram no início da tarde do dia 9, quando as tropas do Daomé cruzaram as paliçadas que protegiam a capital, a essa altura já deserta e abandonada pelos moradores. Marchando em passo acelerado, os soldados foram direto até o palácio real. Ao encontrá-lo vazio, atearam-lhe fogo. Em seguida se dirigiram ao templo de Dangbe, onde as serpentes pítons eram cultuadas como divindades pelos huedas, designação do povo habitante do reino de Ajudá. Em períodos normais, qualquer pessoa que interferisse na rotina do santuário seria condenada à morte. Os invasores, porém, cortaram ao fio da espada todos os répteis que ali eram mantidos. Em seguida, cozinharam seus pedaços com água e sal e comeram. Por fim, desfilaram triunfalmente pelas ruas ao rufar de tambores para anunciar que, a partir daquele momento, o reino de Ajudá tinha um novo senhor: Agaja, rei do Daomé. O saldo da ofensiva foi trágico. Estima-se em cerca de 5 mil o número de mortos. Outras 10 mil pessoas foram escravizadas. Todos os fortes e entrepostos europeus existentes na região foram saqueados.

Três semanas mais tarde, o capitão britânico William Snelgrave ancorou seu navio, a galera *Katherine*, em Ajudá, o principal porto negreiro do reino recém-invadido por Agaja. Experiente traficante de escravos, Snelgrave já tinha visitado a região em diversas ocasiões, a última em 1720. Como sempre, seu objetivo era negociar a compra de africanos, encher os porões de seu navio e partir o mais rapidamente possível. Desta vez, no entanto, tão logo colocou os pés em terra, foi obrigado a recuar. O chão estava repleto de cadáveres parcialmente em decomposição. Por todo lado, a paisagem era de ruína e destruição. Convencido de que ali não havia negócio algum a fazer, o capitão levantou âncoras e seguiu para o porto de Jaquim, situado alguns quilômetros a leste de Ajudá. Ali, sim, conseguiu negociar alguns negros escravizados, porém em número bem inferior ao esperado.

Na manhã seguinte, ao acordar, Snelgrave surpreendeu-se com a notícia de que um mensageiro do rei Agaja estava a sua procura. O capitão era chamado para uma audiência no acampamento militar a partir do qual o soberano do Daomé comandava suas operações. Ainda muito assustado com o que vira no porto de Ajudá, Snelgrave relutou ao aceitar o convite. Mudou logo de ideia quando o mensageiro, um jovem negro que havia aprendido a falar inglês ao trabalhar para os traficantes do forte britânico, ponderou-lhe que as consequências de uma recusa ao convite poderiam ser a piores possíveis. "Isso seria uma grave ofensa ao rei", explicou. Como resultado, o capitão seria impedido de negociar novamente escravos na região. "Além de outras coisas ruins que podem acontecer", acrescentou, sem dar mais detalhes.

Quatro dias mais tarde, deitado em uma rede sustentada por negros escravizados, Snelgrave rumou para o encontro com Agaja. Com ele viajavam mais dois brancos, representantes de outras nações europeias. O grupo demorou dois dias para

ESCRAVIDÃO VOL. II

percorrer cerca de 64 quilômetros, ao longo dos quais uma centena de africanos iam se revezando para carregar as redes. Enquanto viajava, Snelgrave pôde testemunhar novamente a carnificina da guerra: lavouras e casebres queimados, além de campos repletos de ossos e restos humanos. Ao chegar a Aladá, capital de um reino de mesmo nome vizinho de Ajudá, ficou perturbado com a enorme quantidade de moscas que ali se concentravam, mas em um primeiro momento não conseguiu descobrir de onde elas vinham. O mistério se desfez no dia seguinte: as moscas eram atraídas pelas cabeças em decomposição de 4 mil guerreiros huedas, sacrificados por Agaja em sinal de júbilo pela vitória em Ajudá.

Ao final da tarde desse mesmo dia, Snelgrave testemunhou a chegada de outros 1.800 guerreiros aprisionados numa incursão contra o vizinho reino de Tofo. Parte deles foi imediatamente sacrificada mediante a decapitação de suas cabeças. Enquanto isso, na praça central, soldados recebiam oitocentas conchas de búzios (cauris) para cada prisioneiro homem que trouxessem. Pelas mulheres e crianças, pagava-se menos, quatrocentas conchas. Além disso, quem apresentasse a cabeça decepada de um inimigo morto na batalha tinha direito a mais duzentas conchas. Snelgrave disse ter visto alguns soldados chegando com três ou mais cabeças enfileiradas em um cordão que levavam ao ombro. A montanha de crânios resultante disso era como se fosse "um monumento" em homenagem a Agaja, segundo registrou o capitão inglês.

Depois de alguns dias de espera, Snelgrave finalmente foi levado à presença do rei. Sua descrição:

Fomos introduzidos num pequeno pátio, no qual o rei sentava-se com as pernas cruzadas sobre um tapete de seda estendido no chão. Estava ricamente vestido e tinha vários ajudantes. Quando nos aproximamos, sua majestade perguntou, muito educadamente, como estávamos passando. Depois, ordenou que estendessem vários tapetes para que pudéssemos ficar mais perto dele. Em seguida, perguntou o que desejávamos. Respondi que gostaria de encher nossos navios com tantos negros quantos fossem possíveis e retornar logo ao meu país, onde eu contaria a todos que grande e poderoso rei tinha conhecido [na África].[3]

Lisonjeado com as habilidosas palavras pronunciadas por Snelgrave, Agaja retrucou, com certa ironia, que sendo o capitão o primeiro inglês a chegar ao Daomé naquele momento, ele o trataria "como se cuida de uma jovem noiva ou esposa no primeiro encontro, e para a qual não devemos negar nada". Era uma deferência que, na prática, significava alguns privilégios nas negociações de escravos. O capitão teria direito à chamada "primeira escolha", ou seja, a primazia na seleção dos escravos postos à venda, antes que fossem ofertados a outros compradores. Isso o permitiria adquirir em primeira mão homens adolescentes ou jovens adultos, fortes e saudáveis — a "mercadoria" mais desejada pelos fazendeiros e mineradores escravocratas do outro lado do Atlântico. Além disso, ao fechar o negócio, poderia pagar taxas e comissões em valores menores do que os até então praticados na região. Agaja estava, portanto, propondo um casamento entre o Daomé e os negreiros ingleses ali representados por Snelgrave. Ao final da audiência, o rei anunciou sua intenção de "deixar florescer os negócios", ou seja, o tráfico de escravos, e "proteger os europeus que chegarem a este país".

Dias mais tarde, como prometido, Agaja despachou para o porto de Jaquim cerca de seiscentos africanos escravizados, o suficiente para que o capitão Snelgrave enchesse os porões de seu navio e partisse para a ilha de Antígua, no Caribe. Durante as sete semanas de travessia do Atlântico, cinquenta desses cativos morreram de doenças, desidratação e deficiência alimentar. Os 550 sobreviventes foram leiloados e levados para as lavouras de cana-de-açúcar que alimentavam o insaciável paladar inglês por doces.

Antes de invadir e aniquilar o território de Ajudá, o rei Agaja devastara outros dois reinos vizinhos. O primeiro a cair foi Ouémé, situado na fronteira sul do Daomé. Um dos crânios observados pelo capitão Snelgrave antes da audiência com Agaja, em 1727, era de Yahase, o soberano desse reino. Em seguida, avançou sobre Aladá, então o maior fornecedor de cativos na região, cujo trono estava sendo disputado por dois pretendentes, o rei Sozo e seu irmão Hassar. Arrastado para fora de seus aposentos, Sozo foi imediatamente decapitado em frente aos portões do palácio. O inglês Bulfinch Lambe presenciou a batalha final que levou à conquista de Aladá e calculou em 8 mil o total de prisioneiros levados como escravos pelo exército de Agaja ao fim dos combates. Milhares de corpos jaziam no terreno pantanoso. "Se tivesse chovido sangue, o solo não estaria tão encharcado", escreveu Lambe.[4]

Bulfinch Lambe vivia uma situação irônica na época desses trágicos acontecimentos.[5] De europeu traficante de escravos, ele próprio se tornara escravo dos reis africanos, primeiro de Sozo, monarca de Aladá, em seguida, de Agaja, do Daomé. Em 1722, anos antes da épica batalha entre esses dois soberanos, Lambe tinha sido enviado à África como agente da RAC britânica. Ao chegar à Costa da Mina, sua primeira missão fora negociar com o rei de Aladá. O problema é que, nessa época, Sozo vinha tentando inutilmente cobrar da RAC algumas dívidas referentes à venda de cem africanos para os ingleses. Irritado com a demora da companhia em saldar os débitos, o rei capturou Lambe e anunciou que o manteria como refém até que os ingleses pagassem o que deviam.

Era essa a situação quando os exércitos do Daomé invadiram Aladá, derrotaram e decapitaram Sozo e atearam fogo à casa em que Lambe era mantido prisioneiro. Salvo milagrosamente das chamas, ele foi levado para Abomei, a capital do Daomé, onde Agaja o recebeu com enorme curiosidade: era a primeira vez que via um dos homens brancos a respeito dos quais tinha tanto ouvido falar na infância e na juventude. Fascinado com seu novo, raro e precioso troféu de guerra, o soberano decidiu incorporá-lo ao numeroso plantel de escravos do palácio real, com a função de tradutor e escrivão nas conversas e negociações com agentes e capitães negreiros europeus.

Enquanto permaneceu no Daomé, apesar de cativo, Lambe levou uma vida relativamente boa. Talvez fosse o escravo mais bem tratado em toda a costa da África. Tinha direito a uma casa espaçosa, onde era assistido por meia dúzia de serviçais designados pelo soberano. Podia comer o quanto quisesse, incluindo um suprimento extra de conhaque francês. À noite, era entretido por algumas das cortesãs do palácio real. Agaja lhe deu até mesmo um secretário particular, um jovem negro africano chamado capitão Tom, fluente em inglês por ter trabalhado anos antes para a RAC. Além de servir de tradutor para Agaja, as únicas obrigações de Lambe eram hastear uma bandeira e disparar um tiro de canhão de pólvora seca para anunciar, dia sim, dia não, a abertura oficial das transações do mercado local de escravos. Fora isso, podia circular livremente, o que incluía participar de algumas cavalgadas ao lado do próprio rei.

Depois de permanecer quase dois anos como escravo, e já tendo conquistado a plena confiança do rei, Lambe propôs-lhe um plano mirabolante. Ele embarcaria para Londres levando uma carta pessoal de Agaja para o rei George I, da Inglaterra. Na correspondência estariam as propostas de um acordo comercial pelo qual os ingleses teriam tratamento preferencial no tráfico de escravos nessa região da África. Em troca, o Daomé receberia armas, mercadorias e alguns privilégios da Coroa britânica. Além disso, o reino africano teria assistência tecnológica dos ingleses para estabelecer suas próprias lavouras de algodão e cana-de-açúcar na África, a serem cultivadas pelos escravos reais. Toda a produção seria destinada à Inglaterra.

Agaja aceitou as sugestões de Lambe com a condição de que ele retornasse ao Daomé no prazo máximo de um ano. Para a viagem, deu-lhe oitenta escravos, quarenta para o próprio Lambe, a quem o rei a essa altura já chamava de "meu filho", e quarenta para o rei da Inglaterra. Lambe partiu, mas obviamente não tinha qualquer intenção de honrar o pacto. Em vez disso, vendeu todos os oitenta escravos para traficantes portugueses no porto de Ajudá em troca de ouro brasileiro, embolsou o dinheiro e rumou para Barbados, no Caribe. Cinco anos mais tarde, em 1731, já falido depois de esbanjar sua fortuna escravista, decidiu, finalmente, entregar a carta de Agaja ao rei da Inglaterra (agora George II, filho de George I, morto quatro anos antes). Com isso, esperava voltar ao Daomé como enviado especial da Coroa britânica, condição na qual, acreditava, seria perdoado por Agaja. Os ingleses aceitaram receber o documento, mas não caíram na conversa. Lambe morreu pobre em Londres, sem jamais botar novamente os pés na África.

Pelas cartas e diários escritos por Bulfinch Lambe enquanto foi escravo na África, sabe-se que Agaja iniciou a carreira militar como comandante dos exércitos do seu irmão, Wegbaja, morto em 1716. Teria apenas dezenove anos quando subiu ao trono. Era também uma das vítimas das muitas epidemias de doenças que, de tempos em tempos, dizimavam grande parte da população local. Em 1727, quando o capitão William Snelgrave o conheceu, tinha o rosto todo marcado pelas cicatrizes da varíola. Governou por 24 longos anos, até 1740, quando foi sucedido pelo filho, Tegbesso. No total, teria lutado e vencido 209 batalhas. Sua guarda pessoal era composta por mulheres armadas (chamadas de "amazonas" de acordo com a descrição de inúmeros europeus).

Sob o governo de Agaja, o Daomé se consolidou como um reino centralizado, autocrático e militarizado — mais do que qualquer outro estado vizinho. Suas forças militares, embora relativamente pequenas, formadas por apenas 10 mil homens (um quinto dos homens em armas dos reinos vizinhos de Aladá e Ajudá), eram consideradas as mais bem treinadas e armadas de toda a costa africana. Os soldados do Daomé eram particularmente hábeis no uso do mosquete, arma de fogo fornecida pelos traficantes europeus e muito mais eficiente em combate do que as lanças e flechas tradicionalmente usadas pelos adversários. Nos combates de curta distância ou corpo a corpo, empunhavam espadas, facas e punhais de aço, também de fabricação europeia. A artilharia era composta por 25 canhões, descritos por Bulfinch Lambe como "tão pesados que alguém poderia pensar que o diabo os tivesse trazido até aqui". Nas suas conversas com Lambe, o rei se lamentava apenas de não dominar a tecnologia necessária para fabricar a própria pólvora, munição que, tanto quanto as balas para os canhões e mosquetes, também tinha de ser comprada dos europeus em troca de escravos.

O treinamento dos guerreiros começava cedo, ainda na infância, mediante o recrutamento de meninos com idades entre sete e oito anos com o objetivo de servir de carregadores para os soldados adultos. Nessa função, os garotos aprendiam a suportar as adversidades da vida militar e também a rígida disciplina ali imposta. Mais tarde, eram incorporados como soldados regulares, prontos para matar ou morrer pelo rei Agaja. "A guerra era a própria razão da existência do Daomé", observou o historiador escocês Robin Law.[6] Diferentemente dos reinos vizinhos de Aladá e Ajudá, no Daomé, os soldados não tinham autorização para saquear os adversários mortos e escravizar os vivos. Tudo tinha de ser entregue ao rei, a quem cabia usá-los de acordo com suas conveniências. Parte era devolvida aos próprios oficiais e soldados como recompensa pela vitória. Outros eram despachados para trabalhar nos campos ou vendidos aos capitães negreiros.

No Daomé, o soberano tinha o título de Dadá, cujo sentido seria "pai de todos" ou "pai do povo", como nessa descrição feita pelo padre português Vicente Ferreira Pires, enviado a essa região da África em 1795 pela rainha dona Maria I em uma inútil tentativa de converter o rei Agonglô, bisneto de Agaja, ao catolicismo:

> *Dadá quer dizer pai de todos [...] e todos lhe são escravos, e olham para o rei como para uma divindade; de maneira que tudo quanto estes possuem, seja por qualquer forma adquirido, recebem como uma dádiva do rei.*

Observação semelhante fora feita alguns anos antes, em 1789, pelo capitão negreiro Robert Norris. Segundo ele, no pensamento dos súditos do reino do Daomé, a máxima "A minha cabeça pertence ao rei, não a mim mesmo: se ele desejá-la, estou pronto a entregá-la" fazia todo o sentido. Ou seja, de certo modo, todos os habitantes do reino eram escravos ou propriedade do rei. O historiador Robin Law, no entanto, afirma que, precisamente porque as pessoas eram consideradas posses do rei, ele não podia vendê-las como escravas — exceto como condenação por algum crime. "A ideia de que o rei era proprietário de tudo e de todos era percebida como garantia de segurança, mais do que ameaça de exploração", escreveu Law.[7] Na impossibilidade de escravizar o próprio povo, restava ao rei do Daomé expandir suas conquistas, de modo a transformar um número crescente de prisioneiros inimigos em escravos a serem vendidos aos capitães negreiros.

A prática de sacrificar e decapitar pessoas persistiu entre os sucessores de Agaja. Ainda em meados do século XIX, ao visitar o Daomé a serviço da Sociedade Geográfica Real, sediada em Londres, John Duncan, oficial da Marinha britânica, surpreendeu-se com os crânios empilhados ao redor do palácio real. Eles somavam entre 2 mil e 3 mil, segundo seus cálculos. Eram todos troféus acumulados nas muitas guerras travadas pelo reino nas décadas anteriores. Os ossos estavam organizados de forma hierárquica: primeiro, os dos reis adversários, capturados ou mortos nesses conflitos; em seguida, os de generais, chefes e oficiais de alta patente. A exemplo de Snelgrave em 1727, Duncan também relatou ter visto um grande número de esqueletos e corpos humanos empalados e em decomposição ao redor do palácio real. Nesse caso, eram todos, explicou, de pessoas sacrificadas depois de serem acusadas de adultério com as mulheres do rei. Alguns dias mais tarde, presenciou no pátio do palácio a decapitação de mais quatro prisioneiros denunciados pelo mesmo crime.[8] Nessa época, o Daomé tinha população estimada em 200 mil habitantes. Um quarto desse total, cerca de 50 mil pessoas, estava engajado nas forças armadas, incluindo um contingente de 5 mil mulheres guerreiras que o rei exibia com orgulho nas paradas militares que promovia ao receber visitantes.

Relatos sobre sacrifícios humanos no Daomé aparecem em diversas outras fontes da época.[9] Foram tão recorrentes que, segundo Robin Law, acabaram sendo usados como desculpa para manter o tráfico negreiro e a própria escravidão. O Daomé era apontado pelos defensores do regime escravista como um caso exemplar de reino autocrático e tirânico, cujos súditos estariam subjugados a um estado ainda pior do que o dos escravos na América. Por esse raciocínio, a suposta "barbárie africana" justificaria a manutenção do regime escravista.

Exemplo desse embate aconteceu em 1789. Quando o abolicionista e deputado William Wilberforce apresentou o seu projeto de eliminação do tráfico de escravos ao parlamento britânico, um deputado antiabolicionista, John Henniker, opôs-se à medida lendo a carta que o rei Agaja tinha escrito ao rei George I, da Inglaterra, em 1726, na qual se orgulhava dos seus sucessos militares e se referia às suas oferendas de sacrifícios humanos e à exibição de cabeças humanas cortadas de seus inimigos mortos. Assim, argumentava o deputado, a crueldade do tráfico negreiro jamais poderia ser atribuída aos europeus, mas aos próprios africanos. O tráfico, segundo ele, longe de ser um negócio desumano, como defendia Wilberforce, era apenas uma forma de resgatar os cativos africanos de um destino que, na África, seria pior do que a escravidão nas Américas.[10]

Apesar de todo o poderio militar, o Daomé estava longe de dominar sozinho o tráfico de escravos na Costa da Mina. Agaja e seus sucessores eram vulneráveis aos ataques de um reino ainda mais forte que o seu, o de Oió, situado a noroeste no interior do continente, no território da atual Nigéria.[11] Os guerreiros oió eram exímios cavaleiros, que, partindo do interior, conseguiam chegar até o litoral na época das secas. Na temporada chuvosa, porém, o charco impedia o avanço dos animais. Entre 1726 e 1729, Oió fez diversas razias no território do Daomé, destruindo cidades e vilarejos. Milhares de pessoas morreram ou foram capturadas como escravas. Incapazes de resistir à ofensiva, Agaja e sua corte refugiavam-se nos pântanos e florestas alagadas, onde a cavalaria inimiga não conseguia alcançá-los. Ali permaneciam até o início da estação chuvosa, que obrigava os guerreiros de Oió a bater em retirada. No começo da década de 1730, com a mediação de João Basílio, diretor do forte português de Ajudá, Agaja fechou um acordo com o alafim (literalmente o "senhor do palácio", em língua iorubá) de Oió, pelo qual concordava em pagar tributos e permitir que as caravanas de escravos dos adversários cruzassem os seus territórios.

Como no movimento de um pêndulo, em que ora um atacava e outro se defendia ou fugia, e vice-versa, esses dois estados africanos mantiveram uma prolongada guerra pelo controle das fontes e rotas de fornecimento de cativos no Golfo do Benim. Equipados com as armas de fogo fornecidas pelos europeus (além de cavaleiros hábeis, no caso de Oió), devastaram a costa africana até cerca de trezentos quilômetros continente adentro numa série de conflitos que pareciam intermináveis. Centenas de milhares de pessoas morreram. Número ainda maior foi embarcado nos porões dos navios negreiros.

Daomé e Oió se tornaram tão eficientes no negócio negreiro que essa região logo se transformou na segunda maior fornecedora de cativos para a América, atrás apenas de Angola e Congo. Ao longo do século XVIII, o Golfo do Benim "exportou" cerca de 1,2 milhões de africanos escravizados, o equivalente a 18% do total embarcado na África Ocidental nesse período. No século seguinte, despacharia mais 421 mil escravos para o Novo Mundo. Os embarques só terminariam efetivamente na segunda metade do século XIX, sob pressão do movimento abolicionista britânico.[12]

Inicialmente, tanto no Daomé como em Oió, os escravos eram comprados de mercadores das regiões ao norte dos dois reinos, centenas de quilômetros no interior do continente. Logo, no entanto, o número se tornou insuficiente para atender à demanda dos europeus. Por essa razão, seus reis passaram a promover periodicamente novas guerras contra os vizinhos, com o objetivo de vender prisioneiros aos traficantes. "O comércio de escravos dependia essencialmente da violência", escreveu Robin Law. "Como resultado, o aumento do número de cativos exportados levou inevitavelmente ao crescimento da desordem e das guerras."[13]

Como consequência dessas frequentes razias, foram embarcados para o Brasil milhares de negros escravizados falantes de línguas gbe (grupo linguístico também chamado de aja-ewe ou fon), originários de diferentes povos, caso dos hulas, huedas, aves, adjas, aizos, oumenusm, savalus, agonlis e mahis. Juntos vieram também falantes de línguas iorubá, como os egbas, egbados, saves e anagôs, povos que viviam sob influência do reino de Oió.[14]

Um grupo particularmente vulnerável aos ataques era uma confederação de pequenos reinos e estados independentes situados entre Oió e Daomé. Assustados com a ofensiva militar dos vizinhos, esses povos se congregaram numa confederação chamada "Mahi", palavra que na língua gbe local poderia ser traduzida como "aqueles que dividem o mercado", ou "aqueles que resistem". Foi inútil. Durante todo o século XVIII, milhares de cativos mahi chegaram a Salvador e ao Recôncavo Baiano, onde ainda hoje formam um grupo étnico bastante distinto e empenhado em manter suas raízes culturais.

Na Bahia, os povos falantes de gbe, incluindo os mahi, passaram a ser chamados de jejes, enquanto os de origem iorubá foram identificados como nagôs, denominações que permanecem atualmente entre os afrodescendentes baianos. Também se deve aos africanos escravizados dessa região a principal influência no desenvolvimento de religiões de matriz africana no Brasil. "Jejes e nagôs forneceram o modelo organizacional de formas rituais e de associativismo religioso que resultaram no candomblé da Bahia, no xangô de Pernambuco e no tambor de mina no Maranhão", escreveu o historiador Luís Nicolau Parés, professor da Universidade Federal da Bahia e um dos grandes estudiosos do tema.[15]

Mesmo pressionado pelos vizinhos e obrigado a pagar tributos a Oió, o reino do Daomé manteria posição dominante no tráfico negreiro da Costa da Mina por quase dois séculos. Tegbesso, filho de Agaja, chegou a exportar 9 mil africanos escravizados por ano na segunda metade do século XVIII. Ele tinha como parceiros de negócios os portugueses, brasileiros, ingleses e franceses. Estima-se que por volta de 1750 a sua receita anual fosse equivalente a cerca de 250 mil libras esterlinas, entre cinco e seis vezes a renda média de um rico proprietário de terras na Grã-Bretanha.[16] O último rei independente da dinastia fundada por Agaja foi Béhanzin Chadakogundo, destronado em 1892 pelos franceses, que o enviaram para o exílio na ilha de Martinica, no Caribe. O Daomé tornou-se independente da França em 1960 e, em 1975, mudou seu nome para República do Benim, o qual permanece até os dias de hoje.

Para os traficantes europeus e brasileiros de escravos, o fortalecimento dos reinos africanos na Costa da Mina era um mau negócio. Interlocutores mais poderosos resultavam invariavelmente em negociações de compras mais duras e aumento de preços. Exemplo disso foi a deportação, determinada pelo rei do Daomé, do diretor da fortaleza de Ajudá, Teodózio Rodrigues da Costa, em 1759, após uma discussão com o *yovogan*, o "governador negro da terra". A destruição de vilarejos e cidades e o fechamento das rotas de comércio do interior tinham como consequência a diminuição na oferta de cativos no litoral, obrigando as embarcações a permanecer mais tempo na costa africana até completarem sua carga. Isso acarretava sérios prejuízos aos capitães negreiros. Uma permanência mais prolongada na costa da África significava maiores gastos com água, comida e outros suprimentos, perigo de revolta dos escravos já embarcados e, principalmente, a ameaça das febres e doenças que dizimavam as tripulações dos navios.

Em 1728, Vasco Fernandes César de Meneses, vice-rei do Brasil entre 1720 e 1735 e futuro visconde de Sabugosa, alertava a Coroa portuguesa que "as guerras em que estão envoltos aqueles negros" atrasavam o retorno dos navios negreiros baianos e pernambucanos enviados à costa da África. Viagens de ida e volta, que normalmente demorariam entre seis e sete meses, estavam durando um ano ou mais. A virtual paralisação do tráfico nessa região, segundo ele, causaria "gravíssimo dano" aos interesses portugueses no Brasil, pela redução nos impostos cobrados na entrada de cativos africanos "e não menos no rendimentos dos quintos das minas, para cujo trabalho vai a maior parte dos escravos que vem da dita costa", além do "prejuízo aos senhores de engenho e lavradores de açúcar e tabaco, na falta que lhe farão para as suas lavouras".[17]

A Coroa portuguesa e seus agentes no Brasil tentaram contornar as dificuldades de diversas maneiras.[18] Uma delas foi a migração dos navios para outros entrepostos situados mais a leste no Golfo do Benim, chamados de "portos de baixo", dentre os quais Porto Novo, Apa, Jaquim, Badagri, Epe e Onim (atual Lagos). O objetivo era, na medida do possível, ficar longe do controle dos reis do Daomé e de Oió. Por volta de 1740, "homens de negócio"(ou seja, traficantes de escravos) da Bahia defendiam também que os capitães negreiros evitassem competir entre si, o que, segundo diziam, resultava em fragilidade nas negociações com os chefes africanos. O número excessivo de navios das capitanias da Bahia e de Pernambuco em Ajudá desorganizava o comércio naquela área. Por essa razão, escreveram ao rei de Portugal, dom João v, sugerindo três medidas: apenas 24 navios poderiam realizar o comércio na Costa da Mina; o tráfico seria organizado em comboios de oito embarcações e os navios autorizados partiriam a cada três meses, sempre em comboio. O rei aceitou as reivindicações, conforme a Provisão de 8 de maio de 1743. Como resultado, os donos dessas embarcações (que eram, não por acaso, os mesmos "homens de negócio" mencionados antes) passaram a controlar o tráfico com a Costa da Mina. Essa decisão beneficiava diretamente os traficantes baianos, pois apenas seis navios de Pernambuco e um navio do Rio de Janeiro receberam permissão para traficar na região.

Novas medidas foram adotadas após a ascensão de Sebastião José de Carvalho e Melo, futuro marquês de Pombal, ao poder. Pombal estabeleceu uma fiscalização mais rígida para a saída de navios da Bahia em direção à Costa da Mina, criando para este fim um organismo regulatório chamado de Mesa de Inspeção. Entre outras medidas, determinava o limite de 3 mil rolos de tabaco do Recôncavo Baiano a bordo de cada navio que embarcasse para a África. Também proibia que dois navios negociassem em Ajudá ao mesmo tempo. Com essa última medida, procurava-se evitar a desvalorização do tabaco baiano e o aumento do preço das "peças", como eram chamados na época os africanos escravizados.

Nas décadas seguintes, novas tentativas de acomodação dos interesses dos traficantes de escravos com os dos fornecedores africanos se desdobrariam em situações curiosas, que incluíram uma intensa troca de correspondências entre os reis do Daomé e de Portugal e missões diplomáticas que cruzavam o Atlântico com grande frequência. É o que se verá no próximo capítulo.

UM REINO ESCRAVISTA

Situado na antiga Costa da Mina, hoje na região fronteiriça das repúblicas do Benim e da Nigéria, o reino do Daomé foi um dos principais fornecedores de africanos escravizados para o Brasil no século XVIII. As pessoas eram capturadas em guerras contra os reinos vizinhos e vendidas aos traficantes, que apoiavam o rei com armas e munições fabricadas na Europa.

15. CONVERSA DE REIS

"Ainda que negro, sou senhor de minha terra."

ADANDOZAN, rei do Daomé,
em carta de 1799 a dom João,
príncipe regente de Portugal

A POPULAÇÃO DE SALVADOR acordou em clima de festa no dia 22 de outubro de 1750. Mal soaram as badaladas das dez horas da manhã no sino da Sé e uma fabulosa procissão saiu do Colégio dos Jesuítas, no centro da cidade, e tomou a direção do palácio do vice-rei Luís Peregrino de Ataíde, conde de Atouguia. À frente do cortejo, acomodado dentro de um palanquim forrado de seda, seguia um homem negro africano — "uma bem-feita e nobre figura", segundo a definição do jornalista e escritor José Freire Monterroio Mascarenhas, que no ano seguinte publicaria em Lisboa uma detalhada descrição dos acontecimentos.[1]

Churumá Nadir era embaixador do soberano do Daomé, Tegbesso, filho e sucessor do rei Agaja, morto em 1740. Ao desfilar pelas ruas da capital baiana, vestia um saiote de tecido carmesim bordado com rendas de ouro crespas, como se fosse "uma espécie de saia de mulher". Sobre as costas levava uma capa de cauda longa, "como roupa real", toda colorida e forrada de cetim branco listrado. Na cabeça, envergava um "turbante magnífico e precioso". Acompanhavam-no "dois outros fidalgos" negros, com roupas idênticas. Fechando a comitiva vinham os criados e quatro meninas negras, vestidas à moda africana, "com lenços envoltos nas cabeças, mas sem camisas".

O espetáculo causou enorme alvoroço e curiosidade entre os baianos. Até então, a presença de negros africanos, obviamente, não era novidade alguma nas ruas de Salvador. Ao contrário, eles eram a maioria dos habitantes. Em circunstâncias normais, porém, seriam vistos amarrados a cordas e correntes no pescoço, malvestidos, labutando como mão de obra cativa, quando não com as mãos e pernas atados ao pelourinho para serem punidos com o chicote. Essa era a crua realidade da população negra ou mestiça no Brasil da escravidão. Nenhum deles jamais fora alvo de homenagens e deferências como as que dessa vez eram reservadas ao embaixador africano.

Churumá Nadir chegou a Salvador em 29 de setembro de 1750, dia de são Miguel. Antes ainda que desembarcasse, foi saudado por uma salva de canhões das fortalezas que guarneciam a entrada da Baía de Todos os Santos. Em seguida, foi transportado para os aposentos que lhe haviam preparado no Colégio dos Jesuítas, com "o teto armado de preciosas colchas e o pavimento de finíssimas esteiras". As cadeiras eram de "espaldas magníficas". Os tamboretes, almofadados. "Tudo guarnecido com franjas", frisava o cronista Monterroio Mascarenhas. A cama, "de ébano marchetado de marfim e tartaruga", recebera como guarnição lençóis da Holanda, entremeados de finíssimas rendas de Flandres, e uma colcha carmesim, com franjas e bordas. Um véu de gaze a protegia dos mosquitos.

CONVERSA DE REIS

Nos sete anos anteriores, as relações entre Portugal e o Daomé tinham se deteriorado devido às guerras civis que assolavam o Golfo do Benim desde a época do rei Agaja. Depois de conquistar seus vizinhos Weme, Aladá e Ajudá na série de vitórias fulminantes descritas no capítulo anterior, o reino africano tinha enfrentado crescentes dificuldades para consolidar seu poder devido à feroz resistência de Oió, seu mais importante rival na região. Indecisos a respeito de quem teria a palavra final no comércio de escravos, os traficantes europeus começaram a direcionar seus navios para os portos situados mais a leste de Ajudá, caso de Jaquim, Badagri e Onim (atual Lagos, na Nigéria), prejudicando assim os interesses dos daometanos, cuja prosperidade dependia do fornecimento de cativos africanos.

Além disso, os portugueses se envolveram em conspirações para trazer de volta ao poder o rei Huffon, de Ajudá, derrotado por Agaja em 1727. Em resposta, tropas do Daomé prenderam o diretor do forte de São João Batista de Ajudá, João Basílio, e o "deportaram" para a Bahia a bordo de um navio negreiro. Antes de partir, Basílio ainda tentou subornar os daometanos oferecendo-lhes como presente milhares de conchas de búzios cauris (a moeda corrente na região), trezentas barricas de aguardente, fuzis, pólvora, peças de seda e um "riquíssimo palanquim de seda".[2] Não funcionou. A fortaleza foi invadida e incendiada e seus residentes, massacrados, incluindo alguns refugiados hueda que ali estavam sob a proteção da Coroa portuguesa.

Irritados com o comportamento dos africanos, que julgavam abusivo, as autoridades portuguesas planejaram se vingar. Em 25 de julho de 1747, o Secretário de Estado escrevia de Lisboa que o rei Tegbesso tinha de ser punido:

> *Quanto ao régulo, seria justo que sofresse algum castigo que o obrigasse a ter mais atenção e respeito pela nação portuguesa, porque em semelhante gente obra mais o medo do que a razão, e com a tolerância e dissimulação se fazem mais insolentes.*[3]

Três meses depois, o então vice-rei André de Melo e Castro, conde de Galveias, respondia:

> *Os negros de Ajudá todos os dias são mais insolentes e maiores ladrões, sem que guardem fé nem palavra a ninguém; como não se pode duvidar que os seus roubos e insultos acompanharão sempre a sua ambição e sua barbaridade, cada vez irão crescendo mais.*

De qualquer forma, Galveias recomendava cautela. Segundo ele, mais importante do que castigar os chefes africanos era assegurar o fluxo de mão de obra cativa para o Brasil. "Seria muito difícil puni-los sem prejuízo da extração de escravos, que nos são tão precisos", ponderava. Uma opção seria abandonar Ajudá definitivamente em favor dos outros portos na região, menos vulneráveis às pressões e aos ataques do Daomé. Ainda assim, os portugueses jamais estariam livres da "mesma inconveniência, insolência e incivilidade" de outros reis africanos, segundo argumentava um ano mais tarde o conde de Atouguia, sucessor de Melo e Castro.

Foi nesse clima de irritação e desconfiança que o rei do Daomé enviou seu embaixador em missão de paz à Bahia em 1750. Tegbesso estava interessado em reanimar o tráfico de escravos em Ajudá. Era chegado, portanto, o momento de restaurar a confiança e as boas relações que antes das desavenças tanto tinham sido benéficas aos dois lados envolvidos no comércio de gente negra no Atlântico. Também por essa razão, as autoridades coloniais decidiram recebê-lo com todas as honras em Salvador.

No dia marcado para a audiência, o vice-rei aguardava Churumá Nadir sentado sob um dossel e acompanhado de toda a nobreza da Bahia, incluindo os membros do Senado da Câmara, "sem ver outra coisa mais do que vestidos ricos e de bom gosto, tudo galhardia, tudo pompa", segundo a descrição de Monterroio Mascarenhas. No momento em que a comitiva africana passou pela praça situada em frente ao palácio, uma vez mais as fortalezas e navios ancorados na barra de Salvador a saudaram com foguetes e tiros de canhão. E assim prossegue a narrativa do entusiasmado cronista português:

> *Entrou o embaixador na sala com grande confiança, fazendo cortesias para uma e outra parte, observando uma gravidade sem afetação, até chegar ao lugar que o conde vice-rei ocupava: e não distinguindo a sua pessoa entre a magnificência que divisava em todos, perguntou pelo seu intérprete qual era, e logo, sem perder a soberania do seu aspecto, o saudou primeiro à portuguesa com três cortesias, feitas com muito ar, e imediatamente, ao modo do seu país, prostrando-se por terra com os braços estendidos e as mãos uma sobre outra e trincando os dedos, como castanhetas, cerimônia com que no Daomé costumam venerar aos seus reis, indicando-lhes deste modo o gosto com que lhes fazem esta prostração.*

Terminada a saudação inicial, quando Churumá Nadir se levantou do chão, o vice-rei lhe ofereceu uma cadeira ao seu lado. O embaixador recusou dizendo que o assento seria adequado para uma conversa mais longa. Dessa vez, porém, seria inútil porque a comunicação que pretendia fazer era muito breve. Em seguida, já de pé, explicou o propósito de sua visita:

> *Aquele alto e soberano senhor [o rei do Daomé], monarca de todas as gentilidades, assim as que habitam as costas do oceano como as que vivem nos dilatados sertões de que ainda não se descobriu o fim, a quem temem os povos de maior valor, [...] deseja aliar-se e tratar-se com muita amizade com o Grande Senhor do Ocidente, o ínclito Rei de Portugal. [...] Esta amizade, que deseja com a Coroa de Portugal, promete, com a palavra de rei, observar fielmente.*

Depois de vários outros circunlóquios, o embaixador entregou ao vice-rei uma carta pessoal do seu monarca e lhe ofereceu, como presentes, duas caixas com panos da costa, tecido muito valorizado na África, e as "quatro negrinhas" que o acompanhavam. Três delas seguiram para Lisboa, onde passaram a servir como damas de companhia da rainha Mariana Vitória. A outra menina permaneceu em Salvador porque, na avaliação das autoridades portuguesas, já não serviria para coisa alguma. Tinha ficado cega devido à oftalmia contraída na viagem entre o Daomé e o Brasil. Nunca mais se teve notícia dela. Uma hipótese é que tenha sido abandonada à própria sorte nas ruas da capital baiana.

Terminada a audiência, ao retornar ao Colégio dos Jesuítas, onde estava hospedado, o embaixador entregou "vinte moedas de ouro" aos negros escravizados que o haviam transportado até o palácio. Ao todo, a comitiva africana permaneceu seis meses e meio em Salvador, período em que visitou fortalezas, conventos, igrejas "e tudo mais que é digno de curiosidade" na Bahia, segundo Monterroio Mascarenhas, que acrescenta um detalhe curioso ao seu relato. Segundo ele, enquanto esperavam pela audiência com o vice-rei do Brasil, os mensageiros do Daomé celebraram uma festa "conforme o rito gentílico que professam", na qual "mataram muitas aves e, untando-se com o sangue delas, fizeram banquetes e iguarias ao seu modo". Teria sido,

CONVERSA DE REIS

aparentemente, um ritual de candomblé, que mais tarde se tornaria uma das marcas mais características da cultura afro-brasileira baiana.

Ao final de tão intensa turnê, Churumá Nadir e seus dois assistentes retornaram à Costa da Mina a bordo do navio negreiro português *Bom Jesus d'Além e Nossa Senhora da Esperança*. No porão, levavam 8.101 rolos de fumo baiano, que, na África, foram trocados por mais novecentos escravos negros. Desse total, 834 desembarcaram em Salvador no dia 27 de junho de 1752. Os demais morreram no mar. E dessa forma, comercial e prática, estavam finalmente restabelecidas as boas relações entre o Daomé e o reino de Portugal. "Na perspectiva das Coroas do Daomé e de Portugal, a missão diplomática tinha sido um sucesso", observou o historiador norte-americano James H. Sweet. "As vítimas mudas dessa amizade imperial eram milhares de africanos escravizados, que constituíam o elo comercial unindo as duas nações."[4]

Em 1795 houve outra embaixada do Daomé a Salvador, dessa vez composta por dois mensageiros do rei Agonglô (neto de Tegbesso) e um intérprete. A delegação ficou hospedada no Convento dos Franciscanos, por conta da Coroa portuguesa. Foi recebida pelo governador Fernando José Portugal no dia da festa do Corpo de Deus (*Corpus Christi*), feriado municipal. Houve entrega de cartas do rei africano e troca de presentes. Da Bahia, os embaixadores seguiram para Lisboa, onde tentaram convencer a rainha Maria I a estabelecer uma linha direta de tráfico de escravos com a fortaleza de São João Batista de Ajudá. Na viagem de volta, passando novamente por Salvador, os embaixadores foram batizados e ganharam nomes cristãos. Um deles morreu ainda na Bahia, vítima "de um resfriado que se agravou". O outro retornou ao Daomé com permissão para usar as insígnias do hábito da Ordem de Cristo, uma das mais altas honrarias do

ESCRAVIDÃO VOL. II

reino português. Apesar de a missão ter sido, uma vez mais, um sucesso, o governador Fernando José Portugal não gostou da experiência. Em carta a Lisboa reclamou do comportamento dos embaixadores africanos enquanto permaneceram na Bahia:

> *Não foram poucas as impertinências, grosserias e incivilidades que sofri do embaixador, apesar da afabilidade e atenção com que sempre lhe falava. [...] Porém, a consideração das honras e distinções com que Sua Majestade o tratou e do caráter de que vinha revestido, posto que dele não fosse merecedor, e a reflexão de ter nascido entre bárbaros, onde se desconhece a civilidade e polidez e onde só reina a barbaridade e grosseria, me fez fechar os olhos e disfarçar aquelas desordens que obrava, que só se podiam coibir por meios violentos de que me não resolvi a usar, nem contra ele, nem contra o seu intérprete, homem de péssimos costumes.[5]*

Missões diplomáticas espetaculares como as de 1750 e 1795 compõem um dos capítulos mais pitorescos da história da escravidão no Brasil. Existem registros de oito delas entre 1750 e 1811. Quatro saíram do reino do Daomé. Outras três eram do rei de Onim (atual Lagos). Por fim, uma do rei de Aladá. Além das embaixadas, os reis africanos e de Portugal mantiveram uma intensa troca de cartas durante todo o período escravista. Essa prática começou ainda no século XVI, com o intercâmbio de mensagens entre dom Manuel I, rei de Portugal, e dom Afonso, rei do Congo (já citado no volume anterior desta trilogia). E prosseguiu até a primeira metade do século XIX. De toda a correspondência real, as cartas mais longas e curiosas foram despachadas por Adandozan, do Daomé, ao príncipe regente dom João, futuro dom João VI. Nelas o rei africano frequentemente trata o seu consorte português como "mano", "meu irmão" ou "meu senhor". Em uma das mensagens, se refere à rainha Maria I como "nossa mãe". Em outra, de 1799, Adandozan saúda dom João como "meu irmão e senhor muito da minha veneração". Em seguida, faz questão de reafirmar que, do seu ponto de vista, a cor da pele jamais seria obstáculo para que tratasse o soberano português como igual. "Ainda que negro, sou senhor de minha terra", frisa.

Em geral, os reis de Portugal eram mais circunspectos e formais em suas cartas do que seus parceiros africanos. Como nessa resposta que dom João enviou ao rei Agonglô, em 1796:

> Os embaixadores que enviastes à Minha Corte de Lisboa me entregaram a Vossa estimada carta de vinte de março de mil setecentos e noventa e cinco, que [ilegível] com aquele apreço, que sempre faço da Vossa Nobre Pessoa, e que sempre fizeram os Senhores Reis Meus predecessores, desejando estreitar cada vez mais os vínculos de Amizade, e boa união. Fora da vossa carta encontrei um papel sem assinatura em que Me pedíeis um bergantim pronto de tudo para a guarda desse porto; como também um homem que soubesse bem ler e escrever para viçar [sic] convosco e finalmente pedíeis também que vos enviasse um navio cuja carga fosse de sedas boas de ouro e prata em obra e tudo o mais que pertence a um Rey, e finalmente quarenta peças de Bronze e Ferro, bastantemente [sic] reforçadas para guarnecer a Vossa Terra; a tudo isso procurarei satisfazer quando me seja possível, logo que as circunstâncias [ilegível] porque na presente ocasião Me é impossível fazê-lo não só por falta de tempo, mas por outros diferentes motivos, de que [ilegível] informar-vos; desejando em tudo comprazer-vos, como cumpre a Minha Fiel Amizade...

ESCRAVIDÃO VOL. II

Os temas tratados na correspondência real do Daomé são os mais diversos, mas envolvem principalmente reclamações em relação ao comportamento dos diretores do forte português de São João Batista de Ajudá, pedidos de presentes ou envio de mercadorias e produtos, além de relatos sobre acontecimentos nas duas margens do Atlântico.[6] Exemplo dessa pauta de assuntos pode ser observado nesta carta de 1797. Nela, o rei Adandozan faz uma extensa lista de pedidos a dom João e promete pagar tudo com "escravos bons", a serem entregues no forte português de Ajudá:

Sereníssimo Senhor,

Como eu estou acostumado a receber favores tão preclaros de Vossa Alteza, quero merecer de Vossa Alteza a honra de me mandar uma carruagem que seja boa, cuja despesa eu satisfarei na fortaleza de Vossa Alteza, e igualmente quero que Vossa Alteza me faça o favor mandar de pólvora duzentos, ou trezentos barris, cujo bom pagamento eu farei em excelentes cativos na mesma fortaleza de Vossa Alteza, cujo mesmo bom pagamento me obrigo a fazer por todas as peças de seda que Vossa Alteza fizer remeter para a dita fortaleza, com a cautela delas não se partirem; e espingardas das que usam a gente de guerra de Vossa Alteza, e algumas mais curtas, chapéus de sol os mais grandes que possam ser e ricos; e um, ou duzentos de chifarotes [espada de lâmina curta e reta] com os seus bocais e ponteiras de prata, que sejam bons [e] não passem de três palmos, e outros mais compridos; e alguns frascos brancos lapidados grandes e pequenos para conservar bebidas; e algumas galantarias com que Vossa Alteza me queira fazer o favor [de] honrar; e mais doze cadeiras boas; e vinte quatro chapéus de galão bons, de prata e ouro, do que tudo eu farei bom pagamento em escravos bons no forte de Vossa Alteza.

Deus guarde a Vossa Alteza para felicidade dos seus reinos etc.

De Vossa Alteza seu irmão

Rey Dagomé

[PS]: E torno advertir a Vossa Alteza que os barris de pólvora sejam bem feitos, com muita largura por dentro, que traga e leve bastante pólvora, e há de ser madeira boa, que não bota a pólvora a perder.[7]

Em outra carta, de 1810, o rei africano se mostra bem-informado sobre as novidades na Europa.[8] Diz ter notícias da invasão de Portugal pelas tropas de Napoleão Bonaparte e da fuga da corte de dom João para o Rio de Janeiro. "Eu também cá na minha terra tenho pelejado muitas guerras", afirma em tom solidário. Em seguida, pede mais presentes, incluindo chapéus de feltro, guarda-sóis, armas e munição, além de "algumas pipas de vinho de várias qualidades, como vinho branco e vinho tinto do Porto ou da Ilha da Madeira, e vinho verde, aguardente do reino desta que vem para o Brasil, e licores de várias qualidades". Por fim, anuncia que também ele estava enviando ao Brasil alguns "mimos" para o soberano português, incluindo seis africanos escravizados, assim descritos:

Remeto quatro moleconas e dois molecões, que para tudo são seis; pois estas seis pessoas, que envio a meu irmão, é para eles mesmos pessoalmente noticiarem a Vossa Alteza sobre as guerras que lhe tenho relatado; pois um irmão com outro não pode falar mentira. Depois que relatarem tudo como acima disse sobre as guerras, [ficam] as fêmeas para espanarem o seu quarto, e os machos para limparem os seus sa-

patos; pois mando pequenos, para se criarem e a idade vai multiplicando a mais, e não mando homens e mulheres já feitos por razão de que banzam muito, e morrem.

A lista de "mimos" de Adandozan a dom João incluía um belíssimo trono esculpido em madeira. Foi uma das relíquias do Museu Nacional, no Rio de Janeiro, destruídas no pavoroso incêndio de 2018.

16. TRAFICANTE ESCRAVIZADO

A JULGAR PELAS APARÊNCIAS, o homem calvo e idoso que desembarcou no porto de Salvador em 11 de maio de 1770 seria um africano escravizado. Negro e corpulento, trazia em cada face do rosto três cicatrizes feitas em linhas paralelas e horizontais. Chamadas de escarificações, eram marcas típicas do povo iorubá, na época uma das mais numerosas etnias africanas entre as pessoas cativas na Bahia. O policial que registrou sua chegada o descreveu da seguinte forma:

> Terá a idade perto de 70 anos [...], alta estatura e cheio de corpo, cabeça pequena e redonda, [...] nariz chato e boca rasgada, lábios grossos, com três sinais em cada uma das faces do rosto, feitos na sua terra, e a barba cerrada, com os cabelos todos brancos, assim mesmo os da cabeça, que já tem alguma coisa calva. Estava vestido com uma camisa de Holanda de babados de cana lisa, com um jaleco de fustão branco por cima, uns calções de flores cor-de-rosa e um chambre de linha azul de lágrimas da Costa, com meias de linha branca nas pernas e nos pés uns chancles de marroquim de talão [sandálias de couro de cabra fechadas atrás].[1]

No Brasil da escravidão, nem sempre as aparências correspondiam à realidade. Em vez de escravo, João de Oliveira era um grande traficante de gente escravizada. E assim pretendia ser reconhecido na Bahia em 1770. Ao desembarcar na capital baiana, trazia consigo um navio negreiro em cujos porões viajavam 122 africanos cativos — 79 homens e 43 mulheres. Segundo escreveu em um requerimento, estava "decidido deixar aquela residência bárbara (na África) e transportar-se com seus escravos para esta cidade (de Salvador)", onde sonhava "passar o resto da vida entre os católicos, para assim morrer com todos os sacramentos da Igreja". Além da carga de escravos, acompanhavam-no quatro embaixadores do ologun (rei) de Onim (atual Lagos), que chegavam à Bahia com a missão de negociar com o governo colonial brasileiro facilidades no comércio de gente na região.

A reação inicial das autoridades não foi nada boa. Acusado de sonegação de impostos e de contrabandear tabaco baiano para traficantes franceses e ingleses, o que era proibido por lei, Oliveira foi preso e teve todos os seus bens sequestrados por ordem do provedor da Alfândega. Levaria meses para provar sua inocência. Os quatro embaixadores africanos, em vez de serem reconhecidos como tal, foram igualmente jogados no cárcere. Enquanto esperava julgamento, Oliveira começou a escrever sua história em um diário pessoal que se tornaria um dos documentos mais preciosos e surpreendentes de toda a história da escravidão. Por ele, sabe-se que esse homem de vida misteriosa foi, sucessivamente, escravo, senhor de escravos, negociante de escravos e, por fim, ex-escravo, cuja liberdade tinha sido adquirida exatamente com os lucros auferidos no comércio negreiro.

Segundo hipótese levantada pelo historiador e etnógrafo Pierre Verger, João de Oliveira teria nascido por volta de 1700 na atual Nigéria, em um local próximo à região em que, na primeira metade do século XVIII, se desdobraria a violenta guerra civil entre os reinos do Daomé e de Oió.[2] Ali teria sido capturado e vendido, ainda criança, para o capitão de um navio negreiro que seguia para Pernambuco. Ao chegar ao Recife, foi comprado por um casal e batizado com um nome cristão. Por volta de 1733, já adulto, mas ainda na condição de escravo, foi enviado de volta à Nigéria, aparentemente munido de recursos do seu proprietário, com a missão de comprar cativos em seu nome. "Desfrutava da completa confiança de seu dono", escreveu Pierre Verger. "Mandado de volta à costa da África, ainda escravo, em nenhum momento aproveitou-se da oportunidade para escapar. Ao contrário, enviou ao senhor, pelos navios negreiros do Recife, grande quantidade de escravos com o objetivo de conseguir reembolsar-lhe o valor de sua liberdade."

Em resumo: João de Oliveira passou a traficar escravos com o propósito de deixar de ser escravo. Seria com o envio de cativos africanos ao Brasil que ele compraria a própria alforria. Depois disso, passou os 37 anos seguintes no continente africano, ao longo dos quais prestou contas escrupulosamente ao seu antigo amo de todas as transações lá efetuadas. Sua fama de honesto, o apurado tino comercial e a capacidade de se comunicar de igual para igual com os chefes locais fornecedores de cativos acabariam por transformá-lo em um dos homens mais importantes do negócio negreiro na costa da África. Por conta própria, teria instalado dois novos embarcadouros de escravos destinados aos navios baianos. O primeiro, em Semé, teria começado a operar antes de 1758 e tomaria o nome de Porto Novo, na atual República do Benim. O segundo foi aberto por volta de 1765 na ilha onde ficava a cidade-estado de Onim, hoje Lagos, a maior cidade da Nigéria. Nesses locais, ele construiu barracões para abrigar os escravos e montou todos os serviços para vigiá-los, alimentá-los e conduzi-los de canoa para os navios.[3]

Era admirado e respeitado em toda aquela região, tanto pelos líderes africanos quanto pelos capitães de navios negreiros, que dele recebiam ajuda para completar com rapidez os negócios. Como tinha gente armada a seu serviço, João de Oliveira também os protegia contra assaltos ou eventuais desavenças com os fornecedores locais. Quando seu ex-amo faleceu e a viúva se viu necessitada, Oliveira passou a enviar-lhe socorro regularmente por intermédio de um dos comandantes negreiros que ali faziam negócios. Também mandava escravos como esmolas para diversas igrejas, irmandades e instituições religiosas. A capela maior da igreja de Nossa Senhora da Imaculada Conceição dos Militares, em Pernambuco, teria sido erguida graças a essas contribuições enviadas da África. Segundo o banco de dados Slavevoyages.org, entre 1750 e 1760, época em que João de Oliveira estava em ação na África, 54.558 escravos desembarcaram na Bahia vindos do Golfo do Benim.

Ao voltar ao Brasil, em 1770, Oliveira obviamente esperava receber honras e recompensas por todos esses serviços prestados em quase quatro décadas no continente africano. Em vez disso, foi pego de surpresa pela decisão das autoridades de prendê-lo e lhe confiscar os bens. No relatório que escreveu enquanto estava na cadeia pública de Salvador, contou em detalhes as suas atividades africanas. Disse ter sido sempre fiel aos interesses da Coroa portuguesa e da Igreja. Essa versão seria, finalmente, reconhecida pelas autoridades depois que dezoito renomados "homens de negócio", senhores de embarcações negreiras da Bahia, assinaram uma petição enaltecendo os préstimos realizados por Oliveira em prol da navegação portuguesa na Costa da Mina. Para os signatários, os serviços prestados por ele aos súditos da Coroa portuguesa superavam a falta alegada (sonegação de impostos e contrabando), merecendo, por isso, o perdão real e a restituição do seu patrimônio.

Segundo a historiadora Daniele Santos de Souza, o primeiro negociante a ratificar o abaixo-assinado em favor de João de Oliveira foi Antônio Cardoso dos Santos, "familiar do Santo Ofício" (pessoa que prestava serviços à Inquisição Portuguesa), tesoureiro-geral da Fazenda Real na capitania da Bahia e proprietário de várias embarcações que navegavam para a Costa da Mina desde o final da primeira metade do século XVIII. Ao encabeçar a lista, Santos conferiu credibilidade às alegações de Oliveira.[4] Graças a isso, depois de um mês na prisão, Oliveira foi, finalmente, solto e inocentado. Os bens confiscados lhe foram devolvidos, incluindo cem dos escravos que tinha trazido da África. Os demais 22 (10 homens e 12 mulheres) tinham morrido. Os embaixadores africanos, por sua vez, acabaram devolvidos à África sem ter a chance de expor as propostas que traziam do rei de Onim para as autoridades coloniais.

O tempo e os números se encarregariam de confirmar a importância da contribuição de João de Oliveira ao tráfico de escravos atestada no documento dos "homens de negócio" de Salvador. Em 1775, o governador da Bahia, Manuel da Cunha Meneses, reconhecia em carta a Lisboa que o porto de Semé (Porto Novo) era um dos mais modernos da Costa da Mina. Isso se devia, muito provavelmente, às obras realizadas por João de Oliveira. No mesmo ano, o rei africano de Hogbonu, onde situava-se Porto Novo, enviou uma carta à Bahia na qual se jactava de ter "um dos melhores [entrepostos] de negócio pela grande ocorrência que a ele vem de escravos". O soberano solicitava ainda que os baianos abandonassem o forte de Ajudá, então sob domínio do reino do Daomé, e concentrassem seus negócios em Porto Novo, por "serem muitos [os escravos] e por isso se comprarem por diminuto preço de rolos [de fumo]".

A "grande ocorrência de escravos" citada na carta do rei africano se devia ao farto e contínuo suprimento de cativos trazidos do interior pelo reino de Oió, que na época tinha Hogbonu entre seus estados vassalos. Porto Novo funcionava como entreposto para os produtos exportados por Oió, o que incluía não só os escravos, mas também os tecidos produzidos na Iorubalândia — região cultural que compreende partes dos atuais Togo, Nigéria e Benim —, que dali embarcavam para o Brasil, especialmente para a Bahia. Por essa razão, após uma investida daometana contra Porto Novo, Abiodun, rei de Oió, advertiu o Daomé de que Porto Novo era sua "cabaça", e somente a ele era permitido "comer" nela, indicando que aquele reino estava sob sua proteção.

Além da proteção de Oió, Porto Novo oferecia diversas outras vantagens aos traficantes negreiros, a começar por uma posição geográfica favorável, em área relativamente distante da influência do agressivo reino guerreiro do Daomé, que nessa época dominava o porto de Ajudá. Um intrincado sistema de lagoas o protegia de eventuais invasões inimigas. Ali, o tempo de espera para o carregamento de escravos era um terço mais curto do que em Ajudá — item fundamental nos cálculos dos negócios negreiros, uma vez que a demora na África significava também mais despesas com água, comida, suprimentos e segurança contra piratarias, rebeliões e fugas, além do risco representado pelas doenças tropicais que infestavam a região.

O fator mais decisivo, no entanto, era o próprio preço dos escravos. Entre 1757 e 1758, um cativo custava, em média, entre treze e dezesseis rolos de fumo baiano em Ajudá, enquanto em Porto Novo era ofertado por algo entre oito e doze rolos. Desse modo, em Porto Novo, desembolsando o mesmo valor em mercadorias, um capitão negreiro conseguiria adquirir um número de escravos cerca de 50% maior do que em Ajudá: até 375 por navio, contra 230 no porto daometano. Tudo isso fez com que, no fim do século XVIII, o entreposto fundado por João de Oliveira ultrapassasse Ajudá como o mais importante do

Golfo do Benim. Segundo estimativas, de Porto Novo saíram 37% dos escravos que deixaram o Golfo do Benim entre 1776 e 1800, ao passo que Ajudá exportou 29% desse total.

Na opinião do historiador Carlos da Silva Júnior (que reuniu os números do parágrafo anterior), a saga africana de João de Oliveira faz parte do mosaico de histórias de migrações de afro-brasileiros para o Golfo do Benim. "Escravos e libertos, africanos e crioulos, bem como traficantes de origem europeia, ajudaram a criar e sedimentar as comunidades atlânticas no Golfo do Benim durante e depois da era do tráfico", escreveu. "Essas comunidades transraciais e transétnicas emergiram no contexto do comércio de escravos, influenciando mutuamente as duas margens do Atlântico".[5]

Como se viu em um dos capítulos anteriores, os escravos compunham parte substancial das tripulações de navios negreiros que partiam do Brasil para buscar outros cativos na África. Nada menos do que 42% de todas as 350 embarcações negreiras vindas da África que atracaram no Rio de Janeiro entre 1795 e 1811 tinham escravos entre seus tripulantes, perfazendo um total superior a 2 mil marinheiros cativos — média de catorze por navio negreiro. Diversas fontes mencionam ainda ex-escravos estabelecidos na Costa da Mina no século XVIII, provavelmente em busca de oportunidades abertas pelo tráfico com o Brasil. Antes de João de Oliveira, no entanto, nunca se tinha ouvido falar de alguém que, ainda na condição de cativo, tivesse sido também traficante de escravos. Assim sendo, sua história funciona como uma janela através da qual é possível observar hoje novos e fascinantes aspectos da complexa história da escravidão no Brasil.

17. ÁFRICAS BRASILEIRAS

"Uns chegam ao Brasil muito rudes
e muito fechados e assim continuam por toda a vida.
Outros, em poucos anos saem ladinos e espertos."

ANDRÉ JOÃO ANTONIL, padre jesuíta,
descrevendo os africanos escravizados de
Salvador no início do século XVIII

EXISTEM MUITAS ÁFRICAS ESCONDIDAS no Brasil. Seus traços estão por toda parte, na dança, na música, no vocabulário e na culinária, nas crenças e nos costumes, na luta do dia a dia, na força, no semblante e no sorriso das pessoas. Estão também na paisagem e na arquitetura, cifradas na forma de símbolos e desenhos gravados nas paredes e fachadas das casas e dos casarões, nos altares e pinturas das igrejas, nos terreiros de umbanda e candomblé, nas pedras do cais junto ao mar, nos arcos das pontes, nos oratórios de pedra que emolduram as esquinas, nos mínimos detalhes de chafarizes e colunas. Algumas são misteriosas e, para enxergá-las, é preciso ter um olhar atento e, se possível, bem-informado a respeito dos seus significados.

Um desses enigmas emergiu das sombras em Ouro Preto, Minas Gerais, de forma repentina, em 2017, no sobrado da rua Direita, 134, a uma centena de metros da praça onde a cabeça de Joaquim José da Silva Xavier, o Tiradentes, herói da Inconfidência Mineira, ficou exposta no alto de um poste após sua execução, em 1792.[1] Ao reformar o porão do edifício, onde no século XVIII funcionou uma senzala, operários se depararam com uma série de figuras esculpidas com um instrumento pontiagudo sobre o reboco de uma parede até então parcialmente coberta por entulhos. Era um mural com cenas africanas. Do lado esquerdo, aparecem duas mulheres que se revezam no trabalho de socar grãos de cereais em um pilão. Diversas pessoas dançam no centro de uma aldeia murada. Mais abaixo, veem-se os contornos de dois animais, um pássaro e um leopardo. Os detalhes mais impressionantes estão à direita da gravura. São as velas, os mastros e o casco de um navio, com gente dentro, que navega na direção contrária à da aldeia.

A mensagem é óbvia: alguém está contando a história de uma travessia, da África para o Brasil, a bordo de um navio negreiro. "É, sem dúvida alguma, a jornada de uma pessoa que vivia numa aldeia e foi levada de barco para outra parte", afirma o advogado Angelo Oswaldo, ex-presidente do Instituto do Patrimônio Histórico e Artístico Nacional (Iphan) e quatro vezes prefeito de Ouro Preto.[2] "É como uma mensagem numa garrafa jogada no mar e no tempo, para que, um dia, no futuro, fosse encontrada", compara o empresário Philipe Passos, cuja família é dona do casarão. Em 2019, o Iphan iniciou estudos técnicos que poderão atestar a validade dessas opiniões. Se confirmadas, estariam entre as descobertas mais extraordinárias já feitas no estudo da história da escravidão no Brasil. Até agora, não se tinha conhecimento de nenhum outro registro dessa natureza no país.

Outro mistério de Ouro Preto, tão fascinante quanto o anterior, é apontado por Marcelo Hypólito, veterano guia local, enquanto conduz um grupo de visitantes pelos corredores laterais da igreja de Santa Efigênia, uma das joias do barroco colonial brasileiro e antiga sede da Irmandade de Nossa Senhora do Rosário dos Pretos da Capela da Cruz do Alto do Padre Faria. "Aqui está", diz ele, "um pedaço da África encravado no Brasil sob o disfarce de uma arquitetura católica e europeia". Em seguida, enumera os argumentos de sua fascinante hipótese:

1 – No corredor lateral esquerdo, sob o altar de santa Rita de Cássia, esculpido por Inácio Pinto de Lima, um retábulo em alto-relevo apresenta grafias de padrão curioso. São quatro sequências de quatro búzios. O total, dezesseis, é o número sagrado de um método de adivinhação chamado *erindinlogum*, feito com conchas marinhas pelos sacerdotes de Ifá, um importante oráculo africano. Um de seus praticantes no Brasil foi o historiador e etnógrafo Pierre Verger, que aprendeu os segredos do método na atual Nigéria, enquanto passava pelos rituais de iniciação que o transformariam em babalaô do candomblé da Bahia.[3]

2 – No mesmo espaço, em meio a conchas, caramujos, camarões, chifres e outros elementos da religiosidade africana, observa-se um leque de Oxum, um véu de Iansã e uma fita de Iemanjá com as ondulações das águas do mar, todos signos bem conhecidos no panteão dos orixás nagô/iorubá. "Observem bem", diz Marcelo. "Aqui, a mitologia africana emerge das águas, dentro de uma igreja católica."

3 – No lado oposto, junto ao altar de são Benedito, há um casco de tartaruga, um dos símbolos identificados com Xangô, o

orixá africano da justiça, do poder e da administração. Sobre o casco, três linhas paralelas horizontais parecem fazer referências às cicatrizes ou escarificações produzidas nos rituais iniciáticos do povo iorubá.

4 – Alguns passos adiante, na capela-mor, numa pintura de Manuel Rebelo de Souza, datada de 1768, há a representação de um papa negro com um barrete frígio vermelho na cabeça, uma alegoria revolucionária. Na época, o pontífice católico de Roma, Clemente XIII, nascido Carlo Rezzonico em Veneza, era branco, de olhos azuis, cabelos claros e bochechas rosadas. Na história da Igreja, há registros de apenas três papas nascidos no norte da África: Vítor (189-198), Melchíades (311-314) e Gelásio (492-496). Nenhum deles, porém, era negro. Quem seria o papa negro desenhado na igreja de Ouro Preto?

5 – Mais alguns passos, sob o altar de santo Antônio de Noto (também chamado de santo Antônio Categeró), um crucifixo encobre três ramos de pipoca em forma de vassourinha, conhecida no candomblé como xaxará de Omolu,[4] o orixá da varíola e das doenças contagiosas.

"Bem-vindos à África", conclui Marcelo. "Este é um pedaço da África. Quem construiu esta igreja sabia muito bem o que estava fazendo. E sua memória está aqui preservada nestes símbolos e enigmas."

A Igreja de Santa Efigênia está situada em um outeiro com uma ampla vista sobre o casario colonial que se derrama pelos vales e encostas das colinas de Ouro Preto. No primeiro plano, bem diante do templo, há uma grota profunda, onde, reza a lenda, teria vivido um personagem mítico: Chico Rei, um chefe do reino do Congo trazido ao Brasil como escravo em meados do século XVIII. Levado a ferros para Vila Rica, atual Ouro Preto, labutou na mineração de ouro por muitos anos, mas ali também aprendeu a desviar pepitas e minério em pó escondendo-os nos cabelos e outras partes do corpo. Graças a isso, conseguiu acumular uma poupança suficiente para comprar não apenas a própria liberdade como também a mina em que trabalhava. Rico e poderoso, passou então a alforriar todos os seus compatriotas, que o reconheciam como um rei africano. Por fim, associou-se à confraria do Rosário e financiou parte das obras da igreja de Santa Efigênia.

Chico rei existiu de fato? Aparentemente, não. Ele seria apenas uma lenda na história da escravidão no Brasil. Até hoje, não se comprovou sua existência em registros históricos.[5] Nada disso, na opinião de Marcelo Hypólito, impediria que, durante a construção da igreja, iniciada em 1733 e concluída 1785, houvesse em Ouro Preto uma liderança religiosa africana encarregada de orientar artistas e escultores no uso dos símbolos que hoje aparecem em seus detalhes arquitetônicos. Afinal, seus mestres carpinteiros e artesãos eram todos pretos ou pardos. O mais famoso deles foi Antônio Francisco Lisboa, o Aleijadinho, autor da imagem em pedra-sabão entronizada no pórtico do templo, e cujo pai, Manuel Francisco Lisboa, teria fornecido a madeira para a estrutura da construção.

Admitida a hipótese como válida, restariam algumas perguntas sem respostas: por que os mestres construtores de Santa Efigênia foram tão profícuos no uso de símbolos religiosos africanos? Com que objetivo? Pretendiam esconder, dentro de uma igreja católica, referências de cultos então proibidos pelas autoridades civis e eclesiásticas? Ou, em vez disso, queriam apenas embelezar o templo com as únicas referências estéticas que conheciam, trazidas da África? Em outras palavras, teria havido um certo "contrabando" artístico e religioso nesse local, ou os recursos decorativos seriam reflexo somente de um esforço sincero e ingênuo de criar beleza com base nos únicos conceitos que seus autores conheciam, nada tendo isso a ver com cultos secretos ou escondidos? O silêncio dos documentos históricos impede qualquer resposta, de modo que as perguntas continuarão a desafiar a imaginação dos visitantes de Santa Efigênia instigados pelas observações de Marcelo Hypólito.

Tanto quanto em Ouro Preto, a escravidão plantou muitas Áfricas no coração do Brasil. Elas germinaram e floresceram ao longo dos séculos, ao custo de muita dor e sofrimento. O cativeiro separava pais e filhos, maridos e esposas, famílias e comunidades inteiras que, na África, tinham convivido e compartilhado os mesmos costumes e crenças por muitas gerações. A identidade original do escravo era eliminada mediante um processo de desenraizamento, que o sociólogo Orlando Patterson chamou de "morte social".[6] Para trás ficavam seus laços familiares, convicções religiosas, status social e memórias coletivas. Mas nem por isso o escravo deixava de existir. O que restava dessa identidade estilhaçada pelo tráfico negreiro tinha de ser reconstruído na outra margem do oceano. O resultado foi a reconstrução de não apenas uma África no Brasil, mas de muitas Áfricas que, a rigor, nunca coexistiram no continente de origem dos escravos. "A escravidão não apenas divide", escreveu o sociólogo francês Roger Bastide. "Ela também une o que divide."[7]

O Brasil da escravidão foi, portanto, um território bem menos monocromático do que se imagina. Transplantados à força para o Novo Mundo, os africanos escravizados estavam longe de formar um grupo homogêneo e coeso. No fim do século XVIII, a população cativa já se desdobrava em um impressionante caleidoscópio de cores, etnias e identidades culturais. Alimentada por povos, línguas, costumes e experiências das mais diversas regiões do continente africano, uma nova África foi se construindo no Brasil, diferente de todas as outras que cruzaram o Atlântico a bordo dos navios negreiros. Essa mistura iria afetar os costumes, a língua, a arte, a culinária, a estética, as crenças e o modo de pensar e se expressar não apenas dos africanos, mas de todos os brasileiros, fossem eles portugueses, indígenas ou mestiços. Criava-se, desse modo, uma nova cultura, de fortes raízes africanas, mas diferente das que existiam originalmente na outra margem do Atlântico. "Só na América foi possível que pessoas vindas de Angola trabalhassem lado a lado com pessoas da Senegâmbia", observou o historiador John Thornton, fazendo referência a duas regiões que, no continente africano, estão situadas a mais de 4 mil quilômetros de distância, sem contato algum entre si. "Na África, isso jamais teria acontecido."[8]

Como já observado no livro anterior desta trilogia, esse processo de reconstrução começava ainda na travessia do oceano Atlântico rumo ao Brasil. A bordo dos navios negreiros, os sofrimentos eram compartilhados por pessoas de diferentes regiões, etnias e linhagens. Muitas delas jamais haviam se encontrado ou se relacionado na África. Outras eram até mesmo rivais entre si. Nada disso impediu que, submetidas à mesma experiência de dor, elas se aproximassem e criassem vínculos duradouros. No Brasil, esses novos companheiros de viagem eram chamados de malungos, palavra usada no idioma quimbundo de Angola para designar as correntes de ferro com que se prendiam os cativos. Segundo o historiador Luiz Felipe de Alencastro, era esse o primeiro laço de solidariedade — e de identidade — que unia os escravos recém-chegados.[9]

Uma vez desembarcados no Brasil, os malungos passavam a compartilhar hábitos e conhecimentos, de modo a recriar, com os retalhos da antiga identidade rompida, uma referência cultural inteiramente nova e até então improvável no ambiente africano.

Assim nasceram relações de amizade, compadrio e cumplicidade que, às vezes, perduravam a vida toda. E, desse modo, também garantiam a sobrevivência e a perpetuação daqueles que, do contrário, pelas regras da escravidão, estariam condenados a simplesmente desaparecer. "A evolução de um sentimento de identidade e comunidade entre os escravos foi essencial para sobreviverem como sociedade e como grupo", escreveram os historiadores Herbert S. Klein e Francisco Vidal Luna. "Eles formaram famílias, educaram seus filhos e adquiriram crenças que deram legitimidade às suas vidas. Contudo, boa parte dessa existência era controlada por terceiros."[10]

O antropólogo e historiador norte-americano Richard Price associa a escravidão a uma segunda descoberta da América, não mais pelos conquistadores europeus, mas pelos cativos africanos, obrigados a decifrar um novo ambiente, reinventar seus costumes e tradições, refazer seus laços sociais e de amizades, e reconstruir a própria identidade perdida na travessia do Atlântico. De certa forma, se poderia dizer que foi também uma reinvenção ou uma redescoberta da própria África nas Américas. Price chamou esse fenômeno de "criolização" do continente americano, o processo pelo qual pessoas, espécies botânicas e animais, ideais e instituições com raízes no mundo africano nasceram, cresceram e prosperaram na outra margem do Atlântico.[11]

Na opinião de Price, seria um erro acreditar que os escravos trouxeram para o Brasil as suas tradições intactas, passando a praticá-las na América com a mesma naturalidade como se estivessem na África. Engano equivalente seria afirmar que os cativos tivessem passado por uma espécie de lavagem cerebral, forçados a adotar a língua, os costumes, a religião e as tradições tipicamente portuguesas e com as quais não teriam qualquer intimidade. O correto seria imaginar um meio-termo, pelo qual a população escrava mudou, mas forçou o Brasil também a mudar.

ÁFRICAS BRASILEIRAS

Isso aconteceu particularmente nos quilombos e locais de refúgio, onde os africanos já não estavam sob a supervisão e o controle direto de seus donos europeus ou brasileiros, mas, ainda assim, ficavam expostos a um ambiente que lhes era desconhecido. Ali, tinham de aprender o uso de plantas comestíveis e medicinais, desenvolver novas técnicas agrícolas e de construção de casas, observar o comportamento dos animais para caçá-los com maior eficiência, identificar até mesmo novas divindades escondidas na natureza e com elas aprender a se relacionar na forma de cultos que foram se desenvolvendo no Brasil. Esse sistema de crenças guardava certa semelhança com as práticas ancestrais africanas, mas era diferente das originais. Ao estudar os saramakas, comunidades descendentes de quilombos no Suriname, uma antiga colônia holandesa, Price percebeu que essas transformações começaram logo após o desembarque dos cativos vindos da África, continuaram pelos séculos XIX e XX e ocorrem ainda hoje, num processo de construção e assimilação cultural que parece não ter fim.

Segundo o historiador brasileiro Eduardo França Paiva, o universo dos escravos e dos negros libertos foi essencialmente híbrido, tanto no que se refere à composição genética (a chamada mestiçagem ou miscigenação racial) quanto ao que diz respeito ao ambiente cultural. Na América Portuguesa, africanos, indígenas e europeus procuravam preservar seus espaços, práticas, crenças e costumes, tentando impedir que fossem invadidos ou adulterados pelo "outro". Enquanto isso, se misturavam e se adaptavam ao adotar elementos de outras culturas que julgavam úteis, oportunas, interessantes. Isso envolveu gastronomia, música, língua, conhecimento técnico, medicinal e mágico; gestos e atitudes diante do nascer, do viver e do morrer. "Apropriações houve de todas as partes envolvidas", escreveu França Paiva.

"Houve também imposições de valores e costumes, assim como resistências a mudanças."[12]

O resultado disso foi a riquíssima pluralidade do universo cultural da colônia, traço que permanece ainda hoje na identidade brasileira. Graças à contribuição africana, o Brasil é hoje um dos países com maior diversidade racial e cultural do mundo. Em 1964, o antropólogo americano Marvin Harris catalogou nada menos do que quarenta "tipos raciais" no Brasil, incluindo "preto, sarará, moreno claro, moreno escuro, mulato, morena, mulato claro, mulato escuro, negro, caboclo, escuro, cabo verde, claro, araçuaba roxo, amarelo, sarará escuro, cor de canela, preta clara, roxo claro, cor de cinta, vermelho, caboclo escuro, pardo, branco sarará, mambembe, branco caboclado, mulato sarará, gazula, cor de cinza claro, crioulo, moreno claro caboclado, mulato bem claro, branco mulato, roxo de cabelo bom, preto escuro e pelé".[13]

Provavelmente nenhum outro aspecto da civilização brasileira foi tão afetado pela presença africana quanto a própria língua portuguesa. Em um dos trechos mais inspirados do seu *Casa-grande & senzala*, ao tratar da africanização dos hábitos e costumes do Brasil colonial, incluindo o próprio idioma, o sociólogo pernambucano Gilberto Freyre perguntava:

> *Que brasileiro, pelo menos do Norte, sente algum exotismo em palavras como caçamba, canga, dengo, cafuné, lubambo, mulambo, caçula, quitute, mandinga, moleque, camundongo, munganga, cafajeste, quibebe, quengo, batuque, banzo, mucambo, banguê, bozô, mocotó, bunda, zumbi, vatapá, caruru, banzé, jiló, mucama, quindim, catinga, mugunzá, malungo, berimbau, tanga, cachimbo, candomblé? [...] São palavras que correspondem melhor que as portuguesas à nossa experiência, ao nosso paladar, aos nossos sentidos, às nossas emoções.*[14]

ÁFRICAS BRASILEIRAS

Durante o período colonial, um padre francês, Pierre Pelleprat, identificou treze diferentes línguas africanas faladas entre os cativos que chegavam à região do Caribe. Na América Espanhola eram usadas nada menos que 46 diferentes classificações raciais. No Brasil, as categorizações mais frequentes eram "negro boçal" — recém-chegado da África —; "negro ladino" — em geral, batizado na religião católica e falante da língua portuguesa —; "crioulo" — nascido no Brasil, de segunda ou terceira geração —; "mulato", "pardo", "cabra", "mestiço", "mameluco", "zambo", entre outras.

O jesuíta André João Antonil descrevia da seguinte forma a miríade de feições, origens e habilidades dos escravos que desembarcavam na Bahia no começo do século XVIII:

> *Os que vêm para o Brasil são ardas, minas, congos, de São Tomé, de Angola, Cabo Verde e alguns de Moçambique, que vêm nas naus da Índia. Os ardas e minas são robustos. Os de Cabo Verde e de São Tomé são mais fracos. Os de Angola, criados em Luanda, são mais capazes de aprender ofícios mecânicos que os das outras partes já nomeadas. Entre os congos há também alguns bastantemente industriosos e bons, não somente para o serviço da cama mas para as oficinas e para o meneio das casas. Uns chegam ao Brasil muito rudes e muito fechados e assim continuam por toda a vida. Outros, em poucos anos saem ladinos e espertos.*[15]

Um século mais tarde, o comerciante francês Louis-François de Tollenare, que esteve na Bahia entre 1817 e 1818, escrevia: "Os mais hábeis e convenientes para o serviço nas cidades são os negros de Angola; os Cabindas e Benguelas são dóceis e excelentes para o trabalho agrícola".

Opinião semelhante tinha Luiz dos Santos Vilhena, professor de grego em Salvador:

Quanto aos negros cativos, [...] os vindos da Costa da Mina são mais bem reputados que os vindos de Angola e Benguela e dizem ser melhor gente; eu, porém, acho que a preferência é por serem mais asseados e caprichosos; eles porém são ásperos e traidores; quanto aos de Benguela, são mais amoráveis e dóceis, e percebem e falam a nossa língua melhor e com mais facilidade.[16]

Essas múltiplas classificações raciais, em geral de cunho preconceituoso, criadas pelos colonizadores, se refletiam em tensões e rivalidades entre os próprios africanos e seus descendentes no Brasil, que não se viam como iguais nem aceitavam serem denominados da mesma maneira. No século XVIII, por exemplo, havia no Rio de Janeiro o segmento dos pardos, pessoas afrodescendentes mais bem posicionadas socialmente, organizadas em confrarias religiosas de grande prestígio, que procuravam se distanciar dos negros, em especial os recém-chegados da África, e se aproximar dos brancos, dos libertos ou mesmo dos escravos crioulos, ou seja, nascidos no Brasil.

A expressão "pardo", que ainda hoje figura nas categorias censitárias do Instituto Brasileiro de Geografia e Estatística (IBGE), teve diferentes significados no Brasil colonial. No século XVII era usado em São Paulo para designar indígenas escravizados ilegalmente. Nas regiões produtoras de açúcar do Nordeste, era sinônimo de mulato, descendente de brancos e negros. Em Minas Gerais, significava também escravo alforriado ou homem liberto nascido no Brasil, independentemente de ser ou não mestiço. Os pardos não escravos no Rio de Janeiro eram também chamados de "mulatos de capote" e gozavam de importância social superior aos negros e cativos, entre outras razões por se vestirem como os europeus. Muitos deles eram ourives, profissão de grande prestígio na época da corrida do ouro no Brasil.

ÁFRICAS BRASILEIRAS

Seriam os ourives os organizadores da primeira irmandade de pardos do Rio de Janeiro em meados do século XVII, sob a proteção de são Brás e os auspícios do Mosteiro Beneditino. Nas décadas seguintes, criariam outras três irmandades, a de Nossa Senhora do Amparo (na Igreja de São José); a de Nossa Senhora da Boa Morte (no Convento do Carmo); e a de Nossa Senhora da Conceição (na Igreja de São Sebastião, antiga Sé da cidade, situada no morro do Castelo).

Segundo a historiadora Hebe Maria Mattos de Castro, no Brasil escravista, a denominação "pardo" não indicava necessariamente uma cor específica de pele mais clara de mestiço, ou seja, uma nuance da cor do mulato.[17] Sugeria, em vez disso, a fronteira entre cativeiro e liberdade. Todo escravo descendente de homem branco era chamado de pardo. Assim como todo negro nascido livre, fosse negro ou não. Havia filhos de africanos, negros, que eram registrados como pardos. Nos processos e testamentos do século XIX pesquisados pela professora Hebe, "todas as testemunhas nascidas livres foram qualificadas como brancas ou pardas". Nenhuma negra, embora houvesse muitos negros livres em todo o país nessa época. Portanto, chamar alguém de "pardo" era o registro de uma diferenciação na hierarquia da sociedade colonial, assim como "crioulo" designava escravos negros nascidos no Brasil, enquanto "preto" se referia aos africanos. A classificação negro, por sua vez, hoje muito comum no Brasil, era mais rara e guardava, essa sim, um componente racial.

Nas irmandades religiosas do Rio de Janeiro, dava-se preferência ao uso do termo "pardo" em detrimento de "mulato", qualificativo, conforme observaram alguns historiadores, associado a atributos como preguiça, desonestidade, astúcia, arrogância e falta de confiabilidade — em resumo, moralmente inferior.[18] Eram, obviamente, estigmas criados pelos próprios brancos

261

colonizadores. "Os mulatos [...] são soberbos e viciosos, e prezam-se de valentes, aparelhados para qualquer desaforo", escrevia o jesuíta André João Antonil.[19] Já o professor Luiz dos Santos Vilhena afirmava: "Quase todos os mulatos ricos querem ser fidalgos, muito fofos e soberbos, e pouco amigos dos brancos e dos negros, sendo diferentes as causas". Segundo ele, mesmo os mulatos pobres eram "bastante atrevidos".[20]

Refletia-se, desse modo, no universo da escravidão — e entre os próprios negros e mestiços, cativos ou libertos — um dos estigmas mais profundos e antigos da cultura portuguesa, o da "impureza" de sangue. Leis canônicas e seculares exigiam que candidatos a determinadas funções públicas, títulos de nobreza ou cargos honoríficos, como o de cavalheiro das ordens militares, fossem submetidos a uma demorada e detalhada investigação para comprovar que tinham "sangue limpo". Ou seja, que entre os seus ascendentes não haveria qualquer pessoa portadora de "impureza" de sangue, originária do que então se definia como as "infectas nações", no caso judeus, mouros ou ciganos.

O primeiro estatuto de "pureza de sangue" de que se tem notícia foi decretado em 1449 na cidade espanhola de Toledo, em decisão régia na qual se estabelecia que judeus convertidos ao cristianismo estavam proibidos de ocupar cargos públicos ou servir de testemunhas em processos contra os cristãos. A norma se estendeu a Portugal depois de 1497, ano em que o rei dom Manuel I determinou o batismo forçado de todos os judeus habitantes do reino português. Muitos deles, conhecidos como "marranos", eram refugiados das perseguições desfechadas nas décadas anteriores pelos reis espanhóis.

Desse modo, dividiu-se o mundo ibérico (e escravista) em dois grupos distintos: os "cristãos-velhos", supostamente devotos convictos e sinceros; e os "cristãos-novos", vistos como falsos cristãos, praticantes da religião por mera conveniência, para

ÁFRICAS BRASILEIRAS

auferir oportunidades ou fugir das perseguições. Assim sendo, todos os títulos que envolvessem a noção de honra, caso das ordens militares, estariam reservados somente aos primeiros. Em agosto de 1671, uma ordem régia promulgada durante a regência de dom Pedro II de Portugal determinava que "toda pessoa antes de entrar em algum ofício, se lhe mandem fazer informações [...] procurando-se se tem parte de cristão-novo, mouro ou mulato [...] se é casado com mulher que tenha algum destes defeitos".

No século XVIII, do ponto de vista legal e institucional, o conceito de "impureza de sangue", herança da época da guerra contra os mouros e a conversão forçada dos judeus, já era considerado letra morta. Em maio de 1773, um decreto do marquês de Pombal aboliu todas as formas de discriminação entre "cristãos-velhos" e "cristãos-novos". A partir daquele momento, segundo dizia a lei, a única regra de impedimento para cargos públicos, títulos de nobreza e outras honrarias seria tão somente direcionada a pessoas que incorressem "no crime de lesa Majestade Divina ou humana e por eles serem sentenciadas ou condenadas". Traduzindo, somente os acusados e condenados de traição ou ofensas graves ao rei de Portugal. Mantinha-se, no entanto, firme em cena a outra forma de preconceito e exclusão: o "defeito de cor".

Como já se viu no primeiro volume desta trilogia, as constituições sinodais do arcebispado da Bahia, redigidas em 1707, decretavam que os candidatos à ordenação sacerdotal deviam ser, entre outras exigências, isentos de qualquer mácula, categoria que incluiria "judeu, mouro, mourisco, mulato, herético ou de outra alguma infecta nação reprovada". A pureza de sangue do seminarista tinha de ser provada por meio de inquérito judicial para apurar se pais e avós de ambos os lados estavam isentos das tais "máculas raciais". No caso da comprovação de algum "sangue defeituoso", seria possível obter uma licença especial do bispo local ou da Coroa portuguesa, o que, na prática, era muito frequente e demonstrado por uma boa quantidade de padres mulatos e mestiços no clero brasileiro.

Os estatutos da Ordem Terceira de São Francisco de Mariana, Minas Gerais, determinavam em 1763 que todo candidato à confraria teria de ser "de nascimento branco legítimo, sem quaisquer boato ou insinuação de sangue judeu, mourisco ou mulato, de carijó [índio] ou de qualquer outra raça contaminada, e o mesmo deverá acontecer com a mulher, se o homem for casado". Membros que, depois da entrada na Ordem, se casassem com uma mulher com sangue africano ou cristão-novo seriam sumariamente expulsos. Sua congênere em Vila Rica, instituída em 1765, proibia a admissão de "mulatos, judeus, mouros, hereges e seus descendentes até a quarta geração". A Irmandade do Carmo de Ouro Preto admitia somente irmãos de "sangue limpo, boa vida e costumes, e capazes de pagar a subscrição anual".

As noções de defeito ou pureza de sangue estavam de tal forma arraigada na cultura portuguesa que acabariam por também contaminar a maneira como os africanos e seus descendentes se identificavam no Brasil. Mestiços nascidos no Brasil de segunda e terceira gerações (os chamados crioulos) procuravam se associar ao universo dos brancos, onde supostamente teriam melhores oportunidades de ascensão social, adotando classificações raciais. Desse modo, delimitavam as fronteiras que os distanciavam de suas raízes africanas e da traumática experiência inicial do cativeiro.

A maior identificação dos "pardos" do Rio de Janeiro com os brancos do que com os negros ficava evidenciada nos "compromissos", ou seja, documentos fundadores, de suas irmandades religiosas. No estatuto da Irmandade de Nossa Senhora da Boa Morte, de 1720, ficava determinado logo no primeiro capítulo que a instituição admitiria apenas irmãos e irmãs "pardos legítimos" e "homens e mulheres brancas". "Negros" estavam

ÁFRICAS BRASILEIRAS

automaticamente excluídos. Quem não se enquadrasse em nenhuma dessas duas características poderia, excepcionalmente, ser admitido "por afeição ou peditório", desde que o juiz e os demais irmãos da mesa diretora concordassem.[21]

As tensões e rivalidades na população negra e mestiça às vezes opunham também cativos e libertos. Em 1761, os irmãos escravos da Irmandade da Boa Morte se consideravam discriminados e maltratados pelos seus confrades "pardos" e negros forros. Por isso, pediram formalmente providências às autoridades portuguesas. Em apelação dirigida ao Conselho Ultramarino, sediado em Lisboa, os suplicantes escravizados acusavam os libertos de os tratarem com "desprezo" e "petulância". Diziam que seus donativos estavam sendo desviados para fins diferentes do que deles se esperava. Desse modo, pediam à justiça do rei uma intervenção na irmandade e uma auditoria nos seus livros, para, desse modo, castigar os libertos perturbadores da paz.

Em algumas associações, havia restrições também em relação aos brancos. Nas irmandades dos pardos, os cargos de direção ficavam restritos exclusivamente aos "pardos legítimos", sem que os brancos a eles tivessem acesso. O compromisso de 1767 da Irmandade de Nossa Senhora da Conceição, situada na igreja do Hospício dos Pardos, aceitava que brancos participassem da mesa diretora, porém jamais teriam acesso aos postos de mais prestígio e responsabilidade, como os de escrivão, procurador e tesoureiro. A Irmandade de Nossa Senhora de Lampadosa, composta majoritariamente por negros, admitia como irmão "toda pessoa de qualquer qualidade", mas condenava a presença de "brancos" e "pardos" nos cargos de direção.

Em Salvador, escravos frequentavam irmandades de acordo com suas origens étnicas e geográficas na África.[22] As mulheres de origem nagô-iorubá (da atual Nigéria) se reuniam na Irmandade de Nossa Senhora da Boa Morte na Igreja da Barroquinha — atrás da qual nasceria, em terreno hoje ocupado por um estacionamento de carros, o primeiro terreiro de candomblé keto da capital baiana.[23] Os angolanos e congoleses formavam a Irmandade de Nossa Senhora do Rosário, na praça do Pelourinho. A de Nossa Senhora da Baixa dos Sapateiros admitia somente angolanos. Os jejes, por sua vez, se agrupavam na Irmandade de Nosso Senhor das Necessidades e da Redenção, na capela do Corpo Santo. Já os mulatos se distribuíam por diferentes irmandades, como a de Nosso Senhor da Cruz, na Igreja da Palma, e a de Nosso Senhor Bom Jesus da Paciência, na Igreja de São Paulo — e nas quais pouco se misturavam com escravos vindos da África. Na matriz da vila de Maragogipe, no Recôncavo Baiano, os pardos escravos se reuniam na Irmandade da Virgem de Guadalupe, enquanto os forros eram da Irmandade de Nossa Senhora do Amparo.

Na região diamantina de Minas Gerais, a irmandade de Nossa Senhora do Tijuco, composta por africanos escravizados, dividiu-se em duas depois que um grupo de crioulos se desligou para fundar uma confraria concorrente, a de Nossa Senhora das Mercês, que só aceitava negros nascidos no Brasil. Segundo o capítulo número dez do compromisso da Irmandade de Santo Elesbão e Santa Efigênia, no Rio de Janeiro, o ingresso era definido tanto pela cor da pele quanto pela origem étnica do candidato: "Sendo preto ou preta, primeiro examinarão com exata diligência a terra e a nação donde vieram", dizia o documento. Os que fossem oriundos da Costa da Mina, do Golfo do Benim, de Cabo Verde, da ilha de São Tomé e de Moçambique seriam imediatamente aceitos — "logo se fará assento nela dando de sua entrada quatro patacas", conforme especificava o artigo. Negros de outras regiões, caso de Angola e Congo, seriam submetidos a um escrutínio mais rigoroso, quando não vetados de imediato, a critério da mesa diretora da irmandade.[24]

18. O SAGRADO

O AMANHECER SOBRE O RIO PARAGUAÇU, no Recôncavo Baiano, lembra o sétimo dia da criação, o momento em que os elementos da natureza chegavam à plenitude e Deus, finalmente, descansou, segundo a descrição do livro do Gênesis. A paisagem parece imóvel, serena e encapsulada no tempo, enquanto os primeiros raios de sol se derramam sobre duas cidades gêmeas e vizinhas ainda adormecidas. No lado esquerdo do rio, está Cachoeira. Na margem oposta, São Félix. No século XVIII eram ambas movimentados centros do escravismo brasileiro, grandes produtores de tabaco, mercadoria muito valorizada no tráfico negreiro com o Golfo do Benim, como já se viu em capítulo anterior. Foram também cenário de importantes acontecimentos da Guerra da Independência na Bahia, entre 1822 e 1823. Em Cachoeira é realizada no dia 14 de agosto a festa de Nossa Senhora da Boa Morte, promovida por uma irmandade de mulheres descendentes de africanos escravizados e hoje guardiãs de uma tradição que remonta aos tempos da colônia. É um evento que mistura símbolos, tradições e práticas religiosas católicas e de matriz africana. Tão peculiar e genuíno que todo ano atrai inúmeros antropólogos, historiadores e outros estudiosos do Brasil e do exterior, interessados em decifrar e entender seus significados mais profundos.

Ali, ainda antes do raiar do dia, o silêncio é quebrado apenas pelo ritmo dos atabaques nos terreiros de candomblé. Marcam uma cadência ancestral, ecos de uma África plantada no coração do Brasil. Um desses locais de culto está situado no topo de uma colina, de onde se tem uma visão panorâmica das duas cidades coloniais. O *Humpame Ayono Huntoloji*, também conhecido como Alto da Levada, é um terreiro de tradição jeje-mahi, uma das etnias de povos escravizados falantes da língua ewe do antigo reino do Daomé, atual República do Benim.[1] Composto por um conjunto de casinhas brancas com portas azuis, o local nasceu de outros dois terreiros tradicionais da Bahia – o Bogun, de Salvador, e o Roça do Ventura, de Cachoeira. Funciona desde 1952. Sua fundadora, Luiza Franquelina da Rocha, a Gaiaku (mãe de santo) Luiza, é quase uma lenda na história da música popular brasileira. Foi ela, quando jovem vendedora de acarajé nas ruas de Salvador, a musa inspiradora do compositor Dorival Caymmi na canção "O que é que a baiana tem".[2]

Segundo Gaiaku Luiza relataria mais tarde, seu encontro com Dorival Caymmi ocorreu em uma das ruas centrais da capital baiana em meados de 1938. Aos 28 anos, ainda na flor da idade, mãe de uma filha, separada do marido e recém-iniciada no candomblé, ela vendia acarajé na frente do fórum da Misericórdia. Estava vestida com a típica indumentária baiana: camisa de crioula, anágua, saia rodada, chinelo enfeitado com arminho, lenço na cabeça, com suas pulseiras e contas. O compositor, então um jovem de apenas 24 anos, pediu para fotografá-la. No ano seguinte, Carmen Miranda, uma portuguesa branca disfarçada e estilizada de baiana para norte-americano ver, gravou a música, o primeiro sucesso internacional de Caymmi. A letra descrevia a maneira como Gaiaku Luiza se apresentava naquele dia, diante do seu tabuleiro de acarajé:

O que é que a baiana tem?
Tem torço de seda, tem!
Tem brincos de ouro, tem!
Corrente de ouro tem!
Tem pano da costa, tem!
Tem bata rendada, tem!
Pulseira de ouro tem!
Tem saia engomada, tem!
Sandália enfeitada tem!
Tem graça como ninguém.

A famosa foto de Gaiaku Luiza até recentemente podia ser encontrada em cartões postais vendidos nas barracas do Mercado Modelo de Salvador. Ela nunca mais teve a oportunidade de reencontrar Caymmi. Uma vez, no entanto, pouco antes de morrer, em 2005, criou coragem e telefonou para o compositor, àquela altura também idoso. Caymmi reagiu mal. O diálogo teria sido frustrante para ela. "Olha, a baiana de 1938 ainda está viva", arriscou Gaiaku Luiza. "Quem? A do acarajé?", respondeu Caymmi. E bateu o telefone. Morreria três anos depois dela, em 2008, aos 94 anos.

O *Humpame Ayono Huntoloji* está hoje sob responsabilidade da sobrinha de Gaiaku Luiza, Regina Maria da Rocha, a Gaiaku Regina, uma das mais respeitadas líderes espirituais da Bahia. Suas divindades, como nos demais terreiros de tradição jeje, são conhecidas como vuduns, mas nesse local também se manifestam e convivem de forma harmônica os orixás, nomenclatura das entidades cultuadas nos terreiros da linha iorubá (ou nagô) mais famosos na capital baiana, como Gantois, Afonjá e Casa Branca do Engenho Velho.

Em Cachoeira, os rituais em geral atravessam a noite ao som de atabaques e agogôs. Alguns são fechados, apenas para pessoas iniciadas nos conhecimentos, segredos e práticas do terreiro. As sessões públicas, abertas a qualquer visitante disposto a acompanhá-las com respeito e atenção, atraem centenas de moradores da região. A hierarquia é predominantemente feminina. As sacerdotisas são chamadas de forma geral de Hungbono, a depender do vodun para a qual foram iniciadas. Podem ser Donés, Gayakus, Naandojhis. Filhas de santo levam a denominação de vodunsis. Os homens sacerdotes, de Dotés. São elas e eles que incorporam as divindades, cada qual com suas cores e adereços, e zelam pelos voduns, tendo a prerrogativa de iniciação das neófitas. Os voduns e orixás entram no terreiro em fila, acompanhados pela gaiaku. Em seguida, postam-se ao fundo da sala, voltados para os visitantes que se dividem em duas alas: as mulheres sentam-se à direita; os homens, à esquerda da porta de entrada. O ritual começa ao primeiro toque do atabaque, espécie de convocação espiritual para que, um após o outro, os vuduns entrem no terreiro. Cada um tem seu próprio ritmo e sua própria dança. A de Nanã e Iemanjá é lenta e suave. A de Ogum e Xangô, atrevida e viril. As pessoas cantam e acompanham os passos batendo palmas. Ao final de cada performance, o orixá ou o vudum se dirige até o local dos atabaques e pede um novo toque e uma nova dança, desejo que é imediatamente interpretado por um dos responsáveis pelo terreiro e comunicado aos presentes. Para os visitantes não iniciados (como é o meu caso), são cenas de pura beleza e encantamento.

Em um terreiro de candomblé tudo é sagrado e mistério. O revestimento do chão, a posição das portas e janelas, as fitas que pendem do teto, as cores e os sons — tudo tem história e significado que transcendem o entendimento dos não iniciados. Até os atabaques são considerados, eles próprios, divindades. O som emitido pelo toque dos atabaques e agogôs "estabelece a comunicação com o mundo invisível das divindades", na definição do professor e historiador Luís Nicolau Parés, estudioso do tema. Segundo a explicação que Parés certa vez ouviu da Gaiaku Luiza, é por meio do vento que circula no interior dos atabaques na hora do toque que as divindades se manifestam.[3] A sequência de danças e batuques atravessa a noite, até os primeiros raios do sol, e termina com uma refeição coletiva. Todos os participantes — convidados e visitantes incluídos — compartilham a "comida de santo", base da tradicional culinária afro-brasileira da Bahia composta por alimentos preparados no dia anterior pelas vudunsis. A magia se desvanece assim que começa a clarear, quando os demais moradores de Cachoeira e São Félix estão acordando para suas rotinas de sempre em meio ao casario de telhas portuguesas e ruas calçadas de pedras coloniais.

As práticas religiosas estão entre as contribuições mais fundamentais dos africanos escravizados à cultura brasileira. Elas se expressam hoje em uma miríade de cultos de matriz africana, como o candomblé na Bahia, o xangô em Pernambuco, o tambor mina no Maranhão e a umbanda no Rio de Janeiro. Algumas se misturam com tradições indígenas, caso da pajelança, da jurema sagrada, do jarê e do caboclo. No âmbito católico, se perpetuam em festas, procissões e folias negras em cidades do interior do Brasil, muitas delas promovidas por irmandades religiosas fundadas ainda na época da escravidão. Fenômeno igualmente importante é o chamado sincretismo religioso, que resultou na associação entre santos católicos e divindades de matriz africana. Exemplo disso é o culto a são Jorge, o santo mais popular do Brasil, como se verá com mais detalhes no próximo capítulo. A popularidade de São Jorge no Brasil se deve à tradição católica portuguesa e de todo o restante da Europa, mas também à identificação de sua imagem com Ogum, o orixá abridor dos caminhos, senhor da guerra e do fogo, no candomblé e na umbanda do Rio de Janeiro, e com Oxóssi, caçador e senhor das matas nos terreiros da Bahia.

Escrita a partir do olhar eurocêntrico do colonizador branco, a história da escravidão e seu legado na atual civilização brasileira, incluindo as práticas religiosas, é repleta de preconceitos e mal-entendidos. Uma primeira interpretação errônea sobre a religiosidade negra e africana diz respeito à ideia, bastante generalizada até algum tempo atrás, de que os negros escravizados, ao chegarem ao Brasil, não se convertiam de fato ao catolicismo e, para se proteger, fingiam aceitar a nova religião imposta pelos senhores brancos enquanto continuavam a cultuar às escondidas divindades africanas por meio de imagens de santos católicos. Por esse ponto de vista, o sincretismo religioso seria apenas um disfarce para a continuidade de práticas religiosas de matrizes africanas que os brancos não viam com bons olhos e procuraram reprimir.

O historiador mineiro Eduardo França Paiva garante que nem sempre foi assim. Tampouco essa ideia poderia ser generalizada para todas as regiões e todo o período escravista.[4] Houve muitos africanos e mestiços que adotaram genuinamente a religião cristã e se tornaram devotos fervorosos. Houve também os que fizeram isso, mas não abandonaram, parcial ou integralmente, práticas religiosas africanas ou afro-brasileiras. Nesses casos, não julgavam esses cultos como antagônicos e não optaram pela exclusividade pregada na catequese durante muito tempo aceita e incorporada por aqueles que escreveram a história. No Brasil da escravidão, práticas católicas e tradições africanas, por vezes ligadas às crenças indígenas e, até mesmo, ao islamismo, se misturaram e se sobrepuseram, conviveram e coexistiram — como ainda acontece hoje. O etnógrafo e historiador Pierre Verger definiu o sincretismo como uma "tentativa inconsciente de aproximar, combinar e identificar o culto às divindades africanas com o dos santos do catolicismo". Na sua opinião, havia um apego sincero dos adeptos do candomblé e de outras práticas africanas ao catolicismo, especialmente entre as pessoas mais simples ou idosas.[5]

Igualmente errado seria acreditar que todos os negros africanos ou nascidos no Brasil, sem exceção, eram adeptos do candomblé, prática vista pelos colonizadores brancos como diabólica, oposta à doutrina cristã, como ainda hoje se prega em alguns círculos evangélicos fundamentalistas no Brasil. "Essa é outra dessas interpretações que se arrastam por séculos, fomentadas por visões etnocêntricas, preconceituosas, anacrônicas e equivocadas", observou Eduardo França Paiva. "O candomblé, como religião afro-brasileira que conhecemos atualmente, não existia na África nem no período colonial brasileiro. Os rituais e práticas religiosas que hoje se podem observar nos famosos terreiros baianos, ou em suas derivações na umbanda do Rio de Janeiro, são uma criação genuinamente brasileira a partir de heranças trazidas da África, como os batuques e calundus reprimidos pelas autoridades coloniais."

Ao contrário do que muitas pessoas imaginam, o culto aos orixás não era comum a todas as religiões africanas na época do tráfico de escravos para o Brasil.[6] Em vez disso, havia (e ainda há hoje) no continente africano numerosas religiões tradicionais e muito diversas entre si. Cada povo tinha a sua, com seus deuses, crenças e rituais próprios. Os orixás eram venerados somente pelos povos iorubás (ou iorubanos), também chamados na Bahia de nagôs. No "iorubo" (a "terra dos iorubás"), região situada entre as atuais repúblicas do Benim e da Nigéria, havia numerosas divindades cultuadas com essa denominação. Xangô, orixá do fogo e do trovão, por exemplo, era um rei ancestral divinizado de Oió (um dos reinos iorubás). Ogum, por sua vez, teria sido um ancestral da cidade-estado de Irê. Eram ambos arquétipos do culto aos mortos, ou ancestrais, predominante entre diversos povos da África. Na região do Daomé, atual República do Benim, essas entidades eram chamadas de vuduns — nome que se mantém ainda hoje nos terreiros de candomblé de tradição jeje-mahi na Bahia, como o de Cachoeira, aqui descrito, e os daometanos no Maranhão.

A maioria dos povos africanos, incluindo os iorubás, acreditavam num ente supremo (o Deus Altíssimo, na linguagem judaica e cristã; Olorum ou Mawu, na tradição de parte da costa ocidental da África), que, porém, estaria fora do alcance dos seres humanos e não interferiria em suas vidas. Quando aflitos ou em necessidade, os fiéis recorreriam a divindades mediadoras, como os ancestrais ou os espíritos da natureza, habitantes de um universo invisível, mas permanentemente ligado ao mundo dos homens, com a missão de zelar e cuidar deles. Caberia aos vivos invocar e fortalecer essas divindades por meio de sacrifícios, oferendas, danças, toques de atabaque e outros rituais. Era igualmente muito difundida entre os povos africanos a crença na possessão, pela qual as divindades e os antepassados poderiam "tomar posse" do corpo de seus fiéis — os filhos e filhas de santos, na linguagem do candomblé da Bahia de hoje, por exemplo.

Quando os adeptos desses diversos e diferentes cultos foram arrancados de suas raízes africanas e forçados a atravessar o Atlântico a bordo dos navios negreiros, seus deuses viajaram com eles. Ao chegarem ao Brasil e a outras regiões do continente americano, africanos escravizados de distintas regiões, que até então não se comunicavam e se desconheciam, se encontraram e passaram a conviver pela primeira vez. E também pela primeira vez tiveram contato com um panteão de divindades e rituais que até então ignoravam, mas com o qual logo se identificaram. O resultado foi o surgimento de um novo sistema de crenças, no qual, por exemplo, os orixás antes cultuados somente no iorubo foram aos poucos adotados por negros de outras "nações" e também por índios e portugueses que passaram a conviver com essas crenças. "Os saberes, cosmovisões e práticas rituais trazidos pelos africanos ao Brasil foram muito diversos e experimentaram contínuas transformações até se organizarem nas religiões 'afro-brasileiras' ou 'de matriz africana' que hoje conhecemos", resumiu o historiador Luis Nicolau Parés.[7]

Em meados do século xx, o sociólogo francês Roger Bastide encontrou em São Luís do Maranhão uma surpreendente mistura de crenças e rituais.[8] Em alguns terreiros, cultuavam-se simultaneamente o "caboclo", entidade espiritual de origem indígena, toda a galeria de orixás do candomblé iorubá (ou nagô), como Ogum e Xangô, misturada com divindades típicas do antigo reino do Daomé, como os vuduns Loko, Lisa e Abé, convivendo no mesmo altar com santos católicos, como santa Bárbara e a Virgem Maria. Bastide ouviu de um sacerdote do candomblé algumas explicações de por que essa mistura de crenças, cultos e divindades era algo natural para os africanos que chegavam ao Brasil a bordo dos navios negreiros — e ainda hoje continua natural para os praticantes de religiões afro-brasileiras. Na opinião desse sacerdote, tanto o catolicismo como as religiões de matriz africana acreditam, por exemplo, que cada pessoa tem um anjo da guarda. A diferença está em que, enquanto o católico apenas tem consciência desse fato, o africano conhece o nome específico do seu anjo, o orixá, guardião da sua cabeça.

Outra semelhança é que tanto os orixás africanos quanto os santos católicos foram personagens reais, que em algum momento do passado tiveram uma existência real, viveram na Terra. A discrepância, nesse caso, está no fato de a Igreja Católica ter um processo formal de canonização dos santos, enquanto os orixás se manifestam e são espontaneamente reconhecidos nos terreiros pelos praticantes do candomblé. Ambas as religiões têm a ver com o culto aos mortos, ou aos antepassados. No catolicismo, por fim, a Virgem Maria e os santos são intercessores, ou seja, mediadores entre os fiéis e Deus. Na cosmologia africana, os orixás e voduns têm função similar, como mediadores entre os homens e Olorum, o deus supremo masculino dos nagôs/iorubás, ou Mawu, divindade feminina para os jeje-mahis.

Ao chegar ao Brasil, observou Bastide, os africanos escravizados se depararam com formas muito populares de catolicismo, cujos fiéis, desde a Idade Média na Europa, tinham o hábito de fazer "orações fortes" para determinados santos em busca de cura de doenças ou da solução de problemas específicos. O uso de medalhinhas, santinhos e escapulários era disseminado. As capelas coloniais estavam repletas de ex-votos, ali depositados no pagamento de promessas relacionadas à cura de algumas enfermidades ou deficiências físicas. Havia, desse modo, um poderoso universo mágico com o qual os praticantes dessas religiões já estavam acostumados na África mediante o uso de mandingas, amuletos, balangandãs, figas, e rezas e invocações igualmente "fortes" de suas divindades. O catolicismo das irmandades religiosas, portanto, com o qual os escravos se identificaram não era o da alta e complexa teologia de santo Agostinho ou santo Tomás de Aquino, mas um sistema de crenças herdado dos camponeses medievais, repleto de superstições e práticas que eram apenas toleradas pelo cânone da Igreja.

Esse processo de adaptação e mistura envolveu não apenas as crenças de origem africana, mas também as de raiz europeia, caso do catolicismo, que no Brasil acabou sendo profundamente afetado e transformado pelas influências herdadas da escravidão negra. Daí se desenvolveu o chamado sincretismo religioso. Segundo o jornalista e pesquisador José Ramos Tinhorão, a associação entre santos católicos e divindades africanas é mais antiga do que a própria história da escravidão no Brasil. Teria iniciado ainda em Portugal muito antes da chegada da esquadra de Pedro Álvares Cabral à Bahia.

O primeiro registro do culto a são Jorge em Lisboa é de 1387, ano em que sua imagem passou a sair na Procissão do Cor-

O SAGRADO

po de Deus sob o estandarte dos espadeiros (fabricantes de espadas), serralheiros, ferreiros, ferradores, latoeiros, fundidores de ferro e cobre, profissões que incluíam muitos negros africanos.[9] No Rio de Janeiro, o primeiro estatuto da Irmandade de são Jorge data de 1757 e reunia igualmente mestres dos ofícios de ferro e fogo, como ferreiros e tanoeiros, também associados no candomblé à imagem de Ogum. Além de são Jorge, o Brasil escravista se caracterizou por uma notável difusão de santos negros ou mestiços.[10] Por essa perspectiva, como já se viu em um dos capítulos anteriores, não seria por acaso que a padroeira do Brasil, Nossa Senhora da Conceição Aparecida, fosse uma santa negra — a mesma cor da pele da maioria dos brasileiros que a cultuam. E todos esses santos compõem o rico panteão do nosso sincretismo, venerados tanto em templos católicos quanto em terreiros e outros locais onde são praticadas religiões de matriz africana.

São Benedito (Ossaim, orixá da cura na umbanda), teria nascido em 1524 na aldeia italiana de são Fratello, província de Messina, e servido como cozinheiro, despenseiro e guardião do convento de Palermo, capital da Sicília. Sua devoção entre os escravos e negros brasileiros teria começado antes ainda de sua canonização pela Igreja, em 1807. Santa Bárbara (Iansã, orixá dos relâmpagos, trovões e das tempestades no candomblé) nasceu em Nicomédia, atual Turquia, no final do século III. Por se recusar a abrir mão da própria virgindade, teve os seios decepados e foi degolada pelo próprio pai, Dióscorus. Durante o martírio, um relâmpago atravessou o céu, seguido de um forte trovão que fez Dióscorus cair por terra sem vida. A oração de santa Bárbara/Iansã, recitada ainda hoje, todos os dias, por grande parte da população afro-brasileira, ressoa os sofrimentos, os desejos e a atitude de resistência diante dos perigos e da opressão da época do cativeiro:

*Santa Bárbara, que sois mais forte do que as torres das for-
talezas e a violência dos furacões, fazei que os raios não me
atinjam, os trovões não me assustem e o troar dos canhões
não me abalem a coragem e a bravura. Ficai sempre ao meu
lado para que possa enfrentar de fronte erguida e rosto sere-
no todas as tempestades e batalhas de minha vida.*

Outra personagem importante da religiosidade afro-brasileira, santa Efigênia (Mawu, o princípio feminino da divindade
criadora, correspondente à Lua, nos cultos de tradição jeje), foi
princesa da Núbia, reino negro ao sul do Egito. Teria se convertido ao cristianismo ao ser batizada pelo apóstolo e evangelista Mateus, ainda no primeiro século. Fundou um convento, onde viveu
até a morte. Santo Elesbão (Lissa, ou Lisá, o princípio masculino,
grande pai e protetor de todos) foi, segundo a tradição, o 46º neto
do rei Salomão e da rainha de Sabá. Teria ocupado o trono de imperador da Etiópia no século VI, período em que expandiu os domínios cristãos entre a Núbia e o mar Vermelho. Por fim, santo
Antônio de Categeró (Exú, orixá que domina as encruzilhadas e
abre caminhos, também sincretizado com são Pedro e santo Antônio de Lisboa) viria de uma família muçulmana da Guiné. Filho
de pais mouros e vendido como escravo para a Sicília, converteu-
-se ao cristianismo e adotou seu nome em homenagem a santo
Antônio de Lisboa. Mais tarde, já alforriado, tornou-se irmão da
Ordem Terceira de São Francisco. Morreu em 1549.

No Brasil colonial, cada um desses santos tinha sua própria irmandade, composta por pessoas, escravizadas ou libertas,
descendentes de africanos — tema do capítulo a seguir.

19. IRMÃOS, REIS E RAINHAS

A IGREJA DE SÃO GONÇALO GARCIA E SÃO JORGE, no Rio de Janeiro, é local de cenas comoventes da religiosidade negra e popular do Brasil. Situada na rua da Alfândega, esquina com a Praça da República, é vizinha de um dos maiores centros de comércio popular do país, o Saara, composto de 1.200 lojas que se espalham por onze ruas e mais uma infinidade de vendedores ambulantes que oferecem roupas, brinquedos, decoração natalina, fantasias de carnaval, copos e talheres, vasos de vidro e plástico, aparelhos eletrônicos e outras mercadorias baratas fabricadas na China. Saara é a sigla de Sociedade de Amigos das Adjacências da rua da Alfândega, uma associação formada em 1962 pelos comerciantes da área. Diariamente, por ali passam cerca de meio milhão de pessoas. O alarido dos frequentadores e as vozes nos alto-falantes que anunciam as promoções podem ser ouvidos a grande distância. Dentro da igreja, no entanto, tudo é silêncio e introspecção. Homens e mulheres de pele negra, cabelos grisalhos e semblante cansado se ajoelham na penumbra, de mãos postas e olhar contrito diante do altar e das imagens. Buscam um momento de paz e oração ao abrigo do trânsito caótico e da balbúrdia das ruas vizinhas. Antes de partir, às vezes com lágrimas nos olhos, depositam flores e bilhetes com pedidos e agradecimentos aos pés dos santos.

As paredes dessa igreja guardam também uma emocionante história de solidariedade entre negros, escravizados ou libertos, ocorrida no Rio de Janeiro do século XIX. Em 1850, a Irmandade de São Jorge, responsável pela manutenção de um templo vizinho, existente desde 1741 na esquina das atuais ruas Gonçalves Ledo e Luís de Camões, entrou em crise. O edifício encontrava-se em estado precário de conservação, ameaçando desabar. Diante dos riscos, a Irmandade de São Jorge pediu abrigo temporário à sua congênere de são Gonçalo, enquanto seus membros tentavam angariar recursos para a restauração do prédio. O dinheiro nunca chegou e, em 1855, a Igreja de São Jorge foi demolida e seus terrenos, vendidos. Coube à Irmandade de São Gonçalo abrigar definitivamente a imagem de são Jorge, que ainda hoje lá se encontra, numa capela lateral. Reunidas sob um mesmo teto, as duas irmandades mudaram de nome para Venerável Confraria dos Gloriosos Mártires São Gonçalo Garcia e São Jorge, que hoje conta com cerca de 7 mil irmãs e irmãos, quase todos descendentes de africanos.

São Gonçalo Garcia era frade franciscano. Nascido em 1556 na cidade de Baçaim, na Índia (atual Vasai-Virar), filho de um português e uma mulher hindu, sofreu martírio no Japão, em 1597. Vinte anos depois, em 1627, foi beatificado pelo papa Urbano VIII, estágio anterior à canonização que só ocorreria em 1862, pelo papa Pio IX. Sua iconografia mostra um jovem trespassado por duas lanças e com a ponta da orelha esquerda cortada. Devido ao tom escuro da pele, foi rapidamente adotado como santo de devoção pelos negros escravizados que chegavam ao Brasil. São Jorge, por sua vez, era soldado romano. Nasceu na Capadócia, na atual Turquia, entre os anos 275 e 280. Teria sido martirizado no dia 23 de abril de 303, ainda muito jovem, a mando do imperador Diocleciano, depois de se recusar, sob excruciantes torturas, a renegar sua fé cristã. Foi canonizado no ano de 494, pelo papa Gelásio, e logo sua popularidade se espalhou pelo mundo. No tempo das Cruzadas foi proclamado protetor da cavalaria. O Sínodo de Oxford, no ano de 1220, o declarou padroeiro da Inglaterra, de onde sua devoção teria chegado a Portugal. Sua ajuda teria sido fundamental na vitória lusitana contra os espanhóis da Batalha de Aljubarrota, em 14 de agosto de 1385, na qual o rei dom João I teria iniciado a ofensiva com o grito de "Avante! Avante! São Jorge e Portugal!", brado que a partir de então seria repetido pelos guerreiros portugueses em todos os grandes enfrentamentos militares.

O templo desses dois santos no Rio de Janeiro é elegante e sóbrio. A porta principal, de frontispício largo, está voltada para a rua da Alfândega. Acima, quatro pequenas janelas se abrem para o coro e para a torre retangular, com quatro sinos, tendo uma cruz no alto. Em 1901, num dia de forte tempestade, uma faísca elétrica atingiu a torre danificando os três sinos, inclusive o maior, que viera de Portugal, em 1820. Mandados para restauração, os dois menores readquiriram o som original. O outro, nunca mais funcionou, mas ainda é ali conservado como relíquia. Os altares, em número de seis, são todos de gesso, com nichos onde se veem as imagens de dezoito diferentes santos, incluindo uma de Nossa Senhora de Luján, que veio especialmente da Argentina para ser venerada naquela igreja. Na capela-mor, localizada na lateral esquerda do templo, foi colocada a estátua de são Jorge. À direita ficou são Gonçalo Garcia. No centro está Nossa Senhora da Conceição — padroeira oficial das duas confrarias. Em posição mais elevada aparece o Cristo crucificado e o símbolo do Espírito Santo.

A imagem de são Jorge impressiona pelo tamanho e pelos detalhes. Está sobre um cavalo esculpido em madeira, pintado de branco. No braço esquerdo traz um escudo de prata com uma cruz vermelha no centro. No direito, uma lança e um estandarte branco emoldurado por uma cruz vermelha. O olhar é penetrante e corajoso. Na cabeça, sobre o elmo de metal, plumas brancas com listras vermelhas dão a impressão de serem raios que se projetam em direção ao teto. O conjunto todo pesa quase meia tonelada. Sua festa é tradicional no Rio de Janeiro. No dia 23 de abril de cada ano, grandes multidões de devotos se comprimem dentro do templo e nas suas imediações. Por vezes, torna-se necessária até a intervenção da polícia para manter a ordem e obrigar os fiéis a se colocarem em fila para passar diante do altar do santo guerreiro. É um acontecimento em que tomam parte pessoas de todas as classes sociais, das mais abastadas às mais humildes.

As irmandades religiosas negras eram agremiações leigas, organizadas em torno da devoção de um santo padroeiro, com regras aprovadas pelas autoridades eclesiásticas. Chamadas no Brasil colonial de "fraternidades de homens pretos e pardos", funcionavam nos mesmos moldes de suas congêneres de pessoas brancas — caso da prestigiada Ordem Terceira de São Francisco.[1] Entre o final do século XVIII e o início do século XIX, pelo menos 80% da população negra ou mestiça da Bahia estava ligada a uma das muitas irmandades existentes na região. Cada instituição tinha uma mesa dirigente eleita por seus membros (ou irmãos), com responsabilidade para administrar os recursos e atividades. Os cargos imitavam a nomenclatura da organização do Estado português: rei, rainha, juiz, procurador, escrivão e tesoureiro, além de diversas funções honoríficas.

A mais popular de todas as irmandades entre negros cativos e libertos, a de Nossa Senhora do Rosário, esteve presente em todas as vilas, distritos e paróquias onde houve escravidão no Brasil. As mais antigas seriam as do Rio de Janeiro, de 1639;

IRMÃOS, REIS E RAINHAS

de Belém, de 1682; e da Bahia, de 1685. Por volta de 1720, era a maior organização entre os 52 tipos de irmandades registradas na capitania de Minas Gerais. Entre 1748 e 1819, de um total de 984 pessoas que tiveram funções na mesa diretora da Irmandade do Rosário de Mariana, 303 eram escravas. Dos 273 membros cuja origem é conhecida, 88% eram africanos.[2] No arraial de Tijuco (Diamantina) todos os anos a Irmandade do Rosário elegia um rei e uma rainha.

O culto à Nossa Senhora do Rosário viria do hábito medieval de oferecer rosas a Maria, mãe de Jesus. Com o tempo, as flores seriam substituídas, de forma simbólica, pelas contas do rosário ou do terço. Após a Batalha de Lepanto, que em 1571 colocou fim ao domínio turco no Mediterrâneo, Nossa Senhora do Rosário foi declarada padroeira das novas conquistas — o que, supostamente, incluía os povos escravizados da África, onde o culto teria chegado pelas mãos dos padres dominicanos.[3] Da mesma forma, todas as demais irmandades religiosas do Brasil colonial tinham suas raízes na Europa da Idade Média.[4] As primeiras agremiações desse gênero são do século XII, época em que a Europa ainda estava empenhada nas cruzadas contra os muçulmanos. A Confraria de Nossa Senhora do Rosário dos Homens Pretos de Lisboa, a mais antiga associação religiosa de negros em Portugal, sediada no Mosteiro de São Domingos, foi criada ainda no século XV, por volta de 1460, e aparece citada em um alvará de dom Manuel I de 14 de junho de 1496, quatro anos antes da chegada de Cabral ao Brasil. Tinha um fundo de contribuições de amparo mútuo, destinado a obter a alforria de seus membros e oferecer-lhes um sepultamento condigno. Seu primeiro compromisso, com 28 capítulos, foi redigido em 1565.

O documento inspirava-se nos estatutos da Santa Casa de Misericórdia de Lisboa, que, segundo a historiadora Larissa Viana, seria considerado o texto de referência para a normatização das atividades leigas em todo o império colonial português, adotado, portanto, também no Brasil.[5] O capítulo sétimo dizia que nenhum escravo poderia "ser oficial nem ter mando na confraria", proibição que também se estendia a "mourisco branco", "mulato" e "índio", donde se conclui que só negros livres poderiam ter acesso aos cargos de direção da confraria e, ainda assim, com uma importante ressalva: o cargo de escrivão deveria ser designado entre candidatos "brancos" e de "reconhecida nobreza". O mesmo capítulo afirmava ainda que os irmãos, escravos ou livres, estavam "contentes que o nosso escrivão nos mande e encaminhe, ao que lhe obedeceremos em tudo que nos ordenar e ao reverendo prior de São Domingos, a quem estamos sujeitos". Em outras palavras, as autoridades portuguesas aceitavam que negros, mulatos e índios se reunissem em uma associação religiosa, desde que o controle sobre suas atividades ficasse exclusivamente em mãos dos brancos e de uma autoridade eclesiástica.

Em 1719, nada menos do que 143 irmandades participaram da festa e procissão do Corpo de Deus (*Corpus Christi*) em Lisboa. À frente de todas elas ia a Irmandade de São Jorge. Atrás vinham as demais confrarias de ofícios, como a de São José dos Carpinteiros, a de Santa Catarina dos Livreiros, a de Santo Elói dos Ourives de Ouro, a de Santa Ana dos Tanoeiros e a de São Marçal dos Pasteleiros. No mesmo cortejo, desfilaram três "irmandades de pretos": a de Nossa Senhora do Rosário, a de São Benedito, e a de Jesus, Maria e José.

Na América Portuguesa, essas entidades leigas ajudavam a levar assistência religiosa e espiritual às regiões mais longínquas e preencher os espaços vazios de um imenso território ainda virgem, de dimensões continentais, em que nem sempre a hierarquia formal da igreja podia estar presente. Em meados do século XVIII, havia apenas sete dioceses em todo o Brasil, sediadas em Salvador, Rio de Janeiro, São Paulo, Belém, Mariana, São Luís e

Olinda. Algumas décadas mais tarde, já no fim do período colonial, as paróquias não chegavam a seiscentas, sendo responsáveis por zelar pelas almas de cerca de 3 milhões de brasileiros — sem contar os "índios arredios", que não entravam nas estatísticas. Atentas à importância das organizações leigas, em 1765 a Coroa portuguesa determinou que os compromissos (estatutos) de todas as irmandades existentes em seus domínios fossem previamente aprovados pela Mesa de Consciência e Ordens, em Lisboa.

As irmandades prestavam auxílio aos seus membros de diversas maneiras: promoviam coleta de fundos para a compra de alforria; forneciam ajuda financeira, material e espiritual em momentos de dificuldades pessoais ou familiares; promoviam cerimônias de enterro dos mortos, encomendavam missas pelas almas dos falecidos, davam assistência aos doentes e apoio a causas legais. Também organizavam um calendário de rituais e atividades, que incluía procissões no dia do santo padroeiro e, em alguns casos, a eleição de reis e rainhas negros. Em determinadas ocasiões, como as festas do Corpo de Deus, que anualmente reuniam todas as autoridades civis e eclesiásticas da colônia, as fraternidades participavam dos cortejos em posições predeterminadas segundo a antiguidade e a hierarquia das diversas instituições envolvidas nos eventos. Dessa maneira, envolviam-se ativamente na vida política de suas comunidades e, nessa condição, eram reconhecidas por todos — brancos, negros, escravos ou pessoas livres.

O *Almanaque histórico da Cidade de São Sebastião do Rio de Janeiro,* de 1799, prescrevia 21 datas ao longo do ano considerados "dias de gala", feriados nos quais as irmandades deveriam participar de festas e procissões públicas. Onze deles eram dedicados à comemoração de aniversários da Casa Real. Outras datas eram festividades litúrgicas, ou de caráter cívico-religioso, que comemoravam, por exemplo, o Vinte de Janeiro, dia de são Sebastião, padroeiro da cidade (e associado no candomblé e na umbanda do Rio de Janeiro ao orixá Oxóssi). As procissões e festas eram organizadas mediante a rigorosa prescrição de duração, roteiro e a precedência de cada irmandade, instituições, autoridades e pessoas segundo a hierarquia social vigente.

A Procissão das Cinzas, no início da Quaresma, por exemplo, era composta por diversos andores, várias figuras de anjos e virgens, acompanhadas por devotos que carregavam tochas. O cortejo saía do Convento de Santo Antônio, atravessava o Largo da Carioca e percorria as principais ruas do centro da cidade, detendo-se diante das muitas igrejas ali existentes. À frente saiam o juiz da irmandade, de posse de uma vara ou bastão, símbolo do poder e da autoridade máxima na instituição, e o capelão. Em seguida vinham o santo e a cruz, transportados pelos irmãos, vestidos com seus respectivos chapéus, capas e fardas. O cortejo levava ainda a bandeira com as insígnias da irmandade, os estandartes, e as demais "alfaias", ou seja, faixas, plumas, enfeites, estampas, andores e outros símbolos. Nas grandes procissões, cada irmandade ocupava um lugar predeterminado, mas havia também posições previamente definidas dentro das próprias alas, indicando que existia uma hierarquia social bem demarcada dentro dessas instituições.

Desse modo, a Igreja provia um inestimável ambiente de sobrevivência e socialização que, de outro modo, jamais estaria disponível aos homens e mulheres escravizados. Na opinião do historiador norte-americano Donald Ramos, as irmandades refletiam a habilidade do catolicismo português em criar mecanismos capazes de canalizar para atividades não violentas alguns dos conflitos inerentes à sociedade escravista.[6] Sancionadas tanto pela Igreja quanto pela Coroa portuguesa, serviam para dar a seus membros um sentimento de identidade e orgulho, o que era

IRMÃOS, REIS E RAINHAS

também a antítese dos objetivos da escravidão, que buscava desumanizar aqueles mantidos em cativeiro. Isso incluía uma certa competição por espaços, pompa e rituais que disfarçava as tensões do sistema escravista, exemplificada nessa frase de frei Agostinho de Santa Maria, em 1721, ao descrever as festas da Irmandade de Nossa Senhora do Rosário dos Pretos em Minas Gerais e no Rio de Janeiro: "Fazem os pretos a sua festa com muita grandeza; porque em nada se querem mostrar inferiores aos mais, e ainda aos brancos".

Em Minas Gerais, as irmandades eram parte da nova cultura urbana regional nascida da corrida do ouro e dos diamantes na qual brancos e negros, escravos e libertos se encontravam ou confraternizavam nas procissões, missas, festas e rituais religiosos que marcavam a vida na colônia. Eram funções das irmandades se responsabilizar pela construção da maioria das igrejas, organizar suas festas religiosas e patrocinar o trabalho dos famosos músicos, compositores, escultores e arquitetos que marcaram a exuberância das formas do barroco mineiro. A igreja era, portanto, o espaço em que os opostos — o escravizador e o escravizado, o opressor e o oprimido, o dono e a propriedade — se encontravam e conviviam. No final das contas, porém, a maior vantagem estava do lado dos senhores. "O escravo podia encontrar seu lugar dentro da Igreja, mas somente ao preço de aceitar pelo menos parte da religião que era a principal correia de transmissão da cultura luso-brasileira dominante", escreveu Donald Ramos.

Uma das funções das irmandades era permitir o desenvolvimento de lideranças entre os escravos e a população negra, porém dentro de certos limites estabelecidos e aceitáveis para as autoridades coloniais. Como já se viu anteriormente neste capítulo, escravos eram eleitos para as mesas diretoras e, em casos mais raros, chegavam até a ocupar cargos de juízes em instituições que também aceitavam brancos. A eleição para uma posição de liderança elevava o cativo a uma marca de distinção, diferente daquela ocupada por ele no dia a dia da sociedade escravista, em que os brancos tinham todo o mando e poder. "Era como um mundo virado de ponta-cabeça", na definição de Donald Ramos. Na prática, tudo se resumia ao universo simbólico. Na vida real, negros e mulatos eram impedidos de ocupar determinados cargos públicos, ingressar em seminários e ordens religiosas, e alçar a outros papéis de destaque na sociedade, segundo as leis portuguesas que exigiam exame de "pureza de sangue" e pelas quais judeus, indígenas e pessoas de ascendência africana estavam automaticamente excluídos.

Uma demonstração de como as irmandades funcionavam como instrumentos de ordem e estabilidade dentro do sistema escravista está registrado no capítulo quatro do estatuto da Irmandade de Nossa Senhora dos Remédios, fundada em 1788 no Rio de Janeiro. O documento previa que, depois de uma generosa contribuição inicial aos cofres da entidade, haveria um rigoroso escrutínio da vida pregressa de seus novos membros. Os de boa vida pregressa seriam imediatamente aceitos. Os demais seriam excluídos sem direito a apelação: "Se o novo irmão notoriamente constar que é preto de péssimos costumes, vicioso, infame, ou que usa de feitiçarias e superstições, de nenhuma sorte o aceitará o procurador". O compromisso da Irmandade de Santo Elesbão e Santa Efigênia também vetava "pretos irmãos revoltosos inimigos da paz [...] que usem de abusos e gentilismo ou superstições". Estes, segundo o documento, deveriam ser expulsos para "nunca serem mais admitidos e se fará disto termo para que a todo tempo conste".[7]

Nem sempre a proposta de criação de uma nova irmandade era bem-vinda. As autoridades temiam que, uma vez abrigados oficialmente sob essas instituições, os negros ocupassem espaço demasiado na sociedade escravagista e fugissem ao controle do

Estado, da Igreja e de seus senhores. Em 1765, africanos jeje-mahi (grupo falante da língua ewe, do antigo reino do Daomé, como já explicado em um dos capítulos anteriores) da vila de Cachoeira, no Recôncavo Baiano, enfrentavam uma firme oposição das autoridades eclesiásticas locais ao encaminhar à Mesa de Consciência e Ordens uma petição para a confirmação do compromisso da Confraria do Senhor Bom Jesus dos Martírios. Uma nota do clero local anexada à petição recomendava que a Coroa portuguesa recusasse a confirmação do compromisso sob o argumento de que os negros "são tirados do paganismo na África e sempre lhes fica uma propensão para coisas supersticiosas". Assim sendo, deveriam ser impedidos de criar sua própria irmandade, ficando, em vez disso, "sujeitos à disciplina ordinária".[8]

Em 1794, outro documento assinado por autoridades eclesiásticas de Minas Gerais também trazia reclamações de que os negros, pardos e escravos do Brasil, antes "humildes e moderados", haviam se tornado soberbos, arrogantes e desaforados graças à atuação das irmandades:

Desde o descobrimento das Minas até o tempo presente, do indiscreto e inconsiderado estabelecimento das irmandades dos pretos e pardos, estes eram humildes e moderados. Os pretos não ousavam levantar os olhos ou responder com tom mais alto a seus senhores, nem ainda a qualquer branco. [...] Todos reconheciam a humildade e o abatimento da sua condição e o respeito que deviam aos brancos. [...] Porém, depois que se estabeleceram as ditas irmandades, animaram-se do espírito de intriga, revestiram-se de arrogância, e mudaram a humildade e o abatimento que lhes é próprio em soberba e desaforo. [...] As irmandades dos pretos e pardos são as mais arrogantes, soberbas e descomedidas.[9]

A historiadora Mariza de Carvalho Soares estudou um dos muitos exemplos dos esforços oficiais de controlar a proliferação de irmandades e práticas religiosas negras no Rio de Janeiro no final do século XVIII.[10] Segundo ela, a partir de 1750 foram construídas inúmeras pequenas capelas nos arredores da cidade, por iniciativa dos próprios negros, escravos ou forros, sem supervisão direta das autoridades seculares ou eclesiásticas. Isso gerou forte reação. Um relatório do vice-rei Luís Almeida Soares Portugal, o marquês de Lavradio, dizia que essas capelas eram frequentadas por "pessoas depravadas, de má vida, e costumes", que praticavam "cousas torpes, e indecentes" — muito provavelmente referência à mistura de devoção católica com cultos e rituais de matriz africana, como se veria na formação do candomblé da Bahia. A solução proposta pelo vice-rei, com apoio do bispo, seria impedir que esses pequenos templos passassem por qualquer reforma ou obra de melhoria. Com o tempo, estariam de tal forma deteriorados que seriam interditados pelas autoridades. Seus frequentadores seriam obrigados a se incorporar à Irmandade do Rosário, cujos membros eram entusiastas adeptos do plano. Algumas dessas capelas resistiram à ofensiva oficial de estrangulamento e acabaram por se consolidar em igrejas que ainda hoje são importantes na paisagem urbana do Rio de Janeiro, caso das igrejas de Santa Efigênia, Lampadosa, São Domingos e Senhor Jesus do Cálix. Outras, sucumbiram e desapareceram sem deixar traços de sua existência.

Entre as tradições mais importantes do Brasil colonial, ligadas às irmandades religiosas, estavam as eleições de reis e rainhas negros. Suas cortes, compostas por condes, marqueses, viscondes e outros títulos de nobreza, eram como espelhos de imagens invertidas das casas reais europeias.[11] Um desses monarcas entronados pelas irmandades chamava-se Antônio, africano da nação rebolo-tundá, um dos subgrupos étnicos do inte-

IRMÃOS, REIS E RAINHAS

rior de Angola. Foi aclamado rei (ou imperador) da Irmandade de Nossa Senhora de Lampadosa, cuja sede ficava na atual avenida Passos, quase em frente ao teatro João Caetano, no centro do Rio de Janeiro. Negro, pobre, analfabeto, Antônio era escravo de um outro soberano, branco: dom Antônio Álvares da Cunha, o conde da Cunha, vice-rei do Brasil entre 1763 e 1767.

Os estatutos (compromisso) da Irmandade de Santo Elesbão e Santa Efigênia do Rio de Janeiro, analisados por Mariza de Carvalho Soares, previam, em 1764, a existência de um "Estado Imperial" no seio da instituição mediante a eleição de "imperador e imperatriz, príncipe e princesa", além de juiz e oficiais, com mandato de três anos.[12] Os eleitos deveriam ser donos de patrimônio e dar vultosas contribuições à irmandade, condição que privilegiava os forros em detrimento dos escravos. Esses monarcas tomariam posse em dia determinado pela mesa diretoria, "nos trajes que requer as suas pessoas e figuras", incluindo coroa, cetro e manto, custeados pelos próprios eleitos. Nas cerimônias e cultos religiosos da irmandade, o imperador deveria ser tratado com respeito e veneração pelos irmãos. Caberia ao juiz dar-lhe o melhor lugar à mesa. Curiosamente, os estatutos previam a eleição simultânea de até sete reis, cada qual com a sua respectiva corte. A única condição imposta era que cada um deles possuísse patrimônio suficiente, em "bens imóveis como de raiz", para custear as despesas da corte. Cada soberano mantinha um cofre separado, com as esmolas e doações recebidas para as despesas de seu reinado. Durante o reinado de Ignácio Gonçalves do Monte, identificado nos documentos como "capitão" e "um verdadeiro makino" (ou "mahi", um dos subgrupos étnicos da Costa da Mina), o cofre ficava sob a guarda de sua mulher, a rainha.

As autoridades viam com apreensão as festas e batuques dos reis negros. Em diversas ocasiões tentaram coibi-los com leis, regulamentos e o uso da força policial. Em 1771, o padre Leonardo Azevedo de Castro, vigário de São Sebastião de Mariana, em Minas Gerais, reclamava do comportamento dos negros eleitos reis da Irmandade de Nossa Senhora dos Pretos:

> *Tem mostrado a experiência que, depois de ser rei algum escravo, é tal a sua presunção que não serve mais a seu senhor com satisfação [...]. Tais venerações aos tais reis nesta terra, onde é tão superior o corpo dos negros ao número dos brancos, facilmente pode produzir as funestas consequências por eles tantas vezes ameaçadas.*[13]

Em 1729, os membros da Irmandade do Rosário de Salvador foram proibidos de sair às ruas, em consequência de seus excessos. A interdição permaneceu em vigor por mais de meio século. Em 1786, a irmandade formalizou um requerimento à Coroa no qual pedia para voltar às ruas com suas folias, máscaras, danças e cantigas. Combatidas ou proibidas no Rio de Janeiro ao longo de todo o século XVIII, as folias de negros foram finalmente proibidas após o desembarque da corte de dom João, em 1808, conforme relato do pintor francês Jean-Baptiste Debret:

> *Em abono da história das irmandades negras lembraremos que, com a presença da corte no Rio de Janeiro, proibiram-se aos pretos as festas fantasiadas extremamente ruidosas a que se entregavam em certas épocas do ano para lembrar a mãe pátria (ou seja, a África); essa proibição privou-os igualmente de uma cerimônia extremamente tranquila, embora com fantasias, que haviam introduzido no culto católico. É por esse motivo que somente nas outras províncias do Brasil se pode observar ainda a eleição anual de um rei, de uma rainha, de um capitão da guarda.*[14]

A eleição da mesa diretora, a eleição de reis e rainhas e as procissões católicas eram os momentos mais importantes nas irmandades religiosas. Por fim, havia as "folias", também chamadas de "reisados" ou "congadas", desfiles nos quais os novos soberanos percorriam as ruas à frente de um cortejo composto pelos seus nobres e súditos, todos com trajes especiais, incluindo manto, coroa, cetro, bastão e vara. Reis e rainhas jamais andavam sob o sol ou a chuva — eram protegidos por um grande guarda-sol, muito comum entre as monarquias africanas, e caminhavam ao som de tambores e outros instrumentos musicais. Cada folia ou irmandade tinha seu próprio estandarte, que ficava hasteado durante os dias de celebrações e desfiles.

Dessas festas negras nasceram as folias de reis, tão comuns ainda hoje nas cidades coloniais do interior brasileiro nos primeiros dias do ano. Segundo alguns estudiosos, estariam também na origem dos atuais desfiles de Carnaval.

20. O TRABALHO

No Brasil colonial, trabalho e escravidão caberiam no mesmo verbete de um dicionário. Eram sinônimos. "Sem negros não pode haver ouro, açúcar nem tabaco", afirmava, em 1739, o vice-rei André de Melo e Castro, conde de Galveias.[1] Nas minas e garimpos de ouro e diamantes, nas fazendas e lavouras de cana-de-açúcar, os cativos submetiam-se a jornadas longas, pesadas e perigosas. A labuta começava antes ainda do nascer do sol e ia até o anoitecer. Nos engenhos, durante a safra, as caldeiras ferviam noite adentro sobre fornalhas que os escravos iam alimentando de lenha, expostos a temperaturas altíssimas. Tarefas como construir e reparar cercas, abrir valetas, roçar as áreas em volta das casas e preparar a farinha de mandioca exigiam ainda jornadas extras, de mais três ou quatro horas de trabalho, sem qualquer outra contrapartida que não o esgotamento físico e o encurtamento da vida útil dos cativos.

Ao estudar os engenhos da região de Campos dos Goytacazes, a historiadora Silvia Hunold Lara encontrou escravos pescadores, garotos de recado encarregados de levar e trazer informações entre as diversas fazendas, carregadores de cargas e objetos, lavadeiras, cozinheiras, sapateiros, açougueiros, coureiros, tece-lões, carpinteiros, seleiros, alfaiates, pedreiros, costureiras, panei-ros, barbeiros e cirurgiões. Alguns ocupavam posições muito sim-ples e desagradáveis, como recolher as fezes e a urina acumuladas durante a noite e depositá-las em praias e rios. Outros chegavam a cargos relativamente elevados, como o de mestre de açúcar, sob cuja responsabilidade ficava a supervisão da qualidade final do produto. As próprias fábricas de açúcar eram obra dos escravos. Em 1778, em Campos, estavam sendo construídos oito engenhos com o trabalho de 142 cativos. O responsável por um dos canteiros de obra era um "mestre carpinteiro de engenho e moenda", cargo que na época seria equivalente hoje ao de um engenheiro civil. E também ele era escravo.[2]

Em uma típica fazenda açucareira, as senzalas situavam-se a algumas centenas de metros da casa-grande, de modo que os sons, o cheiro e as atividades dos escravos não incomodassem o sono e o conforto de senhores e senhoras. Porém, nunca fica-vam tão longe ao ponto de impedir que feitores e capatazes vi-giassem e controlassem todas as atividades dos cativos. Em ge-ral, a moradia dos trabalhadores consistia em simples cabanas ou barracões com paredes de taipa e cobertura de palha. O chão era de terra batida. Alguns desses cubículos tinham apenas uma porta, sem janelas. O teto era tão baixo que nem sempre um ho-mem adulto conseguiria ficar de pé. "Uma esteira, uma cuia ou cabaça, e às vezes alguns potes de barro e andrajos, eis toda a mobília do lar de um casal negro", descreveu o botânico e mine-ralogista francês Louis-François de Tollenare, ao visitar o Enge-nho Salgado, em Pernambuco, no começo do século XIX.[3]

Para evitar fugas, durante a noite o feitor trancava as por-tas por fora com cadeado e corrente. A falta de ventilação torna-va o ambiente abafado e claustrofóbico, especialmente no verão. O sono era atormentado por nuvens de mosquitos e insetos.

O TRABALHO

Dormia-se em redes ou no chão, sobre esteiras, ou ainda em camas rústicas chamadas de giraus, compostas de pranchas de madeira estendidas sobre estacadas. Além disso, havia o fogão a lenha, também construído de taipa, e alguns utensílios domésticos. Escravas que trabalhavam na casa-grande em geral tinham melhor tratamento, mas com uma contrapartida: estavam sob o constante olhar do senhor ou da senhora. Qualquer deslize poderia ser fatal.[4]

Em meados do século XVIII, a vida útil de um escravo em Minas Gerais não ia além dos doze anos. A alimentação era precária, em geral composta por duas refeições por dia na forma de um angu feito com feijão, farinha de mandioca, charque e sal. Fumo e cachaça reforçavam a ração e eram servidos como recompensa para os trabalhadores mais produtivos ou mais submissos. Surtos de disenteria eram frequentes devido à falta de higiene e ao consumo de alimentos estragados. Na garimpagem do ouro de aluvião, cada bateador — o escravo que manejava a bateia, uma vasilha de madeira utilizada para separar eventuais pepitas e diamantes da areia e do cascalho — passava, em média, doze horas por dia com o corpo encharcado e mergulhado até a cintura nos riachos de água gelada. Muitos morriam de doenças pulmonares. O choque térmico entre a baixa temperatura da água e o calor do alto verão causava febres, vômitos, tremores, reumatismo, pleurite e pneumonia. No tratado de medicina prática intitulado *Erário mineral*, publicado em 1735, o cirurgião Luís Gomes Ferreira impressionava-se com a rotina dos negros escravizados que passavam seus dias parcialmente submersos:

> *Os pretos, porque uns habitam dentro d'água, como são os mineiros, que mineram nas partes baixas da terra e veios dentro dela, [...] lá trabalham, lá comem e lá dormem muitas vezes; e, [...] quando trabalham, andam banhados em*

suor, com os pés sempre em terra fria, pedras ou água; e, quando descansam, ou comem, se lhes constipam os poros, e se resfriam de tal modo que daí se lhes originam várias enfermidades perigosas, como são pleurises, apertadíssimos estupores, paralisias, convulsões, peripneumonias e outras muitas doenças.[5]

As condições dos que trabalhavam em terra firme não eram muito melhores. Muitos enfiavam-se por buracos nas encostas, escavados de forma improvisada e sem ventilação ou sustentação adequada e assim ficavam expostos a acidentes graves, como quedas e fraturas, desmoronamentos, afogamento por tempestades e inundações repentinas. Mineradores costumavam represar as águas de riachos com diques precários para acelerar o trabalho dos bateadores no leito seco abaixo. Essas barragens se rompiam com frequência e causavam avalanches de pedras e lama sobre os garimpeiros. São cenas que, infelizmente, ainda hoje se repetem em Minas Gerais, só que em escalas muito maiores e mais devastadoras, como nas tragédias produzidas pelos rompimentos de barragens em Mariana, em 2015, e em Brumadinho, quatro anos mais tarde, com cerca de trezentos mortos e centenas de outras vidas desfeitas e desabrigadas.

Nos garimpos de diamantes, os escravos trabalhavam seminus usando apenas uma tanga, com os pés mergulhados na lama ou na água, curvados, de frente para o capataz, a fim de peneirar o cascalho no qual se ocultavam as pedras preciosas. Ao encontrar um diamante, o cativo deveria erguer a pedra para o alto, entre os dedos polegar e indicador, e bater palmas para chamar a atenção do capataz.[6] Ao percorrer a região diamantina no começo do século XIX, o mineralogista britânico John Mawe confirmou que os escravos recebiam uma espécie de bônus, ou prêmio, dependendo do tamanho da pedra que encontravam e entregavam ao capataz. Nessas ocasiões, o cativo era coroado com uma grinalda de flores e levado em procissão ao administrador, que lhe dava sua liberdade, pagando seu preço ao dono dele. Recebia também roupas novas como presente e tinha permissão para trabalhar por conta própria. Ainda segundo Mawe, "quando uma gema entre oito e dez quilates é encontrada, o negro recebe duas camisas novas, um terno completo, com chapéu, e uma bonita faca". Se, ao contrário, o escravo fosse pego tentando esconder uma pedra, era punido com chicotadas ou mesmo com a morte. De acordo com Mawe, muitos cativos morriam de doenças pulmonares decorrentes da friagem e da umidade.

Cada feitor ocupava-se de um grupo de oito cativos, obrigados a trocar com frequência de local de trabalho para evitar que tentassem esconder uma pedra preciosa num monte de terra com o propósito de buscá-la mais tarde. No final da jornada de trabalho eram rigorosamente revistados. Mesmo assim, muitos cativos usavam inúmeros estratagemas para ocultar diamantes: embaixo das unhas compridas, sob mechas de cabelos, entre os dedos dos pés, dentro das narinas. Mais frequentemente, engoliam-nos com muita rapidez, sem dar tempo ao capataz para perceber a manobra. Quando eram flagrados, ficavam trancados dentro de um quarto e eram obrigados a beber uma substância purgante à base de pimenta malagueta. Convencidas de que as mulheres negras que vendiam comida e guloseimas nos garimpos eram intermediárias no contrabando de pedras, as autoridades proibiram que frequentassem as áreas mineradoras.

O século xviii testemunhou também o nascimento de um novo ambiente de trabalho escravizado, urbano, praticado nas casas, ruas e praças das antigas capitais litorâneas, caso de Salvador e do Rio de Janeiro, e também nos arraiais e vilas que nasciam nas regiões mais distantes do interior da colônia. Em dois livros fundamentais sobre o tema, os historiadores Mary Karasch e João José Reis descrevem em profundidade a vida e o trabalho dos escravos urbanos brasileiros. Embora ambos se debrucem sobre documentos do século XIX, os esparsos relatos de viajantes que por aqui passaram no século XVIII indicam que as condições não eram muito diferentes nas duas épocas. Segundo João José Reis:

> *Grande parte dos negros de Salvador, escravizados ou não, trabalhava nas ruas. Eram responsáveis, sobretudo, pela circulação de objetos e pessoas através da cidade. Carregavam de tudo: pacotes grandes e pequenos, do envelope de carta a pesadas caixas de açúcar e barris de aguardente, tinas de água potável e de gasto para abastecer as casas, tonéis de fezes a serem lançadas ao mar; e transportavam gente em saveiros, alvarengas, canoas e cadeiras de arruar. Os negros também circulavam pelas ruas em demanda a seus empregos como oficiais mecânicos (pedreiro, ferreiro, tanoeiro, sapateiro, alfaiate etc.), e as mulheres cobriam alargado território urbano na condição de ambulantes. Muitas escravas e escravos dividiam sua jornada de trabalho entre a casa e a rua: compravam o alimento nos mercados e nas feiras para depois prepará-lo na cozinha senhorial e, em seguida, retornavam às ruas para vender comida pronta e outros produtos. Assim, após cumprirem as tarefas do serviço doméstico, saíam para o ganho na rua, uma típica dupla jornada escravista.*[7]

O ambiente descrito pelo professor baiano é semelhante ao estudado por Mary Karasch no Rio de Janeiro. Segundo ela, na primeira metade do século XIX, na capital carioca "os donos consideravam seus escravos bestas de carga, máquinas e criados, que cuidavam de todas as suas necessidades e realizavam o trabalho braçal para eles". O comércio de alimentos era sustentado basicamente por mulheres escravizadas:

> *Logo ao alvorecer, filas de escravas, principalmente africanas, partiam de sítios e fazendas das vizinhanças do Rio com carregamentos de frutas e verduras na cabeça. Na cidade, mascateavam os produtos ou negociavam com as mulheres que tinham bancas no mercado. O dinheiro ia para seus bolsos ou davam uma quantia combinada com os seus senhores. O que ganhavam com essas vendas podia ir para a compra de mais comida ou roupas, de objetos de ritual religioso, ou talvez de sua própria liberdade.*[8]

Entre as muitas atividades desempenhadas pelos escravos urbanos, a que mais se destacava era o transporte em geral — de gente, mercadorias, água e esgoto doméstico. "Tudo que corre, grita, trabalha, tudo que transporta e carrega é negro", observou o alemão Robert Avé-Lallemant ao visitar Salvador em meados do século XIX.[9] Recém-chegado ao Rio de Janeiro, em dezembro de 1748, René Courte de La Blanchardière, capelão de um navio francês, surpreendeu-se com o hábito das pessoas de se fazerem transportar em cadeirinhas douradas amparadas por escravos:

> *Os bem-nascidos fazem-se transportar numa espécie de cadeira, asseada e muito dourada, que, em lugar de dois varais, como é costume na Europa, possui somente um amparado nos ombros por dois negros. Se o elemento transportado é um homem, ele se faz acompanhar por um ou dois negros domésticos, vestidos de librés, mas descalços. Se é uma mulher, as acompanhantes são, em geral, quatro ou cinco negras bem-vestidas e enfeitadas com muitos colares e brincos*

de ouro. Os menos abastados fazem-se carregar em redes, o que os obriga a irem sempre deitados. [...] Os que vão a pé são acompanhados por um negro ao lado carregando um guarda-sol ou um guarda-chuva.[10]

Carregar o lixo e os dejetos das casas para as praias era uma tarefa especialmente repugnante. Segundo Mary Karasch, todas as noites, depois das dez horas, os cativos atravessavam as ruas do Rio de Janeiro levando na cabeça enormes barris de excrementos. O mesmo serviço era realizado por presidiários para as instituições públicas. Durante o percurso, parte do conteúdo desses tonéis, repletos de amônia e ureia, caía sobre a pele e, com o passar do tempo, deixava listras brancas sobre as costas negras. Por isso, esses trabalhadores escravizados eram conhecidos como "tigres".

Na infinidade de ocupações urbanas delegadas aos negros no Brasil escravista, os homens eram artesãos, dentistas, barbeiros, cirurgiões, músicos, alfaiates, sapateiros, pescadores, remadores, açougueiros, padeiros, escultores, pedreiros, marceneiros, carpinteiros, ferreiros, funileiros, fornecedores de capim para os animais, caseiros e guardiães de casas e chácaras, responsáveis pelo bom funcionamento da iluminação pública a óleo de baleia, e uma infinidade de outras ocupações. Entre as mulheres, havia parteiras, enfermeiras, costureiras, cozinheiras, lavadeiras, vendedoras ambulantes, mucamas, amas de leite, damas de companhia e prostitutas. Existiam também os escravos, de maior confiança, encarregados de supervisionar o trabalho de outros escravos.

Embora possa parecer estranho aos leitores de hoje, uma das tarefas mais comuns dos escravos era prover a segurança armada da colônia. Há inúmeros registros de bandos, milícias e pequenos exércitos particulares organizados pelos fazendeiros

O TRABALHO

e compostos por dezenas ou mesmo centenas de cativos. Muitas vezes, esses fazendeiros se envolviam em conflito direto com vizinhos rivais, devido a divergências políticas, disputas de divisas ou invasões de terras.[11] Já citado brevemente no primeiro volume desta trilogia, um dos primeiros registros históricos de aliança entre senhores de escravos e seus cativos (africanos e indígenas) ocorreu na segunda metade do século XVII no Rio de Janeiro. Em 1660, parte dos moradores da capitania rebelou-se contra o governador Salvador Correia de Sá e Benevides, acusado de diversos crimes e contravenções e que, naquela altura, estava fora da cidade. Com o apoio armado de seus escravos, os revoltosos depuseram o governador substituto, Tomas Correia Vasques, tio do titular. A reação de Salvador Correia de Sá foi cruel e fulminante. Ao retornar, rapidamente também armou seus próprios escravos, prendeu os adversários e, depois de um julgamento sumário, executou um dos líderes do movimento, Jerônimo Barbalho.

Alguns anos mais tarde, em 1691, o regente da Companhia de Jesus e o juiz ouvidor do Rio de Janeiro enviavam relatórios a Lisboa denunciando a invasão de uma fazenda dos jesuítas situada na região canavieira de Campos dos Goytacazes, norte do atual estado do Rio de Janeiro. Tanto os agressores quanto os agredidos eram negros a serviço de brancos:

> Os negros de José Barcelos e outros de Martins Correia Vasques [...], armados com flechas, lanças e armas de fogo, foram até um dos currais e abriram fogo sobre os pretos que lá trabalhavam [...] deixando muitos feridos [...] ameaçando matar os que voltassem àquela fazenda e, não ainda satisfeitos, queimando as casas e derrubando o curral.

Outro caso bem conhecido ocorreu durante a onda de violência que acompanhou a descoberta de ouro e diamantes em

303

Minas Gerais. Felisberto Caldeira Brant (avô do futuro visconde e marquês de Barbacena, ministro do imperador Pedro I após a Independência do Brasil) e seu irmão Joaquim Caldeira, que se aventuraram nas zonas de garimpos, acharam grandes quantidades de minerais preciosos, mas, ainda assim, não pagaram as dívidas com os credores portugueses. Antônio da Cunha Silveira, ouvidor geral, tentou intervir em favor dos portugueses e sofreu uma tentativa de assassinato a mando dos irmãos. Sobreviveu milagrosamente e em seguida tentou prender os mandantes do crime. Não conseguiu porque os Brant mobilizaram mais de cem escravos armados para protegê-los. Anos mais tarde, em 1732, quando finalmente foram presos e enviados a Salvador, o vice-rei conde de Sabugosa intercedeu pessoalmente em favor deles e conseguiu que fossem libertados. Sem pagar por seus crimes, Felisberto ainda obteve um contrato de extração de diamantes em 1748, prova de que a lei do mais forte, incluindo seus escravos armados, valia mais do que a autoridade do rei e seus representantes.

Episódios como esse sugerem uma pergunta inevitável: por que os escravos armados não aproveitavam a oportunidade para coletivamente fugirem ou se rebelarem contra seus escravizadores? A explicação, segundo os historiadores João Fragoso e Ana Rios, reside em algumas das sutilezas do sistema escravista brasileiro. A solidariedade entre os negros escravizados não era tão automática quanto se poderia imaginar. Havia antigas rivalidades e diferenças entre eles que, herdadas da África, se perpetuavam na América Portuguesa. Escravos de segunda geração, nascidos no Brasil e chamados de crioulos, muitas vezes desprezavam mais os recém-chegados nos navios negreiros do que os próprios senhores brancos. Mulatos raramente se misturavam com negros boçais ou ladinos. Eles frequentavam igrejas, irmandades e espaços diferentes. Mais do que isso, os cativos buscavam alianças que lhes garantissem melhores condições de vida e de trabalho. Contraditoriamente, essas alianças eram também uma forma de resistência à escravidão e fazia dos cativos agentes de um sutil processo de negociação que definia o seu próprio destino. Cativos que se identificassem o mais rapidamente possível com os interesses do seu senhor, em oposição com os do vizinho fazendeiro e rival, tinham mais chances de obter benefícios e privilégios, formar famílias, ascender socialmente ao longo do tempo e até mesmo obter a alforria para si e seus parentes.

Ao lado das óbvias tensões, que muitas vezes resultavam em fugas, revoltas e fundação de quilombos, também havia relações de cumplicidade e colaboração entre escravizadores e escravizados. A escolha entre a resistência e a cooperação envolvia sempre um criterioso cálculo de risco por parte dos cativos. Alianças que resultavam na formação de bandos armados como os descritos acima representavam para os escravos oportunidades de obtenção de alguns privilégios e melhorias de vida, entre eles a possibilidade de constituir famílias, ampliar suas redes de relacionamento na comunidade, adquirir terras e até a própria liberdade. Para os senhores, em contrapartida, era uma forma de assegurar a manutenção do poder local contra seus rivais. O resultado de tudo isso foi uma miríade de relações complexas que iam muito além das alianças em conflitos armados.

"Do seu ponto de vista, os senhores de escravos haviam desenvolvido um sistema ideal", constatou Mary Karasch a respeito dessas alianças no Rio de Janeiro. Em troca de concessões mínimas, como roupas, alimentos e abrigos, os escravos lhes proporcionavam benefícios incalculáveis. Isso incluía a riqueza produzida pelo trabalho cativo, uma parentela estendida na qual se encaixavam as concubinas escravas e seus filhos, e até pequenos exércitos para protegê-los nas rixas e conflitos em que se envolviam. "No Rio daquela época, um senhor com escravos tinha tudo, e quem não os tivesse era considerado pobre. O preço do privilégio de possuir escravos [...] era pago pelos próprios escravos, com trabalho debilitador e morte prematura", escreveu a historiadora.[12]

Tão surpreendente quanto a participação de escravos em bandos armados organizados para a defesa de seus senhores é a notícia da presença de marinheiros negros e cativos no tráfico negreiro. Segundo o historiador Herbert S. Klein, eles constituíam parte substancial das tripulações dos navios que cruzavam o oceano Atlântico trazendo africanos escravizados para o Brasil.[13] Nada menos do que 42% de todas as 350 embarcações negreiras vindas da África que atracaram no Rio de Janeiro entre 1795 e 1811 tinham escravos entre seus tripulantes. No total, eram 2.058 marinheiros cativos de propriedade de brasileiros, média de catorze por navio negreiro. Como já citado em outro capítulo deste livro, cerca de 10 mil escravos eram empregados como tripulantes de cerca de 2 mil barcos que faziam a navegação costeira no próprio Brasil.

É conhecida a imagem de legiões de escravos que trabalhavam do nascer ao pôr do sol, às vezes noite adentro, nos grandes latifúndios brasileiros, que incluíam as lavouras de cana-de-açúcar do Nordeste, plantações de café do Vale do Paraíba e estâncias que alimentavam de carne as charqueadas do Rio Grande do Sul. A mão de obra cativa foi, de fato, a realidade das grandes fazendas durante mais de três séculos, mas a maioria dos escravos vivia e trabalhava em propriedades relativamente pequenas, que contavam, em média, com cinco a dez cativos apenas. Nas regiões produtoras de açúcar, os chamados lavradores, pequenos proprietários sem crédito ou capital para manter plantações extensas, produziam e forneciam cana para os grandes engenhos, e concentravam parte substancial do plantel de cativos. "Pelo menos de 1700 em diante, em nenhum momento da história da escravidão brasileira os cativos dos engenhos, minas e cafezais compuseram a maioria dos escravos residentes no Brasil", observaram os historiadores Herbert S. Klein e Francisco Vidal Luna.[14] "Na verdade, a maior parte da população cativa pertencia a proprietários muito diferentes dos grandes fazendeiros e mineradores." Eles citam, como exemplo, o padre que tinha uma negra idosa para ajudá-lo no trabalho da igreja. Ou um agricultor que era dono de um único cativo, e com ele trabalhava, de sol a sol, na roça. Havia ainda casos de senhores que alforriavam um escravo com a exigência de que continuasse a servi-lo enquanto fosse vivo, já que não teria condições de se manter por si só. Em contrapartida, seus descendentes nasceriam livres.

Além de labutar para os outros, homens e mulheres escravizados tinham de cuidar da subsistência de suas famílias. Como observou o historiador Clóvis Moura, a alimentação escrava costuma ser um tema polêmico na historiografia brasileira.[15] Alguns autores, como Gilberto Freyre, sustentaram a ideia de que os cativos, especialmente nos engenhos mais ricos, tinham boa comida, rica em proteínas. Não é o que mostram diversos relatos incluídos em diferentes outras fontes. Uma delas, o padre jesuíta André João Antonil, afirmava no começo do século XVIII que os escravos se responsabilizavam pela própria comida. Do contrário, morreriam de fome:

> Costumam alguns senhores dar aos escravos um dia em cada semana, para plantarem para si, mandando algumas vezes com eles o feitor, para que se não descuidem; e isto serve para que não padeçam de fome nem cerquem cada dia a casa do seu senhor, pedindo-lhe a ração de farinha. Porém, não lhes dar farinha, nem dia para a plantarem, e querer que sirvam de sol a sol [...], de dia, e de noite com pouco descanso no en-

genho, como se admitirá no tribunal de Deus sem castigo? Se negar a esmola a quem com grave necessidade a pede é negá--la a Cristo Senhor nosso, como ele o diz no Evangelho, que será negar o sustento e o vestido ao seu escravo?[16]

Na mesma época, o padre Jorge Benci acusava alguns senhores de escravos de dar mais comida aos animais do que aos escravos:

É [...] tal a crueldade de alguns senhores, que até o sustento, que tão liberalmente dão aos animais brutos, negam aos cativos. Quem não se vê [...] como nas casas de alguns senhores andam mui luzidos e gordos os cães, e pelo contrário pálidos e amarelos os servos, e tão consumidos da fome, que não se podem manter de pé? Há tal desigualdade! Que seja possível que se não falte aos brutos [os animais] com o sustento, ainda que à custa do escravo; e que se não dê ao escravo, que é homem racional e cristão, o que se dá aos brutos! E já que aos servos se não lhe dá o trabalho, não é mais que tirania a bárbara injustiça negar-lhes o sustento de que trabalham?[17]

Cem anos mais tarde, no começo do século XIX, diversas testemunhas pareciam confirmar essas impressões jesuíticas. Morador e senhor de engenho de Pernambuco, o inglês Henry Koster registrou que era hábito na maioria das fazendas do Nordeste dar apenas duas refeições diárias aos escravos, ainda que a jornada de trabalho muitas vezes se prolongasse por até dezoito horas na época da safra de cana: "Não creio que a alimentação fornecida aos escravos seja em suficiente quantidade e com virtudes proporcionalmente nutritivas em relação ao trabalho que se exige deles".[18]

O TRABALHO

Ao visitar as minas de ouro e diamante de Minas Gerais, o também inglês John Mawe teve impressão semelhante:

Se bem que o intendente atual tenha melhorado um pouco a alimentação dos negros, mandando-lhes diariamente carne fresca, o que não acontecia sob o governo de seus predecessores, pesa-me dizer que são mal e mesquinhamente alimentados.

O pintor Jean-Baptiste Debret, por sua vez, registrou que, nas fazendas do Rio de Janeiro, os escravos eram alimentados com dois punhados de farinha seca, umedecidos na boca pelo suco de bananas e laranjas. Para complementar a alimentação deficiente fornecida no campo, muitos cativos, encerradas as longas horas das jornadas de trabalho exigidas pelos seus donos, se dedicavam a cultivar hortas ao redor das senzalas.

O hábito de se conceder pequenas parcelas de terras para que os escravos cultivassem roças de subsistência era uma antiga peculiaridade do sistema escravista luso-brasileiro, anterior até mesmo ao início da colonização. Já era praticada pelos portugueses na Ilha de São Tomé no final do século XV. Tornou-se de tal modo disseminada que, em outras regiões da América, era conhecida como "sistema Brasil". Ordens régias e alvarás na segunda metade do século XVII traziam instruções sobre o "direito" de tempo e terra para os escravos tratarem do seu próprio sustento. Mais do que um "direito", dentro da lógica do sistema escravista era também uma forma de poupar despesas e incômodos aos senhores relacionados à alimentação e ao sustento de seus cativos.

No século XIX, o cientista Charles Darwin, ao visitar uma fazenda de café no Rio de Janeiro, observou que os escravos trabalhavam "para si próprios" aos sábados e domingos. O fazendeiro e cafeicultor Francisco Peixoto de Lacerda Werneck, barão de Paty do Alferes, autor de um livro sobre a gestão dos escravos (sobre o qual falaremos com mais detalhes no terceiro volume desta trilogia), também no século XIX recomendava que o costume de conceder aos cativos terra e tempo para cultivar suas roças fosse respeitado e que os fazendeiros comprassem os produtos excedentes da produção escrava. Ele próprio comprava café de seus cativos para revender no mercado. Cativos de diferentes propriedades permutavam ou negociavam produtos entre si, com o conhecimento e autorização dos senhores. "Feiras dominicais se constituíram em espaços de socialização, atraindo escravos e libertos de diversas plantações, muitos dos quais cruzando grande distância para alcançá-las", observou o historiador Flávio dos Santos Gomes. "Significaram também a circulação de informações e culturas entre escravos de áreas urbanas e rurais."[19]

Curiosamente, essa prática também possibilitou o que o historiador goiano Ciro Flamarion Cardoso chamou de "brecha camponesa",[20] uma oportunidade para que os cativos comercializassem seus próprios produtos, acumulassem pequenas poupanças que, com o tempo, seriam utilizadas para adquirir a alforria e lhes dar um mínimo de autonomia na sociedade escravista. Era, portanto, uma espécie de válvula de escape, habilmente administrada pelos senhores de modo a incentivar a lealdade e a produtividade de sua força de trabalho cativa, desestimulando ao mesmo tempo eventuais planos de fuga ou revolta. No longo prazo, conduziu a um processo de acomodação pelo qual os escravos foram aos poucos se convertendo em camponeses. No entender de Ciro Cardoso, a "brecha camponesa" contribuía para diminuir os conflitos e as fugas, estimulava a formação de famílias escravas e, por fim, aumentava os lucros do sistema escravista ao diminuir os custos dos proprietários com os cativos, pois esses se tornavam responsáveis por produzir seu sustento.

21. A VIOLÊNCIA

*"Quem quiser tirar proveito dos seus negros, há de
mantê-los, fazê-los trabalhar bem e surrá-los melhor."*

JOHANNES DE LAET, diretor no Brasil da
Companhia Holandesa das Índias Ocidentais

UMA ESPECIALIZAÇÃO BRANCA BEM desenvolvida desde os primórdios da colônia brasileira foi a escrita de tratados sobre a maneira mais eficiente de castigar escravos. A historiadora Silvia Hunold Lara observou que esses textos se constituíam em "uma verdadeira ciência da dominação senhorial". No seu mais alto refinamento, descia a detalhes na execução do castigo, estabelecendo regras para que fosse eficiente na "economia cristã dos senhores no governo dos escravos", segundo expressão usada pelo padre jesuíta Jorge Benci. "Regrado, medido, com instrumentos próprios e técnicas selecionadas, o castigo aparece com toda sua força nas palavras desses autores setecentistas", escreveu a historiadora. "Alimentado, vestido, doutrinado, o escravo existia para trabalhar, para produzir. Mas isso não era decorrência natural. Era preciso incitá-lo ao trabalho; era preciso castigá-lo. Castigar era submeter, dominar, [...] domar a rebeldia, manter o escravo na sua condição de escravo."[1]

Castigar, segundo a ideologia da violência no Brasil escravista, não era visto como uma forma de vingança contra o escravo ou reparação moral do crime ou infração que havia cometido. Era, principalmente, uma eficiente forma de controle social, destinada a servir de exemplo aos demais cativos. Por isso, muitas sessões de açoite eram executadas em praça pública, com o escravo amarrado no pelourinho, o símbolo do poder régio nas vilas do Brasil colonial, como mostram os famosos quadros e ilustrações de Jean-Baptiste Debret e Johann Moritz Rugendas do começo do século XIX. Segundo uma descrição do antropólogo alagoano Arthur Ramos, nas cidades, os açoites eram um espetáculo anunciado publicamente pelos rufos do tambor. Em seguida, a multidão se reunia na praça do pelourinho para assistir ao chicote do carrasco abater-se sobre o corpo do escravo condenado, que ali ficava exposto à execração pública. Excitadas, as pessoas aplaudiam, enquanto o chicote abria estrias de sangue no dorso nu do negro para servir de exemplo aos demais.[2]

No imaginário escravista, o castigo, além do seu caráter educativo e pedagógico, era também uma maneira de disciplinar e organizar a força de trabalho cativa. Para isso, o senhor não perdia de vista que o escravo era um ativo econômico, uma máquina produtiva que não poderia ser perdida ou desperdiçada inutilmente. Matar um escravo numa sessão de açoite significaria uma perda considerável de investimento. Caso ficasse ferido, era preciso curá-lo com a maior celeridade, para que não se perdesse sua capacidade de trabalho por muito tempo. Por isso, após as sessões de açoite, aplicavam-se sobre as feridas misturas consideradas cicatrizantes, como salmoura (uma combinação de água morna com sal), suco de limão, vinagre, pó de carvão moído

A VIOLÊNCIA

ou mesmo urina. As instruções de um senhor de engenho de Pernambuco ao seu feitor, em 1663, estipulavam:

> O castigo que se fizer ao escravo não há de ser com pau nem tirar-lhe com pedras nem tijolos, e quando o merecer, o mandará botar sobre um carro, e dar-se-lhe-á com um açoite seu castigo, e depois de bem açoitado, o mandará picar com uma navalha ou faca que corte bem e dar-lhe-á com sal, sumo de limão, e urina e o meterá alguns dias na corrente, e, sendo fêmea, será açoitada [...] dentro de uma casa com o mesmo açoite.[3]

Por fim, o castigo era considerado uma prerrogativa do senhor, que, idealmente, deveria ministrá-lo pessoalmente ou orientar alguém encarregado de executar essa tarefa — como um feitor. No século XIX, essa tarefa foi gradativamente sendo transferida para o Estado, especialmente nos grandes centros urbanos, onde havia locais e autoridades designados exclusivamente para esse fim. Nas chamadas casas de correção, caso do prédio conhecido até hoje como Calabouço, no Rio de Janeiro, havia espaços especificamente destinados ao castigo dos escravos que para lá eram mandados a fim de serem punidos por desobediência ou faltas pequenas. Ali, sempre que os senhores assim o desejassem, os cativos eram recebidos a qualquer hora do dia ou da noite e registrados. No livro-caixa eram anotados os custos dos serviços judiciais, que incluíam o açoite e a permanência dos escravos no local, e que depois seriam reembolsados pelo seu dono.

Tal cuidado burocrático, na interpretação da historiadora Kátia Mattoso, demonstra que os castigos obedeciam a critérios racionais, tornando-se assim eficientes enquanto mecanismos de dominação, exploração e controle sobre o corpo e a mente de milhões de homens e mulheres negros. Dessa maneira, criavam e alimentavam uma sociedade na qual as atitudes senhoriais objetivavam a continuidade do sistema.[4] A legislação colonial era repleta de contradições no que dizia respeito à segurança física dos cativos. Nem sempre o que estava na letra dos códigos legais valia na prática. Em Portugal, as *Ordenações filipinas*, do século XVI, consideravam crime a morte de um escravo por seu senhor. Os castigos deveriam ser moderados e proporcionais à falta cometida, mas quem iria arbitrar isso nas imensidões ermas e distantes do Brasil colônia, em que fazendeiros, senhores de engenho e mineradores de ouro e diamante eram, na prática, a lei?

A lista dos instrumentos de castigo utilizados em escravos no Brasil, já citada no primeiro volume desta trilogia, era impressionante. Arthur Ramos os classificou em três categorias: os de captura e contenção, os de suplício e os de aviltamento. Para prender os escravos, eram usadas correntes de ferro, gargalheiras (que se prendiam ao pescoço), algemas, machos e peias para os pés e as mãos, além do tronco, que era um pedaço de madeira dividido em duas metades com buracos nos quais se introduziam a cabeça, os pés e as mãos dos cativos. A máscara da folha de flandres servia para impedir o escravo de comer cana, rapadura, terra ou engolir pedras de diamante e pepitas de ouro. Os anjinhos — anéis de ferro que comprimiam os dedos polegares — eram usados para obter confissões. Nos açoites aplicava-se a palmatória ou o bacalhau — um chicote de cabo curto, de couro ou madeira com cinco pontas retorcidas. Fugitivos eram marcados com ferro em brasa com a letra *F* no rosto ou nas costas ou obrigados a usar o libambo, uma argola de ferro que lhes era presa ao pescoço, com uma haste apontada para cima, às vezes equipada com chocalhos, para denunciar os movimentos do escravo. "A vida do negro escravo desde a sua captura na África até o trabalho nas plantações do Novo Mundo foi uma longa epopeia de sofrimento", escreveu Arthur

A VIOLÊNCIA

Ramos. "Séculos inteiros assistiram ao martírio e ao trucidamento, à tortura de milhões de seres humanos."

Em 1692 o padre jesuíta Barnabé Soares escreveu um "regimento" para regular a vida no engenho Pitanga, na Bahia, no qual se previa pena de até 24 açoites para crimes comuns cometidos por cativos. "Para trazer bem domados e disciplinados os escravos, é necessário que o senhor lhes não falte com o castigo, quando eles se desmandam e fazem por onde o merecerem", ecoava alguns anos mais tarde o também jesuíta Jorge Benci. "Não é crueldade castigar os servos, quando merecem por seus delitos ser castigados, mas antes é uma das setes obras da misericórdia, que manda castigar os que erram. [...] Haja açoites, haja correntes e grilhões, tudo a seu tempo e com regra e moderação devida; e vereis como em breve fica domada a rebeldia dos servos".[5] Os jesuítas não eram apenas teóricos do regime escravista. Eram eles próprios donos de fazendas com milhares de escravos em todo o Brasil. Os holandeses, que ocuparam parte do Nordeste brasileiro entre 1624 e 1654, seguiam a mesma fórmula. "Quem quiser tirar proveito dos seus negros, há de mantê-los, fazê-los trabalhar bem e surrá-los melhor; sem isso não se consegue serviço nem vantagem alguma", recomendava Johannes de Laet, diretor no Brasil da WIC, durante o governo do conde de Maurício de Nassau em Pernambuco.

Entre todos os instrumentos de tortura, nenhum era tão popular nas sociedades escravocratas quanto o chicote. Leis, regulamentos e manuais recomendavam em detalhes o número de açoites prescritos em cada caso, segundo a gravidade do delito cometido pelos escravos. As ordenações vigentes na época colonial prescreviam que os açoites não ultrapassassem 120, regra que, em geral, os fazendeiros e mineradores não cumpriam. Diferentes cartas régias emitidas entre 1642 e 1688 recomendavam que os fazendeiros que castigassem seus escravos de forma desumana fossem obrigados a vendê-los (supostamente a outro senhor mais comedido ou benévolo). Essas ordens foram todas anuladas em 1689, com a desculpa de que delas "resultariam grandes inconvenientes a meu serviço e à conservação dessas conquistas", segundo as palavras do próprio rei de Portugal, Pedro II.[6]

Nas décadas seguintes, a Coroa voltou a emitir diversas recomendações para que houvesse moderação no tratamento dos escravos. Discurso semelhante era repetido com insistência entre os ideólogos da escravidão no meio religioso. "Para que o castigo dos escravos seja pio, e conforme a nossa religião, e cristandade, é necessário que se ministre com prudência, excluídas todas as desordens, [...] para o que deve ser bem ordenado quanto à qualidade, bem ordenado quanto à quantidade", escrevia o padre Manoel Ribeiro Rocha.[7] Jorge Benci recomendava que o número de açoites nunca ultrapassasse quarenta por dia, de modo a não mutilar o escravo nem o incapacitar para o trabalho.[8]

Nada disso impediu a brutalidade das sessões de castigo, aplicadas em geral nas fazendas e lugares ermos do interior, longe das vistas das autoridades. Na metrópole, a Coroa tentava intervir, regular, fiscalizar, mas, nas fazendas e áreas de mineração, o que prevalecia era o julgamento sumário do colonizador escravocrata. "Os critérios de avaliação das penas e de aplicação dos castigos ficavam quase sempre ao arbítrio do senhor, mas sua execução dependia da índole dos feitores e estes, não raro, se excediam ao aplicá-los", observou a historiadora Emilia Viotti da Costa.[9] No século XVIII havia notícias de sessões de duzentas, trezentas e até quatrocentas chibatadas. Líderes de quilombos em geral recebiam trezentos açoites por dia.

Eram também inúmeros os casos de torturas e maus-tratos, que muitas vezes resultavam na morte do escravo. Raros eram aqueles que recebiam a intervenção das autoridades ou tinham os culpados devidamente punidos. Em 19 de janeiro de 1788,

A VIOLÊNCIA

Joaquim, escravo de Bento José Rabelo, foi encontrado com a garganta degolada em um tronco da fazenda. Convocado a prestar depoimento, o feitor Manoel Gomes explicou que Joaquim era fugitivo contumaz e tinha o hábito de incentivar os demais escravos da fazenda a também fugir. Por isso, fora imobilizado no tronco e açoitado por três dias consecutivos, recebendo cem chibatadas no primeiro, oitenta no segundo e sessenta no terceiro. No quarto dia, ainda preso ao tronco, foi encontrado degolado com uma navalha junto ao corpo. Trinta e duas testemunhas foram convocadas a depor, incluindo quatro senhores de engenho vizinhos da fazenda. Todos corroboraram a versão do feitor. Conclusão do inquérito que arquivou o caso: suicídio.[10]

A história de um dos casos mais bárbaros de sevícias foi recuperada nos arquivos da Torre do Tombo, em Lisboa, pelo antropólogo baiano Luiz Mott.[11] São os autos de uma denúncia feita à Inquisição Portuguesa por José Ferreira Vivas, em meados do século XVIII. Ele acusava o mestre de campo Garcia d'Ávila Pereira Aragão, da ilustre Casa da Torre, na Bahia, pelas "heresias que fez aos seus escravos". O manuscrito, de doze folhas, dizia que Garcia d'Ávila colocava "ventosas com algodão e fogo nas partes pudendas" das escravas. Uma delas, surpreendida enquanto dormia fora de hora, teve uma vela acesa inserida "pelas suas partes venéreas". Certa vez, usara uma torquês de sapateiro para arrancar "de uma só vez" chumaços de cabelo de uma mulher. A um menino, ele "deitava e pingava dentro da via" (o ânus) cera derretida. Uma menina tivera o rosto queimado por um tição em brasa e, em outra ocasião, fora obrigada a engolir um pedaço de doce fervente. Um escravo fora açoitado por três horas seguidas e, depois, pendurado pelos pulsos, por mais duas horas, com um peso enorme atado aos testículos e torniquetes (anjinhos) presos aos dedos dos pés. Outro, suspenso pelos pulsos e tornozelos, fora açoitado por seis a sete horas, sem interrupção.

Quando desmaiava, punham-lhe sal e limão nos olhos e água nas nádegas. Passou uma noite inteira preso às correntes. No dia seguinte, foi exposto ao sol, nu, com uma argola no pescoço, sem água e sem comida, até o anoitecer. Havia ainda casos de cativos flagelados com rabo de arraia, com chicote de açoitar cavalos, dependurados de cabeça para baixo, recebendo surras seguidas de 240 açoites.

Casos como esse ilustram a contradição no regime escravista brasileiro, já citada acima. Segundo a lei portuguesa, o senhor tinha a prerrogativa de castigar o escravo. Porém, se errasse a mão e exagerasse na dose dos suplícios, poderia ser denunciado à justiça e, eventualmente, também punido. Ocorre que punir um senhor de escravos seria também desestabilizar a relação entre ele e seus cativos. Seria tirar-lhe a legitimidade na preservação da ordem e na aplicação da lei dentro de seus próprios domínios. E, principalmente, servir de mau exemplo para o restante da escravaria, que se sentiria estimulada a buscar no Estado proteção contra as violências inerentes ao sistema de que era vítima no dia a dia.

Ciente disso, ao ser informado, em 1698, de que os senhores costumavam prender seus escravos com algemas e argolas de ferro, o rei de Portugal pediu providências ao governador do Rio de Janeiro, recomendando, porém, que parecessem "prudentes e eficazes", de modo a não causar "alvoroço aos povos" e que "se consiga o fim que se pretende sem ruído ou alteração dos mesmos escravos".[12] Portanto, manter a ordem escravista implicava não fazer movimentos bruscos que pudessem desequilibrá-la. Em nome dos princípios cristãos e da justiça na aplicação das leis, era preciso evitar castigos excessivos, que parecessem desproporcionais ou exagerados, sem que isso excitasse a rebelião dos escravos ou lhes desse alguma esperança de alívio na vida em cativeiro.

22. O SONHO

A LIBERDADE FOI UM SONHO alimentado por todos os cativos durante os três séculos e meio de regime escravista no Brasil. Em busca de sua realização, fizeram tudo o que estava ao seu alcance. Trabalharam mais horas do que lhes era exigido; realizaram serviços extras e avulsos; cultivaram roças nos fundos de quintais cujos produtos eram vendidos em feiras livres; participaram de irmandades e associações de apoio mútuo, onde acumulavam uma poupança e ampliavam suas redes sociais; estabeleceram alianças dentro e fora do seu círculo social, incluindo os próprios senhores escravocratas; e até mesmo, sempre que tinham chance, fizeram contrabando, participaram de comércio ilegal e desviaram riquezas, incluindo ouro e diamante. Quando nada disso funcionou, fugiram, formaram quilombos, pegaram em armas e se rebelaram. Nem todos foram bem-sucedidos, mas as estatísticas mostram que a busca valeu a pena para milhões de negros ou mestiços. A alta taxa de alforria é um traço que diferenciou o escravismo brasileiro de todos os demais no continente americano.

Vale a pena repetir algumas informações já citadas na introdução deste livro e no primeiro volume desta trilogia.[1] A população livre descendente de africanos foi aumentando em número e velocidade cada vez maiores ao longo do período escravista no Brasil. Cerca de 1% de todos os brasileiros escravizados obtinha a alforria anualmente. Nos Estados Unidos de 1850, só 0,04% dos cativos tinham a mesma oportunidade.[2] Essa taxa estendida ao longo de quase quatro séculos resultou numa expressiva população negra livre no país, maior do que em qualquer outro território escravista da América. Por volta de 1780, havia no Brasil 406 mil afrodescendentes libertos, que representavam mais de um quarto de toda a população negra. Em 1800, essa proporção já havia saltado para 30%, o mesmo percentual dos brancos e dos escravos. Na época do primeiro censo nacional, em 1872, havia 4,2 milhões de pessoas negras ou pardas livres. Já eram mais numerosas do que os 3,8 milhões de brancos e representavam 42% do total de 10 milhões de brasileiros. Os escravos somavam 1,5 milhão. Em média, uma em cada grupo de dez crianças escravas, ao entrar no mercado de trabalho cativo (por volta dos dez anos), poderia esperar ser libertada antes de chegar aos quarenta anos.

Na América do Norte, as barreiras legais para a obtenção da liberdade eram praticamente intransponíveis. Nos estados da Carolina do Sul, da Geórgia, do Alabama e do Mississippi, a alforria era válida apenas com o consentimento formal da assembleia legislativa estadual, composta obviamente pela fina flor da aristocracia escravista. Senhores de escravos jamais poderiam negociar a libertação diretamente com seus cativos, como acontecia no Brasil, sem o consentimento das autoridades — o que, por sua vez, era difícil de se obter. Na Carolina do Norte, exigia-se um depósito prévio de mil dólares — uma fortuna na época — como garantia do bom comportamento do liberto, que, por sua vez, tinha de deixar o estado imediatamente, com o compromisso de jamais voltar. No Tennessee também se requeria um depósito em dinheiro, a aprovação judicial e a imediata partida do liberto dos limites do território estadual.[3] Dificuldades semelhantes eram impostas em outras regiões do continente. Em 1780, nas colônias britânicas do Caribe (*West Indies*, em inglês), havia apenas 13 mil negros livres numa população de 467 mil escravos. Os números se repetiam nas colônias francesas, onde havia 603 mil escravos e só 32 mil libertos.[4]

No sul dos Estados Unidos, o reduzido índice de alforrias combinado com a elevada taxa de natalidade e expectativa de vida mais longa levou ao aumento da população escravizada sem a necessidade de repor o número de novos cativos depois do fim do tráfico negreiro, em 1808. Às vésperas da Guerra da Secessão (1861-1865), que levaria à abolição da escravatura determinada pelo presidente Abraham Lincoln, havia cerca de 4 milhões de pessoas escravizadas em território norte-americano, um número surpreendente levando-se em conta que fora de apenas 400 mil o número total de cativos trazidos da África, menos de 3,5% dos 12,5 milhões embarcados para todo o continente americano. Em resumo, diante da virtual impossibilidade de alforria e da elevada taxa de natalidade em cativeiro, o número de escravos norte-americanos havia se multiplicado por dez em relação ao total de cativos inicialmente transportados da África para os Estados Unidos.

No Brasil, ocorreu o contrário. Em três séculos e meio, navios negreiros desembarcaram nos portos brasileiros 4,9 milhões de africanos cativos (doze vezes mais do que na América do Norte), mas, em 1888, ano da Lei Áurea, o número de escravos estava reduzido a 750 mil. Os índices de alforria brasileiros eram relativamente mais altos, porém a taxa de natalidade no cativeiro era também inferior à verificada nos Estados Unidos. A expectativa de vida média de um brasileiro escravizado no fim do século XIX não passava de 18,3 anos, muito inferior à norte-americana, que era de 35,5 anos. Como resultado, embora a população livre aumentasse, foi necessário intensificar cada vez mais o tráfico até 1850 para repor e manter o número de cativos nos níveis exigidos pelas atividades econômicas da colônia e, depois de 1822, do império.

Esses números levaram muitos estudiosos a defender a ideia de uma escravidão mais branda, paternalista e relaxada no Brasil, que, por sua vez, teria resultado em um país com menos barreiras raciais — a celebrada e enganosa democracia racial brasileira —, particularmente quando comparado aos Estados Unidos. Novas interpretações têm contribuído para mudar de forma drástica essa visão equivocada. Os cativos brasileiros foram sempre tratados com violência, como em qualquer outro território escravista. Havia, sim, espaços para alianças e negociações, como se viu no capítulo anterior. Mas a alforria foi geralmente mais uma conquista dos escravos do que uma concessão dos escravizadores. Os documentos revelam que o sistema sempre cobrava um alto preço pela liberdade. Para comprá-la, literalmente a dinheiro, era necessário trabalhar muitas horas para acumular uma poupança, contar com a solidariedade de padrinhos, parentes e amigos ou de instituições de apoio mútuo, como as irmandades religiosas. Às vezes, o valor cobrado pela alforria era muito superior ao que os donos tinham pagado pelos cativos. Entre as condições impostas, estava continuar a prestar serviços no cativeiro enquanto o senhor ou a senhora fossem vivos.

Também não é verdade que os senhores de escravos, por questão de economia, libertassem seus cativos velhos e doentes, para não terem que se responsabilizar por eles depois de esgotada sua capacidade produtiva. Pesquisas indicavam que as mulheres jovens alcançavam a alforria incondicional, sem pagamento, com frequência muito maior do que os cativos homens de qualquer idade. O mesmo acontecia com os filhos gerados pela miscigenação racial, que eram, em muitos casos, alforriados pelos pais brancos ainda na pia batismal. Homens africanos compunham a maioria dos que foram obrigados a comprar a própria liberdade. Crianças menores de quinze anos representavam entre 20% e 40% do total dos forros. Segundo alguns estudos regionais, a média de idade entre todos os negros alforriados seria de 20 a 22 anos. Os idosos, na época definidos como pessoas acima de 40 anos, representavam apenas 10% do total.[5] A maioria dos libertos era nascida no Brasil, falava fluentemente a língua portuguesa, praticava a religião católica e estava bem adaptada aos costumes da América Portuguesa.

A palavra alforria tem sua origem etimológica no vocábulo árabe *al-hurriíâ* (ou *al-burruâ*), que significa "estado de homem livre, não escravo". Seu sinônimo na língua portuguesa é manumissão. Em inglês, também existe o termo *manumission*. Ambas as derivações vêm do latim *manumittere,* que significa "libertar das mãos (de outrem)". Cartas de alforria eram um costume antigo em Portugal, registrado já no início do século xvi. Em 1546, Maria Afonso, uma viúva da cidade de Évora, deu a liberdade para seu escravo Domingo, de oito anos de idade, com a condição de que o menino trabalhasse mais dez anos para Simão Nunes, com quem ela vivia. Pelo documento, Simão se comprometia a assegurar ao escravo moradia, roupa e comida durante esse período. Em 1552, uma escrava chamada Margarida, com cerca de quarenta anos, da cidade do Porto, comprou sua liberdade por 10 mil réis.[6]

No Brasil, a alforria era mais um dos mecanismos de recompensa e punição, já descritos no capítulo anterior, que visavam a sustentação e a perpetuação do regime escravista. O historiador Robert W. Slenes se refere à "existência de um sistema de incentivos no escravismo brasileiro, culminando em possibilidades pequenas, mas não irrealistas, de o cativo conseguir a alforria para si e para algum membro da família ao longo do tempo".

Segundo ele, havia "uma política de domínio que combinava incentivos com violência". Desse modo, "tendia a criar uma hierarquia social dentro da escravidão e estratégias diferenciadas entre os cativos, contribuindo dessa forma para dividir a senzala e dar aos senhores uma poderosa arma de controle social".[7] Outro historiador, Donald Ramos, norte-americano como Slenes, sustenta que, longe de ser uma concessão, a perspectiva de alcançar a liberdade, sempre sob determinadas condições, funcionou como um dos alicerces da escravidão no Brasil. "A alforria foi, ironicamente, um dos mais importantes pilares do regime escravocrata", escreveu ele. "Essencialmente, ela representava uma recompensa pelos serviços prestados e pela aceitação dos valores fundamentais do mundo luso-brasileiro."[8]

Havia pelo menos oito diferentes maneiras pelas quais os cativos poderiam obter a liberdade no Brasil:

- A autocompra, também chamada de "coartação", em que a pessoa escravizada literalmente comprava a si mesma, mediante pagamento integral ou em prestações, em dinheiro ou serviços;

- Voluntária, em que o senhor ou a senhora, por razões muitas vezes afetivas, simplesmente decidia libertar seu cativo sem nenhuma contrapartida. Eram relativamente raras no conjunto dos processos de alforrias;

- Durante a cerimônia de batismo da criança nascida cativa, concedida por pais biológicos brancos, parentes ou padrinhos. Nesse caso, a pessoa passava a ser chamada de "forra de pia";

- Sob condições especiais definidas pelo governo. Dom Pedro I, por exemplo, prometeu alforria a todos os escravos que lutassem na Guerra da Independência. O mesmo fez dom Pedro II na Guerra do Paraguai;

- Em casos comprovados de abusos e maus-tratos praticados pelos senhores. Esses delitos tinham de ser confirmados em processos judiciais e eram bastante raros;

- Como recompensa pela descoberta de uma determinada quantidade ou valor de ouro e diamantes;

- Como prêmio por denúncias de contrabando, desvios e outras contravenções envolvendo a exploração de ouro e diamantes;

- Por fim, em geral já na segunda metade do século XIX, depois que o tráfico negreiro havia sido oficialmente proibido, mediante processos judiciais que comprovassem que o africano escravizado tinha chegado ilegalmente no Brasil.

Muitos desses arranjos aconteciam de maneira informal ou verbal. Outros eram registrados em cartório perante as autoridades e funcionavam como um contrato que as duas partes se comprometiam a honrar nas condições estipuladas. Além do número de prestações necessárias para quitar a dívida, o escravo poderia, por exemplo, se comprometer a continuar prestando serviços enquanto o senhor (ou senhora) fosse vivo, ou até uma determinada idade. Esse documento era chamado Carta de Corte e deu origem à palavra coartação (sinônimo de restrição). Garantia ao seu portador — o escravo ou a escrava — o direito de procurar os meios necessários para saldar as prestações destinadas à compra da alforria. Milhares de homens e mulheres se beneficiaram dessa prática.[9]

Em alguns casos, o escravo podia fornecer outro cativo como pagamento pela própria liberdade. Em 1738, valendo-se dessa prática, Manuel Ferrão recebeu dois jovens angolanos (o "moleque" Francisco e a "molecona" Maria) em troca da liberdade de sua escrava Mariana Angola. Em 1743, Ângela Pereira da Glória declarava ter concedido a liberdade à sua escrava Maria Mina em troca de 60 mil réis e "uma negra recém-chegada de nome Izabel", também nascida em Angola.[10] Dessa maneira, a prática da alforria acabava por alimentar a própria engrenagem da escravidão, em vez de reduzi-la. No Rio de Janeiro, um africano escravizado pagava em média 117.350 réis pela sua liberdade, valor superior ao preço médio, de 100 mil réis, dos cativos declarados nos inventários *post-mortem* da época. Dependendo da atividade exercida pelo cativo, o valor poderia ser bem mais alto. A mulher de um barbeiro escravizado de nome Antônio Mina pagou pela liberdade do marido 350 mil réis mais um "moleque" chamado Mateus. Entre 1781 e 1783, o mosteiro beneditino do Rio de Janeiro vendeu a alforria para quatro de seus cativos e, com o dinheiro da transação, comprou outros sete negros escravizados, pagando por eles um valor médio inferior ao dos alforriados.

Uma típica carta de alforria viria com um texto semelhante ao reproduzido a seguir, lavrado pelo bispo dom Antônio do Desterro, ao conceder, mediante compra, liberdade a uma de suas escravas, Feliciana Antônio do Desterro (era comum no Brasil cativos terem o mesmo nome ou sobrenome de seus donos):

> *Lhe damos de hoje e para sempre liberdade para que fique sendo forra, e vá para onde muito bem quiser, como senhora, que ficou sendo de si, como se livre e liberta nascesse do ventre de sua mãe.*[11]

Em muitos casos, havia também um dispositivo legal que previa a revogação imediata da alforria "por ingratidão". Por ele, o cativo ficava sempre vulnerável à vontade, ao humor e às necessidades do seu antigo dono. Mesmo uma agressão verbal poderia ser considerada "ingratidão". O historiador Clóvis Moura cita a história de um negro forro do Convento do Carmo, em Salvador, que em 1795 teria sido reescravizado por desobediência e calúnia contra os religiosos, seus ex-donos.[12] Os africanos libertos por alforria não adquiriam de imediato a cidadania brasileira. Tecnicamente, continuavam a ser considerados estrangeiros. Com base nesse conceito, muitos foram expulsos do país após a Revolta dos Malês ocorrida na Bahia, em 1835 (tema a ser tratado com mais detalhes no terceiro volume desta trilogia). Do ponto de vista das autoridades, eram um "perigo social" a ser extirpado pelo degredo em terras africanas.

Uma história especialmente curiosa foi registrada pela historiadora mineira Júnia Ferreira Furtado na documentação do século XVIII guardada na Torre do Tombo, em Lisboa, referente à capitania do Pará. É a narrativa de uma mulher que, nascida livre, vendeu-se como escrava, portanto em um processo inverso ao da alforria habitual. Em agosto de 1780, a cafuza (mestiça de negro e índio) Joana Batista apresentou-se ao tabelião e, por instrumento público, lavrado, segundo declarou, por sua "livre e espontânea vontade", tornou-se escrava de Pedro da Costa, identificado como "cidadão catalão", ou seja, nascido na Catalunha, hoje uma região autônoma da Espanha. No documento, Joana afirmava que "desde seu nascimento sempre foi livre e isenta de cativeiro", filha do "preto Ventura, que foi escravo do padre José de Melo" e da "índia Ana Maria, que fora do serviço do mesmo padre". Por que uma mulher renunciaria à própria liberdade para mergulhar no cativeiro do qual outras pessoas lutavam desesperadamente para sair? Segundo ela mesma explicou, o objetivo era "viver em sossego", o que significava ter amparo e segurança sob o teto do seu novo senhor. O dinheiro angariado pela venda da própria liberdade, no valor total de 80 mil réis, a permitiria acumular algum pecúlio na forma de roupas, joias e dinheiro. Desse modo, não teria mais de enfrentar as incertezas e as dificuldades da sobrevivência peculiares na vida de uma mulher sozinha. No mesmo documento, Joana fazia a importante ressalva de que tal "venda se fazia unicamente de si, ou de sua pessoa" e que, "se algum dia tiver filhos, estes serão forros e livres e isentos de cativeiro".[13]

No mapa da população do Rio de Janeiro elaborado em 1799 pelo militar Antônio Duarte Nunes, um quinto de todos os moradores residentes nas áreas centrais da cidade era de negros forros. Em uma das freguesias, a de São José, o número de domicílios chefiados por libertos chegava a 57%.[14] O arquiteto e historiador Nireu Cavalcanti, ao analisar 21 livros de alforrias registradas em três cartórios entre 1755 e 1805 observou que de um total de 1.129 processos, 63% beneficiavam mulheres, sendo que dois terços delas tiveram de pagar pela própria liberdade, na forma de dinheiro em espécie, bens ou serviços prestados aos seus antigos donos. Mais de 60% dos libertos eram crioulos (negros nascidos no Brasil) ou mestiços. Libertos identificados como "pretos", designação usada para os africanos, representavam 35% do total.[15]

Alforrias eram mais frequentes nas regiões mineradoras do que no restante do Brasil devido a alianças informais entre escravos e senhores.[16] Em 1776, os escravos compunham metade da população de Minas Gerais, estimada em 320 mil habitantes, e eram majoritariamente africanos, mas além deles havia já um enorme contingente de negros livres, ou forros, como se dizia na época. Correspondiam a um terço do total de moradores da capitania. Em 1808, os libertos já superavam os escravos, na proporção de 41% e 34%. Nenhuma outra região do Brasil e de toda a América apresentou índices tão altos de alforrias em tão pouco tempo. As minas se distinguiam também pela alta concentração de ex-escravos que, por sua vez, eram eles próprios donos de cativos. Na comarca do Serro do Frio, em 1738, havia 387 negros forros donos de escravos, sendo 244 mulheres. Representavam 22% de todos os proprietários de cativos e detinham 10% do total de escravos na região.

Em Minas Gerais, como também já se viu na introdução deste livro, desenvolveu-se uma nova forma de escravidão, mais urbana e de serviços, diferente daquela do cativeiro nas lavouras e engenhos de açúcar que até então predominava em áreas como o Recôncavo Baiano e a Zona da Mata pernambucana. Ela se caracterizava por uma relação de maior proximidade entre senhores e escravos, o que também oferecia maiores possibilidades de alforrias. Nos arraiais e vilas, os escravos eram empregados em armazéns de secos e molhados e em mercados públicos, faziam vendas na beira das estradas, nos pontos de fiscalização ou no cruzamento de rios. Nas ruas, trabalhavam em tendas, oferecendo comida pronta ou serviços como os de sapateiro, ferreiro, seleiro, alfaiate e barbeiro. Outros serviços eventuais incluíam as atividades de carregadores de mercadorias e pessoas, e aguadeiros (encarregados de distribuir água ou recolher o esgoto acumulado nas casas). Prostitutas e pedintes podiam também acumular pequenas poupanças, longe dos olhos e do controle de seus senhores.

O cativo responsável pelas atividades descritas no parágrafo anterior era chamado de "escravo de ganho", modalidade de cativeiro que iria se disseminar pelas ruas do Rio de Janeiro, de Salvador, do Recife e de outras grandes cidades brasileiras no século XIX. Nela, o senhor exigia do cativo o pagamento de um determinado valor diário. O que o escravo ganhasse acima desse valor poderia usar em proveito próprio, incluindo fazer a poupança necessária à compra da liberdade. Foram inúmeros os casos de mulheres engenhosas e empreendedoras que, depois de comprar a própria alforria, conseguiram desse modo libertar maridos, filhos, sobrinhos, afilhados e outros agregados ao grupamento familiar. "A massa escrava participava ativamente das trocas mercantis nas áreas urbanas, atuando no pequeno comércio, prestando serviços de toda sorte e consumindo parcela do que era oferecido", observou o historiador Eduardo França Paiva. "A mobilidade física característica dessas áreas permitia a construção de uma eclética rede de relações pessoais e comerciais, da qual os escravos participaram com certa astúcia, extraindo dela o pecúlio necessário para a autocompra."[17]

A partir de 1734, qualquer escravo do distrito diamantino que encontrasse em Minas Gerais um diamante de pelo menos uma oitava (equivalente a 3,58 gramas ou 17,5 quilates) tinha direito, por determinação da Coroa portuguesa, a receber em público algumas peças novas de roupa e a carta de alforria, como já mencionado em um dos capítulos anteriores. O proprietário seria indenizado pelas autoridades no valor de 400 mil réis. Com base nessa legislação, foram libertados em 1797 catorze escravos que trabalhavam nas cabeceiras do rio Abaeté, um dos afluentes da margem esquerda do São Francisco, em Minas Gerais, quando foi encontrado "um diamante grande, do peso de oitavas e três quartos", segundo a descrição contida em um documento emitido em Lisboa.

Da mesma forma, o escravo que denunciasse o desvio ou a sonegação de diamantes seria libertado e ainda ganharia um prêmio de 200 mil réis. Sistemas semelhantes funcionavam em outras regiões do país. Em 1739, por exemplo, o minerador Domingos Jorge de Sintra, dono de jazidas minerais na capitania de Goiás, ofereceu a liberdade a uma de suas escravas, Maria, com a condição de que antes ela extraísse pelo menos 2,5 quilos de ouro para ele. Não se sabe se a meta, bastante alta mesmo no auge da corrida do ouro no Brasil, foi atingida ou não.[18]

Uma vez obtida a alforria, a maioria dos negros forros levou uma vida simples e anônima. Muitos deles, no entanto, ascenderam socialmente, alcançaram prestígio social e acumularam bens e riquezas, que incluíam um grande número de escravos. O caso de Joaquim Barbosa Neves, forro pardo (mestiço) da cidade de Itu, interior de São Paulo, é exemplar a respeito da possibilidade de ascensão social de ex-cativos no Brasil escravista, desde que tivessem talentos, oportunidade, um pouco de sorte e as conexões capazes de alçá-los a um patamar de riqueza e prestígio mais elevado. Filho ilegítimo de mãe escrava, nasceu por volta de 1780 e obteve a alforria ainda na infância. Em 1813, era casado, dono de dois cativos, trabalhava como mascate e servia no batalhão de milícia local. Dois anos mais tarde, em 1815, tinha três escravos adultos, havia sido promovido a alferes da milícia e obteve da Câmara Municipal de Porto Feliz (município vizinho a Itu, no estado de São Paulo) licença para abrir uma loja de secos e molhados. Como comerciante, continuou a aumentar seu plantel de cativos e a adquirir terras na região até se tornar um grande fazendeiro, dono de um engenho de açúcar com 41 escravos. E emprestava dinheiro a juros a outros fazendeiros locais. Seus filhos tiveram como padrinhos pessoas brancas e ocuparam cargos importantes na administração pública.[19]

O crescimento da população livre descendente de escravos africanos levou ao surgimento de uma elite mestiça brasileira (ou "elite mulata", como grafado em inúmeros livros de história). Essa classe inclui uma enorme galeria de escultores, arquitetos, pintores, músicos, escritores e outros artistas, encabeçada por gênios como Machado de Assis, no século XIX. Os mais famosos artistas do barroco mineiro eram negros ou mestiços alforriados. O escultor e arquiteto Antônio Francisco Lisboa, o Aleijadinho, era filho de uma escrava com um arquiteto português. O pintor Manoel da Cunha, o principal retratista da época, nascera escravo. Antes ainda de ser alforriado já tinha estudado no Brasil e em Portugal. Na música, o compositor Joaquim Emérico Lobo de Mesquita, organista, descendente de escravos africanos, era membro de uma irmandade de mestiços e também o mais importante organista de uma irmandade de brancos. Filho de um mulato com uma negra forra, o padre jesuíta José Maurício Nunes Garcia era tão talentoso que acabou nomeado maestro da capela real do Rio de Janeiro pelo então príncipe regente dom João vi. Na família Rebouças, da Bahia, o patriarca negro foi advogado e deputado provincial. Um de seus filhos, o engenheiro André Rebouças, seria abolicionista e amigo da princesa Isabel. Também mestiços eram os abolicionistas Luís Gama e José do Patrocínio. Francisco de Sales Torres Homem, filho de padre com uma negra alforriada, foi ministro do Império, diretor do Banco do Brasil e ganhou de dom Pedro ii o título de visconde de Inhomirim. Foi abolicionista, mas nunca assumiu decididamente sua descendência africana. Preferia usar perucas e pó de arroz branco para disfarçar o cabelo crespo e o tom da pele negra.

23. A FAMÍLIA ESCRAVA

UMA CENA CONSTRANGEDORA CAUSOU perplexidade entre os convidados de um casamento a ser realizado no dia 30 de outubro de 1820 na freguesia de Pouso Alegre, sul de Minas Gerais. Os noivos eram Joaquim Crioulo e Feliciana, ambos escravos do fazendeiro Antônio José de Lima. Tudo corria bem até a hora decisiva do "sim". Perguntado pelo padre se era de sua livre e espontânea vontade que se casava, Joaquim respondeu afirmativamente. A noiva, porém, disse o contrário. Alegou que chegara até ali "obrigada pelo seu senhor a casar, e que não consentia, nem tinha desejo de semelhante matrimônio". Em seguida, revelou que, antes de sair de casa, o fazendeiro a advertira a não contrariar suas ordens. Se, diante do altar, ela afirmasse que não queria se casar, ele a "castigaria asperamente".

Perante tão surpreendente revelação, a cerimônia foi imediatamente cancelada pelo padre. Pelas normas da Igreja, sem o consentimento de um dos noivos, não poderia haver casamento. E assim a história ficou registrada nos autos:

Pelo depoimento da contraente foi constatado que é constrangida e violentada pelo seu senhor a [se] casar, faltando [...] o livre consentimento de sua pessoa [...], o que é incidente que anula o matrimônio; para tanto e mais dos autos julga aos contraentes inabilitados para se casarem.[1]

O relato singelo desse episódio, descoberto nos arquivos da Cúria Metropolitana de Pouso Alegre pelo historiador Isaías Pascoal, embute lições importantes sobre a vida dos escravos no Brasil.[2] A primeira é que, ao contrário do que por muito tempo sustentou parte da historiografia, os escravos tinham a oportunidade de se casar formalmente, na Igreja e de acordo com as leis civis e canônicas então vigentes. A segunda é que nem sempre eram livres para escolher seus parceiros, estando sujeitos a aceitarem candidatos impostos pelos senhores de forma arbitrária. Isso, porém, não fazia deles agentes passivos no processo de constituição de suas famílias. Mesmo correndo o risco de serem punidos, como foi o caso de Feliciana, os cativos tinham vontade própria e se rebelavam sempre que possível diante de determinações consideradas abusivas.

A família escrava é um dos campos mais ricos e fascinantes no estudo da história da escravidão no Brasil. Uma série de novos livros e trabalhos acadêmicos tem apresentado novidades que abalam os alicerces de convicções durante muito tempo bastante arraigadas entre os brasileiros. Pela visão tradicional, o cativeiro teria dificultado, quando não inviabilizado, a constituição de lares estáveis entre os cativos. Uma razão citada com frequência nos compêndios de história seria o número desproporcionalmente maior de homens que desembarcavam dos navios negreiros, dada a preferência dos senhores escravocratas por mão de obra cativa jovem e masculina. Isso teria gerado um desbalanceamento sexual, impedindo que os escravos encontrassem parceiras em número suficiente para se reproduzir e constituir família. Outro motivo seria o risco, sempre presente, de separação das famílias mediante a venda indiscriminada de pais, mães e filhos para diferentes destinos e proprietários. A isso se somariam as jornadas exaustivas de trabalho, a precariedade na alimentação, na higiene, na moradia e outros quesitos que reduziam a expectativa de vida média dos cativos, fazendo com que morressem cedo e sem esperanças de constituir um lar.

Com base nessas evidências, o historiador e abolicionista Joaquim Nabuco afirmava na segunda metade do século XIX:

> *A escravidão, operando sobre milhões de indivíduos, em grande parte desse período sobre a maioria da população nacional, impediu o aparecimento regular da família nas camadas fundamentais do país; reduziu a procriação humana a um interesse venal dos senhores; manteve toda aquela massa pensante em estado puramente animal; não a alimentou, não a vestiu suficientemente.*[3]

Uma segunda razão, puramente preconceituosa, apresentada na historiografia tradicional como barreira para a formação da família escrava baseava-se na ideia, prevalente entre os europeus, de que as senzalas seriam ambientes promíscuos, em que os cativos se envolveriam com múltiplas parceiras, sem nenhum compromisso com laços familiares ou afetivos duradouros. Assim pensava, também no século XIX, Perdigão Malheiro, jurista e senhor de escravos:

> *As escravas, em geral, viviam ou vivem em concubinato, ou, o que é pior, em devassidão: o casamento não lhe garante, senão por exceção, a propagação regular da prole.*[4]

Inúmeros relatos de viajantes estrangeiros reforçaram a imagem de libertinagem relacionada ao comportamento sexual e à vida no cativeiro. O francês Charles Ribeyrolles, que esteve no Brasil em 1859, dizia que o lundu, ritmo musical de raiz africana precursor do samba, era "uma dança louca, na qual o olhar, os seios, as ancas provocam; [...] uma espécie de convulsão ébria". Nesse ambiente de "alegrias grosseiras, cheias de voluptuosidades e febres libertinas", não seria possível haver famílias, "só ninhadas". Assim sendo, Ribeyrolles avaliava que na senzala não haveria "nem esperanças nem recordações", ambas estilhaçadas pelo escravismo. O pintor alemão Johann Moritz Rugendas, que percorreu o país na primeira metade do século XIX, também se referia à "devassidão de costumes dos escravos". Segundo ele, "as relações entre escravos do sexo feminino e do sexo masculino tornam impossível a severa observância da moral e a perseverança conscienciosa na fidelidade conjugal".

Na mesma época, o também pintor Jean-Baptiste Debret, francês, afirmava:

> *Como um proprietário de escravos não pode [...] impedir aos negros de frequentarem as negras, tem-se por hábito, nas grandes propriedades, reservar uma negra para cada quatro homens; [...] essa concessão é feita tanto para evitar os pretextos de fuga como em vista de uma procriação destinada a equilibrar os efeitos da mortalidade.*

Os novos estudos têm contribuído para desfazer essas e outras visões equivocadas a respeito da escravidão no Brasil. Durante todo o período escravista, os cativos foram, de fato, tratados como mercadoria, uma propriedade que podia ser leiloada, comprada, vendida, emprestada, doada, penhorada, oferecida como garantia de empréstimos e depósito judicial ou

A FAMÍLIA ESCRAVA

transmitida como herança. A disciplina de trabalho era mantida sob a ameaça do chicote. A expectativa de vida era curta devido à alta mortalidade provocada por doenças. Sequer a própria sexualidade lhes pertencia. A reprodução nas senzalas era considerada prerrogativa dos senhores, que, frequentemente, assediavam sexualmente as escravas.

Nada disso impediu, no entanto, que os escravos conseguissem constituir famílias e ter filhos. Foram igualmente bem-sucedidos em organizar parentelas estendidas, que incluíam, além dos laços de sangue, compadres e padrinhos, entre os quais, algumas vezes, apareciam até mesmo pessoas brancas e donas de escravos. "Forçados a trabalhar para outros e com escasso controle sobre a própria vida, os cativos trataram de aprender ofícios, formar famílias e criar redes de parentesco e amizade que sobreviveriam à instituição escravista", observaram os historiadores Herbert S. Klein e Francisco Vidal Luna.[5]

Os elos dessas famílias alargadas tiveram papel fundamental na organização de redes de apoio e de solidariedade que permitiram não apenas a sobrevivência e a reprodução biológica dos escravos, mas, principalmente, a reconstrução de suas identidades e seus papéis sociais estilhaçados na traumática experiência do navio negreiro. Permitiram também que alcançassem o sonho da liberdade em processos de alforrias que estavam intimamente ligados à vida familiar e comunitária, como se verá mais adiante. "Os escravos conseguiram casar-se, manter unidas suas famílias conjugais e até construir redes de parentesco extensas, com mais frequência do que os historiadores haviam pensado", escreveu o historiador Robert W. Slenes, cujas pesquisas e análises são referência no estudo do tema no Brasil.[6]

Outros dois especialistas no assunto, Manolo Florentino e José Roberto Góes, demonstraram que a construção da família escrava era do interesse não apenas dos cativos, mas também dos senhores. A estabilidade e a permanência do sistema escravista não poderiam se sustentar apenas na lei do chicote. Eram necessários outros mecanismos que mantivessem a "paz na senzala", segundo a expressão cunhada pelos dois historiadores. Entre eles, estavam as uniões conjugais e as relações de parentesco, porque fixavam o escravo ao local de trabalho e dificultavam aventuras que poderiam desorganizar a ordem escravista, como fugas, formação de quilombos ou rebeliões. A longevidade do regime, portanto, sustentava-se em um complexo sistema de punição e recompensa, habilmente explorado tanto pelos senhores como pelos cativos. Paz e violência estavam sempre presentes na realidade do cativeiro, sem que fosse possível traçar uma divisa clara entre esses dois mecanismos. "Era o parentesco escravo a possibilidade e o cimento da comunidade cativa", escreveram Florentino e Góes. "Era o amálgama imprescindível a senhores e escravos, por intermédio do qual se tecia a paz das senzalas."[7]

Estudos realizados por Manolo Florentino em parceria com outra historiadora, Márcia Amantino, nos arquivos do Rio de Janeiro e de Taubaté, revelam que, entre o fim do século XVIII e o início do século XIX, as fugas eram bem menos frequentes do que se imagina, especialmente aquelas que resultavam na formação de quilombos ou bandos de cativos organizados. Apenas entre 1% e 2% dos 14 mil escravos que aparecem nas listas de 1.200 inventários nessas duas comarcas são registrados como fugitivos. Muitos deles acabavam retornando aos seus donos por vontade própria ou depois de recapturados pelos capitães do mato. Uma razão era a possibilidade de, mesmo permanecendo no cativeiro, constituir famílias. Mais do que fugir, os escravos optavam por certas estratégias de acomodação que, no longo prazo, resultariam em certos benefícios ou vantagens. Eles contavam com a possibilidade de formar suas próprias famílias, cultivar pequenas hortas e lavouras e, principalmente, obter a

A FAMÍLIA ESCRAVA

alforria. Esses estudos demonstram que na América Portuguesa do século XVIII o número de escravos fugitivos era infinitamente menor entre aqueles que tinham famílias do que entre os outros, solitários e sem laços sociais mais estáveis. "A família escrava funcionava como um poderoso mecanismo de estabilização dentro do *status quo* escravocrata", escreveram Manolo Florentino e Márcia Amantino.[8]

Uma prova de que a família cativa estava longe de ser uma exceção no Brasil escravista foi mais uma vez observada por Manolo Florentino e José Roberto Góes, ao analisar, no acervo do Arquivo Nacional, o inventário de Ana Maria de Jesus, moradora da freguesia do Irajá, no Rio de Janeiro, proprietária de dois grandes engenhos de açúcar, falecida em 1795. Oitenta e cinco de seus 225 escravos estavam unidos por relações familiares, formando um total de 33 famílias, das quais vinte (60,6%) eram do tipo nuclear — ou seja, composta por pai, mãe e filhos. Outras dez (30,3%) eram matrifocais, encabeçadas apenas pela mãe. Doze cativos eram donos de pequenas áreas de terras, que cultivavam para o próprio sustento. Todas essas famílias estavam juntas havia muitos anos e nenhuma foi separada depois da morte e da distribuição da herança da proprietária. A morte dos senhores era considerada a etapa mais delicada na vida das famílias escravizadas pela possibilidade de separação de seus membros entre os diferentes herdeiros. Nos demais inventários analisados pelos dois historiadores, observou-se que três entre quatro grupos familiares permaneciam unidos após a partilha dos bens.[9]

Os historiadores João Fragoso e Ana Rios, ao estudar os registros batismais da paróquia de São Gonçalo, no estado do Rio de Janeiro, surpreenderam-se com as complexas redes de relacionamentos que os escravos conseguiam fazer através de alianças que incluíam o apadrinhamento de crianças na pia batismal. Algumas famílias escravas estabeleciam compadrio com proprietários de outros escravos. Outras tinham negros e libertos como padrinhos de seus filhos cativos. Havia também madrinhas escravizadas. E donos de escravos que se declaravam pais ou padrinhos de crianças escravas e mestiças.[10] Tudo isso mostra o quão fluidas eram as relações sociais e familiares no Brasil escravista. As alianças transcendiam em muito as rígidas fronteiras entre brancos e negros ou entre pessoas cativas e livres.

Herbert Klein e Francisco Vidal Luna se referem ao compadrio como "um sistema de parentesco secundário" tipicamente brasileiro.[11] No Brasil colonial, em que Igreja e Estado se misturavam e se confundiam, a certidão de batismo tinha o mesmo valor de uma certidão de nascimento lavrada em cartório atualmente. Era o primeiro e o mais importante documento civil na vida de uma pessoa. Embora nem todos os casamentos fossem sacramentados na Igreja, os nascimentos eram sempre que possível reconhecidos oficialmente na pia batismal. A madrinha e o padrinho em geral tinham sólida amizade com os pais da criança e a responsabilidade de, a partir do batismo, ajudar o afilhado em todas as possíveis circunstâncias, incluindo a possibilidade de incorporá-lo à própria família caso os pais morressem, se ausentassem ou não tivessem mais condições de criá-lo. Isso valia para os escravos, mas também para a população branca. Um exemplo bem conhecido, e também ligado à história da escravidão, é o do abolicionista pernambucano Joaquim Nabuco, que passou a infância aos cuidados da madrinha, Ana Rosa Falcão de Carvalho, no Engenho Massangana, localizado 44 quilômetros ao sul do Recife, enquanto o pai, o senador Nabuco de Araújo, desempenhava importantes funções públicas no Rio de Janeiro.

O compadrio era, portanto, uma forma de ampliar as relações de parentesco para além dos laços sanguíneos e criar uma rede de apoio e solidariedade entre compadres, comadres

A FAMÍLIA ESCRAVA

e afilhados. No caso dos escravos, o compadrio muitas vezes era também o caminho mais curto para a liberdade. São muitos os registros de padrinhos que alforriavam seus afilhados ainda perante a pia batismal. Normalmente, o compadrio tendia a se estabelecer dentro do mesmo grupo social: fazendeiros convidavam fazendeiros para batizar seus filhos; mestiços e crioulos se tornavam compadres de mestiços e crioulos; escravos, de escravos; e assim por diante. Mas havia inúmeras exceções nessa regra, especialmente no século XIX, no período anterior à abolição da escravatura. Entre 1.970 crianças escravas batizadas em Senhor Bom Jesus do Rio Pardo, em Minas Gerais, entre 1838 e 1887, apenas 31% dos padrinhos eram também cativos. Os demais 69% eram pessoas negras livres.

O compadrio era uma ferramenta tão importante na inserção social dos escravos que, em alguns momentos, enfrentou a oposição das autoridades coloniais. No início do século XVIII, o conde de Assumar mostrava-se preocupado com as notícias de que alguns escravos alcançavam posições de certo prestígio social, sendo convidados a ser padrinhos de batismo de inúmeras crianças nascidas em famílias também cativas. Segundo ele, isso poderia acarretar "dano de seus senhores". Além disso, argumentava que negros recém-chegados da África, "ainda bárbaros", jamais poderiam doutrinar seus afilhados "com a ciência e o zelo como farão os homens brancos". O conde queria total submissão dos cativos aos seus mineradores e fazendeiros escravocratas. Por isso, ordenou que só os brancos pudessem ser padrinhos de batismo ou de casamento de escravos, ordem que nunca foi respeitada.[12]

Ao analisar os registros de batizados da paróquia de Catas Altas do Mato Dentro, hoje município mineiro situado na serra do Caraça, região metropolitana de Belo Horizonte, o historiador Tarcísio R. Botelho produziu uma curiosa e reveladora fotografia da formação da família escrava em Minas Gerais do século XVIII.[13] Nela misturam-se elementos importantes para o entendimento da dinâmica do escravismo em todo o Brasil, como a miscigenação racial resultante do relacionamento sexual entre senhores brancos e suas escravas negras ou pardas, os casamentos entre cativos — mais frequentes do que se imagina — e a existência de um elevado número de lares em que mulheres eram chefes de família, muitas delas já alforriadas e mães de filhos gerados em relacionamentos com seus senhores ou com diferentes homens, que poderiam ser brancos, negros escravos ou forros. A união consagrada pelo casamento religioso, constituída de acordo com os preceitos da Igreja Católica, não era a única pela qual se formavam as famílias negras, escravas ou libertas. Cerca de 80% das crianças batizadas em Catas Altas eram registradas apenas com o nome da mãe, indicativo de que, em todos esses casos, tratava-se de famílias matrifocais, chefiadas por mulheres. Na condição de alforriadas, muitas delas aparecem não apenas como chefes de família, mas também como proprietárias de escravos ou madrinhas de outros cativos.

As uniões conjugais relativamente estáveis apareciam nas mais diversas combinações possíveis. Havia a família negra, com ambos os pais escravizados ou um deles liberto e outro cativo. Muito comuns eram também os núcleos familiares em que pelo menos um dos pais era africano ou filho de alguém que viera da África. Alguns já eram libertos. Outros buscavam meios para obter a liberdade, para si e para seus filhos. Eram também famílias relativamente prolíferas. Antônia, identificada como sendo da etnia mina, e Antônio, angola, escravos de Manoel Carvalho de Araújo, por exemplo, compareceram cinco vezes à pia batismal entre 1776 e 1788, o que significa que, em média, tiveram um filho a cada dois anos, sem contar os que eventualmente não sobreviveram tempo suficiente para serem batizados devido à elevada taxa de mortalidade infantil entre os escravos. A família escrava passava a figurar, assim, não mais como uma exceção, mas como um traço estrutural do escravismo brasileiro, como observou Botelho.

O primeiro registro de batismo em Catas Altas foi de uma criança escravizada, no início da corrida do ouro, no dia 15 de julho de 1712. Henrique era filho natural (ou ilegítimo) da escrava Domingas e de seu senhor Manuel Vieira Borges. Em 29 de setembro de 1714 aparece o registro de mais uma criança nascida no cativeiro, Miguel, filho natural de Francisca Mina (sobrenome indicativo de que seria africana, da região do Golfo do Benim) e de seu senhor Francisco Queimado. Um mês depois foi registrado Marcos, filho natural de Josefa, escrava do sargento-mor Antônio Correia Sardinha. O primeiro casamento de escravos ocorreu no dia 1º de março de 1718, entre Miguel e Joana, ambos escravos de Bento Barros. Por essa mesma época, aparecem os registros de crianças escravas filhas de casais também escravos ou nascidas em lares nos quais pelo menos um dos pais já era liberto. Teodózio, filho de Maurício e Domingas, escravos de Manoel Vieira Borges, foi batizado em 1º de agosto de 1715. Clara, filha do liberto Martinho e de Domingas, escrava de Manoel Gomes de Araújo, compareceu à pia batismal em 11 de agosto de 1715.

Outro caso exemplar observado por Tarcísio R. Botelho diz respeito ao plantel de Manoel Jorge Coelho, um dos maiores proprietários de escravos da região de Catas Altas no século XVIII. Entre 1717 e 1729, Coelho batizou onze crianças, nascidas entre os seus cativos. Dessas, quatro eram filhas de Maria, identificada como escrava benguela (da região sul de Angola), e Sebastião, ou seja, aparentemente nascidas dentro de um casamento estável. Outras quatro, porém, eram filhas de Suzana, "negra angola" (muito provavelmente embarcada no porto de Luanda, de onde provinham os cativos com essa denominação), com diferentes pais, alguns escravos e outros livres. No plantel de 76 cativos desse senhor escravocrata, havia 57 homens africanos e sete nascidos no Brasil. As mulheres eram onze, das quais apenas uma nascera em nosso país. Havia, portanto, cinco homens para cada mulher. Entre as onze mulheres, porém, cinco eram casadas. Dentre as outras, três registraram filhos no período analisado pelo pesquisador.

Outro historiador mineiro, Eduardo França Paiva, encontrou nos registros de São João del-Rei um caso interessante por revelar que, numa única geração, um homem e uma mulher, recém-chegados da África como cativos, tiveram a oportunidade de ganhar a liberdade, constituir família, acumular bens avaliados no total em dois contos de réis, o que seria uma fortuna razoável para a época, equivalente a 5,5 quilos de ouro, cerca de 1,7 milhão de reais em valores atualizados de 2021, além de virar, eles próprios, donos de escravos.[14] Quando Alexandre Correia e Maria Correia de Andrade, casal de negros africanos moradores de São João del-Rei, contraíram matrimônio ("em face da Igreja", segundo aparece nos documentos), a noiva já era mãe de um filho e uma filha "que ela teve de outro pai no estado de solteira". Depois do casamento, nasceram mais cinco filhos. A liberdade de ambos, aparentemente, tinha sido obtida por meio da mineração de ouro. Os bens de raiz, declarados pelo chefe do clã em seu testamento, de 1761, incluíam "uma morada de casas" com "um quintal cercado de muro de pedra" avaliada em 180 mil réis, mais "uma morada de casas pequenas [...] com seu quintal e todos os seus pertencentes", avaliada em 50 mil réis, "umas terras minerais", ou seja, lotes de extração de ouro, avaliadas em 450 mil réis, diversos instrumentos de mineração e agricultura e, por fim, doze escravos.

A inserção e o prestígio social adquiridos pelo casal podem ser medidos pelas roupas arroladas no testamento, "uma casaca de lemiste [pano preto e fino, de lã], uma véstia [casaco curto ou jaqueta] de cetim, um calção de veludo, tudo forrado de tafetá" e pelo desejo final manifestado pelo marido antes de morrer: "Mando que no dia do meu falecimento se deem de esmola a doze pobres que acompanharem meu corpo à sepultura quatro vinténs de ouro a cada um, pelo amor de Deus". Dois anos após o falecimento do marido, a viúva requereu ao juiz de órfãos da vila de São João del-Rei licença para sacramentar o casamento de duas filhas. Os novos genros — Luciano Rodrigues de Carvalho e João de Sá Ferreira — eram ambos "crioulos forros" (escravos alforriados nascido no Brasil) e mineradores de ouro. As despesas com os dois casamentos somaram 297 mil réis, valor aproximado de setecentos gramas de ouro, cerca de 218 mil reais em valores de 2021.

A predominância da família escrava organizada no Brasil foi maior no período próximo da abolição, já na segunda metade do século XIX, e nos plantéis pertencentes às grandes fazendas de café do interior de São Paulo, onde os cativos eram alienados com menor frequência do que nos engenhos e fazendas das regiões Norte e Nordeste — o que significava também menor risco de separação de maridos e mulheres, ou pais e filhos. O censo de 1872, o primeiro de abrangência nacional, mostrou que nas fazendas de grande e médio portes da região de Campinas, interior de São Paulo, 67% das mulheres escravizadas eram casadas ou viúvas. Oitenta por cento dos filhos menores de dez anos conviviam com os dois pais ou com a mãe ou o pai viúvo. No distrito de Bananal, no Vale do Paraíba, 83% dos 2.282 cativos viviam em unidades familiares. Na fazenda Resgate, situada na mesma região, 90% dos 436 cativos eram parentes de outros cativos ou de pessoas negras ou pardas livres. Um estudo abrangendo 2.245 escravos nos distritos vizinhos de Lorena e Cruzeiro apontou que, em 1874, o percentual de escravos que viviam em unidades familiares era de 55%.[15]

Escravos recém-chegados ao Brasil tendiam a formar famílias com parceiros da mesma etnia a que pertenciam na África. O viajante francês Auguste de Saint-Hilaire, de passagem pelo Brasil em 1816, registrou o seguinte depoimento de um africano residente em Minas Gerais:

Vou me casar dentro de pouco tempo; quando se fica assim, sempre só, o coração não vive satisfeito. Meu senhor me ofereceu primeiro uma crioula, mas não a quero mais; as crioulas desprezam os negros da Costa. Vou me casar com outra mulher que minha senhora acaba de comprar; essa é da minha terra e fala a minha língua.[16]

No distrito mineiro de Barbacena, entre 1721 e 1781, havia 717 africanos casados, sendo que 68% deles tinham cônjuges também africanos e, nesse caso, 96% — ou seja, quase a totalidade — pertenciam ao mesmo grupo étnico original.[17] Essa proporção, porém, mudava com o passar dos anos e das gerações. Entre os crioulos, os casamentos tendiam a acontecer com parceiros também nascidos no Brasil e dos mais variados grupos étnicos.

Havia significativas diferenças regionais na composição da família escrava. Estudos apontam que as chamadas uniões livres, sem matrimônio formal na Igreja, eram mais comuns nas regiões Norte e Nordeste do que no Sul do Brasil. Um censo de 1855 realizado em Salvador revelou que, dos casais com filhos, 59% não eram legalmente casados. Entre 1830 e 1874, apenas 38% das mais de 9 mil crianças batizadas na paróquia da Sé, na capital baiana, foram registradas como filhos legítimos, nascidos dentro de um casamento sacramentado pela Igreja.[18] Outros estudos indicam que houve ainda mais escravos legalmente casados na área rural do que nos centros urbanos. Foi o caso das fazendas cafeeiras de Itu e Sorocaba, no interior de São Paulo, onde os percentuais de escravos adultos casados em 1804 eram de, respectivamente, 36% e 43%, taxa bem superior à registrada em cidades de outras regiões do país.

Robert W. Slenes chama atenção também para uma bem-sucedida estratégia feminina no Brasil escravista. Mulheres africanas recém-desembarcadas tendiam a se casar ou se relacionar preferencialmente com homens muito mais velhos: "A mulher africana jovem e recém-chegada", escreveu Slenes, "rapidamente se daria conta de que 'o melhor partido' (aquele que permitiria a ela e a seus futuros filhos enfrentarem melhor as condições incertas da escravidão, conseguirem mais rapidamente favores da casa-grande e recursos que pudessem levar eventualmente à alforria de algum familiar) não seria o 'malungo' bonito da mesma idade, mas o homem com mais experiência de Brasil: o cativo ladino, com laços de amizade e dependência já formados, talvez com ocupação diferenciada, em todo caso com algum pecúlio e com poder de poupança maior".[19] Malungo, como já se viu em outros capítulos desta trilogia, era a denominação que se dava aos companheiros de viagem no navio negreiro.

24. AS MULHERES

"Os casamentos se fazem aqui muito cedo.
Não é raro encontrarem-se mães de treze anos."

Alexander Caldcleugh, viajante inglês,
sobre as brasileiras no começo do século XIX

Para o Brasil escravista, as mulheres foram sempre um dilema. Elas aparecem frequentemente na documentação histórica, em geral escrita por homens, na forma de relatos de viajantes, cartas, regulamentos e memorandos oficiais, certidões de batismo e casamento, processos judiciais e inquéritos da polícia, testamentos e inventários *post-mortem*, porém jamais com a importância que mereceram pelos múltiplos e decisivos papéis que desempenharam na construção da sociedade brasileira. Isso valia para brancas, negras, indígenas ou mestiças. Ao descrever a pujança de Vila Rica, atual Ouro Preto, em 1734, no auge da corrida do ouro em Minas Gerais, o autor de um documento chamado *Triunfo eucarístico* usa a linguagem masculina típica da época, sem qualquer referência às mulheres:

*Nesta vila habitam os homens de maior comércio, cujo trá-
fego e importância excede sem comparação o maior dos
maiores homens de Portugal: a ela, como a porto, se encami-
nham e recolhem as grandiosas somas de ouro de todas as
minas na Real Casa da Moeda; nela residem os homens de
maiores letras, seculares e eclesiásticos; nela tem assento
toda a nobreza, e força da milícia; é por natureza cabeça
de toda a América; pela opulência das riquezas, a pérola preciosa do Brasil.*[1]

A historiadora Sheila de Castro Faria aponta dois dos estereótipos femininos principais aos olhos do Brasil masculino. De
um lado, havia a mulher branca reclusa, religiosa e submissa,
sempre sob os cuidados e as ordens do pai ou do marido. De outro, a mulher negra sensual, voluptuosa, cujo descontrole sexual
seria responsável pela corrupção dos bons costumes da América
Portuguesa. "A ideia comum nos relatos sobre a colônia era a de
que as índias e negras, mas sobretudo as mulatas, só serviam
para a fornicação, pois teriam vocação libidinosa, pondo a perder os homens", anotou a historiadora.[2]

O tom depreciativo se reflete na historiografia tradicional —
invariavelmente também masculina — que jamais se preocupou,
por exemplo, em denunciar em toda a sua crueza o assédio sexual, o estupro e outras formas de violências nas relações entre
escravas e escravizadores. Ao contrário, nesses livros a mulher
negra aparece invariavelmente como sexualmente disponível, a
"que nos iniciou no amor físico e nos transmitiu, ao ranger da
cama de vento, a primeira sensação completa de homem", na
imagem bucólica de Gilberto Freyre. Visão semelhante Freyre
aplicava às indígenas, como afirmava a respeito da chegada dos
colonizadores europeus ao Brasil:

As mulheres eram as primeiras a se entregarem aos brancos, as mais ardentes indo esfregar-se nas pernas desses que supunham deuses. Davam-se ao europeu por um pente ou um caco de espelho.[3]

O médico maranhense Nina Rodrigues atribuía à "mulata" a tendência promíscua da sociedade brasileira no campo sexual, segundo ele, uma das muitas heranças nocivas da escravidão:

Como resultado de todas essas influências desfavoráveis, a energia de todo o povo degenerou em indolência e gozos sensuais e para sair dessa situação serão necessários séculos.[4]

A visão distorcida (sempre no mundo masculino) se perpetuaria no Brasil depois da Independência. Na sua *Representação à Assembleia Geral Constituinte*, em 1822, o mineralogista, deputado e ministro José Bonifácio de Andrada e Silva insistia na ideia de que a escravidão corrompia os costumes e comprometia o futuro da sociedade brasileira, em especial devido à facilidade com que as mulheres negras se prostituíam:

Que educação podem ter as famílias que se servem com esses infelizes sem honra, sem religião? Que se servem com as escravas, que se prostituem ao primeiro que as procura? Tudo se compensa nesta vida. Nós tiranizamos os escravos e os reduzimos a brutos animais; eles nos inoculam toda a sua imoralidade e todos os seus vícios.[5]

Alguns anos mais tarde, em 1828, o marquês de Santa Cruz, arcebispo da Bahia, escrevia:

Sempre lastimei [...] a sorte dos tenros meninos brasileiros que, nascendo e vivendo entre escravos, recebem desde os primeiros anos as funestas impressões dos contagiosos exemplos desses seres degenerados; [...] oxalá que tantas famílias não tivessem de deplorar a infâmia e a vergonha em que as tem precipitado a imoralidade dos escravos.

Na verdade, o papel da mulher na sociedade colonial brasileira foi muito além da satisfação sexual do homem, da procriação e do cuidado da casa. Desde o primeiro século da ocupação portuguesa, muitas delas foram donas de engenhos, fazendas, minas de ouro, vendas, tabernas e variados outros negócios. Realizaram serviços domésticos, mas também trabalharam nas lavouras de cana-de-açúcar e nos engenhos, em jornadas tão extenuantes quanto a de seus companheiros homens. No Nordeste, chegaram a labutar na criação de gado, como vaqueiras e curraleiras. Em um Brasil ermo e isolado, em que não existiam médicos e hospitais, foram benzedeiras e curandeiras. A maioria dos brasileiros, brancos ou negros, veio à luz com a ajuda de parteiras cativas ou libertas, que, depois do nascimento, também se responsabilizavam pela alimentação da criança como amas de leite — aquelas que ofereciam os seios no lugar de mães impossibilitadas ou que não estavam dispostas a amamentar. O aluguel de amas de leite, anunciado em jornais e revistas, foi um dos maiores e mais prósperos negócios do Brasil nos séculos XVIII e XIX.

No Brasil da escravidão, as mulheres, fossem elas brancas, negras, índias ou mestiças, casavam-se muito jovens, ainda mal entradas na adolescência. Tinham muitos filhos. E morriam logo, de parto, doenças ou abandono. As Constituições Primeiras do Arcebispado da Bahia, documento promulgado em 1707 pelo arcebispo dom Sebastião Monteiro da Vide e que durante dois séculos serviria de régua de conduta moral na América Portuguesa, definia que as mulheres podiam se casar a partir dos doze anos de idade, quando, portanto, considerava-se que estavam aptas à reprodução, já que haviam entrado na puberdade. Aos homens, a idade mínima era de catorze anos. "Os casamentos se fazem aqui muito cedo", escreveu o viajante inglês Alexander Caldcleugh. "Não é raro encontrarem-se mães de treze anos." E acrescentava:

> O clima e hábitos retraídos das brasileiras tem considerável efeito sobre seu físico. Quando novas, os belos olhos escuros e a figura bonita atraem a admiração de todos; mas dentro de poucos anos, dá-se uma mudança na sua aparência, que longa e contínua doença dificilmente causaria na Europa.

A também inglesa Jemima Kindersley, que visitou Salvador em agosto de 1764, registrou que as senhoras da elite colonial levavam uma vida de ócio e sedentarismo, engordavam rapidamente e cedo. Depois de se encherem de filhos, perdiam os encantos da juventude e "ficavam com o ar de velhas muito depressa".

Um terceiro viajante inglês, Henry Koster, já no início do século XIX, observou:

> Logo que a criança deixa o berço, dão-lhe um escravo do seu sexo e de sua idade, pouco mais ou menos, por camarada, ou antes, para seus brinquedos. [...] Nascem, criam-se e continuam a viver rodeadas de escravos, sem experimentarem a mais ligeira contrariedade, concebendo exaltada opinião de sua superioridade sobre as outras criaturas humanas, e nunca imaginando que possam estar em erro.

Essas mulheres consumiam grandes quantidades de açúcar e outros carboidratos, faziam poucos exercícios e, quando saíam de casa, deixavam-se transportar languidamente em cadeirinhas de arruar ou redes sustentadas por escravos. Entravam assim nas igrejas para assistir à missa e outras celebrações religiosas, o que gerou recriminação em uma carta pastoral do bispo de Pernambuco, dom José Fialho, em 19 de fevereiro de 1726: "Por nos parecer indecente entrarem algumas pessoas do sexo feminino em serpentinas, ou redes, dentro da igreja, ou capelas, proibimos o tal ingresso".

O casamento e a vida sexual eram a fronteira que, segundo a historiadora Leila Mezan Algranti, delimitava o universo colonial feminino brasileiro em três grupos: as mulheres com honra, castas, casadas, que frequentavam a igreja e viviam relativamente reclusas dentro de casa; as mulheres sem honra, categoria que incluía as escravas, negras e mestiças forras e as prostitutas; e, por fim, as mulheres desonradas, aquelas que perdiam a virgindade antes do casamento.[6] Segundo a autora, a sociedade colonial brasileira tendia a ser mais tolerante com as mulheres sem honra do que com as desonradas. Por fim, havia milhares de freiras que se refugiavam nos conventos e passavam a vida na clausura, isoladas do convívio com o restante da sociedade. No convento de Nossa Senhora das Mercês, em Salvador, muitas se recolhiam à clausura em companhia de suas escravas, consideradas partes do dote pago à ordem religiosa e que ali passavam a servi-las pelo resto da vida. O convento era ainda um lugar para proteger mulheres e filhas das tentações. Alguns maridos deixavam suas mulheres temporariamente enclausuradas enquanto viajavam. Também com o objetivo de proteger a própria honra, ali ficavam abrigadas mulheres enquanto esperavam a conclusão de processos de divórcio.[7]

A Igreja e as autoridades civis tentavam inutilmente controlar a maneira como as escravas deveriam se vestir e se comportar.[8] Em 20 de setembro de 1702, o bispo do Rio de Janeiro enviou uma carta ao rei pedindo providências contra as "pretas, pardas e ainda mulheres de cor" que andavam à noite pelas ruas da cidade, "sem temor de Deus, nem vergonha do mundo". Sua sugestão era que as mulheres fossem proibidas de sair de casa depois do anoitecer. Solicitava também que lhes fosse interditado "vestirem sedas, garças, e trazerem ouro [...] porque estes enfeites que veem em outras as movem poderosamente a imitá-las nos erros". O governador da Bahia, por sua vez, determinava aos soldados da força pública que prendessem todas as mulheres encontradas na rua à noite. Na mesma carta pastoral citada acima, o bispo de Pernambuco, dom José Fialho, recomendava aos senhores de engenho que proibissem as escravas de entrar na igreja em estado de "deplorável indecência" sob pena de "excomunhão maior". Causava particular incômodo ao bispo as "aberturas grandes nas saias" que, segundo ele, provocavam pensamentos e atos pecaminosos nos fiéis:

> *Advertimos aos senhores de escravos não consintam que estas [as negras cativas] andem despidas como vulgarmente costumam, mas sim cobertas com aquele ornato que seja bastante para cobrir a provocação da sensualidade.*[9]

O assunto era tão premente na cabeça das autoridades coloniais que o Conselho Ultramarino se reuniu para discuti-lo e, um ano mais tarde, decidiu que não caberia proibir as mulheres de sair à noite, porque isso poderia causar revolta nos moradores da colônia. Mas concordou que se deveria fiscalizar o traje das escravas. "A experiência", ponderava o Conselho, "tem mostrado que dos trajes de que usam as escravas se seguem muitas ofensas contra Nosso Senhor". Os conselheiros sugeriam ao rei "mandar que de nenhuma maneira usem, nem de sedas nem de telas e ouro porque será tirar-lhes a ocasião de poderem incitar para os pecados com os adornos custosos de que se vestem". Em setembro de 1703, uma carta régia foi despachada para o Rio de Janeiro proibindo as escravas de usarem roupas com seda e ouro.

Decisões como essa eram, obviamente, infrutíferas. Já em 1696 outras duas cartas régias, em resposta a pedidos do governador-geral, haviam proibido as escravas de usar "vestidos de seda, cambraias, holandas com ou sem rendas, brincos de ouro ou prata". O objetivo era reprimir "a demasia do luxo, de que usam no vestir as escravas, [...] devendo evitar este excesso e o ruim exemplo", que, no entender das autoridades, era nocivo "à modéstia e compostura dos senhores das mesmas escravas e suas famílias e outros prejuízos igualmente graves". Em 1709, a questão reapareceu numa representação da Câmara da Bahia ao Conselho Ultramarino, na qual se reclamava do "prejuízo que se segue ao bem público do excesso e luxo com que os negros e mulatos se vestem naquela terra". Mais uma vez, os conselheiros concordaram que o traje das mulatas e escravas levava "à ruína muitas casas", dando "ocasião a muitos pecados".

Como resultado dessas discussões, em 23 de setembro do mesmo ano (1709), o rei escreveu uma carta ao governador da Bahia, Luiz Cézar de Meneses, com as seguintes instruções:

> *Tendo tomado conhecimento das observações que me fizeram os oficiais da Câmara desta cidade, a respeito do relaxamento com o qual as escravas têm o costume de viver e vestir-se em minhas conquistas de além-mar, passeando à noite e incitando os homens ao pecado com suas roupas lascivas, apraz-me ordenar que façais observar os decretos relativos àqueles que passeiam à noite. E como a experiência mostrou que numero-*

sas ofensas contra Nosso Senhor se produzem devido às roupas que usam as escravas, vos ordeno que não se consinta que [...] vistam-se de seda, linho ou ouro, para impedir que incitem ao pecado por esses custosos ornamentos.

Quase meio século mais tarde, em 1749, a Coroa portuguesa ainda estava às voltas com a questão. Nesse ano, nova decisão régia estendia as proibições de determinados tecidos e ornamentos a todos os "negros e mulatos das Conquistas", ou seja, o Brasil e todas as demais regiões do império colonial português. Estas eram as ordens do rei de Portugal:

Por ser informado dos grandes inconvenientes que resultam nas conquistas da liberdade de trajarem os negros, e os mulatos, filhos de negro, ou mulato, ou de mãe negra, [...] proíbo os sobreditos [...] de um ou de outro sexo, ainda que se achem forros ou nascessem livres, o uso não só de toda a sorte de seda, mas também de tecidos de lã finos, de holandas, esguiões, e semelhantes, ou mais finos tecidos de linho, ou de algodão; e muito menos lhes seja lícito trazerem sobre si ornato de joias, nem de ouro ou prata, por mínimo que seja.

As punições eram severas. Na primeira infração, negras e mestiças consideradas infratoras das ordens reais teriam as roupas e joias confiscadas, pagariam multa em dinheiro e seriam açoitadas em praça pública. Na segunda transgressão, seriam presas na cadeia pública e, se persistissem no descumprimento da lei, "transportadas em degredo para a Ilha de São Tomé por toda a sua vida". Uma vez mais, a medida foi inútil, a tal ponto que, quatro meses mais tarde, uma nova decisão real suspendia, sem dar razões, todas as proibições anteriores.

A hipocrisia masculina em relação às mulheres aparece de forma escancarada em um texto, de 1768, de autoria do marquês do Lavradio, vice-rei do Brasil. Em carta privada a um primo, o conde do Prado, Lavradio descrevia com evidente entusiasmo o comportamento e o vestuário das mulheres na Bahia:

> Este país é ardentíssimo, as mulheres têm infinita liberdade, todas saem à noite sós, andam quase nuas a pouco mais de meia cintura para cima e, porque as camisas são feitas em tal desgarre, que um ombro e peito daquela parte é necessário que ande aparecendo todo [...] traje em que andavam todas as mulheres, assim brancas como pretas.[10]

No ano seguinte, o mesmo marquês do Lavradio relatava seus esforços para botar ordens nos costumes. Segundo ele, graças às providências tomadas, já haveria nas ruas de Salvador "menos fraldas fora, as mulheres vão se compondo mais da cintura para cima, proibi o uso de chapéus desabados de que todos aqui usavam". As medidas estendiam-se aos ornamentos usados na fachada das casas: "Mandei-lhes tirar uma espécie de esteiras velhas, que todos tinham nas portas e nas janelas, fazendo a cidade mais fúnebre e ridícula".

Havia falta crônica de mulheres na América Portuguesa, especialmente as brancas, consideradas mais aptas a casar e constituir famílias pelos colonizadores. Em 1722, o governador dom Lourenço de Almeida relatava em carta à Coroa que a maior parte dos moradores de Minas Gerais era composta por homens solteiros, recém-chegados de Portugal, que nada tinham a perder, "por ser o seu cabedal pouco volumoso, por consistir tudo em ouro, nem mulher e filhos que deixar", razão pela qual "não só se atrevem a falta à obediência e às justiças de Vossa Majestade, senão também a cometerem continuamente os mais atrozes delitos, como estão sucedendo nestas minas". Ainda segundo o governador, se aqueles homens pudessem se casar com mulheres de sua própria condição e constituir famílias, logo se tornariam cidadãos respeitáveis e responsáveis.[11]

A aguda carência de mulheres disponíveis impedia que os desejos de dom Lourenço se realizassem. Segundo o historiador Charles Boxer, dado o clima de anarquia reinante nas regiões interioranas do Brasil, os pais das poucas jovens brancas, quase todos moradores nas cidades litorâneas, preferiam mandar suas filhas para conventos na Bahia ou em Portugal, do que deixar que se casassem em Minas Gerais. "Não cuidam de outra coisa senão em as mandarem para freiras, ou para as ilhas ou para Portugal e por nenhuma razão as querem casar", reclamava o governador, aconselhando também que a Coroa portuguesa proibisse a viagem de moças brancas do Brasil para Portugal. A medida chegou, de fato, a ser adotada em 1732, mas acabou logo revogada diante das reclamações dos colonos. O quadro era agravado pela escassez de padres para realizar os casamentos e pelas altas tarifas que a Igreja cobrava pela cerimônia. A solução era o concubinato com as escravas, o que, por sua vez, resultou no acelerado aumento da população mestiça nas regiões mineiras.

No que se refere às mulheres negras (como apontado na introdução deste livro), foram elas as protagonistas de inúmeras histórias de resiliência e superação que mudaram a paisagem escravista brasileira. Nessa condição, agiram ativamente não apenas para conquistar a liberdade de seus maridos e filhos, mas também para transformar a sociedade em que viviam. Ocuparam cargos importantes na direção de irmandades religiosas, fundaram terreiros de candomblé (chamados de calundus na época colonial), se elegeram "rainhas" de comunidades negras, lideraram quilombos, administraram fazendas e participaram da mineração de ouro e diamante. Muitas também, depois de libertas, foram donas de numerosos plantéis de escravos.

O historiador Eduardo França Paiva cita o caso de Joanna Gomes, "preta forra", nascida em Angola, moradora da comarca de Rio das Mortes (atual São João del-Rei).[12] Viúva do também "preto forro" Antônio Simões e sem filhos, ela declarava em seu testamento, lavrado em 1761, ter pagado o "preço justo" de sua alforria à antiga e já falecida dona, Francisca Gomes, de quem herdara o sobrenome. Seus bens eram modestos: um rancho de capim, alguns objetos domésticos e "um par de brincos pequenos de aljôfar". Mas era dona de três escravos: Miguel Mina, Dorotheia Angola e o filho dela, Antônio. Sua sobrevivência vinha do serviço que lhe prestavam esses três escravos, mais as prestações que recebia de Roza Mina, a quem declarava ter passado um "papel" de alforria. Doente, dizia viver em companhia de outra Joanna Gomes (de nome e sobrenome igual ao seu), "à qual dei já há anos a liberdade com a condição de me servir enquanto eu viva". Por fim, declarava deixar alforriado Manuel, filho de Joanna, sua companheira, "pelo muito amor que lhe tenho e pelo amor de Deus e pelos bons serviços que da mãe tenho recebido". Dois dos seus escravos, Miguel Mina e Dorotheia Angola, foram doados à Irmandade de Nossa Senhora do Rosário, de quem Joanna Gomes se dizia "rainha" e que, em troca de seus bens legados, deveria cuidar de seus funerais.

Outra história de mulher escrava que se tornara dona de escravos é relatada pela historiadora Larissa Viana.[13] Em 1779, morreu no Rio de Janeiro o crioulo forro José Rodrigues Fróes. Em seu testamento, declarava ter nascido em Sabará, Minas Gerais, e ter sido escravo de Antônio Rodrigues Fróes que, além de lhe legar o próprio sobrenome, ao morrer também lhe concedera a liberdade. Como não tinha filhos, José Rodrigues deixou como herança para sua mulher, Isabel Gonçalves, dois escravos angolas. Isabel era africana, natural da Costa da Mina, também ela forra, ex-escrava de João Gonçalves da Vila Nova, e tinha sido eleita rainha de São Baltasar da Irmandade da Lampadosa, à qual era filiada. Faleceu um ano depois da morte do marido e, no testamento, encontram-se arrolados como bens, além dos dois escravos angolas que herdara do marido, algumas joias, uma colher de prata e um tacho de cobre, o que, segundo Larissa Viana, sugere que se ocupasse da produção de doces para a venda nas ruas da cidade.

Em Minas Gerais, a maioria da população escrava era masculina, enquanto entre as pessoas alforriadas predominavam as mulheres, na proporção de duas para cada homem nessa condição. Exemplos disso podem ser observados no censo populacional realizado em 1738 na comarca do Serro do Frio, que incluía o Distrito Diamantino. Do total de 9.681 habitantes, 83,5% eram homens e apenas 16,5%, mulheres. Entre os escravos, a desproporção era ainda maior: somente 3,1% eram do sexo feminino — uma vez que o trabalho na mineração era majoritariamente desempenhado por homens. Entre negros e mestiços forros, porém, os números se invertiam. De um total de 387 moradores alforriados, 63% eram mulheres.[14] A alforria era conquistada graças, principalmente, ao trabalho, à engenhosidade e ao esforço anônimo e solitário que as mulheres desempenhavam nas regiões mineradoras. Elas representavam um número significativo entre os chamados escravos de ganho, que ofereciam serviços de forma avulsa e vendiam comida e bebidas, entre outras atividades urbanas. Nessa condição, gozavam de relativa autonomia e tinham a possibilidade de acumular pecúlios com os quais mais tarde poderiam comprar a própria liberdade.

São incontáveis também os exemplos de mulheres negras ou mestiças que mantiveram relações amorosas, de concubinato, ou se casaram e tiveram filhos com homens brancos, resultando numa alta taxa de miscigenação entre a população brasileira. Muitas herdaram os negócios, a fortuna, o prestígio e os plantéis de escravos dos maridos e parceiros. Segundo Eduardo França Paiva, disso tudo surgiu uma camada média urbana, matrifocal — ou seja, de lares ou famílias encabeçados por mulheres. Essa parcela da sociedade, organizada a partir de uma perspectiva feminina e materna, teria grande influência na formação da sociedade mineira.[15]

A liberdade nessas circunstâncias possibilitou ascensão econômica, poder e distinção social, caso da legendária Chica da Silva, uma das mais fascinantes personagens da história da escravidão no Brasil, tema de inúmeros livros, romances, novelas, minisséries de TV, filmes e também do próximo capítulo deste livro.

25. CHICA NA TERRA DOS DIAMANTES

A MORTE ERA UMA FESTA e um investimento na América Portuguesa.[1] Brancos endinheirados, poderosos e influentes tinham direito a rituais fúnebres que paravam cidades e se prolongavam por vários dias. Entre os negros, praticava-se o costume herdado da África de acompanhar o morto com danças e batuques, máscaras, vestimentas coloridas e encenações. A pompa, os ornamentos e a duração das homenagens eram sempre proporcionais à riqueza e ao prestígio do defunto. A participação em uma irmandade católica e generosas contribuições à Igreja ao longo da vida asseguravam o sepultamento dentro de um templo com o nome do falecido gravado em uma lápide de pedra. Caso contrário, o destino final poderia ser o cemitério de instituições como a Santa Casa de Misericórdia ou uma cova comum e anônima. No Rio de Janeiro, cativos que morriam ainda recém-chegados do continente africano eram descartados em valas situadas nas imediações da Igreja de Santa Rita e do Cais do Valongo, nos atuais bairros da Saúde e da Gamboa, próximos à zona portuária da cidade. E ali muitos de seus restos mortais permanecem incógnitos ainda hoje. Em qualquer caso, porém, uma barreira permanecia

ESCRAVIDÃO VOL. II

intransponível mesmo na morte: a cor da pele. Brancos eram sepultados em jazigos de brancos. Negros e mestiços eram enterrados em sepulturas de negros e mestiços.

Uma exceção a essa regra aconteceu em 16 de fevereiro de 1796 no arraial do Tijuco, atual cidade de Diamantina, noroeste de Minas Gerais. Senhora de "grossa casa", designação reservada à fina flor da aristocracia mineira, possuidora de inúmeros bens imóveis e um grande plantel de escravos, dona Francisca da Silva de Oliveira, conhecida como Chica da Silva, filha de uma negra escravizada e um homem branco, deu o último suspiro acompanhada do pároco, que lhe consolou na agonia e lhe ministrou os últimos sacramentos para que seus pecados fossem todos perdoados.[2] No dia seguinte, sua alma foi encomendada em missa de corpo presente concelebrada por todos os sacerdotes do arraial, paramentados com sobrepeliz e estola roxa. Era a pompa a que tinha direito como irmã das mais importantes fraternidades religiosas da América Portuguesa: a do Santíssimo, de São Francisco de Assis, das Almas, da Terra Santa, das Mercês e do Rosário. Ao fim da cerimônia, repicaram os sinos de todas as igrejas, enquanto seu corpo era transportado em procissão até a tumba de número dezesseis na Igreja de São Francisco, lugar até então reservado a pessoas brancas de grande prestígio e poder. O cortejo foi acompanhado por irmãos das diversas fraternidades e por sacerdotes, que carregavam velas acesas. No mês seguinte, foram rezadas 24 missas em intenção à sua alma na igreja Matriz de Santo Antônio. Outras quarenta seriam celebradas ao longo daquele ano na igreja das Mercês, cumprindo disposições lavradas em testamento.

Na história da escravidão, nenhuma outra personagem despertou tanta curiosidade quanto Chica da Silva — com exceção apenas, e

CHICA NA TERRA DOS DIAMANTES

talvez, de Zumbi dos Palmares. Sua vida já serviu de enredo para desfiles de escolas de samba, peças de teatro, filmes, novelas e seriados de televisão, romances, livros de ficção e não ficção, além de inúmeros trabalhos acadêmicos. Nessas obras, Chica encarnou diferentes papéis. O mais recorrente é o da mulher sedutora, voluptuosa e devoradora de homens. Também foi apresentada como heroína, forte e ambiciosa, senhora do seu destino. Ou, ainda, como exemplo de uma supostamente bem-sucedida miscigenação racial brasileira, mediante a qual seria possível a uma mulher mestiça, nascida no cativeiro, usar habilmente seus atributos femininos para seduzir um homem branco e assim transpor os sofrimentos da escravidão, alcançar patamares nunca sonhados de prestígio e riqueza até se tornar ela própria dona de escravos. Uma vez alforriada, teria levado uma existência fútil, perdulária e extravagante. A ponto de, em certa ocasião, ter convencido seu amante, o contratador de diamantes João Fernandes de Oliveira, a lhe construir um lago artificial no qual flutuava a réplica de um navio com mastros, velas e armação, guarnecido com uma tripulação de dez homens que o podiam manobrar na água. Desse modo, ela poderia desfrutar, em pleno sertão do Jequitinhonha, as delícias do mar que ela nunca veria pessoalmente.[3]

Afinal, quem teria sido, de fato, Chica da Silva?

Sua mais importante biógrafa, a historiadora Júnia Ferreira Furtado, garante que nenhum desses estereótipos se sustenta diante da documentação histórica disponível a seu respeito.[4] Chica da Silva jamais teria sido a mulher de vida delirante retratada nos livros, no cinema e na televisão. Longe de ser uma exceção — ou uma excentricidade —, ela foi parte de um fenômeno bastante comum na sociedade mineira do século XVIII, na qual as chances de alforrias eram relativamente altas e beneficiavam principalmente as mulheres. O manto de sensualidade que acompanha o mito não serviria no personagem real. Comprada por diferentes senhores com o propósito deliberado de servir de objeto sexual desde a mais tenra idade, Chica teve o primeiro filho na adolescência, quando ainda era escrava. Ao atingir a meia-idade, já alforriada, era mãe de uma numerosa prole, catorze filhos no total, o que a fez perder rapidamente os encantos da juventude. Em média, enfrentou uma gravidez por ano — destino muito semelhante ao de todas as mulheres de sua época, livres ou escravizadas. A história do mar artificial com seu navio nunca aconteceu. Seria apenas mais uma das inúmeras lendas construídas a seu respeito.

Ainda segundo Júnia Ferreira Furtado, à luz da documentação histórica, também não se sustentaria a figura de Chica da Silva como heroína da causa negra, redentora de escravos, romantizada em alguns livros. Embora tenha nascido escrava e vivido no cativeiro até o início da vida adulta, Chica, depois de alforriada, foi dona de mais de cem cativos. E nunca se empenhou em libertá-los. A historiadora encontrou na sua biografia uma única referência à concessão de alforria, de uma menina chamada Francisca, filha de Catarina, escrava e ama de leite dos filhos de Chica da Silva. Francisca foi libertada na pia batismal, em retribuição pelos serviços de aleitamento prestados pela mãe. Como era costume no Brasil colonial, Chica fez questão de batizar todos seus escravos na Igreja Católica, de modo que recebessem os sacramentos cristãos e participassem das irmandades de negros e mestiços. Eram sua principal fonte de renda, empregados na mineração de diamantes, em serviços domésticos e na agricultura. As filhas de Chica, também donas de numerosos plantéis de cativos, teriam sido igualmente parcimoniosas nas alforrias. Uma delas, Mariana de Jesus, exigiu uma contrapartida para alforriar sua escrava Leonor Mina, tendo recebido em troca "um moleque por nome Antônio, da nação benguela".

Chica da Silva teria nascido em data incerta, entre 1731 e 1735, no arraial de Milho Verde, situado às margens do riacho Fundo, no caminho entre Tijuco e Vila do Príncipe. Era filha de Maria da Costa, negra escravizada, e Antônio Caetano de Sá, homem branco, o que lhe valeu nos documentos a denominação de "parda", ou seja, mestiça. Da adolescência à vida adulta, foi escrava de três diferentes senhores. O primeiro, Domingos da Costa, era o dono de sua mãe no arraial de Milho Verde. O segundo foi o médico Manuel Pires Sardinha, que aparentemente a comprou ainda adolescente com o objetivo de explorá-la sexualmente. É o que indica a denúncia encaminhada à Inquisição Católica em 1750 (já citada em um dos capítulos anteriores), na qual o delator Manuel Vieira Couto afirmava que o médico "a comprou para este efeito".

Português da vila de Extremoz, na região do Alentejo, Pires Sardinha, além de médico, ocupava o importante cargo de juiz da Câmara de Vila do Príncipe, sede da comarca do Serro do Frio, na qual se localizava o arraial do Tijuco, centro da mineração de diamantes. Com Pires Sardinha, Chica teve seu primeiro filho, Simão. O pai não assumiu oficialmente a paternidade, mas concedeu a alforria ao menino na pia batismal e, em testamento antes de morrer, o nomeou um de seus herdeiros junto com outros dois filhos, também nascidos de relacionamentos com escravas. O terceiro dono de Chica da Silva foi o desembargador e contratador João Fernandes de Oliveira, que também a teria comprado para que lhe servisse de amante.

Alforriada pelo desembargador em dezembro de 1753, Chica adotou inicialmente apenas o sobrenome Silva. Até então, era conhecida como "Francisca Parda". No mundo lusitano, a denominação Silva indicava pessoas sem procedência ou origem definida. O segundo sobrenome, Oliveira, foi oficialmente incorporado em 1755, após o nascimento da primeira filha com João

Fernandes. A partir daí, passou a ser reconhecida pelo nome completo e sonoro de dona Francisca da Silva de Oliveira, com o qual seria sepultada em 1796, com mais de sessenta anos de idade.

Na época de Chica da Silva, as energias da Coroa portuguesa se concentravam na tentativa de organizar e controlar a produção dos diamantes do Brasil, de modo a manter os preços elevados no mercado mundial, e, especialmente, combater o contrabando e a sonegação fiscal.[5] O contratador João Fernandes de Oliveira, companheiro de Chica, era um dos personagens mais importantes desse esforço.

Em dezembro de 1729, ano do anúncio oficial da descoberta de diamantes em Minas Gerais, a extração se tornou monopólio régio. Em 1734, foi criada uma administração específica para supervisionar toda a operação mineradora, a Intendência dos Diamantes, posto tão importante que três de seus ocupantes — Rafael Pires Pardinho, Tomás Rubim de Barros Barreto e Luís Beltrão de Gouveia de Almeida — foram mais tarde nomeados para o Conselho Ultramarino em Lisboa, o órgão responsável pela estratégia e a administração de todo o império português do redor do mundo. Em seguida, foi baixado um conjunto de medidas rigorosas e implacáveis.

O Distrito Diamantino, uma área de formato ovalado com cerca de 280 quilômetros de circunferência por cem de largura, que compreendia partes dos vales dos rios Jequitinhonha e Pardo com o arraial do Tijuco ao centro, tornou-se um dos lugares mais controlados e proibidos do mundo. Todas as datas (lotes) e escrituras de propriedade concedidas até então foram anuladas. As pedras já extraídas deveriam ser registradas e recolhidas a um cofre com três fechaduras e que só podia ser aberto na presença de três diferentes autoridades detentoras das respectivas chaves. O trabalho autônomo nas jazidas foi proibido. Garimpeiros negros e mestiços, livres ou escravos, foram todos expulsos. Suspeitas de participar de esquemas de contrabandos, mulheres escravizadas que vendiam comidas e quitutes foram proibidas de frequentar a região.

Para dificultar a circulação de pessoas não diretamente envolvidas na mineração, a entrada no Distrito Diamantino passou a ser controlada por soldados armados em postos chamados de "registros". Ali também eram cobrados os impostos sobre as mercadorias cuja comercialização era autorizada dentro da zona demarcada. Ninguém, nem mesmo o governador da capitania, tinha permissão para entrar sem um passaporte especial. Na saída, eram todos minuciosamente revistados. A posse de um diamante ou de uma ferramenta de mineração não autorizada podia resultar em penas que incluíam a prisão, o confisco dos bens e degredo para a África. O Distrito Diamantino, segundo escreveu o historiador britânico Charles Boxer, "era virtualmente uma colônia dentro de outra colônia, desligado do resto do Brasil por uma barreira legal e administrativa, mais eficaz [...] do que as pedras e tijolos da Grande Muralha da China".[6]

No passo seguinte, em 1739, foi adotado o sistema de contratação, pelo qual a Coroa portuguesa ofereceria em leilão e pelo melhor preço o direito de exploração de toda a área, por um único interessado (o "contratador") ou um grupo de sócios e investidores. Cada contrato teria a duração de quatro anos, renováveis por igual período. O pagamento do lance era feito no ato da arrematação, o que assegurava ao rei de Portugal uma receita garantida e antecipada, independente das intempéries e oscilações na atividade mineradora. A partir de 1740, foram celebrados seis contratos, até 1771, quando então a Coroa optou pela administração direta da extração.

Durante as três décadas de vigência dos contratos, foram remetidos a Portugal 1,7 milhão de quilates de diamantes, segundo cálculos feitos no século xix pelo engenheiro e mineralogista alemão Guilherme de Eschwege. Um quilate tem medida de peso equivalente a 0,2 grama. O total daria, portanto, cerca de 340 quilos. Estima-se que para cada dez quilates extraídos oficialmente no Distrito Diamantino ao longo do século xviii outros cinco tenham sido desviados para o contrabando e o comércio ilegal. O auge da produção oficial ocorreu entre 1770 e 1795, fortemente estimulada pela Coroa portuguesa em razão da alta do preço das pedras no mercado internacional, em média de 8 mil réis o quilate, e pelo trabalho de cerca de 5 mil escravos alugados à Intendência dos Diamantes.

Pelo sistema de contratação, os diamantes eram enviados uma vez por ano a Lisboa, em navios de guerra, e depositados na Casa da Moeda, quando então eram feitos os acertos de contas com as autoridades portuguesas e os eventuais credores. Nos contratos iniciais, pedras acima de vinte quilates eram de propriedade da Coroa. As menores podiam ser comercializadas pelos representantes do contratador. Os compradores oficiais trabalhavam para grandes empresas de lapidação e comércio de diamantes situadas em Londres e Amsterdã, de onde as pedras eram distribuídas ao redor do mundo. Um deles, o holandês Daniel Gildemeester, comprou sozinho, entre 1761 e 1771, 925.589 quilates, o equivalente a dois terços de toda a produção brasileira.[7] Um anúncio publicado na *Gazeta de Lisboa* em março de 1754 oferecia gemas recém-chegadas do Brasil:

> *Quem quiser comprar diamantes brutos para consumo neste reino e suas conquistas pode falar com os caixas do presente contrato, que estão prontos a venderem todos os que forem necessários.*[8]

CHICA NA TERRA DOS DIAMANTES

A partir do quarto contrato, toda a comercialização das pedras, grandes ou pequenas, passou a ser monopólio da Coroa. Ao longo do ano, o contratador podia se capitalizar emitindo letras de crédito (ou de câmbio) nas praças de Lisboa e do Rio de Janeiro. No exercício do contrato, tinha de respeitar duas condições principais. A primeira era controlar rigorosamente a produção para não inundar o mercado internacional de pedras, o que levaria a uma queda nos preços, e garantir que as reservas diamantinas não se esgotassem rapidamente. A segunda, usar no máximo seis escravos diretamente empregados na extração. Os objetivos, nesse caso, eram limitar a capacidade produtiva do contratante e evitar extravios e contrabando, de que os cativos eram acusados.

O contratador era virtualmente um monarca local, com enorme poder sobre as riquezas e as pessoas em toda a área do Distrito Diamantino. No exercício do cargo, não respondia a ninguém, a rigor nem mesmo ao vice-rei do Brasil, mas somente à Coroa em Lisboa. Do seu desempenho dependia parte substancial da riqueza e da prosperidade do reino português. O grande prestígio permitia que fizesse alianças políticas e econômicas com a aristocracia colonial de modo a granjear ainda mais poder e fortuna. O desembargador João Fernandes de Oliveira, marido de Chica da Silva, administrou os três últimos contratos, primeiro como representante depois como sócio do pai, de mesmo nome, o sargento-mor João Fernandes de Oliveira.[9]

Português da região de Barcelos, o desembargador era um homem ilustrado, formado na Universidade de Coimbra e cavaleiro da Ordem de Cristo. Foi com essas credenciais que chegou ao arraial do Tijuco em 1753, ainda um jovem de 26 anos. No segundo semestre daquele mesmo ano, comprou do médico Manuel Pires Sardinha, por 800 mil réis, a escrava parda Francisca — Chica da Silva, então com idade entre 18 e 22 anos, com a qual iniciaria o célebre romance. Chica e João Fernandes mantiveram um longo relacionamento estável entre 1753 e 1770. Embora nunca tenha sido um casamento oficialmente legalizado, viveram como marido e mulher, e assim eram reconhecidos por toda a sociedade local. Tiveram treze filhos, sendo nove mulheres e quatro homens — em média, Chica teve uma gravidez a cada treze meses. João Fernandes os reconheceu e os incluiu como herdeiros em seu testamento.

Em meados do século XVIII, o arraial do Tijuco já tinha o peculiar traçado urbano cuja beleza hoje surpreende turistas e visitantes no centro da cidade de Diamantina.[10] O povoado cresceu ao redor da Igreja Matriz de Santo Antônio, erguida em uma praça, e gradualmente adquiriu formato quadrangular, diferente e mais organizado que o das demais cidades históricas mineiras, em geral sinuosas e desordenadas, como se pode observar atualmente nas ladeiras de Ouro Preto, Tiradentes e São João del-Rei. Ao redor da matriz ficavam também os sobrados e as casas mais imponentes, frutos da riqueza gerada pelos diamantes. A elite do arraial, incluindo o contratador, morava na rua Direita, onde, curiosamente, viviam muitas e importantes mulheres forras, ex-escravas que, depois de obter a liberdade, procuravam se inserir na sociedade local até adquirir certo prestígio e riqueza. Eram os casos de Maria Carvalha e Josefa Maria de Freitas, ambas negras, e Inês Maria de Azevedo e Mariana Pereira, pardas — o que, segundo a historiadora Júnia Ferreira Furtado, "refletia as fronteiras fluidas que se estabeleciam entre os diferentes segmentos sociais nos arraiais mineradores".

Aberta à visitação ainda hoje em Diamantina, a casa de Chica da Silva e João Fernandes Oliveira estava situada na antiga rua da Ópera (atualmente conhecida como Lalau Pires).[11] Era um sobrado de madeira e adobe, pintado de branco e coberto de telhas, com dois pavimentos e um quintal com jardins e árvores frutíferas. Contava com uma capela própria, consagrada a santa

Quitéria, de devoção do casal, que deu nome a três de suas filhas — Quitéria Maria, Ana Quitéria e Rita Quitéria.

Como se viu em um dos capítulos anteriores, em Minas Gerais a alforria sempre foi mais acessível às escravas. Devido à escassez de mulheres brancas, o concubinato entre homens brancos e mulheres negras ou mestiças se disseminou. Depois de algum tempo, muitos senhores brancos alforriavam suas companheiras. Como resultado dessas uniões, a sociedade mineira também apresentou uma diversidade e um índice de miscigenação muito superiores aos observados em outras regiões escravistas. Nas lavouras de cana-de-açúcar do Nordeste e outras áreas do litoral brasileiro, por exemplo, a distância entre o mundo dos brancos e o dos negros era muito maior do que nas regiões mineradoras, caracterizada por uma escravidão fortemente urbana e de serviços, que gerava uma relação mais próxima entre senhores e escravos, o que também oferecia maiores possibilidades de alforrias.

Um censo de domicílios realizado no arraial do Tijuco em 1774, quando Chica da Silva teria por volta de quarenta anos, revelou que o número de chefes de família brancos livres, negros ou mestiços forros era praticamente o mesmo. Dos 511 lares inventariados, 282 eram chefiados por homens e 229, por mulheres. Segundo o mesmo censo, as mulheres que ali habitavam eram predominantemente negras ou mestiças. A maioria delas (166 em um total de 197) vivia sozinha. A preta forra Josefa Maria de Freitas, por exemplo, morava em casa própria, na rua Direita, próxima à residência do coronel Luís de Mendonça Cabral, escrivão da Real Extração de Diamantes, estabelecida a partir de 1771. Segundo Júnia Ferreira Furtado, embora o censo retratasse essas mulheres sozinhas em suas casas, elas não estavam realmente sós. Em vez disso, mantinham relacionamentos longos ou esporádicos com homens brancos, como revelam as

ESCRAVIDÃO VOL. II

devassas episcopais de 1750 e 1753, nas quais 115 homens e mulheres foram denunciados pelo crime de concubinato. Isso também explica o elevado número de filhos bastardos em cada domicílio, a despeito de todas as forras serem registradas como solteiras. Por volta de 1770, as 510 casas no arraial do Tijuco estavam distribuídas em dezenove ruas e sete becos, com um total de 884 moradores livres. Meio século mais tarde, quando por ali passou o naturalista francês Saint-Hilaire, já eram oitocentas casas com aproximadamente 6 mil habitantes. No comércio local, as lojas ofereciam produtos do reino e objetos importados, como louças inglesas e da Índia.

Raridade em outras cidades coloniais brasileiras, o arraial contava também com uma casa de ópera, a mais antiga de Minas Gerais, situada na rua em que moravam Chica da Silva e o contratador João Fernandes de Oliveira, onde eram encenadas peças populares. Entre os cerca de 120 músicos que ali atuaram ao longo do século XVIII estava o maestro e compositor Joaquim Emérico Lobo de Mesquita. A biblioteca do guarda-livros Manuel Pires de Figueiredo tinha cerca de 140 obras distribuídas em aproximadamente 360 volumes, em latim e francês, incluindo *O espírito das leis*, de Montesquieu, e um exemplar resumido da *Enciclopédia* francesa. Quatro dos nove alunos brasileiros matriculados na Universidade de Coimbra em 1782 eram do Tijuco.

A riqueza do Distrito Diamantino era exibida nas ruas, em vestuários que procuravam imitar a moda da França.[12] Os homens usavam perucas ou cabeleiras trançadas em forma de rabicho ou chapéus de três pontas, camisas de colarinho baixo, gravatas feitas com lenços brancos bordados, colete de cetim incrustado com lantejoulas, abotoaduras de pedras semipreciosas, casaca de veludo (apesar do calor), calção de seda ou também de veludo apertado com fivelas de ouro sobre as meias de seda pérola. Os sapatos eram pretos e pontiagudos, com fivelas também cravejadas de pedras. Ao andar nas ruas, portavam um bastão grosso de madeira e ponta de ouro, relógio de corrente e uma adaga com bainha também dourada. As mulheres traziam na cabeça um lenço de seda branca, preso aos cabelos com alfinetes e uma borla de fio de ouro na extremidade. Vestiam camisa com babados apertada ao pescoço, meias com espartilhos, saias de roda com cauda longa ou um macaquinho de veludo. Os sapatos, de bicos agudos levemente voltados para cima, tinha saltos de madeira. Os brincos eram de volumosas pedras semipreciosas. Nas mãos, traziam pesados anéis de ouro.

A prostituição e o exagero no uso de roupas e adereços femininos por vezes incomodavam as autoridades. Em 2 de dezembro de 1733, o governador André de Melo e Castro, conde de Galveias, mandava anunciar um "bando" (ordem ou decreto) no qual denunciava:

> *Os pecados públicos que com muita soltura correm desenfreadamente no arraial do Tijuco, pelo grande número de mulheres desonestas que habitam no mesmo arraial com vida tão dissoluta e escandalosa que, não se contentando de andarem com cadeiras e serpentinas acompanhadas por escravos, se atrevem irreverentes a entrar na casa de Deus com vestidos ricos e pomposos.*

Em seguida, determinava:

> *Mando que toda mulher de qualquer estado e condição que seja, que viver escandalosamente, seja notificada para que em oito dias saia para fora de toda a comarca do Serro Frio; [caso contrário] será presa e confiscada em tudo quanto se lhe achar; e toda aquela pessoa que por si ou por outrem, com conselho, com obra, ou com diligência alguma, intentar*

impedir o que determino neste bando, incorrerá na mesma pena e se remeterá presa para esta vila [Ouro Preto].[13]

As missas dominicais eram o mais importante evento social do Tijuco, no qual autoridades e mineradores compareciam acompanhados de seus numerosos escravos, com toda a pompa e circunstância. Além disso, havia inúmeros e concorridos saraus, peças de teatro e apresentações musicais. Nessas ocasiões, Chica da Silva ostentava um vestuário luxuoso e exuberante, que incluía meias brancas e anáguas, saias de seda com fivelas de prata e pedras coloridas. Os acessórios de ouro e prata eram símbolos exteriores de riqueza. Segundo o cronista e historiador Joaquim Felício dos Santos, Chica da Silva tinha o hábito de raspar a cabeça e cobri-la com uma peruca repleta de cachos.[14] Rico e poderoso, o desembargador foi o mecenas responsável pela construção de algumas joias do barroco mineiro em Diamantina, caso da Igreja da Ordem Terceira de Nossa Senhora do Carmo, a mais suntuosa da cidade.

Em 1770, já muito doente, João Fernandes se viu forçado a retornar a Portugal devido ao falecimento do pai. Morreu nove anos mais tarde. Mesmo a distância, porém, continuou a proteger os filhos e a cuidar dos interesses de Chica da Silva. Cada uma das filhas recebeu uma fazenda como herança. A um dos filhos homens, João, nomeado herdeiro principal, destinou um terço de todos os bens.[15] José Agostinho, outro filho, ordenou-se padre e recebeu o dote necessário para ocupar uma capela. Chica educou as filhas no Recolhimento de Macaúbas, o melhor educandário feminino de Minas Gerais, reservado apenas às mulheres da elite. Uma delas se tornou freira. As demais retornaram ao Arraial do Tijuco, onde se casaram.

Destino peculiar teve o filho mais velho, Simão, fruto do relacionamento na adolescência com o médico e juiz Manuel Pi-

CHICA NA TERRA DOS DIAMANTES

res Sardinha. Simão estudou em Roma, comprou uma patente de tenente-coronel da cavalaria de Minas Gerais e teve uma ascensão social tão marcante que obteve do rei de Portugal o hábito de cavaleiro da Ordem de Cristo, a mais alta distinção que podia ser alcançada no império lusitano por pessoas não nascidas na nobreza. No decorrer do processo, no entanto, Simão omitiu a informação de que sua mãe tinha sido escrava de descendência africana — condição que, pelas leis portuguesas de "limpeza de sangue" (já descritas em um dos capítulos anteriores), o impediria de alcançar a honraria. Em vez disso, Simão reescreveu a própria história, com uma genealogia diferente, que o livrava do "defeito de cor" herdado da mãe. Graças ao prestígio e ao poder angariado pela família na exploração dos diamantes, todas as doze testemunhas arroladas por ele no processo confirmaram sua versão.[16]

26. FUGITIVOS E REBELDES

"É uma barbaridade indigna de homens
que têm o nome de cristãos."

Conde dos Arcos, vice-rei do Brasil,
reagindo à proposta da Câmara de Mariana (MG)
de cortar o tendão de Aquiles de escravos fugitivos

No alto da serra da Borborema, que atravessa o agreste da Paraíba, tudo é distância e solidão. As noites são estreladas e silenciosas. Uma vegetação rasteira e repleta de espinhos domina a paisagem. A terra árida, pedregosa e ressequida, recebe pouca chuva, o que torna a sobrevivência um desafio diário para as oitenta famílias que vivem na comunidade quilombola de Cruz da Menina. São todas descendentes de negros escravizados e fugitivos que ali chegaram não se sabe quando, talvez entre o final do século XVIII e o começo do XIX, época em que as cidades de uma região vizinha chamada Brejo da Paraíba, um oásis verde e úmido, concentrava grande população cativa na produção de açúcar e café.

O nome do quilombo se deve a uma capelinha de paredes brancas, portas e janelas azuis, existente nas imediações. Diante dela se ergue uma cruz, igualmente branca, que assinala o local onde teria morrido de sede uma menina chamada Dulce, filha de retirantes que fugiam da grande seca de 1876 — como no romance *Vidas secas*, de Graciliano Ramos. Hoje, Dulce tem fama de santa e milagreira. Por isso, uma vez por ano, no Dia Todos os Santos (1º de novembro), centenas de romeiros partem ainda de madrugada de Dona Inês, a sede do município, e sobem a pé a estrada de terra que vai até a capela de Cruz da Menina, onde cantam, fazem orações e, como pagamento de promessas, depositam velas, ex-votos e outros objetos religiosos.[1]

Até algum tempo atrás, os moradores do Quilombo de Cruz da Menina tinham medo de estranhos — hábito antigo, legado ainda da época de seus antepassados fugitivos. As crianças eram orientadas a se esconder sempre que ouviam algum barulho de motor ou vozes desconhecidas. Hoje, frequentam a escola, têm acesso ao posto de saúde e a outros serviços. A seca, porém, permanece como um tormento na vida de todos. Na impossibilidade de cultivar a terra pela falta de chuvas, os homens foram embora à procura de trabalho em São Paulo, no Rio de Janeiro, em Recife, João Pessoa, Natal e outras cidades distantes. Alguns voltam regularmente para visitar suas famílias. Outros, nunca mais retornam. Para trás, ficou uma comunidade marcadamente feminina e matriarcal. Restou a essas mulheres humildes e sofridas, mas muito fortes e guerreiras, a tarefa de cuidar dos filhos e enfrentar, sozinhas, os grandes desafios da vida.

História semelhante pode ser observada a oitenta quilômetros dali, no município vizinho de Alagoa Grande, terra do cantor e compositor Jackson do Pandeiro. Igualmente encravada nas montanhas da serra da Borborema, a comunidade quilombola de Caiana dos Crioulos dividiu-se em duas em consequência da seca. Parte dela permanece ali, onde sempre esteve, nas terras ancestralmente ocupadas pelos seus antepassados que fugiam do cativeiro. É rural e composta predominantemente por mulheres. A outra metade do quilombo, urbana e masculina, está situada em Pedra de Guaratiba, bairro da Zona Oeste do Rio de Janeiro, onde os homens da comunidade original se concentraram nas últimas décadas em busca de empregos na construção civil. O quilombo-filial carioca guarda o mesmo nome do original, Caiana dos Crioulos. Apesar da distância, as duas comunidades mantêm um intenso intercâmbio, hoje facilitado pelo WhatsApp e outros aplicativos de comunicação digital.

No início de 2020, depois de muitos anos de luta, as mulheres da Caiana dos Crioulos paraibana conseguiram finalmente obter o reconhecimento e a titulação de suas terras pelo governo, privilégio que o quilombo vizinho de Cruz da Menina ainda não alcançou. De posse dos títulos, elas poderão doravante obter crédito nos bancos e cultivar livremente suas lavouras sem correr o risco de expulsão por jagunços que agem a mando dos fazendeiros e mandatários locais — como ainda acontece com grande frequência em outras regiões do Brasil. A titulação longamente aguardada também reacendeu nessas mulheres o sonho antigo de trazer de volta os maridos, filhos e irmãos que partiram para o Rio de Janeiro, de modo a reunificar o quilombo dividido pela seca.

Herança do período escravista, atualmente existem milhares de quilombos espalhados pelo Brasil. No início de 2019, eram 3.212 comunidades certificadas pela Fundação Palmares, órgão do governo federal criado para preservar e promover os valores históricos e culturais das populações negras do Brasil.[2] Com 1,2 milhão de moradores, dos quais 75% vivem em estado de pobreza extrema, os quilombos ocupam uma área de aproximadamente 1,2 milhão de hectares, o equivalente a 0,14% do território nacional. À primeira vista, parece muito. Mas não é. A soma de todos os quilombos brasileiros resulta em área inferior à ocupada pelas dez maiores propriedades do agronegócio no país. A maior de todas, a fazenda Piratininga, situada na divisa dos estados de Tocantins, Goiás e Mato Grosso, se estende por 135 mil hectares, quase o mesmo tamanho do município de São Paulo, o mais populoso do Brasil, com 152 mil hectares de área e 12 milhões de habitantes. As propriedades do Grupo André Maggi, um dos mais bem-sucedidos do setor, alcançam 252 mil hectares, duas vezes o tamanho do município do Rio de Janeiro e um quarto do total da área quilombola brasileira.[3]

A palavra *kilombo*, transcrita para o português como quilombo, vem do quicondo e do quimbundo, duas das muitas línguas faladas na África Central. Originalmente significava acampamento, arraial, união ou cabana. Entre os povos imbangalas de Angola, aliados da rainha Jinga, descrita no primeiro volume desta trilogia, indicava uma sociedade guerreira caracterizada por rituais de iniciação de seus membros, práticas de magia, destreza e rigorosa disciplina militar. No Brasil, virou sinônimo de reduto de escravos fugitivos, também chamado de mocambo, outra palavra de origem africana usada para designar o pau de fieira, um tipo de suporte de madeira com forquilhas utilizado para erguer choupanas em acampamentos. Seus habitantes eram conhecidos como quilombolas, calhambolas ou mocambeiros.[4]

A fuga foi uma das formas mais frequentes e extremas de resistência ao cativeiro, devido aos grandes riscos que envolvia. Escravos fugitivos, quando recapturados, seriam imobilizados com correntes e colares de ferro ou troncos de madeira, chicoteados, marcados a ferro quente, mutilados fisicamente e, no caso de reincidência, até mesmo mortos. A violência das investidas contra os quilombos pode ser medida pelos relatos segundo os quais, ao retornar a São Paulo em 1751, depois de atacar inúmeros redutos

FUGITIVOS E REBELDES

de fugitivos numa vasta região situada entre Minas Gerais e Goiás, o bandeirante Bartolomeu Bueno do Prado levava como troféu pessoal colares com 3.900 pares de orelhas cortadas.[5] Pelas leis portuguesas, o corte da orelha era uma das punições previstas para os fugitivos. Na primeira fuga, o escravo seria açoitado e marcado a ferro quente com a letra *F* — de fugitivo. Na segunda vez, teria a orelha cortada. Nas demais, poderia ser morto.

O alvará régio de 3 de março de 1741 determinava:

> *Eu, El-Rei, faço saber aos que este alvará virem, que sendo--me presentes os insultos que no Brasil cometem os escravos fugidos [...], passando a fazer o excesso de se juntarem em quilombos, e sendo preciso acudir com remédios que evitem esta desordem, hei por bem que a todos os que forem achados em quilombos, estando neles voluntariamente, se lhes ponha com fogo uma marca em uma espádua com a letra F [...], e, se quando se for executar esta pena, for achado já com a mesma marca, se lhe cortará uma orelha, tudo por simples mandado do juiz de fora, ou ordinário da terra ou do ouvidor da comarca, sem processo algum e só pela notoriedade do fato, logo que do quilombo for trazido, antes de entrar para a cadeia.[6]*

Em outros territórios escravistas do continente americano, a repressão aos fugitivos era ainda mais brutal. O Código Negro, editado pelo governo francês em 1768, estabelecia que, na colônia de São Domingos (atual Haiti), escravos ausentes por mais de quatro dias do seu local de trabalho seriam submetidos a cinquenta chibatadas e ficariam amarrados ao tronco até o pôr do sol. Oito dias de ausência elevaria o número de chicotadas para cem e obrigaria o escravo a usar uma corrente amarrada a um peso de ferro de dez quilos por dois meses. Na Louisiana, nos Estados Unidos, os fugitivos tinham as orelhas cortadas, as costas marca-

ESCRAVIDÃO VOL. II

das a ferro quente e, em caso de reincidência, um braço amputado. Três fugas resultavam em sentença de morte. No Suriname, um escravo recapturado depois de algumas semanas de fuga poderia ter o tendão de Aquiles cortado ou sofrer a amputação da perna direita. Proposta semelhante chegou a ser cogitada no Brasil colonial, embora jamais tenha sido efetivamente adotada.

Em 1719, o conde de Assumar, então governador de Minas Gerais, tentou implantar a pena de morte para fugitivos. Os mineradores reagiram, alegando que a medida acarretaria prejuízos irremediáveis. "Para a lógica do escravismo, era melhor um escravo fugitivo reincidente do que um escravo morto", observou o historiador Carlos Magno Guimarães. "O prejuízo, no segundo caso, era irremediável."[7] Em outra proposta, da mesma época, Assumar sugeriu cortar a perna direita dos fugitivos. O membro amputado seria substituído por uma perna de pau, impedindo assim que o escravo fugisse novamente, mas, ao mesmo tempo, a medida permitiria que seus donos os aproveitassem em tarefas que não exigissem caminhadas muito longas ou rápidas. Segundo o conde, era necessário fazer uso de "remédios violentos, como tão preciosos a uma canalha tão indômita". Também dessa vez, o projeto foi recusado pela Coroa portuguesa, que o considerou desumano.

Em 1755, a Câmara de Mariana propôs outra providência drástica. Os fugitivos teriam o tendão de Aquiles cortado, de modo que não mais pudessem correr ou caminhar naturalmente, o que, no entanto, não os impediria de continuar trabalhando em algumas tarefas que não exigissem muita mobilidade. A proposta foi vetada pelo vice-rei, conde dos Arcos, que, supreendentemente, tomou as dores dos escravos e censurou os autores da sugestão, por entendê-la excessivamente cruel:

Digo que isto é uma barbaridade indigna de homens que têm o nome de cristãos e [...] mereciam ser asperamente repreen-

didos pela ousadia de assim o requererem, supondo que Vossa Majestade seria capaz de lhes facultar tamanha tirania, quando a maior parte desses cativos fogem porque seus donos não os sustentam, não os vestem e não os tratam com o amor e a caridade devidas [...] e, além de os tratarem mal, fazem-lhe mil sevícias.[8]

Apesar de todas as ameaças e riscos, desde o primeiro século da ocupação portuguesa comunidades quilombolas existiram em todas as regiões em que houve exploração de trabalho cativo. A maior e mais famosa foi Palmares. Situada nas matas da serra da Barriga, na antiga capitania de Pernambuco (hoje estado de Alagoas), Palmares resistiu durante mais de um século às investidas portuguesas e holandesas, até a morte de seu último líder, Zumbi, no dia 20 de novembro de 1695, hoje celebrado como Dia da Consciência Negra em alguns estados e municípios. Entre os séculos XVIII e XIX, uma infinidade de quilombos se estabeleceu nas regiões mais isoladas do Brasil, incluindo áreas ribeirinhas da Amazônia. Outros funcionavam em áreas relativamente próximas dos grandes centros urbanos, caso da floresta da Tijuca, no Rio de Janeiro, ou do Quilombo do Jabaquara, em São Paulo.

Nas regiões do Grão-Pará e Maranhão existiram cerca de oitenta quilombos entre 1734 e 1816. Em Minas Gerais eram conhecidos 160 no século XVIII. Apenas nos anos de 1737 e 1738 foram descobertos e destruídos catorze redutos de fugitivos. Alguns eram comunidades enormes, com população equivalente à de algumas das principais vilas mineiras da época. O maior de todos, o Quilombo do Ambrósio (ou Quilombo Grande), atacado por duas expedições militares entre 1746 e 1759, chegou a reunir mais de mil cativos que viviam em vilarejos cercados de paliçadas. Situado na região do Alto São Francisco, a cerca de cinquenta quilômetros de Araxá, entre os atuais municípios de Ibiá e São Gotardo, foi descrito como "quase reino" por Bartolomeu Bueno do Prado, comandante da segunda expedição, composta por quatrocentos homens, incluindo índios bororos, guias negros, um capelão e um cirurgião.

Em correspondência ao rei de Portugal, de 8 de agosto de 1746, relatando as providências tomadas contra os quilombos mineiros, o governador Gomes Freire de Andrade assim descrevia a comunidade do Ambrósio:

> *Destacavam continuamente partidas de vinte a trinta negros que executavam roubos e crudelíssimas mortes; algumas partidas se apanharam e, posto se lhe fez justiça, não foi bastante remédio, antes se aumentou o número de [...] aquilombados e chegou a tanto que, segundo os melhores cálculos, passavam já de mil negros, e grande número de negras e crias. Unido este poder, elegeram rei e formaram um palanque assaz forte e, determinando-se a aparecer, o fazem com a insolência de queimar as vivendas, matarem os senhores delas, forçarem as famílias e levarem os escravos que entendem próprios reclutas.*[9]

Em Mato Grosso, o Quilombo do Quariterê, fundado por volta de 1730, resistiu durante mais de meio século. Em 1770, quando foi considerado destruído pela primeira vez, reunia 79 negros e 30 índios, todos vivendo sob o governo de um rei e de uma rainha. Cultivavam algodão e fumo e mantinham duas tendas de ferro, usadas na fabricação de ferramentas e armas. Reconstruído pelos fugitivos, o quilombo foi novamente atacado em 1795, quando 54 cativos foram recapturados. Outro quilombo mato-grossense, o de Vila Maria, também resistiu por mais de meio século e chegou a abrigar duzentos negros armados.[10]

Na defesa de seus redutos, os quilombolas seguiam estratégias e disciplinas militares desenvolvidas na África. No quilombo Buraco do Tatu, situado nas vizinhanças da cidade de Salvador e destruído em 1763, as estratégias de defesa eram claramente africanas. Trincheiras cavadas no chão e cobertas com estrepes pontiagudos de madeira ficavam escondidas sob camadas de galhos e folhas, idênticas àquelas usadas para defender vilarejos na Nigéria, no antigo reino do Congo e em Angola. Era um refúgio com cerca de cem pessoas que viviam da pesca, faziam trocas comerciais com agricultores livres da região e também roubavam mulheres das fazendas e cidades vizinhas, que eram incorporadas à comunidade dos fugitivos. Pesquisas arqueológicas realizadas na área do antigo Quilombo do Ambrósio, em Minas Gerais, encontraram vestígios de valas defensivas que tinham entre 1,5 e 2 metros de largura e de dois a três metros de profundidade. Nas extremidades teriam existido pântanos artificiais, que dificultavam a aproximação de tropas invasoras.

Um caso peculiar de resistência foi o de um grande quilombo situado na bacia do rio Trombetas, afluente do Amazonas, perto das atuais cidades de Oriximiná e Santarém. Um relatório da época dizia que teria 2 mil habitantes. Os primeiros cativos africanos chegaram a essa região por volta de 1780, para servir de mão de obra nas fazendas produtoras de gado e cacau. Em 1823, uma expedição comandada por Francisco Félix Vieira atacou o reduto e prendeu um negro chamado Atanásio, que seria seu chefe. De nada adiantou. Nas décadas seguintes, o quilombo não apenas resistiu como ampliou o número de habitantes e deu origem a outros redutos de fugitivos nas redondezas. Além disso, passou a manter uma interação aberta e muito frequente com a sociedade e o mercado dos brancos. Suas relações comerciais incluíam também aldeias indígenas e exportação de cacau para a Guiana Francesa. Um grupo subiu o rio Trombetas e fundou a Cidade Maravilha, uma comunidade negra, que por volta de 1850 mandava suas crianças para serem batizadas em cidades dos brancos.[11]

Segundo o historiador Flávio dos Santos Gomes, fugas e quilombos aumentavam em períodos de guerras, divergências ou instabilidade política envolvendo os brancos. Caso da guerra contra os holandeses em Pernambuco, que deu novo alento a Palmares graças às deserções em muitos engenhos e fazendas. O mesmo fenômeno podia ser observado na primeira metade do século XIX, marcado por conflitos regionais como a Cabanagem, no Pará; a Balaiada, no Maranhão; a Revolução dos Cabanos, em Pernambuco e Alagoas; e a Revolução Farroupilha, no Rio Grande do Sul. No Maranhão, o quilombo Campo Grande, sob a liderança de um fabricante de balaios, Cosme Bento das Chagas, mobilizou um exército de 3 mil ex-escravos para participar da Balaiada, uma rebelião contra o governo imperial sufocada pelas tropas do duque de Caxias. "Os escravos percebiam que os senhores estavam divididos e as tropas, desmobilizadas para a repressão; portanto, havia maior possibilidade de sucesso para suas escapadas", observou o historiador.[12]

A repressão das autoridades era sempre implacável. Em 1730, o governador dom Lourenço de Almeida escrevia ao rei reclamando dos "contínuos delitos" cometidos por "bastardos, carijós, mulatos e negros". Entenda-se por "bastardos" os brancos pobres e fora da lei. Por "carijós", os índios. Propunha que se estabelecesse a pena de morte em Minas Gerais e que os ouvidores gerais das comarcas sob sua jurisdição tivessem autonomia para adotar essa punição quando o réu fosse um escravo. Só desse modo, acreditava, as perigosas e ermas estradas das regiões auríferas e diamantinas ficariam livres das quadrilhas de salteadores que assustavam os viajantes. O governador temia, ainda, que, se nada fosse feito contra os fugitivos e quilombolas, Minas Gerais poderia se transformar em um novo Palmares:

*É preciso que se castiguem com pena de morte, executando-
-se nestas vilas para exemplos dos mais negros, porque não
havendo castigo podem ir crescendo em tão grande número
que venham a dar o mesmo cuidado que deram os Palmares
em Pernambuco, além das muitas mortes que fazem carijós,
mulatos e bastardos.*[13]

Alguns anos mais tarde, em 14 de junho de 1746, o governador Gomes Freire de Andrade endereçou uma carta às diversas
câmaras municipais pedindo que contribuíssem para a formação de tropas destinadas a atacar o Quilombo do Campo Grande,
com a seguinte alegação: "Se despovoam já as partes mais contí-
guas ao dito quilombo e sofrem muito ainda os mais distantes
perniciosíssimos estragos que executam". A mesma carta do governador indicava que os quilombos mineiros não eram simples
refúgios improvisados de cativos. Eram, mais do que isso, verda-
deiros pequenos estados ou reinos organizados à maneira africana. Segundo ele, havia em Campo Grande "mais de seiscentos
negros que consta estarem com rei e rainha [...] a que rendem
obediência e com fortaleza, cautelas e petrechos tais que se en-
tende pretendem defender-se e conservar-se".

As referências a reis e rainhas aparecem em diversos outros relatos.[14] Por volta de 1767, foi destruído um grande quilombo existente na comarca de Rio das Mortes, Minas Gerais, que,
segundo documentos da época, era comandado por um rei, "um
negro atrevido chamado Bateeiro" — provavelmente referência
à sua atividade como garimpeiro, em que usava uma bateia para
achar ouro. Segundo o mesmo documento, o rei Bateeiro gover-
nava "por meio de república", o que indica que seria assessorado
por um conselho na tomada de decisões relacionadas ao quilombo. Na mesma época, depois de atacar um quilombo localizado
na freguesia de Pitangui, o alferes Bento Rebelo dizia que no

ESCRAVIDÃO VOL. II

conflito seus soldados haviam matado "o chamado rei e capitão". Em 1760, uma bandeira organizada pelo governador Manuel de Mello desbaratou um refúgio situado nas montanhas vizinhas ao vale do rio Paraná, em Goiás, com "mais de duzentos pretos fugidos, que já lá tinham bananais e roças". Segundo relatório da expedição, o rei do quilombo lutara "valorosamente até perder a vida", enquanto a rainha fora recapturada juntamente com outras escravas negras, algumas delas com "crias", ou seja, crianças de colo ainda em fase de amamentação. No Mato Grosso, entre 1770 e 1795 existiu também o Quilombo da Carlota. Era governado por uma mulher e foi assim batizado em homenagem à então princesa, futura rainha do Brasil e de Portugal, Carlota Joaquina, mulher de dom João VI.

Um caso famoso de fuga de escravos, seguida de negociação, aconteceu no final do século XVIII em Ilhéus, no sul da Bahia. O engenho Santana, de propriedade de Manuel da Silva Ferreira e fundado ainda no século XVI, tinha trezentos cativos.[15] Em 1789 (curiosamente, o mesmo ano da Revolução Francesa e da Inconfidência Mineira), um grupo de escravos sob a liderança do "cabra" (mulato ou mestiço) Gregório Luís fugiu depois de matar o mestre de açúcar. Sem mão de obra, o engenho ficou parado durante dois anos, até que, sob pressão das autoridades policiais, os fugitivos decidiram propor um "tratado de paz" ao dono do engenho, no qual listavam dezenove preocupações e reivindicações. Na história do Brasil, esse é um dos raros documentos em que os escravos falam diretamente, sem intermediários, sobre as condições em que viviam no cativeiro, suas reivindicações, desejo e expectativas. Treze das demandas apresentadas diziam respeito às condições de trabalho, como o número mínimo de escravos destacado para determinada tarefa, a redução em 30% da cota diária de cana que eram obrigados a cortar ou que o volume de mandioca a ser colhido pelas mulheres fosse pelo menos 20% inferior ao exigido

FUGITIVOS E REBELDES

dos homens. As outras reivindicações diziam respeito à própria sobrevivência, às folgas semanais e ao direito de revender no mercado o que conseguissem produzir pelos seus próprios meios em hortas que lhes seriam destinadas pelo senhor do engenho. Terminavam pedindo que pudessem "jogar, descansar, cantar e dançar" quando bem quisessem, sem prévia autorização do senhor.

Curiosamente, no documento os fugitivos em momento algum questionaram o próprio cativeiro. Ao contrário, aceitavam retornar ao engenho na condição de escravos e sob a ordens dos feitores. Exigiam apenas que, antes, os antigos feitores, que acusavam de maus-tratos, fossem demitidos e novos fossem eleitos mediante a aprovação deles. Também não reivindicavam o fim dos castigos. Pediam, isso sim, melhores condições de trabalho. O plano fracassou porque o sistema escravista jamais permitiria tal negociação. Manuel da Silva Ferreira, o dono do engenho, fingiu aceitar as propostas, mas, na volta dos fugitivos, mandou o líder Gregório para a cadeia e vendeu os demais para o Maranhão. E assim a vida logo voltou ao normal no engenho Santana.

Histórias de negociação entre as autoridades e escravos fugitivos ou rebelados eram relativamente raras no Brasil colonial. Um caso bem-sucedido ocorreu em 1800 na antiga capitania do Espírito Santo. Nesse ano, o governador Silva Pontes foi enviado a Vitória com o objetivo de apaziguar os ânimos entre os chefes políticos locais, sempre às voltas com disputas que ameaçavam descambar em uma guerra civil regional. Antes disso, porém, Silva Pontes teve de resolver um problema mais urgente: as áreas vizinhas à atual capital capixaba estavam infestadas de quilombos, com uma população total estimada em trezentos fugitivos. Situada cerca de cem quilômetros ao sul da foz do rio Doce, que descia das regiões mineradoras de Minas Gerais, Vitória tinha nessa época uma população de 7.225 habitantes, 67% dos quais eram escravos e outros 13%, negros ou mestiços forros. Os brancos compunham uma reduzida minoria de 20% dos moradores. A existência de um número tão grande de fugitivos era, portanto, uma ameaça à ordem escravagista vigente e tinha de ser confrontada de imediato. Para isso, o governador tinha à disposição uma tropa de cem homens, que poderiam atacar e dizimar os quilombos. Precavido, no entanto, decidiu negociar antes. Deu um prazo de trinta dias para que os fugitivos retornassem voluntariamente aos seus donos. Em troca, seriam anistiados, sem qualquer punição. O plano funcionou. Só, então, Silva Pontes pôde se dedicar à pacificação das elites locais, evidentemente satisfeitas com a maneira com que ele havia enfrentado os quilombos.[16]

Em geral, a recuperação de um escravo fugitivo representava altos custos para o seu dono, que incluíam o pagamento do capitão do mato, despesas de carceragem, taxas referentes à documentação necessária para comprovar sua posse — além, é claro, dos dias de trabalho que deixara de executar. Dois casos analisados pela historiadora Silvia Hunold Lara no distrito de Campos dos Goytacazes, capitania do Rio de Janeiro, na segunda metade do século XVIII, mostram que os senhores gastavam em torno de 15% do valor estimado do cativo para recuperá-lo.[17] Quando preso, o escravo podia ser entregue diretamente ao seu dono e, com mais frequência, encaminhado à cadeia pública até que se completasse o processo de reconhecimento do seu proprietário e a devolução. Em casos em que o dono não se apresentasse ou não fosse reconhecido, o escravo seria vendido em leilão público.

Mais do que os prejuízos financeiros para os proprietários, as recorrentes fugas e organização de quilombos eram um desafio à própria ordem escravista do Brasil colônia — "a negação da eficácia do aparato jurídico-ideológico criado para prevenir fugas e punir fugitivos e quilombolas recapturados", na definição do historiador Carlos Magno Guimarães.[18] Alimentava também o medo permanente nas autoridades e na população em geral a respeito das ameaças, reais ou imaginadas, de uma suposta capacidade de associação dos negros com o objetivo de assaltar ou atacar as fazendas e comunidades vizinhas. A alta concentração de escravos assustava as autoridades e moradores brancos de Minas Gerais no século XVIII. Inúmeras ordens proibiam os cativos de usar qualquer tipo de arma, especialmente as de fogo. Isso nem sempre era do interesse dos senhores brancos, que se cercavam de bandos armados, constituídos principalmente por escravos, para proteger suas propriedades ou resolver disputas com vizinhos e adversários. Um regulamento de 1726 permitia aos escravos usarem facas e porretes, desde que mediante o consentimento de seus senhores.[19]

A ocorrência de fugas e a proliferação de quilombos levaram à organização de uma tropa especializada na recaptura de fugitivos, ativa até às vésperas da Abolição, em 1888. Embora não fossem militares convencionais, seus membros recebiam denominações parecidas com a hierarquia das tropas regulares: soldado do mato, cabo do mato, capitão do mato, sargento-mor do mato e capitão-mor do mato. De todas essas denominações, a que pegou mesmo e passou para a história foi a de capitão do mato. Oficialmente, o posto teria sido criado em Minas Gerais no começo do século XVIII. O historiador Luiz Mott, no entanto, assegura que já existiria em Pernambuco em 1612, ano em que o donatário Alexandre Moura solicitou à Coroa a nomeação de um caçador de fugitivos com essa designação para cada uma das oito paróquias da capitania. Em 1625, a Câmara Municipal de Salvador já dispunha de uma escala de recompensas para caçadores de escravos. Em 1672, a vila de Cachoeira, no Recôncavo Baiano, tinha uma postura municipal definindo as funções desse cargo, semelhante a outra existente no Rio de Janeiro em 1676. Mas foi em Minas Gerais que a função ganhou mesmo impulso, a partir do início do século XVIII.[20]

O regimento dos capitães do mato criado no governo de dom Lourenço de Almeida, em Minas Gerais, estabelecia critérios de atuação e remuneração a ser paga pelos senhores de escravos fugidos.[21] Se o cativo fosse capturado num raio de meia légua (cerca de três quilômetros), o capitão receberia quatro oitavas de ouro (14,4 gramas, aproximadamente 4.500 reais em valores atualizados de 2021).[22] A partir de uma légua (seis quilômetros), a distância era medida em dias de viagem, até o máximo de 25 oitavas de ouro por fugitivo recapturado (noventa gramas de ouro, cerca de 28 mil reais atualmente). Se o escravo fosse encontrado em um quilombo, ou seja, em companhia de pelo menos outros quatro fugitivos, o regimento estabelecia uma recompensa padrão de vinte oitavas de ouro (72 gramas, ou 22.400 reais de hoje). Caso o quilombola resistisse à captura e morresse em confronto armado, ainda assim o capitão teria direito à recompensa de oito oitavas de ouro (28,8 gramas, ou 8.950 reais). A cabeça do morto seria exibida no alto de um poste em praça pública, para servir de exemplo. Uma cena comum no interior do Brasil era o capitão do mato montado a cavalo, transportando a cabeça de um escravo, salgada e acondicionada dentro de um saco, em busca da recompensa.

Em alguns casos, as recompensas podiam alcançar valores consideráveis. Em agosto de 1734, o capitão-mor das estradas de Itaubira, em Minas Gerais, Dionízio Marques Pinto, recebeu quase 1,5 quilo de ouro (cerca de 470 mil reais em valores de hoje) pago por proprietários de escravos como gratificação por erradicar quilombos na freguesia. No ano seguinte, o capitão do mato Francisco de Mattos recebeu a quantia ainda maior de 7,5 quilos de ouro (cerca de 2,4 milhões de reais atualmente), mais o reforço de 24 soldados para a missão de "extinguir os negros calhambolas" (quilombolas) nos distritos da região de Vila Rica. Melhor resultado teve Bartolomeu Bueno do Prado, comandante da expedição que exterminou o Quilombo do Ambrósio, em 1759. Como prêmio, recebeu uma sesmaria de três léguas de comprimento por uma de largura — cerca de 13 mil hectares, 82 vezes o tamanho do parque do Ibirapuera, em São Paulo, e mais de três vezes a área do parque nacional da Tijuca, no Rio de Janeiro.[23]

As funções dos capitães do mato não se limitavam à recaptura de escravos fugitivos. Eles também faziam respeitar a hora de recolher, verificavam se os cativos tinham autorização de seus senhores para frequentar determinados lugares ou circular pelas ruas tarde da noite. Denunciavam os senhores que não registravam seus escravos com o objetivo de sonegar o chamado imposto de captação, calculado sobre o plantel dos cativos de cada minerador ou fazendeiro.[24] Alguns alcançavam poder e elevado prestígio em suas comunidades. Exemplo disso foi a singular carreira de um capitão do mato descrita pelo historiador Stuart B. Schwartz.[25] Severino Pereira se apresentava com designação pomposa: "capitão-mor de entradas e assaltos, chefe de milícia efetiva da redução dos escravos foragidos e dos fortificados nos quilombos ou coitos". Seu campo de atuação era o distrito de São José das Itapororocas, terra de Maria Quitéria, futura heroína da Guerra da Independência do Brasil, hoje localizado no município baiano de Feira de Santana.

Entre os feitos arrolados pelo capitão Severino em sua biografia estava zelar pela "segurança interna dos povos e domínio dos senhores sobre escravos e malfeitores". Também se orgulhava de suas ações contra os "inimigos do Estado de Sua Majestade", ou seja, o rei de Portugal. Em 1789, Severino atacou um quilombo formado por escravos que haviam fugido do engenho de Bento Simões de Brito e se reunido nas matas de Águas Verdes. Em 1791, saiu ferido duas vezes no ataque a um quilombo nas vizinhanças das Matas do Côncavo, no rio Jacuípe. Em outra ocasião, chefiou uma expedição de duzentos homens contra os quilombos do Orobó e Andaraí, onde os escravos fugitivos andavam "desolando fazendas, invadindo viajantes nas estradas, induzindo aos outros escravos e levantando-se por força para seus reprovados usos", segundo seu relato.

Pelos regulamentos coloniais, no cumprimento de suas funções, o capitão do mato, ao localizar um escravo fugitivo, deveria primeiramente encaminhá-lo à cadeia pública e, em seguida, notificar o proprietário, que, por sua vez, só receberia o cativo de volta depois de pagar a recompensa prevista em lei. As denúncias de abusos eram frequentes. Muitas vezes, os capitães vendiam escravos capturados, sem jamais devolvê-los aos seus proprietários, uma vez que os preços em Minas Gerais eram muito superiores às recompensas pela recaptura. Também prendiam escravos que não eram fugitivos, mas que estavam simplesmente viajando ou prestando serviços fora da cidade a mando dos seus próprios senhores. Em outras ocasiões, exploravam os escravos mantendo-os ao seu serviço por tempo indeterminado, sem avisar às autoridades ou aos proprietários. A lei previa que um capitão do mato não poderia reter o cativo consigo por mais de quinze dias, mas poucos respeitavam esse prazo.

O capitão do mato agia a mando de autoridades e senhores brancos, mas em geral eram negros forros descendentes de africanos. Quase 15% dos 467 capitães do mato registrados em Minas Gerais eram ex-escravos alforriados. Entre eles havia até mesmo escravos caçando escravos fugitivos. Em 17 de janeiro de 1731, o "preto escravo" Amaro de Queiroz, propriedade de José de Queiroz, recebeu a patente de capitão do mato para atuar no distrito de Antônio Pereira, Vila do Carmo. Em 5 de novembro de 1760, Domingos Moreira de Azevedo, descrito como "crioulo escravo" de André Álvares de Azevedo, recebeu a mesma patente para caçar fugitivos nas regiões de Piracicaba e do Caraça. A história se repetiria com José Ferreira, "pardo escravo" do capitão Antônio João

Belas em dezembro de 1779. Segundo o historiador Carlos Magno Guimarães, nesses três casos a autonomia dada aos escravos era muito grande. Tinham total liberdade para andar armados e percorrer o sertão sem a companhia de seus senhores, capturar outros escravos fugitivos e, mesmo estando armados, não fugiam eles próprios, o que lhes conferia a condição de "peças importantes na manutenção do sistema que os coloca na condição de escravos".[26]

Em 1714, o governador dom Braz Balthazar proibiu o uso de armas na região mineira, mas abriu exceção para os senhores que estivessem em viagem, que poderiam levar escravos armados para se defenderem dos ataques realizados por quilombolas nas estradas. Em 1722, dom Lourenço de Almeida concedeu patente de sargento-mor de ordenança a João Roiz Cortes, que havia participado de campanhas contra quilombos usando como atacantes seus próprios escravos. Essa mesma promoção seria destinada em 1732 a Beto Ferraz de Lima, em Catas Altas, por ter destruído quilombos na Serra do Caraça, tarefa na qual "despendeu considerável fazenda por levar muitos escravos armados".

Havia inúmeros casos de proprietários de escravos que armavam seus próprios cativos para expedições de captura a fugitivos. A historiadora Laura Mello e Souza cita o caso de uma expedição organizada em Minas Gerais em 1769, chefiada pelo mestre de campo Inácio Correia Pamplona, que contava com 58 cativos armados e uma orquestra de câmara, também formada por escravos. Os músicos pertenciam ao chefe da expedição, que os levava para entretê-los tocando minuetos quando saíam a campo para caçar fugitivos. Açoriano da Ilha Terceira e famoso pelas incursões de extermínio de índios e quilombolas nas nascentes do rio São Francisco, Pamplona mais tarde se tornaria conhecido como um dos delatores da Inconfidência Mineira.[27]

Se havia escravos que colaboravam, de forma forçada ou voluntária, pela manutenção do sistema escravista, maior ainda era o número dos que participavam da rede de apoio e solidariedade aos quilombolas. Em 1759, Bartolomeu Bueno do Prado encontrou o Quilombo do Campo Grande praticamente despovoado porque seus habitantes haviam sido informados com antecedência da organização e do deslocamento da tropa. Em 1769, o conde de Valadares pedia ao capitão auxiliar Manoel Rodrigues da Costa que investigasse as suspeitas de que na fazenda Azevedo os escravos passavam informações aos quilombolas da região.

O historiador Donald Ramos defende a tese de que os quilombos de Minas Gerais nunca chegaram, de fato, a ameaçar a ordem escravista. Ao contrário, a maioria deles era de pequeno porte, estava localizada próxima das zonas de mineração e mantinha intenso intercâmbio com as vilas e comunidades. "Apesar de os escravos individualmente rejeitarem o cativeiro, geralmente não trabalharam coletivamente para derrubar a instituição da escravidão", escreveu o historiador. "O quilombo em Minas Gerais não só não ameaçou a sociedade luso-brasileira como, mais frequentemente, cooperou com ela. De uma maneira complexa, o quilombo complementava o sistema escravocrata". Prova disso, segundo ele, é que nas zonas de mineração nunca houve rebelião escrava significativa ao longo de todo o século XVIII. Houve revoltas localizadas e rapidamente controladas pelas autoridades, mas nada parecido com o que aconteceria, por exemplo, na Bahia, em 1835, na chamada Revolta dos Malês. Em compensação, havia centenas de quilombos.[28]

Da mesma forma, havia pouca solidariedade entre negros fugitivos e índios nos sertões do Brasil. Indígenas frequentemente ajudavam os portugueses nas operações de recaptura de escravos, como fizeram os tapuias na destruição de Palmares. Em alguns lugares, no entanto, a mistura era mais comum. Depois de destruir o Quilombo do Piolho, em Mato Grosso, em 1770, foram capturados 79 negros e trinta índios, que até então viviam pacificamente juntos. Alguns dos cativos fugiram novamente e reconstruíram a comunidade original. Vinte e cinco anos mais tarde, durante um novo ataque, as autoridades capturaram seis negros idosos — os patriarcas da comunidade —, dezenove mulheres e oito homens indígenas, além de 21 "caborés", crianças nascidas da mistura entre índios e negros.[29]

Em algumas regiões, os quilombos eram parte de uma vasta rede clandestina de roubo, desvio e comércio dos mais variados produtos. Em Itu, na província de São Paulo, os quilombolas não só vendiam café furtado para comerciantes locais, como também roubavam vacas e porcos por encomenda dos próprios comerciantes de couro e cera. Na região ao redor da Baía de Guanabara, mantinham intensas relações com as comunidades vizinhas entre o final do século XVIII e a primeira metade do século XIX. Muitos frequentavam (e até se refugiavam, quando perseguidos) as senzalas das três fazendas da Ordem Beneditina — Gondê, Outeiro e Iguaçu, situadas às margens do rio Iguaçu —, aparentemente com a cumplicidade dos próprios monges. Esses quilombolas, segundo o historiador Flávio dos Santos Gomes, "pareciam velhos conhecidos não só dos moradores e fazendeiros locais, mas também das autoridades".[30]

Inúmeras ordens de ataques aos quilombos foram ignoradas ou tiveram resultados nulos. Os quilombolas forneciam produtos agrícolas, animais domésticos, peixes e caça aos taberneiros e moradores da região que, em troca, lhes davam proteção. Um relatório das autoridades dizia que, em 1859, a lenha utilizada pela corte imperial no Rio de Janeiro era extraída pelos quilombolas nos mangues ao redor da Baía de Guanabara e revendida na capital pelos taberneiros que, em troca, lhes forneciam todo tipo de mercadoria necessária à sua sobrevivência. Donos de barcos chegavam a pagar uma espécie de tributo, ou pedágio, aos quilombolas pelo direito de navegar livremente nos rios da região, controlados pelos fugitivos. Em 1878, dez anos antes da Lei Áurea, um relatório do presidente da província ao ministro da Justiça dizia ser quase impossível resolver a questão:

> *A troco de alimento e aguardente, fornecidos pelos próprios [taberneiros] que ali iam abastecer-se de lenha, prestavam-se os escravos aquilombados a cortá-la a fim de carregar os barcos, cujos donos, aproveitando-se de comércio tão lucrativo, os preveniam de qualquer movimento da força, de modo que as diligências policiais eram sempre sem resultado.*

O historiador João José Reis cita outro caso exemplar de cooperação entre fugitivos e o sistema escravista, o do Quilombo do Oitizeiro, situado nas imediações da barra do rio das Contas, atual Itacaré, na então comarca de Ilhéus.[31] Era um quilombo de características bem peculiares. Ali os fugitivos conviviam com, e trabalhavam para, homens livres e seus escravos, ambos assumindo o papel de protetores e empregadores dos quilombolas. Entre os moradores estavam mulheres e homens brancos, pardos e negros. Dirigido por homens livres, mantinha parte de sua população cativa. A produção agrícola estava perfeitamente integrada ao mercado regional. "Era formado por homens livres (negros, brancos e até um índio), seus próprios escravos e os escravos alheios que acoitavam e que formavam uma importante parcela da população adulta", descreveu João José Reis. Curiosamente, muitos dos escravos ali encontrados não estavam fugindo da escravidão, mas apenas buscando trocar de senhores: tinham fugido de fazendas vizinhas, onde eram tratados de forma cruel, para se tornar cativos dentro do quilombo, em condições mais satisfatórias.

27. O MEDO

"O que sempre se receou nas colônias é a escravatura."

FERNANDO JOSÉ DE PORTUGAL E CASTRO,
governador da Bahia, em carta de 13 de fevereiro de 1799

EM SETEMBRO DE 1789, início do outono no Hemisfério Norte, um barco atracou às pressas em Porto Príncipe, a capital colonial da parte francesa da ilha de São Domingos, no Caribe. Trazia notícias frescas de Paris. Tão bombásticas que, mal as amarras tinham sido lançadas sobre o cais, o capitão saltou da embarcação e saiu correndo pelas ruas da cidade aos gritos. Eram quatro as principais novidades:[1]

1 – Dois meses antes, no dia 14 de julho, milhares de pessoas tinham tomado de assalto a Bastilha, tenebrosa prisão símbolo da repressão política e do poder absoluto do rei da França.

2 – Uma grande revolução se espraiava pelo país. Igrejas, casas e palácios haviam sido pilhados. Campos e lavouras ar-

diam sob o fogo ateado pelos rebeldes. A safra do ano estava perdida.

3 – Uma assembleia nacional constituinte, convocada à revelia do soberano, preparava-se para votar um documento chamado Direitos do Homem e do Cidadão, no qual se proclamava que todas as pessoas nasciam livres e com direitos iguais.

4 – O rei Luís xvi e a rainha Maria Antonieta tinham perdido o controle da situação e agora eram reféns dos revolucionários no seu próprio palácio, em Versalhes.

Foi nesse clima que estourou a maior insurreição de cativos em quase cinco séculos da história da escravidão na América. O banho de sangue em São Domingos se estenderia pelos doze anos seguintes. Estima-se em 100 mil o número total de escravos que se juntou à revolta. A maioria dos colonos brancos foi massacrada. Dos 40 mil soldados franceses enviados para reprimir a rebelião, somente 8 mil voltaram para casa. O resultado seria a independência do Haiti, em 1804, que hoje faz divisa com a República Dominicana, então uma colônia espanhola. Foi o único país da história moderna a conquistar sua autonomia com uma revolta de escravos.

Em 1789, São Domingos era a mais rentável de todas as colônias europeias no Novo Mundo, responsável por cerca de 40% do comércio externo francês e entre 40% e 50% da produção global de açúcar e café. A prosperidade era alimentada por um fluxo constante e gigantesco de novos cativos africanos. Vivia na colônia cerca de meio milhão de escravos, dois terços dos quais tinham nascido na África. Os brancos resumiam-se a 30 mil pessoas. Outras 28 mil eram *creoles*, designação francesa para os mestiços de brancos e negros que, embora formalmente livres, não gozavam de todos os direitos políticos e civis. Em cada grupo de dez habitantes havia, portanto, nove pessoas cativas e apenas uma livre. Em média, os navios negreiros despejavam na ilha cerca de 40 mil novos escravizados por ano.

Seus donos e compradores pertenciam a uma nova classe social, a burguesia, proprietária de enormes fazendas e escandalosas fortunas que faziam do ócio um estilo de vida nos salões de Paris. Na aparência, dizia-se ilustrada. Construía escolas e universidades, lia livros de reformadores como Voltaire e Rousseau, frequentava as salas de concertos, discutia política nos salões. Sua prosperidade, no entanto, fluía da exploração da mão de obra escravizada. A futilidade mundana de algumas famílias pode ser medida pelo hábito de mandar suas roupas de navio para serem lavadas pelas africanas cativas de São Domingos, onde, dizia-se, a combinação de sol e águas límpidas deixavam os tecidos mais alvos e perfumados.

Reflexos da Revolução Francesa, as convulsões na Ilha de São Domingos começaram, curiosamente, entre os proprietários de escravos, excluindo, na fase inicial, a participação da população escravizada.[2] Em 1789, após a convocação dos Estados Gerais em Paris e a virtual queda do governo monárquico absolutista, os brancos tentaram assumir sozinhos o controle da colônia, excluindo os mestiços de qualquer posto da administração. O problema é que havia sérias divergências entre os próprios brancos: de um lado estavam os grandes fazendeiros e comerciantes, chamados de *grands blancs* (brancos grandes ou superiores), cujos interesses eram diferentes dos *petits blancs* (pequenos brancos), uma camada inferior composta por funcionários públicos, militares, lojistas, artesãos ou profissionais autônomos. Foram estes que rapidamente adotaram as ideias mais radicais da revolução, defendidas pelo grupo dos jacobinos, e que previam a erradicação das estruturas e privilégios do Antigo Regime em favor de uma república de intensa participação popular. A cisão entre a população branca se agravou em 1791, quando os mestiços começaram a reivindicar iguais direitos. O resultado foi uma guerra civil — "perante os olhos de uma massa escrava que era quase nove vezes maior do que o conjunto da população livre", como observou o historiador português João Pedro Marques.

Entre os negros de São Domingos havia uma visão equivocada a respeito das bandeiras de liberdade, igualdade e fraternidade cantadas pelos revolucionários nas ruas de Paris. Acreditavam que a revolução os incluía, quando, na verdade, era só de brancos. Essa convicção se reforçara em 1788 com a fundação, na capital francesa, da *Société des Amis des Noirs* (Sociedade dos Amigos dos Negros), organização abolicionista que contava com a participação de diversas das futuras lideranças revolucionárias, como os filósofos Jacques-Pierre Brissot de Warville e o marquês de Condorcet. No ano seguinte, que marcou o início da Revolução Francesa, começou a circular pelas colônias o boato de que o rei havia concedido alguns privilégios aos negros escravos, incluindo três dias livres por semana. Na Martinica, outra colônia francesa no Caribe, centenas de cativos se sublevaram, exaltados por esses rumores — e foram duramente reprimidos. Outras conspirações, sempre embaladas pelas notícias da revolução, ocorreram na atual Guiana Francesa e em Guadalupe.

Porém, nada se comparou ao que aconteceria em São Domingos nos anos seguintes. No primeiro semestre de 1791, milhares de escravos armados de paus, pedras, facas e lanças começaram a percorrer as fazendas e plantações arregimentando seguidores para uma rebelião aberta contra os brancos. No caminho, iam pilhando e destruindo tudo. Atearam fogo nos canaviais, cujas chamas arderam noite adentro durante vários dias. No primeiro mês da insurreição, mais de mil brancos foram tru-

O MEDO

cidados. Os demais procuraram abrigos na cidade ou fugiram da ilha às pressas, deixando todos os seus bens para trás.

As divergências entre brancos, ricos e remediados, e mestiços criaram um vácuo de poder na colônia. As forças armadas coloniais ficaram divididas ou incapazes de se mobilizar para fazer frente à revolta dos escravos. Em meados de 1792, a Assembleia Legislativa, em Paris, decidiu atender parte das reivindicações dos mestiços, numa tentativa de conter a guerra civil entre a população livre. Também determinou o envio de uma força de 6 mil homens em quinze navios para enfrentar os rebeldes. Foi inútil. Oficiais e comissários franceses foram incapazes de pacificar os ânimos entre as facções em conflito. Para agravar ainda mais a situação, em fevereiro de 1793, após a execução do rei Luís XVI na guilhotina, Grã-Bretanha e Espanha declararam guerra à França e também decidiram intervir nas lutas da colônia: os britânicos aliaram-se aos *grands blancs*, enquanto a Espanha se uniu a uma parte dos rebelados.

Em julho de 1793, os comissários que governavam precariamente parte da colônia tentaram seduzir os cativos anunciando que todos os escravos que lutassem pela República Francesa contra os inimigos internos e externos ganhariam a liberdade. Paris ratificou a decisão e deu um passo adiante: a escravidão estava abolida não apenas em São Domingos, mas em todas as demais colônias francesas. Liderados pelo general negro Toussaint Louverture, os escravos da região norte da ilha aderiram aos franceses revolucionários, enquanto outra parte deles permaneceu fiel à monarquia e aliada à Espanha.

Mais velho de oito filhos de um escravo nascido na África, Toussaint Louverture tinha 42 anos quando se juntou à revolução. Na época, supervisionava a criação de gado numa fazenda. Inteligente e estudioso, sabia ler e escrever — coisa rara entre os cativos em todo o continente americano. Entre suas leituras

ESCRAVIDÃO VOL. II

preferidas estava um livro incendiário: *Uma história filosófica e política dos assentamentos e do comércio dos europeus nas Índias Orientais e Ocidentais*, do padre e filósofo jesuíta Guilherme Thomas François Raynal, mais conhecido como abade Raynal, um dos grandes mentores intelectuais das revoluções libertárias do final do século XVIII.

O livro do abade Raynal era tão perigoso e revolucionário que foi proibido em 1772 e queimado em praça pública em toda a França em 1779. O autor, condenado à prisão, a essa altura já estava, prudentemente, refugiado na vizinha Prússia, de onde só voltaria em 1787, às vésperas da Revolução Francesa que ajudaria a inspirar. O documento de sua condenação afirmava que a obra era "ímpia, blasfematória, sediciosa, tendendo a sublevar os povos contra a autoridade soberana e a derrubar os princípios fundamentais da ordem civil". Em Portugal, o livro, proibido pela censura em 1773, nunca chegou a ser publicado.

Na obra, Raynal fazia um balanço da colonização europeia na América, do extermínio dos índios e da opressão dos negros africanos. Propunha que eles próprios se rebelassem contra seus senhores, em defesa do que chamava de liberdade natural, assim definida: "É o direito que a natureza deu a todo aquele que se dispõe a usá-la de acordo com a sua vontade". Para que essa verdade se impusesse, era necessário apenas que "um chefe corajoso" se dispusesse a liderar os "filhos oprimidos e atormentados" da natureza. "Onde está ele?", acrescentava o abade. "Ele aparecerá, não duvidem disso; ele se apresentará e erguerá a sagrada bandeira da liberdade". Raynal concluía seu livro com a seguinte exortação: "Povos, cujos rugidos tantas vezes fizeram os senhores tremerem, o que estais esperando? Para quando estais reservando vossas tochas e as pedras que calçam as ruas?".[3]

Animado por essas ideias e combatendo formalmente sob o estandarte revolucionário francês, Toussaint travou entre mea-

O MEDO

dos de 1794 e 1798 uma guerra sem tréguas contra ingleses e espanhóis, até conseguir expulsá-los da colônia. Vitorioso, promulgou uma Constituição em 1801, sancionou a abolição da escravidão e proclamou-se governador perpétuo do território. Era, porém, uma abolição apenas nominal. Como a economia estava em frangalhos e era preciso recuperar rapidamente a produção de açúcar e café, os antigos proprietários brancos foram convidados a reassumir o controle de suas fazendas, onde os ex--escravos, sob supervisão do exército, foram obrigados a retornar ao duro trabalho nas lavouras. Os que se recusassem ou fizessem corpo mole seriam chicoteados ou até mesmo enforcados para servir de exemplo — ou seja, as mesmas punições que vigoravam na época do cativeiro. Para garantir o suprimento de mão de obra às plantações, Toussaint chegou até mesmo a restaurar o antigo tráfico negreiro. Os novos cativos que chegavam da África não eram considerados livres, ao contrário dos que já lá estavam na época da revolução.

Em 1802, já sob o comando de Napoleão, os franceses tentaram recuperar o controle sobre a antiga e rica colônia. Toussaint foi capturado e despachado para uma prisão gélida no alto dos alpes franceses, onde viria a morrer. No mesmo ano, a escravidão foi restaurada nas colônias do Caribe, com exceção de São Domingos, onde a população negra se rebelou novamente, dessa vez sob o comando de Jean-Jacques Dessalines, um dos antigos oficiais de Toussaint. O resultado seria uma guerra de extermínio entre brancos, mestiços e negros que, uma vez mais, matou dezenas de milhares de pessoas e arrasou fazendas e cidades inteiras. No dia 1º de janeiro de 1804, Dessalines, vitorioso, proclamou o Estado Independente do Haiti, do qual ele seria também o primeiro imperador, coroado no ano seguinte. Os brancos que ainda restavam no novo país foram massacrados. A antiga classe dirigente foi totalmente aniquilada.

407

A revolução no Haiti repetiu um padrão observado em todos os territórios escravistas no continente americano: os escravos se rebelaram e ocuparam espaços sempre que, por divergências internas, a autoridade branca se esfacelou ou entrou em colapso. Era o que tinha acontecido, por exemplo, no Brasil em meados do século XVII, quando a luta entre portugueses e holandeses abrira uma brecha para o crescimento e o fortalecimento do Quilombo de Palmares, no interior da então capitania de Pernambuco (na região montanhosa que hoje pertence ao estado de Alagoas). Nos acontecimentos do Haiti havia, porém, uma outra lição, que nos anos seguintes espalharia uma onda de pânico entre os escravocratas de todo o continente: os escravos negros eram, sim, capazes de se organizar e resistir à opressão dos brancos, a ponto de enfrentar e vencer os melhores exércitos do mundo na época — os da Grã-Bretanha, Espanha e França.

O preço pago pelos revolucionários negros, no entanto, foi alto. Representante da elite branca do sul dos Estados Unidos, o presidente Thomas Jefferson recusou-se a reconhecer a independência do novo país. O Vaticano demorou sessenta anos para fazê-lo. Cedendo à pressão da França e da Espanha, o Congresso norte-americano também proibiu qualquer transação comercial com os haitianos. Boicotado igualmente na Europa, onde os mercados se fecharam completamente aos seus produtos antigamente valiosos, o Haiti foi obrigado a pagar uma indenização de 150 milhões de francos aos franceses em 1825, em troca do reconhecimento de sua independência. Desde então, mergulhou na pobreza e numa história política marcada por instabilidade e golpes de estado. Hoje está entre os países mais pobres do mundo.

Outras revoltas aconteceriam em diferentes pontos da América nos anos seguintes, mas em todas elas a reação foi cruel e implacável. Em 18 de março de 1823, cerca de 12 mil escravos pegaram em armas contra seus senhores na região de Demerara, colônia holandesa onde hoje se situa a Guiana, local marcado pelas condições de vida e trabalho especialmente desumanas dos cativos. A minúscula comunidade branca representava apenas 4% do total da população. Havia, portanto, 23 escravos para cada branco. No primeiro enfrentamento, 120 rebeldes foram sumariamente executados. Dezenas de outros, suspeitos de apoiar o movimento, foram aprisionados nas fazendas e depois de um julgamento também sumário, mortos. Os corpos foram decapitados e as cabeças espetadas ao longo das estradas, para servir de exemplo. O escravismo em Demerara era especialmente cruel. As punições incluíam assar os cativos em fogo lento, dependurá-los pelas costelas com um gancho de açougue em galhos de árvore e o encerramento em gaiolas suspensas até que morressem de fome.

Revolta muito mais séria ocorreu naquele mesmo ano de 1823 na Jamaica, a maior e mais rica colônia britânica no Caribe, onde existiam 300 mil escravos para apenas 30 mil brancos. O saldo foi dramático: 540 escravos morreram, dos quais 340 em combates e outros duzentos executados em seguida. Outros 175 foram sentenciados a penas que variavam de açoites, trabalhos forçados e deportação.

No Brasil, em um primeiro momento, a revolução escrava do Haiti até beneficiou parte dos fazendeiros. A insurreição em São Domingos fez o preço do açúcar aumentar 50% em apenas cinco anos, entre 1788 e 1793, gerando uma grande oportunidade para os senhores de engenho do nordeste brasileiro. Como resultado, entre 1788 e 1798, as exportações de açúcar da Bahia aumentaram de 480 mil para 746 mil arrobas. Em Pernambuco, o crescimento foi de 275 mil arrobas em 1790 para 560 mil em 1807. No Rio de Janeiro, de 200 mil em 1790 para 487.200 em 1800.[4]

O medo, porém, era maior do que os eventuais benefícios econômicos temporários. As notícias dos massacres de brancos e fazendeiros no Caribe espalharam pânico e apreensão entre a elite escravocrata brasileira. Afinal, nessa época, o Brasil já se havia firmado na condição de maior território escravista do hemisfério ocidental. Mais de um terço de seus habitantes eram escravos. Desde o fim de Palmares, o pavor das fugas e rebeliões de escravos tirava o sono das famílias brancas, abastadas e bem-educadas.

Os fazendeiros e donos de escravos no Brasil tinham o hábito de catalogar meticulosamente a origem étnica dos cativos que importavam da África. Esses registros serviam para identificar traços físicos e diferentes aptidões que influenciavam no preço e no desempenho dos cativos. Mas, de posse dessas informações, procurava-se também evitar que um único plantel reunisse cativos com as mesmas raízes culturais, linguísticas ou de parentesco. No caso de uma rebelião, essas afinidades poderiam servir como um elo de solidariedade entre os escravos. Misturá-los e, sempre que possível, explorar suas eventuais rivalidades, era, portanto, considerado vantajoso para o sistema escravista. Em carta de 1725, o governador do Rio de Janeiro, Luiz Vahia Monteiro, aconselhava a Coroa portuguesa a introduzir "negros de todas as nações" como antídoto contra eventuais sublevações. "Não me ocorre meio mais eficaz", ponderava. "O meio da divisão sempre foi o maior antídoto de semelhantes máquinas, porque o reino em si dividido será desolado e a confusão das línguas foi o que arruinou a Torre de Babel".[5]

O banho de sangue nas Antilhas Francesas, atual Haiti, poderia se repetir no Brasil? Certamente. Era o que previa Martinho de Melo e Castro, secretário de Estado da Marinha do Ultramar, em carta enviada ao conde de Rezende, vice-rei no Rio de Janeiro, em 21 de fevereiro de 1792. Na correspondência, o ministro autorizava a entrada de dois navios de uma expedição científica francesa nos portos da colônia, mas recomendava vigilância, levando em conta o efeito desestabilizador que as ideias de liberdade, igualdade e fraternidade, princípios da Revolução Francesa, vinham produzindo em todo o mundo:

> *Com a propagação destes abomináveis princípios, atearam [...] nas colônias francesas o fogo da revolta e da insurreição, fazendo levantar os escravos contra seus senhores e excitando na parte francesa da Ilha de Santo Domingo uma guerra civil entre uns e outros, em que se cometeram as mais atrozes crueldades.*[6]

Em outra carta, de 13 de fevereiro de 1799, dom Fernando José de Portugal, ministro de dom João, afirmava:

> *O que sempre se receou nas colônias é a escravatura, em razão de sua condição, e porque é o maior número de habitantes delas, não sendo tão natural que os homens empregados e estabelecidos, que têm bens e propriedades, queiram concorrer para uma conspiração ou atentado de que lhes resultariam péssimas consequências, vendo-se até expostos a serem assassinados pelos seus próprios escravos.*

Os fatos ocorridos na América Portuguesa confirmavam os temores do ministro. Em meados de 1798 uma grande rebelião irrompeu nas ruas da capital baiana. Entrou para a história como "Conjuração Baiana" ou "Revolta dos Alfaiates", embora nem todos os envolvidos fossem costureiros. Entre eles havia soldados e oficiais militares, escravos e até um médico cirurgião, Cipriano José Barata de Almeida, que, mais tarde, seria representante do Brasil nas cortes de Lisboa às vésperas da Independência, e passaria boa parte da vida na cadeia por se envolver em seguidas revoluções parecidas com a de 1798. Os revoltosos exigiam "o fim do detestável jugo metropolitano de Portugal", a abolição da escravatura e a igualdade para todos os cidadãos, "especialmente mulatos e negros". Os mais radicais pregavam o enforcamento de parte da elite branca de Salvador. Um panfleto afixado nos muros e paredes da atual capital baiana em 12 de agosto, no início da conjuração, trazia a seguinte conclamação: "Animai-vos Povo Bahiense, que está para chegar o tempo feliz da nossa liberdade; o tempo em que todos seremos irmãos; o tempo em que todos seremos iguais".[7]

Dias antes, quando o alfaiate João de Deus, de 27 anos, perguntou a Lucas Dantas, soldado mestiço do Regimento e Artilharia, o que seria "uma revolução", ouviu a seguinte resposta:

> *É fazer uma guerra civil entre nós, para que não se distinga a cor branca, parda e preta, e seremos todos felizes, sem exceção de pessoa, de sorte que não estaremos sujeitos a sofrer um homem tolo que nos governe, que só governarão aqueles que tiverem maior juízo, e capacidade para comandar homens, seja ele de que Nação for, ficando esta Capitania com governo democrático e absoluto.*

A repressão do governo português seria imediata e duríssima. Lucas acabaria preso no dia 9 de setembro, um domingo, numa fazenda no sertão de Água Fria. Dois meses depois, na madrugada de 5 para 6 de novembro, tentaria se suicidar enfiando pela garganta, várias vezes, uma colher de prata. Na tarde do dia seguinte foi enforcado na praça da Piedade na companhia do próprio João de Deus e de outros dois mulatos pobres de Salvador: o soldado Luiz Gonzaga das Virgens e Veiga, de 37 anos; e o também alfaiate e escravo alforriado Manuel Faustino dos Santos Lira. Os corpos, esquartejados em seguida, foram repartidos e espetados no alto de postes em diversos lugares públicos, para servirem de exemplo a eventuais revoltosos futuros. A cabeça de João de Deus ficou exposta no campo do Dique do Desterro; a de Lucas Dantas, na rua Direita do Palácio; a de Santos Lira, no Cruzeiro de São Francisco, e a de Luiz Gonzaga, junto com as mãos, na própria praça da Piedade. Dos 43 prisioneiros suspeitos de participar da rebelião, só 16 ganharam a liberdade. Os que não receberam a sentença de morte seriam banidos para a África.

Uma nota final curiosa. Cipriano Barata, um dos arautos da liberdade na Revolta dos Alfaiates, quando foi preso, era dono de cinco escravos. Quatro tinham nomes bíblicos: Noé, Moisés, Isaías e Raquel. O quinto, uma mulher, chamava-se Custódia.

28. A LIBERDADE É BRANCA

UM AGUACEIRO DESABOU SOBRE as praças e ladeiras de Vila Rica, atual Ouro Preto, no final da tarde de 26 de dezembro de 1788.[1] Na noite fria e úmida que se seguiu, por volta das oito horas da noite, mensageiros escravizados começaram a percorrer as ruas encharcadas. Um deles dirigiu-se ao casarão de fachada e pilastras de pedra situado ao lado da ponte, quase na esquina da rua Direita com a São José. Era a residência particular mais deslumbrante de Minas Gerais. Seu dono, o contratador João Rodrigues de Macedo, naquele momento jogava cartas com o coronel Inácio José Alvarenga Peixoto, fazendeiro, advogado e poeta. Ao porteiro que o atendeu, o emissário deixou um bilhete no qual estava escrito: "Alvarenga. Estamos juntos, e venha Vossa Mercê já. Amigo Toledo".

Alvarenga esperou a chuva passar e, em seguida, subiu a colina rumo à morada do tenente-coronel Francisco de Paula Freire de Andrade, comandante dos Dragões, como era conhecido o Regimento Regular da Cavalaria de Minas Gerais. Lá chegando, encontrou outras seis pessoas à sua espera, além do próprio dono da casa: José Álvares Maciel, filho do capitão-mor e cunhado do tenente-coronel; o padre José da Silva de Oliveira Rolim; o poeta e desembargador Tomás Antônio Gonzaga; o capitão Maximiano de Oliveira Leite; o alferes Joaquim José da Silva Xavier, conhecido como "O Tiradentes"; e Carlos Correia de Toledo e Melo, o padre Toledo, vigário da paróquia de São José del-Rei, atual cidade de Tiradentes, e autor do bilhete endereçado a Alvarenga naquela noite.

O grupo estava ali reunido para traçar os planos da mais importante revolução tramada durante todo o período colonial brasileiro, e que entraria para os livros de história com o nome de Inconfidência ou Conjuração Mineira. Naqueles dias, o clima em Minas Gerais era de angústia e ansiedade. Esperava-se para qualquer momento a chamada "derrama", cobrança forçada de impostos determinada pela Coroa portuguesa para cobrir a diferença entre os tributos efetivamente arrecadados e a quota obrigatória estipulada em 1750, com a qual os mineiros deviam arcar, equivalente a cem arrobas de ouro (cerca de 1.465 quilos). Além disso, a Coroa estava decidida a cobrar todas as dívidas e obrigações atrasadas de seus súditos na capitania. A decadência na produção de ouro impedia que essas determinações fossem cumpridas. Todos os conspiradores reunidos naquela noite em Vila Rica eram grandes devedores e tinham muito a perder caso as ameaças se concretizassem. Um deles, o padre Oliveira Rolim, era também um conhecido contrabandista, agiota e falsificador de moedas, que passara boa parte da vida envolvido em fraudes contra a Coroa. Tinha falsificado moedas, extorquido autoridades, emprestado dinheiro a juros extorsivos e desviado diamantes garimpados no arraial do Tijuco para uma rota clandestina que terminava em Amsterdã, na Holanda.[2]

O objetivo da conspiração era aproveitar o clima de apreensão e revolta reinante entre os moradores para instigar um grande motim, no qual Minas Gerais se declararia uma república independente de Portugal. Esperava-se também que, uma vez proclamada a independência, outras capitanias, como Rio de Janeiro e São Paulo, aderissem à insurreição. Pelos planos já traçados, na hora fatídica, Tiradentes teria a missão de instigar a rebelião nas ruas de Vila Rica. Quando os Dragões fossem convocados para prender ou controlar os ânimos dos insurretos, Freire de Andrade, o comandante da cavalaria, se encarregaria de assegurar que a ordens se cumprissem com atraso, o mais lentamente possível para permitir que a revolta se espalhasse. Nesse meio-tempo, o governador de nome comprido, Luís Antônio Furtado de Castro do Rio de Mendonça e Faro, visconde de Barbacena, seria assassinado. Sua cabeça decepada seria exibida em triunfo nas ruas da cidade como prova do sucesso da rebelião. A seguir seria lida uma declaração na qual Minas Gerais anunciaria aos demais brasileiros e ao mundo que a partir dali se organizaria em Estado autônomo e independente.

O programa da república mineira foi detalhado na reunião daquela noite chuvosa de 26 de dezembro de 1788. Uma vez vitoriosa a revolução, a capital de Minas Gerais independente seria em São João del-Rei. Ali haveria uma casa da moeda, encarregada de emitir dinheiro a uma taxa de câmbio fixa de 1.500 réis por oitava de ouro (3,58 gramas). Todas as restrições relacionadas à mineração de diamantes no distrito de Serro do Frio, região da atual cidade de Diamantina, estariam imediatamente abolidas. A proibição portuguesa de manufaturas, até então vigente em todo o Brasil, seria revogada, mediante a construção de uma fábrica de pólvora e de ferro. Vila Rica se tornaria a sede de uma universidade. Em lugar de um exército permanente, os cidadãos da nova república seriam convocados a se alistar em uma milícia popular, responsável pela segurança do território. Em cada cidade haveria um corpo legislativo, na forma de câmaras ou assembleias municipais, subordinado a um parlamento principal na capital da república. O primeiro governante seria o poeta e desembargador Tomás Antônio Gonzaga. Depois haveria eleições periódicas para os diversos cargos eletivos. Todas as dívidas com a Fazenda Real seriam perdoadas. Por fim, definiu-se a bandeira: um triângulo verde sobre um fundo branco e a inscrição inspirada nos versos do poema latino de Virgílio: *Libertas quae sera tamen* — Liberdade, ainda que tardia. O triângulo era símbolo da Santíssima Trindade, mas também das lojas maçônicas que nessa época estimulavam movimentos libertários ao redor do mundo.

Na longa lista havia, porém, um item espinhoso, sobre o qual os inconfidentes se debruçaram por muito tempo sem chegar a uma conclusão: o que fazer com a multidão de escravos que dominavam a paisagem mineira? Nessa época, a capitania de Minas Gerais, a mais populosa do Brasil, tinha a maior concentração de pessoas de origem africana em todo o continente americano. No total, eram cerca de 174 mil escravos, quase a metade da população, estimada em 394 mil habitantes. Eles estavam por toda parte: na mineração, na agricultura, na pecuária, no comércio e nos serviços urbanos e domésticos. Os brancos formavam um grupo relativamente pequeno, de aproximadamente 70 mil pessoas, ou 18% sobre o total de habitantes.[3] Os demais moradores eram negros ou mestiços libertos. Em resumo: como conciliar escravidão com os ideais de liberdade e direitos civis defendidos pela revolução em andamento? As discussões foram longas e infrutíferas.

Maciel, um dos participantes da reunião, argumentava que a presença de tão grande contingente de cativos era, por si só, uma ameaça à nova república mineira. Se, no decorrer da previsível guerra contra as tropas portuguesas, eles também pegassem em armas, seria impossível resistir à igualmente previsível fúria que alimentavam contra os brancos. Era exatamente isso que aconteceria no ano seguinte na mais rica das ilhas do Caribe, a colônia francesa de São Domingos, onde, conforme visto no capítulo anterior, os escravos, estimulados pelas rupturas desencadeadas pela revolução nas ruas de Paris, pegariam em armas contra seus senhores e na defesa da própria liberdade.

Mesmo ciente dos riscos, Alvarenga Peixoto achava que a melhor solução seria libertar todos os cativos que se dispusessem a defender os interesses do novo Estado. A alforria, nesse caso, seria um prêmio pela adesão dos cativos à república mineira. Afinal, eles eram a maioria da população e, uma vez mobilizados contra as forças portuguesas, seriam um fator decisivo para a vitória da insurreição. Esse plano, porém, foi contrariado por Maciel, para quem a abolição do cativeiro privaria os mineradores e fazendeiros da mão de obra vital à manutenção do vigor econômico da região. Com uma economia já enfraquecida pela decadência na atividade mineradora, como poderia a nova república se manter sem a força de trabalho dos escravos? Sem a riqueza gerada por eles, Estado algum poderia se manter livre diante da pressão das forças portuguesas. Diante de um argumento tão forte, os demais participantes da reunião se mantiveram calados. Por fim, sem chegar a uma conclusão, aventou-se a possibilidade de libertar apenas os negros e mulatos nascidos no Brasil. Os de origem africana continuariam sendo escravos. Da mesma forma, o tráfico negreiro seria mantido para alimentar a economia local.

A segunda metade do século XVIII foi um dos períodos mais revolucionários da história da humanidade. Havia transformações de toda natureza em andamento — na ciência, tecnologia, economia, nas artes, ideias e leis. Duas de maior impacto foram a Independência dos Estados Unidos, em 1776, e a Revolução Francesa, de 1789. Ao se separar da monarquista e conservadora

ESCRAVIDÃO VOL. II

Inglaterra, os americanos criaram a primeira democracia republicana da história moderna. Redigida pelo advogado, fazendeiro e futuro presidente Thomas Jefferson, a Declaração de Independência Americana anunciava que "todos os homens nascem iguais" e com alguns direitos inalienáveis, incluindo a vida, a liberdade e a busca da felicidade.

Ao defender esses lemas, a revolução americana se converteria no laboratório em que seriam testadas com sucesso as ideias que um grupo de filósofos conhecidos como iluministas havia desenvolvido nas décadas anteriores. O Iluminismo do século XVIII (por isso também chamado de Século das Luzes) preconizava uma nova era na história humana, em que a razão, a liberdade de expressão e de culto e os direitos individuais predominariam sobre os direitos divinos invocados pelos reis e pela nobreza para manter os seus privilégios. Até então, todo o poder emanava do rei e em seu nome era exercido. Era assim que os países haviam sido governados desde sempre. Pensadores como o escocês David Hume, o inglês John Locke, o suíço Jean-Jacques Rousseau e os franceses Denis Diderot e François-Marie Voltaire sustentavam, no entanto, que era possível limitar o poder dos reis ou até mesmo governar sem eles.

Na revolução norte-americana tentava-se demonstrar, na prática, que todo poder emanaria do povo e em seu nome seria exercido (pelos seus representantes no parlamento ou na presidência da república). A figura do rei se tornaria supérflua. O texto da declaração redigida por Thomas Jefferson levava em conta todos esses princípios iluministas e serviria de inspiração para que, treze anos depois, o marquês de Lafayette, nobre francês que havia lutado ao lado dos americanos na Guerra da Independência contra a Inglaterra, escrevesse a famosa Declaração dos Direitos do Homem e do Cidadão. Proclamado nas assembleias populares dos revolucionários franceses, realizadas em

Paris, o texto seria adotado um século e meio mais tarde, com algumas adaptações, como a carta de princípios das Nações Unidas, com o seguinte lema: "Todas as pessoas nascem livres e iguais em dignidade e direitos".

Reflexo direto da Independência dos Estados Unidos, a Revolução Francesa produziu um vendaval incontrolável no coração do conservador e monárquico continente europeu. Por divergências políticas, milhares de pessoas foram condenadas à guilhotina. A máquina de decepar cabeças já existia, mas foi rebatizada com esse nome depois que o médico Joseph-Ignace Guillotin sugeriu que fosse usada para exterminar os dissidentes em Paris. Estima-se que mais de 17 mil franceses tenham sido executados em praça pública nos anos que se sucederam à revolução, incluindo alguns de seus líderes mais proeminentes, como os advogados Maximilien de Robespierre e Georges-Jacques Danton, que também acabaram mortos na guilhotina. Entre as vítimas estavam ainda ninguém menos que o rei Luís XVI e a rainha Maria Antonieta, decapitados em 1793, e o cientista Antoine-Laurent de Lavoisier, considerado o pai da química moderna e autor da frase "Na natureza nada se perde, nada se cria, tudo se transforma". Outras 23 mil pessoas teriam morrido por outros meios, sem julgamento ou direito à defesa, durante o período conhecido com o nome tenebroso de "Regime do Terror".

Chamado a restabelecer a ordem que a revolução não conseguia alcançar nas assembleias populares, o general Napoleão Bonaparte destronou, prendeu, exilou e humilhou os monarcas do continente. Em 1804, sagrou-se imperador dos franceses e passou a colocar seus próprios parentes nos tronos dos reinos que havia subjugado. Também passou a implementar um programa de reformas que redesenharia o mapa político da Europa e criaria novos padrões de organização e governo para as sociedades. Calcula-se que mais de três milhões de pessoas tenham morrido durante as Guerras Napoleônicas, ocorridas entre 1792 e 1815, o que representava 5% do total da população da Europa na época.

Essas violentas rupturas tinham um traço em comum: eram todas transformações brancas, que deixavam à margem a população negra e escravizada, a essa altura calculada em milhões de seres humanos em todo o continente americano. Foi essa a grande contradição do revolucionário século XVIII. Os documentos, manifestos e discursos falavam em liberdade, direitos para todos, participação popular nas decisões, mas seus autores conviviam naturalmente com a escravidão, como se a defesa dessas ideias não dissesse respeito aos negros. A Revolução Francesa manteve uma atitude ambígua em relação ao cativeiro. Em 1791, a assembleia nacional francesa chegou a condenar a escravidão "em princípio", fazendo, porém, a ressalva de que a imediata extensão dos Direitos do Homem e do Cidadão, proclamada alguns anos antes pela revolução, poderia resultar "em grandes malefícios". Três anos mais tarde, em 1794, ainda em meio ao furor dos primeiros anos revolucionários, o cativeiro chegou a ser abolido nas chamadas Antilhas Francesas do Caribe. O entusiasmo abolicionista francês duraria apenas oito anos. Em 1802, Napoleão Bonaparte, pressionado pela sangria de recursos graças às guerras contra os vizinhos, reintroduziu a escravidão em todas as colônias francesas.[4]

Como já citado no volume anterior desta trilogia, alguns filósofos expoentes do Iluminismo, caso do escocês David Hume, do alemão Immanuel Kant e dos franceses Voltaire e Montesquieu, sustentavam que os negros eram naturalmente inferiores aos brancos, sancionando dessa forma a ideologia racista que justificava o cativeiro africano. John Locke, pensador humanista responsável pelo conceito de liberdade na história moderna, era acionista da RAC, criada com o único propósito de traficar escravos. É de sua autoria a seguinte frase: "A verdadeira liberdade consiste em não estar sujeito à vontade inconstante, incerta, desconhecida e arbitrária de um outro ser humano".[5]

Dois terços dos 21 principais líderes da independência americana [chamados de *founding fathers*, em inglês, os "pais fundadores"] eram donos de escravos. Henry Laurens, presidente do Congresso Continental, o primeiro governo nacional dos Estados Unidos, com sede na cidade da Filadélfia, era traficante negreiro. George Washington, o primeiro presidente, era dono de 317 escravos em sua fazenda Mount Vernon, no estado da Virgínia, mas teve a dignidade de libertá-los em testamento antes de morrer, em 1799. Thomas Jefferson, o terceiro presidente, escreveu um tratado defendendo que os negros eram biologicamente inferiores aos brancos. No ano em que escreveu a Declaração de Independência — segundo a qual "todos os homens nascem iguais" e com direitos que incluíam a liberdade — era dono de 150 escravos. No seu entender, portanto, todos os homens nasciam livres e com direitos, desde que fossem brancos. Benjamin Franklin, um dos grandes iluministas americanos, não só tinha escravos como abria as páginas do seu jornal, *Pennsylvania Gazette*, para a publicação de anúncios que ofereciam recompensas para a caça de escravos fugitivos. Entretanto, mudou de opinião a partir de 1781, quando libertou todos os seus cativos e aderiu ao movimento abolicionista.

Assim também seria na Inconfidência Mineira. A lista dos senhores de escravos envolvidos na conjuração é longa.[6] "A conspiração dos mineiros era, basicamente, um movimento de oligarcas e no interesse da oligarquia, sendo o nome do povo invocado apenas como justificativa", resumiu o historiador britânico Kenneth Maxwell.[7] O maior número de cativos entre os inconfidentes pertencia ao coronel Alvarenga Peixoto: 132 no total — os "meus negros", como dizia ele. O padre Toledo, por sua vez, tinha 32 "peças". O padre Rolim possuía sete, incluindo Alexandre Pardo, que redigia suas cartas. O advogado e poeta Cláudio Manuel da Costa, ausente na reunião do dia 26 de dezembro, manteve um longo romance clandestino com uma de suas escravas, Francisca Arcângela de Souza, com quem teve cinco filhos. Era um dos luminares da casta mais ilustrada do Brasil colonial, cuja riqueza sustentava-se na exploração da mão de obra cativa africana. Homem muito rico, dono de muitos escravos, era sócio de minas e garimpos, fazendas de criação de gado e porcos. Sua elegante mansão em Vila Rica servia de ponto de encontro dos inconfidentes. Tinha estudado na prestigiada Universidade de Coimbra, o principal centro de formação da elite do império português. Em 1786, havia doze estudantes mineiros entre os 27 brasileiros lá matriculados.

O mestre de campo Inácio Correia Pamplona (já citado em um dos capítulos anteriores) participou ativamente da conspiração até se tornar o terceiro delator no processo contra Tiradentes, depois de Joaquim Silvério dos Reis e Basílio de Brito Malheiro. Era um conhecido caçador de indígenas e escravos fugitivos. Pelos serviços prestados, ganhou o título de mestre de campo e recebeu da Coroa portuguesa a doação de sete sesmarias, cada uma com área de nove léguas quadradas, cerca de 392 quilômetros quadrados ou 39 mil hectares. Somadas, as sete propriedades cobririam um território oito vezes superior à área do atual município de Belo Horizonte. Na segunda metade do século XVIII, era o maior latifundiário nos sertões do São Francisco, denominação que se dava às terras situadas próximas à região dos atuais municípios mineiros de Desempenhado e Bambuí, próximas da serra da Canastra. Curiosamente, Pamplona era casado com uma negra (ou mulata) forra, Eugênia Luísa da Silva. A sogra tinha vindo como escrava da Costa da Mina, no Golfo do Benim.

Entre os escravocratas reunidos naquela noite fria e chuvosa de Vila Rica estava, por fim, o próprio alferes Joaquim José da Silva Xavier. Embora não fosse rico nem tivesse a formação intelectual de seus parceiros de rebelião, Tiradentes arrolava entre seus bens pelo menos seis escravos: Francisco Caetano, Bangelas, João Camundongo, Maria Angola e seus dois filhos, Jerônimo e Francisca. No seu posto de alferes, tinha recrutado negros escravizados, cedidos por senhores brancos, para combater outros negros acusados de promover assaltos a caravanas de viajantes na serra da Mantiqueira.

Ao contrário das revoluções que lhe serviram de inspiração na Europa e nos Estados Unidos, a Inconfidência Mineira fracassou rapidamente. Em 18 de maio de 1789, cinco meses depois daquela noite chuvosa de dezembro de 1788 e dois meses antes da tomada da Bastilha pelos revolucionários franceses em Paris, começou a circular a informação de que as autoridades portuguesas já tinham conhecimento da trama dos inconfidentes. Ao todo, o governador visconde de Barbacena recebeu seis diferentes denúncias. A mais significativa tinha como autor Joaquim Silvério dos Reis, devedor de grandes somas de dinheiro à Coroa. Acabou denunciando o movimento organizado pelos inconfidentes como uma forma de ter suas dívidas perdoadas. Em seu depoimento às autoridades, Silvério dos Reis deu todos os detalhes a respeito da insurreição, o que permitiu que as autoridades coloniais reagissem rapidamente. Outro importante traidor foi Inácio Correia Pamplona, o bem-sucedido caçador de quilombolas.

De posse dessas denúncias, a Coroa portuguesa prendeu e processou rapidamente todos os conspiradores. Só um deles, o Tiradentes, seria executado na forca, em 21 de abril 1792. Seus restos mortais esquartejados ficariam expostos ao longo da estrada entre Rio de Janeiro e Vila Rica para servir de exemplo a outros revolucionários. Sua cabeça, espetada no alto de um poste em Vila Rica, foi roubada durante a noite e jamais recuperada. Cláudio Manuel da Costa foi encontrado morto no cárcere em 4 de julho de 1789, enquanto ainda aguardava julgamento.

Entre os demais inconfidentes, alguns foram condenados à prisão. Outros seriam deportados para a África. Um deles, Vitoriano Gonçalves Veloso, o único conjurado "pardo", ou seja, mestiço descendente de escravos africanos, teve um tratamento cruel especialmente diferenciado. Antes de partir para o degredo, foi obrigado a refazer a pé o trajeto de Tiradentes rumo à forca no Rio de Janeiro, de pouco mais de um quilômetro, sendo açoitado diante do público ao longo de todo o percurso. Outros dois escravos envolvidos involuntariamente na conspiração também foram punidos — "não por serem rebeldes, mas por serem cativos", segundo Lucas Figueiredo, biógrafo de Tiradentes.[8] Alexandre Pardo, o redator das cartas do padre Rolim, foi vendido em praça pública. Já o "Preto Nicolau", que sequer fora parte do processo, embarcou com seu dono, Domingos de Abreu Vieira, a fim de lhe prestar assistência no degredo africano.

Na mesma época desses trágicos acontecimentos, começaria também entre os brancos a única e mais decisiva transformação de interesse dos negros cativos. Foi o movimento abolicionista, tema do próximo capítulo deste livro. Naquela altura, era ainda uma revolução silenciosa, discutida em igrejas e nas reuniões de grupos de intelectuais à margem das outras revoluções que sacudiam as ruas e praças ao redor do mundo. Nas décadas seguintes, no entanto, o movimento ganharia tal ímpeto que o resultado seria a abolição formal do cativeiro, à qual o Brasil, maior território escravista do hemisfério ocidental, resistiria ainda por mais um século, com todos os seus meios e forças.

29. QUEBRANDO OS GRILHÕES

"Eu não sou um homem e um irmão?"

LEMA ABOLICIONISTA BRITÂNICO
gravado sobre a imagem de um negro
com os pés e as mãos acorrentados

QUEM OBSERVASSE OS ACONTECIMENTOS nas ruas e cidades da Inglaterra no começo do século XVIII jamais poderia imaginar, nem mesmo em seus sonhos e fantasias mais delirantes, que a escravidão estaria com os dias contados. Nessa época, o cativeiro africano era ainda uma prática legal e inquestionável em todo o hemisfério ocidental. O tráfico negreiro continuava a se expandir em ritmo acelerado. Entre os britânicos, era ainda uma instituição sólida, prestigiada e lucrativa. Exemplo disso foi a procissão à luz de velas e tochas acesas que em meados de 1713 percorreu as avenidas centrais de Londres acompanhada por membros da nobreza e do clero, políticos, escritores, intelectuais e pessoas anônimas do povo. O objetivo era celebrar o que se acreditava ser um dos eventos mais decisivos na história do comércio naquele ano: a boa fase nos negócios de uma nova companhia dedicada ao tráfico de escravos.[1]

A South Sea Company fora criada dois anos antes, em setembro de 1711. Em 1713 se tornaria detentora do monopólio de fornecimento de mão de obra cativa pelos trinta anos seguintes para o império colonial espanhol nas Américas. Tinha como sócios majoritários o rei Felipe v, da Espanha (com 28% das ações), e a rainha Ana, da Inglaterra (com 22,5%). Entre os minoritários estavam o astrônomo e matemático Isaac Newton e dois escritores famosos, Daniel Defoe e Jonathan Swift, autores de clássicos da literatura: *Robinson Crusoé* e *As viagens de Gulliver*, respectivamente. Além da matriz, no coração de Londres, a nova empresa tinha escritórios em Buenos Aires, Cartagena das Índias, Panamá, Veracruz, Havana, Santiago de Cuba, Caracas, Barbados e Jamaica. Pelos termos do contrato com a Coroa espanhola, deveria transportar um mínimo de 3.400 cativos, que a própria empresa se encarregaria de comprar na África e revender nas Américas. Em troca da concessão, pagaria ao rei Felipe v um adiantamento de 200 mil pesos (de prata), mais 33,5 pesos na venda de cada cativo embarcado.

Apesar do empenho dos reis de Espanha e da Inglaterra, do renome de seus acionistas e do tamanho de suas operações ao redor do globo terrestre, a South Sea Company jamais confirmou as expectativas iniciais. Incapaz de competir com os traficantes portugueses e brasileiros, muito mais experientes e eficazes no negócio, assolada por ataques de piratas na região do Caribe e prejudicada por uma corrida especulativa na bolsa de valores de Londres em 1720, a empresa entrou em colapso. Em sua curta existência de pouco mais de uma década, forneceu 64 mil africanos escravizados aos espanhóis. *Sir* Isaac Newton teria perdido 20 mil libras esterlinas na aventura. A South Sea Company ainda sobreviveu mais de um século, até 1853, tendo transferido parte de seus ativos para o governo espanhol. E nada disso abateu o entusiasmo dos britânicos pela compra e venda de negros escravizados.

A cidade portuária de Liverpool era considerada a capital mundial do tráfico negreiro. Graças ao comércio de escravos, passara de um pacato vilarejo de pescadores para a segunda cidade mais populosa da Inglaterra. O número de moradores saltou de 5 mil em 1700 para 34 mil em 1773. De suas doze docas construídas no estuário do rio Mersey saíram nada menos do que 878 navios negreiros entre 1783 e 1793, média de 79 por ano.[2] Quase todos os habitantes participavam direta ou indiretamente do negócio, incluindo, além dos grandes banqueiros e armadores, advogados, sapateiros, alfaiates e pequenos comerciantes, na condição de sócios minoritários. E todos lucravam. Na segunda metade do século XVIII, Liverpool se tornaria também o principal porto das mercadorias da Revolução Industrial, cujo centro seria a vizinha cidade de Manchester. As exportações de Manchester, que em 1739 não passavam de 14 mil libras esterlinas por ano, cresceriam mais de vinte vezes nas quatro décadas seguintes, chegando a 300 mil libras em 1779. Um terço de toda essa produção era exportado para a África em troca de escravos.

A importância da indústria britânica no tráfico negreiro pode ser medida pelos itens que compunham a carga de um único navio que deixou os portos da Inglaterra em 1787 rumo à África: peças de algodão e linho, lenços e tecidos de seda azuis e vermelhos, finos chapéus de veludo, armas, pólvora, balas e barras de chumbo, espadas, panelas e frigideiras de cobre, potes de ferro, outros utensílios de cozinha, taças e copos de vidro, contas, bijuterias e pedras preciosas, brincos e anéis de prata e ouro, papel, bebidas e tabaco, malas e arcas de couro, capas de chuva, bacias de alumínio, mercadorias diversas secas e molhadas.

No total, navios britânicos transportavam anualmente mais de 100 mil africanos para o Novo Mundo, dos quais 60 mil se destinavam aos engenhos de açúcar situados na Jamaica e em Barbados, onde os africanos compunham cerca de 90% da população. Maior colônia britânica no Caribe, a Jamaica recebeu sozinha mais de um milhão de cativos, número superior ao da Bahia e cerca de 11% de todos os que chegaram às Américas ao longo de três séculos e meio. Por volta de 1750, havia ali doze negros escravizados para cada morador branco. Barbados, uma ilhota de minguados 431 quilômetros quadrados (área pouco superior à do município de Curitiba, capital do Paraná), foi o destino de meio milhão de escravos. Tinha a maior concentração de mão de obra cativa por quilômetro quadrado entre todas as sociedades escravistas do Novo Mundo.

Também nessa época se intensificou, a bordo dos navios ingleses, o comércio de escravos para o sul dos Estados Unidos, região que emergia como grande produtora de arroz, tabaco e algodão. Entre 1730 e 1740, os britânicos se tornaram os campeões mundiais do comércio de gente cativa, ultrapassando pela primeira vez o número transportado no mesmo período pelos portugueses e brasileiros. Mais de 800 mil escravos seriam traficados nas quatro décadas seguintes. O auge foi atingido entre 1780 e 1790, período em que britânicos transportaram cerca de 350 mil escravos.

Mas esses dez anos também testemunhariam o início de um debate que faria desabar todo o arcabouço do sistema escravista. Era a semente da campanha abolicionista britânica e norte-americana, uma revolução que mudaria a face do planeta no século seguinte.

A sequência dos acontecimentos que levaria ao fim da escravidão no século XIX é ainda hoje alvo de muitos estudos e controvérsias. O movimento abolicionista ganhou fôlego em meados da década de 1780. Apenas vinte anos mais tarde, levaria à proibição do tráfico negreiro na Inglaterra e nos Estados Unidos. Em mais duas décadas e meia resultaria na abolição da própria escravatura nos domínios britânicos, em agosto de 1833, obra que seria completada em todo o continente americano em 13 de maio de 1888, data da assinatura da Lei Áurea no Brasil. O que teria levado a uma mudança tão radical em tão pouco tempo?

Existem pelo menos três principais explicações para o nascimento e o sucesso do abolicionismo. Nenhuma delas, porém, consegue esclarecer sozinha o fenômeno.[3]

A primeira, prevalecente nos livros de história até a metade do século XIX, baseava-se na noção romântica, plantada pelos próprios abolicionistas britânicos e norte-americanos, de que a abolição teria sido resultado de uma obra filantrópica dos brancos em favor dos negros. O abolicionismo seria assim um evento quase milagroso, totalmente inesperado, contrário a todos os imperativos econômicos. Seria também a prova de que a dimensão espiritual do ser humano poderia triunfar sobre os interesses materiais, e de que em alguns raros, porém mágicos, momentos da história, as causas humanitárias teriam precedência sobre as razões políticas e econômicas. Influenciados pelas ideias iluministas do século XVIII, grupos de religiosos, intelectuais e políticos do mundo anglo-saxão teriam se mobilizado para "redimir a raça negra" de seus sofrimentos. Desse modo, a supostamente iluminada civilização europeia e ocidental teria conseguido purgar os seus pecados e progredir rumo a um patamar de padrões éticos e morais mais avançados em que a ciência, a razão e o direito se consolidariam como as novas réguas do relacionamento humano. Por essa visão, caberia, portanto, aos negros apenas serem gratos à obra extraordinária concebida e executada pelos brancos em seu favor.

Essa noção romântica foi desafiada em 1944 por um estudo revolucionário de um homem nascido na elite crioula do Caribe, o historiador e depois primeiro-ministro de Trinidad e Tobago, Eric Williams. Calcado em números, dados e séries estatísticas, Williams defendeu a ideia de que a escravidão havia se tornado economicamente insustentável no longo prazo.[4] Esta é a segunda explicação. Diante da marcha dos revolucionários acontecimentos do século XVIII, marcados pela erupção de novas tecnologias, descobertas científicas e métodos de produção, seria inevitável a substituição da mão de obra cativa pelo trabalho assalariado, uma das características principais do capitalismo pós-Revolução Industrial. Com a vantagem de que os ex-escravos, uma vez convertidos em trabalhadores assalariados, seriam também consumidores para os novos produtos da economia industrial britânica. Em outras palavras, a escravidão teria caído de madura, cabendo aos abolicionistas apenas representar o papel que lhes cabia para dar uma capa humanitária a uma transformação tão radical nas relações de trabalho. Eric Williams também defendia a tese (já citada no primeiro volume desta trilogia) de que a escravidão teria sido a primeira fase da economia capitalista, cujos lucros financiariam a Revolução Industrial na Inglaterra que, por sua vez, tornaria o trabalho cativo obsoleto.

A terceira e última explicação para o rápido e bem-sucedido desfecho da campanha abolicionista afirma que o sistema escravista trazia dentro de si a própria semente da destruição. A abolição seria resultado da resistência dos próprios escravos contra o escravismo. O abolicionismo coincidiu com um período em que os cativos se aproveitaram das rupturas dentro da ordem estabelecida pelos brancos e senhores (caso da guerra pela Independência norte-americana e da Revolução Francesa) para cavar novos espaços de liberdade e afirmação. Num curto intervalo de apenas 43 anos, entre 1789 e 1832, ocorreram mais de vinte revoltas escravas em todo o continente americano. Por essa teoria, ao se rebelarem e promoverem fugas em massa, os escravos teriam aguçado nos senhores o medo de uma "bomba social" latente e cada vez mais perigosa. A Revolução do Haiti, em 1791, e a Revolta dos Malês, na Bahia, em 1835, seriam dois grandes exemplos. A partir do banho de sangue no Haiti, cada novo escravo importado da África traria consigo o germe capaz de aniquilar todo o sistema, na medida em que as ideias revolucionárias plantadas pelo Iluminismo do século XVIII fossem contaminando os ânimos e abrindo caminho para novas e mais violentas revoluções. A escravidão teria se tornado um empreendimento perigoso, pelo risco, tão temido pelas oligarquias, de que a resistência escrava pudesse levar à total desestabilização do sistema até então vigente.

Em resumo, as três explicações acima pareciam dizer que o sistema escravista morreu porque tinha envelhecido em face dos iluminados, revolucionários e inovadores séculos XVIII e XIX. Era como uma máquina inútil e enferrujada, que precisava ser rapidamente abandonada em favor de um equipamento mais novo e eficiente. Seria isso mesmo? Aparentemente, não. Todos esses fatores podem ter contribuído em graus diferenciados para o sucesso do movimento abolicionista, mas nenhum deles consegue explicar por si só a complexa marcha dos acontecimentos observada na época.

A teoria de que o abolicionismo seria meramente uma ação filantrópica dos brancos não se sustenta diante do simples fato de que entre seus grandes líderes havia inúmeros escritores, intelectuais e agitadores negros. Era o caso, na Inglaterra, dos africanos Olaudah Equiano (também chamado de Gustavus Vassa), Ottobah Cugoano e Charles Ignatius Sancho, ex-escravo nascido em um navio negreiro na travessia do Atlântico que se tornaria compositor e o primeiro afrodescendente a ter o direito de voto na Inglaterra. A relação de grandes abolicionistas negros nos Estados Unidos tem quase quarenta nomes, incluindo o escritor Frederick Douglass, o ex-escravo James William Charles Pennington, primeiro afrodescendente a estudar na Universidade Yale, e a também ex-escrava Harriet Tubman, que o presidente Barack Obama decidiu homenagear estampando sua imagem na nota de vinte dólares.[5] O mesmo se repetiria mais tarde no Brasil. O mais celebrado abolicionista brasileiro pela historiografia tradicional foi o pernambucano Joaquim Nabuco, um homem branco, alto, de olhos claros e perfil europeu, conhecido como "Quincas, o Belo". Ao lado dele, no entanto, lutaram inúmeros negros nunca devidamente reconhecidos, caso do jornalista fluminense José do Patrocínio, do advogado baiano Luís Gama, do engenheiro também baiano André Rebouças e da escritora maranhense Maria Firmina dos Reis, autora de *Úrsula*, o primeiro romance publicado por uma mulher — e negra — no Brasil.

A segunda explicação, sobre a decadência e a inviabilidade econômica do sistema escravista defendida de Eric Williams, teve enorme repercussão entre os estudiosos do abolicionismo em todo o mundo, particularmente no Brasil, mas foi contestada a partir dos anos 1960 por outros estudos igualmente baseados em números e estatísticas sérias. Essas pesquisas mostraram que, no final do século XVIII, a escravidão estava longe da decrepitude e da exaustão. Ao contrário, nunca esteve tão ativa e vigorosa, como demonstrou o historiador Seymour Drescher, o principal opositor das teorias defendidas por Eric Williams, autor de um livro de título autoexplicativo: *Econocide: British Slavery in the Era of Abolition*[6] [Econocídio: a escravidão britânica na era da escravidão]. O jogo de palavras usado por Drescher se referia a uma espécie de "suicídio econômico" de um regime que na época do movimento abolicionista era ainda altamente lucrativo e viável, tanto quanto tinha sido ao longo de milhares de anos em diversas civilizações. Do ponto de vista estritamente econômico, não haveria por que acabar com a escravidão. Na opinião de Drescher, a própria abolição teria mergulhado as colônias britânicas, até então prósperas, no declínio econômico do qual, a rigor, nunca mais se recuperaram — portanto, uma visão bem oposta à que defendia Williams.

No final do século XVIII, tanto as exportações como as importações da Inglaterra para suas colônias no Caribe, centros da economia escravista, atingiram níveis recordes, prova da vitalidade econômica do sistema. Ao assumir o governo britânico em 1783, o primeiro-ministro William Pitt estimou que 80% de todas as receitas auferidas pela Grã-Bretanha no comércio ultramarino vinham de suas colônias no Caribe.[7] Nunca tantos cativos foram transportados da África para a América quanto no período entre 1750 e 1805, que precede a abolição do tráfico na Inglaterra e nos Estados Unidos. Os números continuariam a crescer de forma vigorosa em outras regiões como o Brasil e Cuba, que resistiram às pressões para acabar com o tráfico negreiro. Nos Estados Unidos, a prova de que o sistema escravista continuava vigoroso e lucrativo seria a própria Guerra da Secessão, entre os estados do Sul e do Norte, em que mais de 750 mil pessoas morreram para que o cativeiro fosse, finalmente, abolido. Por que um país pagaria um preço tão alto em vidas humanas se o sistema estivesse, de fato, em crise?

Por fim, a terceira teoria, a de que a abolição resultou da luta e da pressão dos próprios negros escravizados sobre o sistema escravista, igualmente não fica de pé sozinha e precisa ser calibrada diante dos fatos. Houve, sim, importantes rebeliões, fugas em massa e outras formas de resistência de escravos, mas, com uma única exceção, a do Haiti, nenhuma chegou, de fato, a ameaçar a ordem escravista. Como já citado em capítulo anterior, o número de fugitivos e rebeldes foi relativamente pequeno em relação ao total de cativos existentes no Brasil e outros territórios da América. A maioria dos escravos optou por outras estratégias, silenciosas e aparentemente mais eficazes, de resistir ao escravismo, criando laços familiares estendidos mediante o compadrio, participando de irmandades religiosas e até estabelecendo alianças sutis com os próprios escravizadores, sempre em busca de ampliar seus espaços de liberdade e ascensão social dentro do sistema. Além disso, nem toda fuga ou rebelião escrava foi contra a escravidão. Na chamada Revolta de Tacky, ocorrida na Jamaica em 1760, os rebeldes pregavam a aniquilação dos brancos e a tomada do poder na ilha, onde continuariam a produzir açúcar pela escravização dos negros que se recusassem a aderir ao movimento. No Quilombo do Oitizeiro, no sul da Bahia (também já citado neste livro), os fugitivos utilizavam o trabalho de outros escravos na produção de mandioca.[8]

Até a penúltima década do século XVIII, as vozes contra a escravidão africana no Atlântico eram esparsas e desconectadas entre si. Mas existiram e se manifestaram desde o primeiro século de ocupação europeia na África e na América. Incluíam textos de missionários capuchinhos, relatos de viajantes e outros documentos que criticavam a maneira como os negros eram escravizados e tratados, sem, no entanto, propor uma mudança tão drástica quanto o fim do cativeiro. Curiosamente, uma das primeiras e mais completas críticas à escravidão foi escrita por um português ainda em 1555, algumas décadas após a chegada da esquadra de Pedro Álvares Cabral à Bahia. O padre Fernando Oliveira, autor do livro *Arte da guerra no mar*, dizia que a guerra declarada só com o objetivo de capturar escravos não era justa. Afirmava que sem compradores não haveria vendedores de cativos na África e que o próprio comércio de escravos estimulava o aumento das capturas no interior do continente. Por fim, Oliveira acusava seus compatriotas portugueses

QUEBRANDO OS GRILHÕES

de serem os inventores desse comércio maléfico, que significava "comprar e vender homens livres da mesma forma como se compram e vendem animais".[9]

No conjunto, documentos como esse formavam uma cultura que o historiador britânico Christopher Leslie Brown chamou de "antiescravismo sem abolicionismo".[10] Eram, na comparação de Brown, como se fossem um "capital moral" que se acumulara gradualmente no imaginário da civilização ocidental até desaguar na campanha abolicionista. Só no final do século XVIII essas ideias, até então em circulação de forma desordenada, ganhariam a audiência e os meios para se concretizarem em uma campanha política viável e eficaz o suficiente para mudar a realidade escravista vigente até então.

Na sua gênese, o abolicionismo teve um importante componente religioso. A grande revolução começou de forma silenciosa, no adro das igrejas da Inglaterra e dos Estados Unidos. Entre seus líderes estavam os quakers (também denominados quacres, em português).[11] Criado em 1652 pelo inglês George Fox, o quakerismo (ou quacrerismo) era uma das muitas vertentes do protestantismo na Inglaterra. Defendia, entre outras ideias, uma volta à simplicidade original do cristianismo. Pacifista e filantrópica, rejeitava as formas tradicionais de organização religiosa em prol de uma vida regrada, austera e moralmente correta. Seus membros se identificavam como "santos", "filhos da luz" ou "amigos da verdade", que viviam sob a inspiração direta do Espírito Santo. Nas suas reuniões havia momentos de catarse coletiva, em alguns aspectos semelhantes aos cultos de algumas denominações pentecostais da atualidade. Por isso, eram ridicularizados com o apelido de *quakers* — aqueles que "tremem", ou "tremedores". O abolicionismo também coincidiu com um importante fenômeno de renascimento religioso ocorrido em ambos os lados do Atlântico entre o fim do século XVIII e o começo do xix, chamado, em inglês, de *Great Awakening* (o "Grande Despertar"), que resultou em movimentos de conversão em massa em ambas as margens do Atlântico anglo-saxão e do qual participaram, além dos quakers, protestantes de diversas outras denominações, como os anglicanos, os metodistas, os presbiterianos e os batistas.

Os quakers eram um grupo relativamente pequeno, comparado com outras denominações protestantes. Por volta de 1750, havia cerca de 90 mil deles nos Estados Unidos e no Reino Unido. Mas eram ricos, letrados e influentes em suas comunidades. Entre seus membros apareciam também banqueiros, comerciantes, armadores e financiadores do negócio negreiro, todos chamados a desistir de suas atividades ligadas ao comércio de gente nos momentos iniciais do abolicionismo. Coube a esse grupo religioso a criação das primeiras sociedades abolicionistas, sediadas em lugares como Filadélfia e Nova York, nos Estados Unidos, e Londres e Manchester, na Inglaterra. Nove dos doze fundadores da Society for Effecting the Abolition of the Slave Trade [Sociedade para Abolição do Tráfico de Escravos], estabelecida em 22 de maio de 1787 na capital britânica, eram quakers. Essa instituição serviria de modelo para as demais organizações abolicionistas que se propagariam pelo mundo a partir de então. Essas entidades traziam uma mudança significativa na percepção moral da época. Refletiam "a ideia de que a sociedade humana poderia ser algo maior do que apenas lucro, ganância e poder", segundo a observação do historiador David Brion Davis. Pela primeira vez, condenava-se abertamente uma instituição que fora tolerada e estimulada por milhares de anos.[12]

O movimento abolicionista reunia pessoas de diferentes origens e perfis sociais. E quase todas tinham alguma filiação religiosa. Anthony Benezet, francês de nascimento de pais protestantes huguenotes, era professor de uma das raras escolas

QUEBRANDO OS GRILHÕES

para negros existentes nos Estados Unidos na primeira metade do século XVIII e líder dos quakers na Filadélfia. Foi também o principal contato entre os abolicionistas norte-americanos e britânicos. Benjamin Franklin, inventor do para-raios e um dos pais da Independência americana, tinha sido senhor de escravos, até decidir libertá-los e aderir ao movimento abolicionista. Era membro da congregação da Christ Church, a mais antiga igreja protestante episcopal da Filadélfia, onde seu corpo foi enterrado. John Wesley, clérigo e teólogo anglicano, foi o precursor do movimento de avivamento espiritual que daria origem à Igreja Metodista, em 1739. O reverendo John Newton foi capitão de navio negreiro antes de se converter, tornar-se abolicionista e compor de um dos mais belos hinos religiosos de todos os tempos — "Amazing Grace" [Maravilhosa Graça], incorporado à cultura da música pop em 1971 na voz de Elvis Presley.

Na Inglaterra, destacaram-se pelo seu incansável trabalho Granville Sharp, Thomas Clarkson e William Wilberforce. Granville, neto do arcebispo de York e filho de um teólogo, era o mais veterano de todos. Defendia a causa dos negros escravizados desde 1765. Foi também o autor de um plano para a criação de uma colônia para ex-cativos na costa da África que daria origem ao atual país de Serra Leoa. Clarkson, filho mais velho de um pastor e ele próprio diácono da Igreja Anglicana, foi o mais infatigável de todos os abolicionistas britânicos. Durante a campanha, teria viajado mais de 50 mil quilômetros pela Grã-Bretanha fazendo pesquisas a respeito do negócio negreiro e divulgando suas ideias. Já Wilberforce converteu-se ao cristianismo na idade adulta, aos 26 anos. Deputado pelo condado de Yorkshire, norte da Inglaterra, foi o principal representante e porta-voz dos abolicionistas no Parlamento, responsável pelo encaminhamento das inúmeras petições (abaixo-assinados) que ali chegavam reivindicando o fim do tráfico negreiro.

O abolicionismo foi também a primeira grande campanha popular a usar técnicas modernas de propaganda de massa com fins políticos. Seus líderes tinham consciência de que não bastava a defesa de princípios morais e valores cristãos para convencer a opinião pública, cuja prosperidade dependia até então do trabalho cativo.[13] Era preciso recorrer a argumentos concretos e racionais, pelo uso de estatísticas, informações detalhadas sobre as viagens e o funcionamento do negócio negreiro, histórias meticulosamente investigadas, que incluíam datas, mapas, desenhos, plantas e maquetes de navios, entre outros recursos. Reuniões, palestras e comícios promovidos nas ruas e praças ajudaram na promoção dos milhares de abaixo-assinados que chegaram ao Parlamento. A participação feminina foi intensa. Mulheres de todo o Reino Unido se envolveram na organização dos comitês regionais, na coleta de assinaturas e em ações de grande repercussão pública, como o boicote ao açúcar produzido nas colônias escravistas do Caribe. "O abolicionismo era mais do que uma filosofia", escreveu o historiador português João Pedro Marques. "Era ativista, queria mudar o mundo e tinha um plano de ação política para o conseguir: visava à abolição imediata ou a curto prazo do tráfico de escravos e, a médio prazo, da própria escravidão."[14]

Um caso em particular, divulgado pelos abolicionistas, abriu os olhos dos britânicos para a crueldade do tráfico negreiro a ponto de se converter em comoção nacional. Foi a tragédia cínica e humanitária ocorrida a bordo de um navio negreiro entre a África e o Caribe. No dia 6 de setembro de 1781, o navio inglês *Zong*, de Liverpool, saiu da África rumo à Jamaica com excesso de escravos a bordo. Em 29 de novembro, no meio do Atlântico, sessenta negros já haviam morrido por doenças, falta de água e comida. Temendo perder toda a carga antes de chegar ao destino, o capitão Luke Collingwood decidiu jogar

QUEBRANDO OS GRILHÕES

ao mar todos os escravos doentes ou desnutridos. Ao longo de três dias, 133 negros foram atirados da amurada, vivos. Só um conseguiu escapar e subir novamente a bordo. O dono do navio, James Gregson, pediu indenização à seguradora pela carga perdida. A empresa de seguros, em Londres, recorreu à Justiça. Pelas leis inglesas, se o negro morresse a bordo por maus-tratos, fome ou sede, a responsabilidade seria do capitão do navio. Se caísse no mar, o seguro cobriria. Nesse caso, a Justiça decidiu que a seguradora tinha razão. O capitão era culpado pelas mortes.

Os abolicionistas se valiam de imagens de forte impacto visual como ferramentas de propaganda. Entre elas se destacava o próprio selo símbolo do movimento. Estampados em moedas, botões, livros, panfletos e outros produtos de grande circulação entre os britânicos, mostrava a silhueta de um homem negro de joelhos, as mãos e os pés presos por correntes e os olhos voltados para o céu em tom de súplica, com a pergunta: "Eu não sou um homem e um irmão?" (no original, em inglês, *Am I not a man and a brother?*"). Ainda mais impactante foi a divulgação do diagrama de alguns navios negreiros, nos quais se podia ver, de forma muito didática, as condições em que viajavam os africanos escravizados da África para o continente americano. Um deles, o navio *Brookes*, se tornaria o mais famoso retrato visual do tráfico.

Construído em 1781 nas docas de Liverpool sob encomenda do comerciante negreiro Joseph Brookes Jr., que lhe deu o nome, o *Brookes* era uma das maiores embarcações do tráfico britânico. Com 297 toneladas de arqueação bruta (um terço superior à tonelagem média dos navios mercantes da época), chegou a carregar até 740 cativos.[15] Fez no total dez viagens à África num período de 25 anos, no qual transportou 5.163 africanos. Desses, 4.559 chegaram vivos ao destino. Outros 604 morreram na travessia (11,7% do total).

No diagrama do *Brookes*, reproduzido aos milhares pelos abolicionistas em publicações e panfletos distribuídos nos dois lados do Atlântico, apareciam 292 africanos deitados lado a lado, como se fossem sardinhas dentro de uma lata de conserva. Estavam distribuídos em quatro compartimentos: dos homens e das mulheres adultos, e das crianças, separados entre meninas e meninos. Uma corrente prendia os homens entre si, pela perna, na altura da canela. Cada cativo ocupava um espaço exíguo e visualmente claustrofóbico. A cada homem adulto cabia um retângulo de 1,82 metro de comprimento por 40 centímetros de largura. Cada menina, por sua vez, espremia-se numa nesga faixa de 1,22 metro por 35,6 centímetros. A altura entre as diferentes plataformas abaixo do convés, onde se acomodava a carga humana, era de apenas 1,70 metro, insuficiente para que alguém pudesse caminhar ou ficar confortavelmente de pé. Assim, espremidos e atados uns aos outros, os escravos tinham de dormir, comer, exercitar-se e conviver durante os quarenta dias, em média, de duração da viagem da embarcação negreira. Para fazer as necessidades, em baldes e recipientes enfileirados nas laterais, tinham de tropeçar ou pisar sobre os vizinhos, o que causava frequentes conflitos. Os que morriam eram lançados ao mar e imediatamente devorados pelos tubarões.

Animada por uma campanha propagandística como o mundo nunca vira até então, a sequência dos acontecimentos que levaria ao fim da escravidão em parte do hemisfério ocidental foi bastante rápida. Nos Estados Unidos, o grupo de radicais protestantes liderados pelo quaker Anthony Benezet conseguiu fazer aprovar na Pensilvânia, em 1780, uma primeira lei de emancipação gradual. Medidas idênticas foram adotadas pouco tempo depois em Massachusetts, Vermont, Connecticut, Rhode Island, Nova York, Nova Jersey e Alto Canadá (território hoje correspondente ao sul do estado de Ontário).

Na Inglaterra, em 1805, o governo concordou em banir a importação de cativos para dois territórios recém-adquiridos: a Guiana e a ilha de Trinidad. No ano seguinte, proibiu os súditos britânicos de se envolverem no comércio de escravos com domínios e colônias estrangeiros. Por fim, em março de 1807, o tráfico foi totalmente proibido a partir do dia 1º de janeiro do ano seguinte, mesma data em que os norte-americanos proibiram a importação de novos cativos em seus domínios (a abolição total da escravatura nos Estados Unidos só viria em 1865, após a Guerra da Secessão, entre os estados do Sul, escravistas, e do Norte, abolicionistas).

O passo seguinte seria convencer outras nações a fazerem o mesmo, geralmente sob pressão das armas dos navios de guerra britânicos. No Tratado de Viena, de 1815, celebrado após a derrota de Napoleão Bonaparte em Waterloo, as demais potências europeias concordaram em extinguir o tráfico em seus domínios, sem, no entanto, definir uma data para a implementação da medida. As exceções foram Portugal e Espanha. Essas duas nações seriam, com o Brasil independente a partir de 1822, as últimas potências escravistas do hemisfério ocidental. Entre 1820 e 1880, cerca de 2,3 milhões de africanos escravizados embarcariam em navios negreiros rumo à América, a maior parte deles com destino ao Brasil e a Cuba.

Em 1834, o movimento abolicionista conseguiu a mais sonhada vitória: a abolição não apenas do tráfico negreiro (obtida em 1807), mas da própria escravidão em todos os territórios britânicos. Em troca, os donos de escravos obtiveram uma indenização de vinte milhões de libras esterlinas. Na prática, o Parlamento abolia a escravidão comprando de seus donos os 800 mil cativos então existentes nas colônias ultramarinas. Portanto, o dinheiro do Tesouro e dos contribuintes britânicos seria usado não para indenizar os escravos pela exploração do trabalho no cativeiro, mas para compensar seus senhores pela perda do que consideravam até então um investimento e um valioso patrimônio. Lord Harewood, um dos homens mais ricos da época, recebeu 26 mil libras esterlinas pela alforria de seus 1.277 cativos. Além disso, a liberdade não estava ao alcance de todos de imediato: era destinada apenas às crianças com até seis anos de idade. Os demais trabalhariam ainda por mais seis anos para seus antigos donos na condição de "aprendizes". Teoricamente, era uma maneira de prepará-los para as incertezas do mercado de trabalho livre e assalariado, período em que ficariam sob a supervisão e a orientação de seus antigos senhores. Na realidade, essa era uma forma mal disfarçada de esticar a escravidão — prática que, por sinal, seria adotada também no Brasil décadas mais tarde, com a aprovação das leis do Ventre Livre e dos Sexagenários.

Com a abolição, a enorme frota britânica de navios negreiros ficou ociosa. O que fazer com aquele valioso patrimônio? Os arquivos da Lloyd's Register of Shipping, instituição inglesa de monitoramento e certificação das atividades navais existente desde 1760, mostram que o Brasil se tornou o principal destino dessas embarcações, onde seriam empregadas principalmente no tráfico negreiro.[16] Originalmente desenhados para navegar nas águas quentes das regiões tropicais, os navios tinham o casco coberto com lâminas de cobre que os protegiam das cracas marinhas e também aumentavam sua velocidade e durabilidade. Era tudo de que os traficantes brasileiros precisavam. Redirecionada para os portos do Hemisfério Sul, a antiga frota britânica continuou a fazer trajeto muito semelhante ao anterior. Na Inglaterra, os navios se abasteciam das mercadorias da Revolução Industrial que serviam de moeda na compra de pessoas escravizadas na África. Em seguida, atravessavam o Atlântico com suas cargas humanas rumo aos portos brasileiros. Na etapa seguinte, transportavam de volta para a Europa as matérias-primas produzidas no Brasil que abasteciam as fábricas inglesas, em especial o algodão, além de açúcar, café e tabaco.

Os ventos libertários do abolicionismo britânico passavam longe do império colonial português. No Brasil, as poucas vozes que na época ousaram se manifestar contra o sistema escravista acabaram rapidamente silenciadas. Foi o que aconteceu com frei José de Bolonha, missionário capuchinho italiano residente na Bahia que, segundo carta de 1794 do governador da capitania, dom Fernando José de Portugal, estaria tentando persuadir seus fiéis de que "a escravidão era ilegítima e contrária à religião". Essa ideia, alertava o governador, era "sumamente delicada e melindrosa", uma vez que a pregação do missionário, caso se propagasse, "inquietaria as consciências dos habitantes desta cidade, e traria consigo para o futuro consequências funestas à conservação e subsistência desta colônia". Proibido de ministrar a confissão, Bolonha foi logo despachado para Lisboa.[17]

30. O NAUFRÁGIO

"Sem o Brasil, Portugal é uma insignificante potência."

MARTINHO DE MELO E CASTRO, ministro
da rainha Maria I, em documento de 1779

UMA VIOLENTA TEMPESTADE CASTIGOU o Atlântico Sul no final de dezembro de 1794, quase véspera do Ano Novo. O resultado foi um dos episódios mais trágicos da história da escravidão brasileira. O *São José Paquete d'África*, navio negreiro português capitaneado por Manuel João Pereira, tinha saído de Lisboa em 27 de abril daquele ano. No começo de dezembro, depois de navegar mais de 12 mil quilômetros, ancorou na ilha de Moçambique, no oceano Índico, onde foram embarcados entre quatrocentos e quinhentos negros escravizados. Desde então, vinha contornando lentamente a costa da África, primeira etapa de uma travessia que deveria durar cerca de quatro meses até o Maranhão, um dos principais centros escravistas brasileiros da época, grande produtor de algodão, arroz e cana-de-açúcar, onde a carga humana seria vendida. Na noite de 27 de dezembro, mal tinha ul-

ESCRAVIDÃO VOL. II

trapassado o cabo da Boa Esperança, o antigo cabo das Tormentas tão temido pelos navegantes portugueses do século xv, quando foi pego pela tempestade. Por volta das duas horas da madrugada, empurrado por uma gigantesca onda, seu casco espatifou-se contra um banco de pedras situado a apenas cem metros da praia na localidade de Camps Bay. Em desespero, os marinheiros soaram o alarme disparando tiros de canhão. Socorridos por moradores locais, o capitão e os tripulantes sobreviveram. Dos escravos aprisionados no porão, 212 morreram afogados. Os demais foram resgatados e arrematados pelo melhor preço em leilão nos dias seguintes na Cidade do Cabo.

O *São José Paquete d'África* ficou sepultado sob as ondas até meados da década de 1980, quando arqueólogos submarinos conseguiram localizá-lo ao largo de Clifton, hoje um agradável centro de veraneio no litoral sul-africano. De início, julgou-se que fossem os restos de uma nau mercante holandesa. Só em 2015, depois de minuciosas análises, os pesquisadores anunciaram que se tratava de uma descoberta até então inédita no estudo da história da escravidão. O banco de dados Slavevoyages.org registra cerca de mil naufrágios ao longo dos 350 anos do comércio de escravos no Atlântico, mas quase a totalidade dessas informações é baseada em fontes escritas. Antes da descoberta na África do Sul, nunca tinham sido encontrados vestígios de uma embarcação naufragada em pleno curso no oceano com toda sua carga a bordo. Hoje, seus destroços podem ser observados no piso inferior do novo e belo Museu Nacional de História e Cultura Afro-Americana, inaugurado em Washington, capital dos Estados Unidos, pelo presidente Barack Obama. Incluem ganchos, roldanas e barras de ferro que eram usadas como lastros no fundo do navio, os únicos materiais a resistir por tanto tempo no fundo do mar.

O trágico destino do *São José Paquete d'África* parecia de alguma forma prefigurar, de maneira simbólica, outra catástrofe em andamento: o naufrágio do próprio império colonial português. Nos estertores do revolucionário século XVIII, Portugal era um reino em crise, sem recursos para manter o fausto enganador de sua corte em Lisboa. A fugaz prosperidade trazida pelo ouro e pelos diamantes rapidamente se esgotara. Em 1750, após a morte do rei dom João V, o governo passara para as mãos de Sebastião José de Carvalho e Melo, o futuro marquês de Pombal, virtual primeiro-ministro do novo rei, dom José I. Iniciava-se ali um período na história portuguesa conhecido como "despotismo esclarecido", forma de governar reformista que adotava alguns dos princípios do Iluminismo europeu com o objetivo de modernizar a economia, as leis e as instituições, sem que o rei abrisse mão de seu poder absoluto.

Na condição de "déspota esclarecido", Pombal incumbiu-se de impor uma série de reformas administrativas, econômicas e políticas que, no seu entender, estariam mais de acordo com os tempos modernos. Ele enfrentou de imediato três dificuldades principais. A primeira foi a necessidade de reconstruir Lisboa, devastada por um terremoto avassalador seguido de um maremoto e um incêndio que praticamente transformaram a capital portuguesa em ruínas. Na manhã de 1º de novembro, Dia de Todos os Santos, o terremoto atingiu a cidade, matando entre 15 mil e 20 mil pessoas. O abalo foi seguido do maremoto e um incêndio que ardeu durante seis dias. Igrejas, casas, palácios reais, mercados, edifícios públicos e teatros — tudo foi reduzido a pó e cinzas. Dois terços das ruas ficaram bloqueados pelo entulho. Só 3 mil das 20 mil casas continuaram habitáveis. Das quarenta igrejas da cidade, 35 desmoronaram. Apenas 11 dos 65 conventos existentes antes do terremoto continuaram de pé. A famosa biblioteca real, com 70 mil volumes, mantida com carinho e orgulho desde o século XIV, virou cinza e teve de ser inteiramente reconstruída.

ESCRAVIDÃO VOL. II

O segundo grande desafio de Pombal foi conter os gastos e pagar as dívidas resultantes de uma sequência de guerras contra a Espanha entre 1760 e 1770. A terceira, e a pior de todas as dificuldades, era o esgotamento das minas de ouro e diamantes do Brasil e o rápido empobrecimento do império. No final do século XVIII, 61% de todas as exportações que garantiam o superávit comercial português saíam do Brasil. A colônia havia ultrapassado o reino em capacidade produtiva, gerando uma dependência cada vez mais incômoda e arriscada para a metrópole.

Por volta de 1770, a produção de ouro de aluvião em Minas Gerais estava praticamente esgotada. Para assegurar a arrecadação de impostos esperada em Lisboa, em 1750 a Coroa tinha determinado uma quota mínima de contribuição equivalente a cem arrobas (cerca de 1.465 quilos) de ouro, que seria lançada anualmente em forma de tributo, garantida pelas câmaras municipais em Minas Gerais. Se a atividade mineradora não fosse suficiente para atingir esse volume, caberia aos mineiros cobrir a diferença de maneira forçada pelas autoridades. Era a temida "derrama", que anos mais tarde se tornaria o estopim da Inconfidência Mineira (como se viu em um dos capítulos anteriores). A quota de cem arrobas só foi atingida e, em alguns anos, ultrapassada, até por volta de 1760. A partir daí a arrecadação foi caindo rapidamente, para 86 arrobas na década seguinte e para 68 arrobas no período entre 1774 e 1785.

Ao mesmo tempo, a produção de açúcar continuava em crise devido à crescente competição das lavouras e engenhos situados nas colônias britânicas, francesas e holandesas na região do Caribe. Entre 1762 e 1776, o preço do açúcar brasileiro caiu um terço, de 0,33 florins para 0,23 florins no mercado de Amsterdã.[1] Uma assustadora recessão derrubou o volume e a receita alfandegária no porto de Lisboa. Muitos comerciantes foram à falência. Enquanto isso, os gastos da corte em Lisboa não paravam

450

O NAUFRÁGIO

de subir. A situação só iria melhorar no finalzinho do século, por dois motivos: a revolução no Haiti, que derrubou a produção de açúcar francês no Caribe, fortalecendo os preços do produto brasileiro, e o início de um novo ciclo econômico no Sul e Sudeste: o do café, a nova riqueza que iria, mais uma vez, colocar o Brasil entre os grandes exportadores de matérias-primas ao longo de todo o século XIX. E também ela era movida a mão de obra escrava.

Entre outras medidas, Pombal ordenou a reforma administrativa da estrutura do reino e seu império ultramarino, encorajou a criação de companhias mercantis monopolistas, tentou promover a industrialização de Portugal, reformou a vetusta Universidade de Coimbra, principal centro de formação da elite do império e reprimiu os adversários com mão de ferro. Uma providência especialmente polêmica foi a expulsão dos jesuítas de todos os domínios portugueses. Desde o início da colonização, a Companhia de Jesus tinha sido um dos pilares da expansão portuguesa no mundo. Na segunda metade do século XVIII, seu poder e riqueza rivalizavam com a própria estrutura secular do império, o que a tornou alvo das reformas de Pombal.

Segundo o historiador britânico Charles Boxer, na época da expulsão e do confisco dos bens dos jesuítas na América Portuguesa, as suas extensas propriedades incluíam 17 plantações de açúcar, 7 fazendas com mais de 100 mil cabeças de gado na ilha de Marajó e 186 edifícios na cidade de Salvador.[2] Em todo o país, a ordem mantinha dezenove colégios, cinco seminários, diversos hospitais e cinquenta aldeias missionárias, chamadas de "reduções jesuíticas", nas quais viviam milhares de indígenas. Era também grande proprietária de escravos, tanto no Brasil quanto em Angola. Os colégios de Luanda, Olinda e Salvador traficavam cativos africanos entre si, valendo-se da legislação portuguesa que isentava as ordens religiosas de impostos nessa atividade.

ESCRAVIDÃO VOL. II

Em outra medida controvertida do despotismo esclarecido de Pombal, um alvará de 19 de setembro de 1761 declarava que todos os escravos negros desembarcados em solo português seriam automaticamente livres — decisão inflacionada até recentemente pela historiografia ufanista lusitana como se Portugal, o precursor e o campeão do tráfico negreiro, tivesse sido também a vanguarda do abolicionismo na Europa. Na verdade, a decisão tinha objetivos menos humanitários do que aparentava. Ao contrário, foi apenas uma medida prática de interesse econômico. O objetivo fundamental era impedir que os negros escravizados fossem utilizados como trabalhadores domésticos e de serviços na metrópole, enquanto, no Brasil, "pretos e pretas" faziam "uma sensível falta para a cultura das terras e das minas", segundo a definição dos documentos da época. Nem Pombal nem os seus sucessores tinham qualquer intenção de abolir a escravatura nos territórios ultramarinos.[3]

O ouro, o açúcar e o fumo constituíam, junto com o tráfico de escravos, a base do complexo comercial do Atlântico Sul. A riqueza do Brasil que fluía para Portugal e sustentava a prosperidade do reino podia ser medida pelas cargas das frotas de navios que partiam de diferentes regiões da colônia. As do Grão-Pará transportavam cacau, madeira e, a partir da segunda metade do século XVIII, arroz e algodão. Da Bahia partiam anualmente para Lisboa entre trinta e quarenta naus carregadas de ouro, prata, diamantes, jaspe, cacau, bálsamo, algodão, fumo e açúcar. De Pernambuco, saíam as cargas de madeira e açúcar. Do Rio de Janeiro, de ouro, prata, couros e outros produtos agrícolas e pecuários.[4]

O ciclo de reformas pombalinas terminou de forma abrupta em 24 de fevereiro de 1777, com a morte de dom José I. Sua filha e sucessora, dona Maria I, a primeira mulher a ocupar o trono na história de Portugal, traria de volta ao poder a parte

O NAUFRÁGIO

mais conservadora, piedosa e atrasada da nobreza. Pombal caiu no ostracismo. Em 16 de agosto de 1781 foi proibido por decreto de se aproximar da corte. Pela decisão, ele tinha de guardar uma distância mínima de 110 quilômetros de onde quer que estivesse a rainha. O objetivo era mantê-lo longe do centro de decisões do poder.

Dona Maria I, porém, governou pouco tempo. Portadora de uma doença mental, logo seria declarada insana e incapaz de exercer suas funções. Em seu lugar assumiria, como príncipe regente, o segundo filho da rainha, dom João VI. O primogênito e herdeiro natural do trono, dom José, havia morrido de varíola em 1788, aos 27 anos. Dom João era um homem tímido, solitário, indeciso, às voltas com sérios problemas conjugais. Em 1807, fazia três anos que vivia separado da mulher, a princesa Carlota Joaquina, uma espanhola geniosa e mandona com quem tivera nove filhos, um dos quais havia morrido antes de completar um ano. O casal, que se odiava profundamente, dormia não apenas em camas separadas, mas em palácios diferentes e distantes um do outro. Carlota morava em Queluz, com a rainha louca. Dom João, em Mafra, na companhia de centenas de frades e monges que viviam às custas da monarquia portuguesa.

Enquanto isso, Portugal via-se cada vez mais engolfado pela tormenta revolucionária que consumia seus vizinhos europeus. Nunca antes as monarquias do velho continente haviam enfrentado tempos tão turbulentos e atormentados. Desde a Revolução Francesa, reis e rainhas eram perseguidos, destituídos, aprisionados, exilados, deportados ou até mesmo executados em praça pública. Mais do que a organização do Estado, na qual haviam se concentrado as ações do marquês de Pombal, as ideias em circulação entre o final do século XVIII e o início do século XIX ameaçavam a ordem social vigente, incluindo o próprio regime escravista.

ESCRAVIDÃO VOL. II

Nos três séculos anteriores, como observou o historiador húngaro-brasileiro já falecido István Jancsó, a América Portuguesa e a própria metrópole estavam habituadas a irrupções de rebeldia, como motins de soldados pelo atraso no pagamento dos soldos, saques a armazéns graças ao fornecimento inadequado de suprimentos e revoltas contra a excessiva carga tributária. Todas essas eram, porém, tensões localizadas ao fim das quais o trono português emergia inquestionado. Mesmo a custo de punições extremas, como enforcamentos e esquartejamentos, a monarquia se mantinha preservada. No final do século XVIII isso começou a mudar rapidamente — e de maneira assustadora para os governantes e as classes que se beneficiavam do antigo regime. Uma nova palavra despontava no vocabulário político: sedição. O que se propunha a partir daquele momento não era apenas a correção das disfunções de um sistema — o da monarquia absoluta. O novo objetivo era acabar com a própria monarquia, tirar os reis de cena, implantar um novo regime no qual todo poder emanaria do povo e em seu nome seria exercido — princípio da democracia representativa e republicana. "A sedição é a revolução desejada, o futuro anunciado, a política do futuro nos interstícios do presente", escreveu Jancsó. "É disso que advém seu papel corrosivo."[5]

O vendaval revolucionário atingiu seu auge em 1806, ano em que o imperador francês Napoleão Bonaparte declarou o bloqueio continental contra a Inglaterra, a única potência europeia que não conseguira até então derrotar nos campos de batalha. A medida previa o fechamento de todos os portos europeus ao comércio de produtos britânicos. Suas ordens foram imediatamente obedecidas por todos os países, com uma única exceção: o pequeno e desprotegido Portugal. Pressionado pela Inglaterra, sua tradicional aliada, dom João relutou o quanto pôde em ceder às exigências do imperador francês.

454

O NAUFRÁGIO

As opções eram amargas. Na hipótese de o príncipe regente se curvar a Napoleão e aderir ao bloqueio continental, os ingleses bombardeariam Lisboa e sequestrariam a já combalida frota portuguesa. Além disso, muito provavelmente tomariam as colônias ultramarinas, das quais o reino português dependia para sobreviver. Com o apoio dos ingleses, o Brasil, a maior e mais rica dessas colônias, certamente declararia sua independência mais cedo do que se esperava, seguindo o exemplo dos Estados Unidos e de seus vizinhos territórios espanhóis. E, sem o Brasil, Portugal não seria nada. Se, ao contrário, dom João se mantivesse fiel aos ingleses, Napoleão invadiria Portugal com o objetivo de destroná-lo e pôr fim à monarquia portuguesa.

A pressão napoleônica fez amadurecer em Lisboa um plano antigo, inúmeras vezes discutido sempre que o reino se encontrara em perigo: a mudança da corte para o Brasil. Um dos primeiros arautos dessa drástica mudança havia sido Luís da Cunha, embaixador em Paris, que, em 1736, antevira os acontecimentos. Na "profecia" de dom Luís, após a mudança para o Brasil, o rei de Portugal assumiria o título de "Imperador do Ocidente" e nomearia um vice-rei para Portugal, invertendo a situação existente até então entre colônia e metrópole. "Sem o Brasil, Portugal é uma insignificante potência", ecoaria em 1779 Martinho de Melo e Castro, ministro da rainha Maria I e embaixador português em Londres, em carta a Luís de Vasconcelos e Sousa, vice-rei do Brasil.

Em 1801, Portugal fora invadido e derrotado por tropas espanholas apoiadas pela França num episódio conhecido como a Guerra das Laranjas. Assustado com a fragilidade do reino, dom Pedro de Almeida Portugal, terceiro marquês de Alorna, escreveu a seguinte recomendação ao príncipe regente dom João:

Vossa Alteza Real tem um grande império no Brasil. [...] É preciso que mande armar com toda a pressa todos os seus

*navios de guerra e todos os de transporte que se acharem na
Praça de Lisboa — e que meta neles a princesa, os seus filhos
e os seus tesouros.*[6]

Dois anos depois, em 1803, o então chefe do Tesouro Real,
dom Rodrigo de Sousa Coutinho, futuro conde de Linhares, fez
ao príncipe regente dom João um relatório da situação política
na Europa. Na sua avaliação, o futuro da monarquia portuguesa
corria perigo. Seria impossível manter por muito tempo a política de neutralidade entre Inglaterra e França. A solução? Ir embora para o Brasil.

A proposta de dom Rodrigo foi rejeitada em 1803, mas
quatro anos mais tarde, com as tropas de Napoleão já na fronteira com a Espanha, a um passo de invadir Lisboa, o extraordinário plano de mudança foi colocado em ação. Ao amanhecer
de 27 de novembro de 1807, 58 navios capitaneados por uma
nau da marinha de guerra britânica zarparam do cais de Belém, em Lisboa. Levavam a bordo entre 10 mil e 15 mil pessoas,
incluindo o príncipe dom João, sua mãe, a rainha dona Maria I,
e toda a nobreza lusitana.

A corte portuguesa estava, finalmente, a caminho do Brasil.

31. O PRESENTE

UMA GALERIA DE HOMENS ricos e ilustres, todos traficantes ou
donos de escravos, estava à espera do príncipe regente de
Portugal, dom João, no momento em que a esquadra com a
família real portuguesa entrou na Baía de Guanabara. Era o
começo da tarde de 7 de março de 1808, um dia de sol e céu
azul no Rio de Janeiro.

Obrigado a fugir às pressas da metrópole durante a invasão
de Portugal pelas tropas do imperador Napoleão Bonaparte, a
corte chegou ao Brasil empobrecida, destituída e necessitada de
tudo. Já estava falida quando deixara Lisboa, mas a situação se
agravou ainda mais no Rio de Janeiro. Deve-se lembrar que entre
10 mil e 15 mil portugueses atravessaram o Atlântico junto com
dom João. E todos dependiam do chamado "bolsinho real", como
era chamado o erário público na época. Para dar conta de suas
despesas, dom João precisava do apoio financeiro e político dessa
elite colonial e escravista, rica em dinheiro, porém destituída de
prestígio e refinamento. Para cativá-la iniciou uma pródiga distribuição de honrarias e títulos de nobreza, em um processo de toma
lá, dá cá que se prolongaria até seu retorno a Portugal, em 1821.

O desembarque, a compra e a venda de escravos faziam parte da rotina da América Portuguesa havia quase três séculos. No começo do século XIX, estava no seu auge. Quando a corte chegou ao Brasil, navios negreiros vindos da costa da África despejavam na Alfândega do Rio de Janeiro entre 18 mil e 20 mil homens, mulheres e crianças escravizados por ano.[1] No Mercado do Valongo, eles permaneciam em quarentena para serem engordados e tratados das doenças que contraíam durante a viagem. Quando adquiriam uma aparência mais saudável, eram comercializados em leilões públicos, da mesma maneira como hoje boiadeiros e pecuaristas negociam animais de corte no interior do Brasil. A diferença é que, em 1808, a "mercadoria" destinava-se a alimentar as minas de ouro e diamante, os engenhos de cana-de-açúcar e as lavouras de algodão, café, tabaco e outras culturas que sustentavam a economia brasileira.

O tráfico era um negócio gigantesco, que movimentava centenas de navios e milhares de pessoas dos dois lados do Atlântico. Os lucros eram substanciais. Em 1810, um homem jovem comprado em Luanda, capital de Angola, por 70 mil réis, era revendido no Distrito Diamantino, em Minas Gerais, por até 240 mil réis, ou três vezes e meia o preço originalmente pago por ele na África. James Tuckey, oficial da marinha britânica, relatou que, em 1803, um negro adulto era vendido por 40 libras no Rio de Janeiro. Uma mulher custava um pouco menos, cerca de 32 libras. Um garoto, 20 libras. Um escravo que tivesse sobrevivido à varíola valia mais, porque já era imune à doença e, portanto, tinha chances de viver por mais tempo.[2]

O historiador Manolo Florentino Garcia estimou que 850 mil escravos desembarcaram no porto do Rio de Janeiro durante o século XVIII, o equivalente à metade de todos os negros cativos trazidos para o Brasil nesse mesmo período. Com a chegada da corte e o aquecimento dos negócios na colônia, o tráfico acelerou-se de forma exponencial. O número de cativos destinados ao Rio de Janeiro saltou de 9.689 em 1807 para 23.230 em 1811 — um aumento de duas vezes e meia em quatro anos. A média anual de navios negreiros atracados no porto carioca também aumentou de 21 no período anterior a 1805 para 51 depois de 1809.[3]

Em 1812, quatro anos após a chegada de dom João, metade dos trinta maiores comerciantes do Rio de Janeiro era traficante de escravos.[4] Faziam parte da elite do comércio local, considerados empresários proeminentes, reverenciados e respeitados. Tinham influência na sociedade e nos negócios do governo. Na corte portuguesa refugiada nos trópicos, eles se destacavam entre os grandes apoiadores e doadores, fartamente recompensados com honrarias e títulos de nobreza.

Em seus oito primeiros anos no Brasil, o príncipe regente outorgou mais títulos de nobreza do que em todos os trezentos anos anteriores da história da monarquia portuguesa.[5] Desde sua independência, no século XII, até o final do século XVIII, Portugal tinha computado dezesseis marqueses, vinte e seis condes, oito viscondes e quatro barões. Ao chegar ao Brasil, dom João criou vinte e oito marqueses, oito condes, dezesseis viscondes e quatro barões. Segundo o historiador Sérgio Buarque de Holanda, além desses títulos de nobreza, o príncipe distribuiu 4.048 insígnias de cavaleiros, comendadores e grã-cruzes da Ordem de Cristo, 1.422 comendas da Ordem de São Bento de Avis e 590 comendas da Ordem de São Tiago. "Em Portugal, para fazer-se um conde se pediam quinhentos anos; no Brasil, quinhentos contos", escreveu o historiador baiano Pedro Calmon.[6] "Indivíduos que nunca usaram esporas foram crismados cavaleiros, enquanto outros que ignoravam as doutrinas mais triviais do Evangelho foram transformados em Comendadores da Ordem de Cristo", acrescentou John Armitage.[7]

Coube a essa nova nobreza socorrer dom João nas suas atribulações financeiras. Parte dela tornou-se acionista do recém--criado Banco do Brasil, que logo iria à falência por falta de lastro nas suas operações. Outra assinou as inúmeras "listas de subscrição voluntária", que circularam pelo Rio de Janeiro logo após a chegada da corte. Eram listas de doações, destinadas a angariar fundos para cobrir as despesas da Coroa. No total, foram cerca de 1.500 subscritores. Desses, 160 fizeram contribuições individuais superiores a 150 mil réis, valor suficiente para comprar um escravo com idade entre dez e quinze anos.

Na primeira lista de subscrições, de 1808, a metade dos contribuintes era traficante de escravos. Um deles, José Inácio Vaz Vieira, responderia sozinho por 33% do tráfico catalogado entre 1813 e 1822. Foi agraciado com o hábito da Ordem de Cristo em 1811. Amaro Velho da Silva, que em 1808 segurou um dos varões do pálio encarnado na chegada de dom João no cais do Rio de Janeiro, também aparece na relação dos grandes doadores. Foi regiamente recompensado pelos seus serviços. Em 28 de agosto de 1812, o príncipe regente assinou decreto nomeando Amaro e o irmão Manuel para a função de Conselheiros de Sua Majestade, com a seguinte justificativa:

> *Depois de terem dado muitas provas do seu zelo e patriotismo em diferentes ocasiões de urgências do Estado, suprindo com grandes somas o meu Real Erário, fizeram ultimamente o donativo gratuito de cinquenta mil cruzados, para eu mandar dispor deles como bem me aprouvesse, mostrando por essa forma os honrados sentimentos, e o maior zelo pelo meu Real Serviço e bem público.[7]*

O PRESENTE

Além de conselheiro real, Amaro receberia também os títulos de primeiro visconde de Macaé, cavaleiro professo da Ordem de Cristo, fidalgo da Casa Real e fidalgo de armas.

De todos os presentes e mimos destinados à corte portuguesa no Rio de Janeiro nenhum foi tão simbólico quanto o de Elias Antônio Lopes, também conhecido como Elias, o Turco, um dos maiores traficantes de africanos escravizados da época. Elias deu ao príncipe regente sua própria casa, a maior da cidade, um palácio que havia construído na chácara de São Cristóvão. É hoje um local de trágica memória para os brasileiros. Ali funcionava o Museu Nacional da Quinta da Boa Vista, reduzido a cinzas por um pavoroso incêndio no dia 2 de setembro de 2018.

Natural da cidade do Porto, Elias chegou ao Rio de Janeiro no final do século XVIII e rapidamente se enriqueceu com o tráfico de escravos. Ao doar sua própria casa a dom João, fez um ótimo investimento. Ainda em 1808 recebeu do príncipe a comenda da Ordem de Cristo e a propriedade do ofício de tabelião e escrivão da vila de Paraty, em retribuição ao "notório desinteresse e demonstração de fiel vassalagem, que vem de tributar a minha Real Pessoa". No mesmo ano, o soberano concedeu-lhe o posto de deputado da Real Junta do Comércio. Em 1810, foi sagrado cavaleiro da Casa Real e agraciado com a perpetuidade da Alcaideria-Mor e do Senhorio da Vila de São José del-Rei, na comarca do Rio de Janeiro. Também foi nomeado corretor e provedor da Casa de seguros da Praça da Corte. Por fim, tornou-se responsável pela arrecadação de impostos em várias localidades. Ao morrer, em 1815, era dono de 110 escravos e de fortuna calculada em 236 contos de réis, distribuída entre palácios, fazendas, ações do Banco do Brasil e navios negreiros.

Elias e seu presente se tornaram um símbolo das relações de promiscuidade entre a elite escravocrata e o Estado brasileiro que marcariam o processo de independência, em 1822, e a construção do Brasil no século xix. Ao longo de todo o século, senhores de engenho, barões do café, fazendeiros, donos e traficantes de escravos apoiariam o trono brasileiro. Em troca, teriam dele a garantia de que tudo continuaria como antes. Em nome dos interesses da aristocracia escravista agrária e mercantil, o império resistiria até o limite do possível a todas as pressões e esforços para acabar com o tráfico de cativos e a própria escravidão. Até que o edifício inteiro, tornado insustentável, implodisse na sequência da Lei Áurea, que pôs fim ao cativeiro em 13 de maio de 1888 e seria decisiva na queda da própria monarquia, no ano seguinte. Esses serão os temas do terceiro e último volume desta obra.

AGRADECIMENTOS

A HISTÓRIA DA ESCRAVIDÃO é como um vasto, profundo e, muitas vezes, pouco explorado oceano. Pesquisar e escrever sobre o tema é desafio que eu jamais poderia enfrentar sozinho sem depender de forma vital da ajuda, do conhecimento e da generosidade de outras pessoas. Algumas já tive oportunidade de citar e agradecer no primeiro volume desta trilogia. Outras vão surgindo ao longo do caminho, enquanto a jornada não se conclui. São minhas companheiras peregrinas — portadoras de tantas e tão variadas contribuições que me apavora o risco de esquecer um ou outro nome.

Neste segundo volume, sou especialmente grato à professora e embaixadora Irene Vida Gala, pela atenta e cuidadosa revisão e leitura crítica da versão original do texto, trabalho que ela já havia feito de forma generosa no volume anterior. Os historiadores Alberto da Costa e Silva, Carlos da Silva Júnior e João José Reis ajudaram-me a entender alguns conceitos relacionados ao tema. Diversas vezes, ao me deparar com alguma dúvida enquanto escrevia os capítulos, tomei a liberdade de lhes enviar e-mails com perguntas. Foram todos sempre respondidos de forma célere e generosa. Também me indicaram leituras e novos caminhos, entre outros colaboradores, a embaixadora Irene Vida Gala; os historiadores Carlos Eugênio Libano Soares, Júlio César Medeiros da Silva Pereira, João Carlos Nara Júnior, Jair Martins de Miranda, Ana Maria Nogueira Rezende, Luiz Carlos Manini, Sérgio Barcellos Ximenes e Tiago Ivo Odon; os jornalistas Alexandre dos Santos (professor de África no Instituto de Relações Internacionais da puc-Rio), Bianca Ramoneda, Dante Mendonça e Jamil Chade; as escritoras Conceição Evaristo, Eliana Alves Cruz, Etel Frota e Liana de Camargo Leão.

Em Itu, onde moro, a professora e tradutora Daniela Binazzi, especialista em candomblé e religiões de matriz africana, proveu-me parte substancial da bibliografia que me ajudou a navegar pelo tema sem grandes sustos. Meu amigo e professor Jonas Soares de Sousa abriu-me os olhos para uma história fascinante relacionada à expansão das fronteiras do Brasil colonial: a jornada do sargento-mor Juzarte rumo aos sertões do centro de nosso território na primeira metade do século xviii. Em Minas Gerais, o jornalista e escritor Lucas Figueiredo alertou-me para o dilema entre a escravidão e os ideais revolucionários de liberdade, igualdade e fraternidade dos inconfidentes mineiros — muito bem descrito no capítulo doze de sua recente biografia de Tiradentes.

Outros pesquisadores e historiadores tomaram a iniciativa, por conta própria ou por intermédio de amigos, de me oferecer obras de sua própria lavra sobre a escravidão brasileira. Entre esses, destaco Marília Conforto (autora de *O escravo de papel: o cotidiano da escravidão na literatura do século* xix); Roberto B. Martins (*Crescendo em silêncio: a incrível economia escravista de Minas Gerais no século* xix); Renato da Silveira (*O candomblé da Barroquinha: o processo de constituição do primeiro terreiro baiano de Keto*); João Pedro Marques (*Revoltas escravas e Escravatu-*

ra: perguntas e respostas); Américo Antunes (*Do diamante ao aço: o ilustrado intendente Câmara e a verdadeira história da primeira fábrica de ferro do Brasil*); Martiniano José da Silva (*Quilombos do Brasil Central e racismo à brasileira*); Tom Farias (*José do Patrocínio*); Suely Robles Reis de Queiroz (*Escravidão negra em São Paulo*); Rodrigo Trespach (*1824*, sobre a chegada dos primeiros colonos alemães ao Brasil); André Barreto Campelo (*Manual jurídico da escravidão*); Danilo Luiz Marques (*Sobreviver e resistir: os caminhos para liberdade de escravizadas e africanas livres em Maceió*) e Diderô Carlos Lopes (*Memorial dos negros*). O antropólogo Luiz Mott, professor e orientador da Universidade Federal da Bahia, enviou-se por correio, generosamente autografada, toda a coleção de suas imprescindíveis obras e estudos.

Nas viagens de pesquisas por diversos estados brasileiros fui sempre acolhido com alegria e generosidade. Em Minas Gerais, cenário principal deste segundo volume, sou devedor aos cuidados, orientações e gentilezas que recebi de Ângela Gutierrez, Afonso Borges, Angelo Oswaldo, Américo Antunes, Marcelo Hypólito, Philip Passos, Magno Marciano, Vitória Azevedo da Fonseca, Macaé Evaristo e Flávio Renegado. Na Paraíba, os membros do Instituto Histórico e Geográfico, presidido pelo escritor e historiador Ramalho Leite, agraciaram-me com o título de sócio honorário dessa venerável instituição, fundada em 7 de setembro de 1905. Lembro com carinho meu encontro no Rio de Janeiro com a simpática e aguerrida equipe de pesquisadores e colaboradores do Instituto Pretos Novos (IPN), dirigido por Merced Guimarães, por ocasião do lançamento do primeiro volume, na Bienal Internacional do Livro de 2019. Sou igualmente grato aos moradores de algumas comunidades quilombolas que visitei durante as pesquisas, caso de Caiana dos Crioulos e Cruz da Menina, na serra da Borborema, Agreste Paraibano, Gurgumba, no município de Viçosa, em Alagoas, e Chacrinha dos

Pretos, em Belo Vale, Minas Gerais, onde também tive a oportunidade de conhecer, na companhia de William Carvalho e José Felipe da Silva Neto, o Museu do Escravo, criado em 1977 por Luciano Jacques Penido.

Tem sido uma felicidade e um grande privilégio, para mim, fazer parte da equipe da Globo Livros, minha editora. Sou grato a Mauro Palermo; Amanda Orlando; Camila Stabel Hannoun; Marcelo de Castro Weiss; Luiz Antônio de Souza e Simone Costa, com suas respectivas equipes, por me cercarem de todas as atenções e recursos necessários para que a tarefa se concluísse de forma bem-sucedida. Três amigos tiveram a paciência de ler, comentar e corrigir alguns capítulos: a jornalista, cineasta e poetisa Urânia Munzanzu, vodúnsi do terreiro Bogum, em Salvador; a professora e líder quilombola Luciene Tavares e o pastor Osmar Ludovico da Silva (coautor comigo do livro *O caminho do peregrino*, publicado em 2015 pela Globo Livros).

Registro ainda o apoio e a torcida que centenas de livreiros, distribuidores e leitores manifestaram a mim em filas de autógrafos, por e-mail, mensagens nas redes sociais e outros meios durante a fase de lançamento do primeiro volume da trilogia. Foram fundamentais para que eu mantivesse o ânimo aceso.

Por fim (mas nunca por último), meus agradecimentos e meu carinho à Carmen, minha mulher e agente literária, companheira de toda a jornada de viagens e pesquisas, a primeira leitora dos originais deste livro e cujo sorriso tem tornado o percurso sempre mais leve, alegre e repleto de significado.

NOTAS

INTRODUÇÃO

1 Para preços de escravos e mercadorias, ver Kátia M. de Queirós Mattoso, *Ser escravo no Brasil*, pp. 69-70; David Eltis e David Richardson, "Os mercados de escravos africanos recém-chegados às Américas: padrões de preços, 1673-1865", *Revista Topoi*, Rio de Janeiro, março 2003, pp. 9-46; Luiz Paulo Ferreira Nogueról, "Preços de bois, cavalos e escravos em Porto Alegre e em Sabará no século XIX – mercadorias de um mercado nacional em formação", *Ensaios* FEE, Porto Alegre, v. 26, número especial, pp. 7-36, maio 2005.

2 Hugh Thomas, *The slave trade*, p. 105.

3 O século XVIII também representa o auge da escravidão em todo o mundo. Segundo estimativas do historiador australiano Barry. W. Higman, por volta de 1800 haveria 45 milhões de seres humanos escravizados no planeta, incluindo brancos, negros, indígenas e asiáticos. Em números absolutos, a maioria estava na China e na Índia, onde vivia metade da população humana e os cativos representariam pouco menos de 10% do total. Em termos proporcionais, no entanto, a maior concentração estava nas ilhas do Caribe, onde 90% dos habitantes eram negros cativos. B. W. Higman, "Demography and Family Structures", em David Eltis and Stanley L. Engerman, *The Cambridge World History of Slavery*, edição digital do Kindle v. 3, p. 487.

4 David Eltis; David Richardson (editores). *Extending the Frontiers: Essays on the New Transatlantic Slave Trade Database*, pp. 1-2.

5 David Brion Davis, *Inhuman Bondage: The Rise and Fall of Slavery in the New World*, edição digital do Kindle, pp. 101 a 142.

ESCRAVIDÃO VOL. II

6   Gwendolyn Midlo Hall, *Escravidão e etnias africanas nas Américas*, p. 48.

7   Números de Douglas Cole Libby, *As populações escravas das minas setecentistas: um balanço preliminar*, em *Minas setecentistas*, pp. 407-435; Lucas Figueiredo, *Boa Ventura*, p. 251-255; e Herbert Klein, *The Atlantic Slave Trade: New Approaches to the Americas*, p. 36.

8   George Reid Andrews. *Slavery and Race Relations in Brazil*, pp. 6-7.

9   Gilberto Freyre, *Casa-grande &senzala*, p. 265.

10   Maria Helena P. T. Machado, *Crime e escravidão: trabalho, luta, resistência nas lavouras paulistas, 1830-1888*, p. 20.

11   Davis, David Brion, *Inhuman Bondage: The Rise and Fall of Slavery in the New World*, edição digital do Kindle, pp. 122-123.

12   Mariza de Carvalho Soares, *Devotos da cor*, p. 178.

13   Citado em Larissa Viana, *O idioma da mestiçagem*, p. 36.

14   Sérgio Rodrigues, "Judiar é uma palavra de origem antissemita? Claro que é", disponível em https://veja.abril.com.br/blog/sobre-palavras/judiar-e-uma-palavra-de-origem-antissemita-claro-que-e/.

15   Liliam Ramos da Silva, "Não me chame de mulata: uma reflexão sobra a tradução em literatura afrodescendente no Brasil no par de línguas espanhol-português", em *Trabalhos em linguística aplicada*, v. 57, número 1, Campinas, jan./abr. 2018, disponível em http://dx.doi.org/10.1590/010318138651618354781.

CAPÍTULO 1: A FRONTEIRA

1   Número estimado pela ferramenta @cidadesIBGE para 2019 com base no censo de 2010, disponível em https://cidades.ibge.gov.br/brasil/mt/vila-bela-da--santissima-trindade/panorama.

2   Jonas Soares de Souza, *A cidade e o rio: Araritaguaba, o Porto Feliz*, pp. 38-39.

3   Loiva Canova, "Antônio Rolim de Moura: um ilustrado na capitania de Mato Grosso", em *Coletâneas do nosso tempo*, Rondonópolis-MT, ano VII, v. 8, 2018, pp 75-86.

4   Frei Vicente de Salvador, *História do Brasil*, fls. 6v.

5   Américo Antunes, *Do diamante ao aço: o ilustrado intendente Câmara e a verdadeira história da primeira fábrica de ferro do Brasil*, pp. 62-63.

6   Também em decorrência da febre do ouro e do diamante, foi criada em 1744 a capitania de Goiás.

7   As citações das correspondências de Pombal são de Kanneth Maxwell em

NOTAS

A devassa da devassa, pp. 31-32 e 64-65.

8 Dados de Liana Maria Reis em "Criminalidade escrava nas Minas Gerais setecentistas", em *História de Minas Gerais*, v. 1., p. 477.

9 Descrições de Vila Rica com base em Lilia M. Schwarcz e Heloisa Murgel Starling em *Brasil: uma biografia*, p. 123-124.

10 Citado em Warren Dean, *A ferro e fogo*, p. 114.

11 Silvia Hunold Lara, *Fragmentos setecentistas*, p. 31.

12 Roberto B. Martins, *Crescendo em silêncio*, p. 38.

13 Os números citados neste e nos dois parágrafos seguintes são de Stuart B. Schwartz, *Slaves, peasants, and rebels: reconsidering Brazilian slavery* p. 79; Kenneth Maxwell, *A devassa da devassa*, p. 241; Herbert Klein, *The Atlantic Slave Trade: New Approaches to the Americas*, pp. 37-38; Herbert Klein, Francisco Vidal de Luna, *Escravismo no Brasil*, pp. 73-74.

14 Mary Karasch, "Os quilombos na capitania de Goiás", em *Liberdade por um fio*, pp. 240 e seguintes.

CAPÍTULO 2: ESPLENDOR E MISÉRIA

1 Alusão à frase do Padre Antônio Vieira, missionário jesuíta na Bahia, em 1691: "O Brasil tem seu corpo na América e sua alma na África".

2 Usado como referência de massa em pedras preciosas, um quilate de diamante tem cerca de duzentos miligramas.

3 O relato da chegada da frota de 1742 é do padre jesuíta Luiz Montez Mattoso, citado em James H. Sweet, *Domingos Álvares, African Healing, and the Intellectual History of the Atlantic World*, p. 159, fonte também da história dos três escravos investigados pela Inquisição Portuguesa descrita nos parágrafos seguintes.

4 Citado em Jurandir Malerba, *A corte no exílio*, p. 130.

5 Giuseppe Marco Antonio Baretti, *A journey from London to Genoa, through England, Portugal, Spain, and France*, citado em James H. Sweet, *Domingos Álvares*, pp. 155-159.

6 O comentário de Ratton é de 1755, citado em Lília Schwarcz, *A longa viagem da biblioteca dos reis*, p. 45.

7 Números baseados em Pandiá Calógeras, *Formação histórica do Brasil*; Virgílio Noya Pinto, *O ouro brasileiro e o comércio anglo-português*; Roberto Simonsen, *História econômica do Brasil*, consolidados por Lucas Figueiredo, *Boa ventura*,

ESCRAVIDÃO VOL. II

p. 31. Atualização de valores baseados no preço do ouro em 5 de maio de 2021, de 311 reais o grama.

8 Citado em Charles Boxer, *O império marítimo português*, p. 157.

9 Citado em Lucas Figueiredo, *Boa Ventura*, p. 111.

10 O banco de dados Slavevoyages.org estima que 30 mil africanos escravizados entraram no Brasil durante o século xvi, número que saltaria para 784 mil no século xvii, e para um milhão e 989 mil no século xviii. Até a Lei Eusébio de Queirós, que proibiu o tráfico em 1850, o total chegaria a 4,9 milhões de cativos.

11 Os indígenas, a esta altura dizimados por doenças, guerras e a ocupação de suas terras nos dois séculos anteriores, não entravam nessas estatísticas.

12 Paula Lourenço, Ana Cristina Pereira e Joana Troni, *Amantes dos reis de Portugal*, pp. 183-194.

13 Charles Boxer, *A idade de ouro o Brasil*, pp. 21-24.

14 Citações de Luiz Vianna Filho, *O negro na Bahia*, pp. 46 e 78.

15 Carta de Luis Vahia Monteiro em 5 de julho de 1725, citada em Júnia Ferreira Furtado, *Chica da Silva e o contratador de diamantes*, p. 67.

16 James H. Sweet, *Domingos Álvares, African Healing, and the Intellectual History of the Atlantic World*, p. 99.

17 André João Antonil, *Cultura e opulência do Brasil*, p. 266.

18 Jorge Caldeira, *História da riqueza no Brasil*, p. 144.

CAPÍTULO 3: OURO! OURO! OURO!

1 Jean Marcel Carvalho França, *Piratas no Brasil*, pp. 172-173.

2 Charles Boxer, *Idade de ouro do Brasil*, p. 46.

3 A expressão é de Lucas Figueiredo em *Boa Ventura*, p. 117.

4 Citado em Jorge Caldeira, *História da riqueza no Brasil*, p. 137.

5 Virgílio Noya Pinto, *O ouro brasileiro e o comércio anglo*-português, p. 137; Lucas Figueiredo, *Boa Ventura*, pp. 121-131.

6 André João Antonil, *Cultura e opulência do Brasil por suas drogas e minas*, p. 233.

7 Jean Marcel Carvalho França, *Piratas no Brasil*, p. 176.

8 Pandiá Calógeras, *Formação histórica do Brasil*, p. 60.

NOTAS

9 Donald Ramos, O quilombo e o sistema escravista em Minas Gerais do século XVIII, *em Liberdade por um fio*, p. 174.

10 Lucas Figueiredo, *Boa Ventura*, pp. 251-255.

CAPÍTULO 4: O HERÓI INVISÍVEL

1 André João Antonil, *Cultura e opulência do Brasil por suas drogas e minas*, pp. 219-222.

2 Vítima de décadas de abandono e má conservação, o Museu do Ipiranga fechou suas portas para a visitação pública em 2013, e assim continuava na ocasião da escrita deste livro, como inúmeros outros grandes museus brasileiros.

3 Um caso típico é o de Domingos Jorge Velho, comandante da expedição que destruiu o Quilombo dos Palmares, já descrito no volume anterior desta trilogia: descendente de portugueses, tapuias e tupiniquins, mal sabia falar a língua portuguesa e preferia se comunicar com o seu bando em tupi-guarani, seu idioma materno.

4 Sobre as diferentes habilidades dos africanos escravizados ver Gwendolyn Midlo Hall, *Escravidão e etnias africanas nas Américas*, p. 18 e 56-57; Alberto da Costa e Silva, *A manilha e o libambo*, p. 816; e Roberto Martins, *Crescendo em silêncio: a incrível economia escravista de Minas Gerais no século* XIX, pp. 40-41.

5 John Russell-Wood, *Histórias do Atlântico português*, pp. 295-296.

6 Luís Vianna Filho, *O negro na Bahia*, pp. 44 e 83.

7 Yeda Pessoa de Castro, *A língua mina-jeje no Brasil: um falar africano em Ouro Preto do século* XVIII, pp. 67-89; Luis Nicolau Parés, "Africanos ocidentais", em *Dicionário da escravidão e liberdade*, p. 81.

8 James H. Sweet, *Domingos Álvares, African Healing, and the Intellectual History of the Atlantic World*, pp. 58-60.

9 Descrição baseada em Adriana Lopez e Carlos Guilherme Mota, *História do Brasil: uma interpretação*, p. 195.

10 Francisco Vidal Luna; Herbert S. Klein. *Escravismo no Brasil*, p. 57.

11 Francisco Vidal Luna; Herbert S. Klein. *Escravismo no Brasil*, p. 51-54.

12 André João Antonil, *Cultura e opulência do Brasil por duas drogas e minas*, parte III, capítulo 7, pp. 229-230. Ladino era a definição do africano escravizado que fosse batizado e tivesse um domínio razoável da língua portuguesa.

ESCRAVIDÃO VOL. II

CAPÍTULO 5: FOME, CRIME E COBIÇA

1   Charles Boxer, *A idade de ouro do Brasil*, p. 58.

2   Roberto B. Martins, *Crescendo em silêncio: a incrível economia escravista de Minas Gerais no século* XIX, pp. 29-45; Liana Maria Reis, "Criminalidade escrava nas Minas Gerais Setecentistas", em *História de Minas Gerais, v. 1, as Minas Setecentistas*, p. 477.

3   André João Antonil, *Cultura e opulência do Brasil por suas drogas e minas*, pp. 225 e 266.

4   Charles Boxer, *Idade de ouro do Brasil*, p. 54.

5   André João Antonil, *Cultura e opulência do Brasil por suas drogas e minas*, p. 230.

6   Citado em Pierre Verger, *Fluxo e refluxo*, p. 63.

7   Roberto B. Martins, *Crescendo em silêncio*, p. 42.

8   As comparações de preços são de Adriana Lopez e Carlos Guilherme Mota em *História do Brasil – uma interpretação*, p. 196.

9   Charles Boxer, *Idade de ouro do Brasil*, p. 171.

10   Alexandre Torres Fonseca, "A revolta de Felipe dos Santos", em *História de Minas Gerais, v. 1, As minas setecentistas*, p. 558.

11   Roberto B. Martins, *Crescendo em silêncio*, p. 44.

12   Adriana Romeiro, "A guerra dos emboabas: novas abordagens e interpretações", em *História de Minas Gerais, v. 1*, pp. 536-537.

13   Citado em Carlos Magno Guimarães, "Mineração, quilombos e Palmares: Minas Gerais no século XVIII", em *Liberdade por um fio*, p. 158.

14   "Diário da viagem do conde de Assumar", *Revista do Iphan*, número 03, 1939, p. 309.

15   André Bernardo, "Nossa Senhora Aparecida: 10 perguntas sobre a santa padroeira do Brasil que, 300 anos depois, continuam sem respostas definitivas", disponível em https://www.bbc.com/portuguese/brasil-41585684.

16   Adriana Romeiro, "A guerra dos emboabas: novas abordagens e interpretações", em *História de Minas Gerais*, v. 1, p. 536.

17   As duas citações são de Jean Marcel Carvalho França, *Piratas no Brasil*, pp. 176-177.

18   Jorge Caldeira, *História da riqueza no Brasil*, p. 138.

19   A história de Felipe dos Santos e as citações do conde de Assumar são de Lucas Figueiredo em *Boa Ventura*, pp. 189-193.

NOTAS

CAPÍTULO 6: SERTÃO ADENTRO

1   Laura de Mello e Souza, "Formas provisórias de existência: a vida cotidiana nos caminhos, nas fronteiras e nas fortificações", em *História da Vida Privada*, v. 1, pp. 70-81.

2   Pierre Verger, *Fluxo e refluxo do tráfico de escravos entre o Golfo do Benin e a Bahia de Todos os Santos*, p. 101.

3   Lucas Figueiredo, *O Tiradentes*, pp. 97-99.

4   Jonas Soares de Souza, *A cidade e o rio: Araritaguaba, o Porto Feliz*, pp. 38-45, fonte também da citação de Hercule Florence, em seguida.

5   *Revista Cultura em* MS, Fundação de Cultura de Mato Grosso do Sul, nº 5, 2012.

6   Sargento-mor seria, na época, posto equivalente ao de major na estrutura atual do exército brasileiro.

7   *Diário de navegação de Teotônio José Juzarte*, organizado por Jonas Soares de Sousa e Miyoko Makino, 2000.

8   Para facilitar a compreensão dos leitores, tomei a liberdade de editar o texto, corrigindo a pontuação, organizando as frases e atualizando alguns vernáculos poucos utilizados na língua portuguesa de hoje.

CAPÍTULO 7: ESCRAVISMO PIEDOSO

1   Hugh Thomas, *The slave trade*, p. 303.

2   Citado em Pierre Verger, *Fluxo e refluxo*, p. 83.

3   Jean Marcel Carvalho França, *Visões do Rio de Janeiro colonial*, pp. 126-141.

4   Ibidem, pp. 223-225.

5   André João Antonil, *Cultura e opulência do Brasil pelas suas minas e drogas*, p. 110.

6   Citado em Donald Ramos, "O quilombo e o sistema escravista em Minas Gerais no século XVIII", em *Liberdade por um fio*, pp. 170-171.

7   Antônio Risério, *Uma história da Cidade da Bahia*, p. 173; José Ramos Tinhorão, *Festa de negro em devoção de branco*, pp. 84-85; Silvia Hunold Lara, *Campos da violência*, p. 230.

8   Silvia Hunold Lara, *Fragmentos setecentistas*, pp. 174-175.

9   Thomas E. Skidmore, *Uma história do Brasil*, p. 50.

10   Citado em Leila Mezan Algranti, "Famílias e vida doméstica", em *História da*

Vida Privada, p. 89.

11   Júnia Ferreira Furtado, *Chica da Silva e o contratador de diamantes*, pp. 51-52.

12   Donald Ramos, "O quilombo e o sistema escravista em Minas Gerais no século XVIII", em *Liberdade por um fio*, p. 172.

13   As descrições da estrutura da Inquisição são aqui baseadas em James H. Sweet, *Domingos Álvares, African Healing, and the Intellectual History of the Atlantic World* (pp. 147-152), edição do Kindle, de onde também se extraiu a citação.

14   Relatório do governador de Minas Gerais, dom Braz Balthazar da Silveira, citado em Charles Boxer, *A idade de ouro do Brasil*, pp. 164-170.

CAPÍTULO 8: ISOLAMENTO, CENSURA E ATRASO

1   Daqui para a frente acompanho, nos dois parágrafos seguintes, a narrativa de Jean Marcel Carvalho França, *A livraria de Frei Gaspar da Madre de Deus*, pp. 14-46.

2   Francisco Adolfo de Varnhagen, *História geral do Brasil*, v. 5, p. 82. O trecho aqui citado já havia sido publicado no meu livro *1808*, p. 116.

3   Jean Marcel Carvalho França, *Mulheres viajantes no Brasil (1764-1820)*, pp. 45-46.

4   Sheila de Castro Faria, *Dicionário do Brasil Colonial*, p. 106; Leila Mezan Algranti, em *História da vida privada*, v. 1, pp. 83-154.

5   No fim do século, a capital baiana teria a 39.000 habitantes; o Rio de Janeiro, 38.707; o Recife, 17.934, conforme Paulo César Garcez Martins, *Através da rótula*, p. 114.

6   John Russell-Wood, *Histórias do Atlântico português*, pp. 167-168.

7   Charles Boxer, *A idade de ouro o Brasil*, pp. 124-125.

8   Citado em Pierre Verger, *Fluxo e refluxo*, p. 84.

9   Paulo César Garcez Martins, *Através da rótula*, p. 104.

10   Descrições baseadas em Mariza de Carvalho Soares, *Devotos da cor*, p. 137.

11   Citado em Nireu Cavalcanti, *O Rio de Janeiro setecentista*, p. 36.

12   James H. Sweet, *Domingos Álvares, African Healing, and the Intellectual History of the Atlantic World*, edição digital do Kindle, posições 53-54.

13   Silvia Hunold Lara, *Campos da violência*, p. 132-137; Herbert Klein e Francisco Vidal de Luna, *Escravismo no Brasil*, p. 79.

NOTAS

14   Jean Marcel Carvalho França, *Visões do Rio de Janeiro colonial*, p. 229.

15   Manolo Florentino, *Em costas negras*, pp. 82-83.

16   Dados dos Arquivos da Cúria Metropolitana do Rio de Janeiro, citados em James H. Sweet, *Domingos Álvares, African Healing, and the Intellectual History of the Atlantic World*, edição digital do Kindle, p. 78.

CAPÍTULO 9: PIRATAS

1   O relato das invasões francesas deste capítulo baseia-se em Jean Marcel Carvalho França, *Piratas no Brasil*, pp. 87-159.

2   Nireu Cavalcanti, *O Rio de Janeiro setecentista*, p. 52.

CAPÍTULO 10: CORRUPTOS E LADRÕES

1   Adriana Romeiro, *Corrupção e poder no Brasil: uma história, séculos XVI e XVIII*, 2017.

2   A frase de Vahia Monteiro é citada em inúmeras fontes, mas não há comprovação de sua existência nos arquivos portugueses ou brasileiros.

3   Citado em Renata Bezerra de Medeiros Avila, "Desordem na ordem? Considerações sobre ilicitudes e descaminhos entre beneditinos setecentistas", XIV *Encontro regional da Anpuh-Rio, memória e patrimônio*.

4   Frei Vicente de Salvador, *História do Brasil*, fls. 16.

5   Charles Boxer, *O império ultramarino português*, pp. 312-313.

6   *Júnia Ferreira Furtado, Homens de negócio: a interiorização da metrópole e do comércio nas Minas setecentistas*, p. 34; "O Distrito dos diamantes: uma terra de estrelas", em *História de Minas Gerais: as minas setecentistas*, v. 1, pp. 303-319.

7   Citado em Marco Aurélio de Paula Pereira, "Fortunas e infortúnios ultramarinos: alguns casos de enriquecimento e conflitos políticos de governadores na América portuguesa", *Varia História*, v. 28, n. 47, p. 284.

8   Charles Boxer, *Idade de ouro do Brasil*, p. 66.

9   João Antônio de Paula, "A mineração de ouro em Minas Gerais no século XVIII", em *Minas setecentistas*, p. 297.

10   Francisco Adolfo de Varnhagen, *História geral do Brasil*, v. 5, p. 61.

11   Citado em Jorge Caldeira, *História da riqueza no Brasil*, p. 136.

12   Joaquim Felício dos Santos, *Memórias do Distrito Diamantino*, pp. 47-77.

ESCRAVIDÃO VOL. II

13   Citado em Kenneth Maxwell, *A devassa da devassa*, p. 99.

14   John Mawe, *Viagens ao interior do Brasil*, p. 127.

15   Maria Helena P. T. Machado, *Crime e escravidão: trabalho, luta, resistência nas lavouras paulistas, 1830-1888*, pp. 103-104, fonte das quadrinhas citadas em seguida.

16   Joseph Miller, *Way of Death*, p. 315.

17   Citado em Arlindo Manuel Caldeira, *Escravos e traficantes no império português: o comércio negreiro português no Atlântico durante os séculos xv a xix*, p. 217.

18   Mariana Candido, *An African Slaving Port and the Atlantic World: Benguela and its Hinterland*, edição digital do Kindle, posições 4550-4603.

19   Adriana Romeiro, *Corrupção e poder no Brasil*, p. 46.

20   Hugh Thomas, *The Slave Trade*, p. 166.

21   Roquinaldo Ferreira, *Cross-Cultural Exchange in the Atlantic World: Angola and Brazil during the Era of the Slave Trade*, edição digital do Kindle, pp. 225-227.

22   Mariana Candido, *An African Slaving Port and the Atlantic World: Benguela and its Hinterland*, edição digital do Kindle, posições 4710-4744.

23   Álvaro de Araújo Antunes, "Administração da justiça nas Minas setecentistas" em *História de Minas Gerais: As Minas setecentistas*, v. 1, p. 177.

24   Pierre Verger, *Fluxo e refluxo*, pp. 65-66.

CAPÍTULO 11: ONDA NEGRA

1   Walter Hawthorne, *From Africa to Brazil: Culture, Identity, and an Atlantic Slave Trade, 1600-1830*, pp. 39-42 e 97.

2   O autor dessa frase, anônimo, é citado pelo naturalista e capitão de navio francês Pierre Sonnerat em seus relatos de viagem, conforme Jean Marcel Carvalho França, *Outras visões do Rio de Janeiro colonial*, p. 212.

3   Jean Marcel Carvalho França, *A construção do Brasil na literatura de viagem*, p. 278.

4   Silvia Hunold Lara, *Fragmentos setecentistas*, p. 127.

5   David Eltis; David Richardson (editores), *Extending the Frontiers: Essays on the New Transatlantic Slave Trade Database*, p. 19.

6   Sven Beckert. *Empire of Cotton: a Global History*, edição digital do Kindle, posição 1917; Herbert Klein, *The Atlantic Slave Trade (New Approaches to the Americas)*, p. 38.

NOTAS

7 Matthias Röhrig Assunção, "Quilombos maranhenses", em *Liberdade por um fio*, p. 434; Domingues da Silva, Daniel B., *The Atlantic Slave Trade from West Central Africa*, edição digital do Kindle, p. 62.

8 Joseph Miller, *Way of Death*, p. 160.

9 William Hage, *William Wilberforce: The Life of the Great Anti-Slave Trade Campaigner*, p. 121.

10 Paul E. Lovejoy, *Transformations in Slavery*, p. 109.

11 Roquinaldo Ferreira, *Cross-Cultural Exchange in the Atlantic World: Angola and Brazil During the Era of the Slave Trade*, edição digital do Kindle, pp. 45-47.

12 Mariana Candido, *An African Slaving Port and the Atlantic World: Benguela and its Hinterland (African Studies)*, edição digital do Kindle, posições 298-376; 1171.

13 Roquinaldo Ferreira, *Cross-Cultural Exchange in the Atlantic World: Angola and Brazil During the Era of the Slave Trade*, edição digital do Kindle, pp. 95-96.

14 James H. Sweet, *Domingos Álvares: African Healing, and the Intellectual History of the Atlantic World*, pp. 37-39.

15 Paul E. Lovejoy, *Transformations in Slavery*, p. 103.

16 Patrick Manning, *Slavery and African Life: Occidental, Oriental, and African Slave Trades*, p. 94.

17 Joseph Miller, *Way of Death*, pp. 74-90, 327 e 454.

18 Daniel B. Domingues da Silva, *The Atlantic Slave Trade from West Central Africa, 1780-1867 (Cambridge Studies on the African Diaspora)*, edição digital do Kindle, pp. 99, 108 e 231.

CAPÍTULO 12: OS CASTELOS

1 Hugh Thomas, *The Slave Trade*, pp. 344-350; Robert Harms, *The Diligent*, p. 137.

2 Marcus Rediker, *The Slave Ship: A Human History*, edição digital do Kindle, posição 1463.

3 Paul E. Lovejoy, *Transformations in Slavery*, pp. 82-83.

4 William St Claire, *The Grand Slave Emporium: Cape Coast Castle and the British Slave Trade* p. 249.

5 Robert Harms, *The Diligent*, pp. 145-147.

6 William St Claire, *The Grand Slave Emporium*, pp. 99-102 e 135.

7 Robert Harms, *The Diligent*, p. 152.

ESCRAVIDÃO VOL. II

8 William St Claire, *The Grand Slave Emporium*, pp. 239-241.

9 Alberto da Costa e Silva, *A manilha e o libambo*, p. 791.

10 Herbert Klein, *The Atlantic Slave Trade: New Approaches to the Americas*, pp. 112-113.

11 Pierre Verger, *Fluxo e refluxo*, p. 212.

12 Herbert Klein, *The Atlantic Slave Trade: New Approaches to the Americas*, pp. 88 e 124.

13 Jamil Chade, "O lucro da escravidão: Suíça abre discussão para reparar dinheiro que o país ganhou com comércio de escravos nas Américas", artigo para o portal UOL, publicado em 17 de fevereiro de 2020.

14 Paul Erdmann Isert. *Letters on West Africa and the Slave Trade*, pp. 84-86 e 96-97.

CAPÍTULO 13: AJUDÁ

1 Os detalhes da viagem estão na correspondência entre Francisco Pinheiro e seus agentes no Brasil reproduzida por Luís Lisanti Filho em *Negócios coloniais: uma correspondência comercial do século* xviii, v. 2, pp. 48-63.

2 Alberto da Costa e Silva, *Um rio chamado Atlântico: a África no Brasil e o Brasil na África*, 2003.

3 Robin Law, *The Slave Coast of West Africa 1550-1750: The Impact of the Atlantic Slave Trade on an African Society*, pp. 33-37 e 52-55.

4 Preços referentes ao final do século xvii, citado em Robin Law, *The Slave Coast of West Africa*, p. 183.

5 Luís Lisanti Filho, *Negócios coloniais*, v. 1, p. 93.

6 A nomenclatura de reinos, cidades, relevos e lugares da Costa da Mina foi mudando ou era entendida de forma diferente pelos diversos povos e grupos linguísticos que ocuparam ou mantiveram atividades na região. Ajudá é a forma aportuguesada de Huadá ou Hueda, reino também citado em algumas fontes como Whydah, Ouidá, Uidá, Xavier, Xweda, Judá (nos documentos franceses do século xviii) e Fida (nos documentos holandeses). O porto negreiro da cidade de Ajudá era igualmente conhecido pelo nome ancestral (ou indígena) de Gleuhé (ou, ainda, Glehwe, Grégoué, Grigwe ou Grigoy). O forte francês, por exemplo, se chamava "Saint Louis de Gregoy", corruptela de Glehué. Alguns autores preferem usar Hueda para o reino e Ajudá para a cidade. Minha gratidão a Alberto da Costa e Silva, João José Reis e Carlos da Silva Júnior por me ajudarem a entender esses conceitos em nossas trocas de e-mails durante a escrita deste livro.

NOTAS

7 Robert Harms. *The Diligent: A Voyage Through the Worlds of the Slave Trade*, p. 172.

8 Robin Law, *The Slave Coast of West Africa*, pp. 58-59.

9 André João Antonil, *Cultura e opulência do Brasil*, p. 193.

10 Pierre Verger, *Fluxo e refluxo*, p. 22.

11 Paul Erdmann Isert. *Letters on West Africa and the Slave Trade*, pp. 96-97.

12 Citado em Hugh Thomas, *The Slave Trade*, p. 354.

13 Pierre Verger, *Fluxo e refluxo*, pp. 45-52.

14 Robert Harms, *The Diligent*, pp. 115-116.

15 A descrição da cerimônia é baseada em Chevaliar Des Marchais, *Journal du Voyage de Guinée et Cayenne*, reproduzida por Robert Harms em *The Diligent*, p. 175.

CAPÍTULO 14: AGAJA

1 Descrições baseadas em Paul E. Lovejoy, *Transformations in Slavery*, pp. 82-83; Robert Harms, *The Diligent*, pp. 179-181; e James H. Sweet, *Domingos Álvares, African Healing, and the Intellectual History of the Atlantic World*, pp. 9-16.

2 Pierre Verger, *Fluxo e refluxo*, p. 166.

3 Hugh Thomas, *The Slave Trade*, p. 389.

4 Tradução livre da frase original de Bulfinch Lambe, em inglês, "If it had rained blood, it could not have lain thicker on the ground", citado por Hugh Thomas, *The Slave Trade*, p. 355.

5 A história de Bulfinch Lambeem Robert Harms, *The Diligent*, pp. 165-168.

6 Robin Law, *The Slave Coast of West Africa 1550-1750: the Impact of the Atlantic Slave Trade on an African Society*, pp. 62, 264-269.

7 Citações de Vicente Ferreira Pires, Robert Norris e Robin Law em José Nicolau Parés, *O rei, o pai e a morte: a religião vodum na antiga Costa dos Escravos na África Ocidental*, p. 56.

8 John Duncan, *Travels in Western Africa, in 1845&1846, Comprising a Journey From Whydah, Through the Kingdom of Dahomey, to Adofoodia, in the Interior* (dois volumes), p. 219 do primeiro volume; e pp. 275-276 do segundo.

9 Além de John Duncan, relataram sacrifícios humanos no Daomé o capitão William Snelgrave, em 1734; Robert Norris, também traficante de escravos, em testemunho perante o Parlamento inglês em 1788; e Archibald Dalzel, ex-comandante do Cape Coast Castle britânico, em 1793.

ESCRAVIDÃO VOL. II

10   Robin Law, *The Slave Coast of West Africa*, pp. 1-2.

11   Em algumas fontes, Oió é também chamado de império.

12   Herbert S. Klein, *The Atlantic Slave Trade (New Approaches to the Americas)*, pp. 65 e 68-69.

13   Robin Law, *The Slave Coast of West Africa*, p. 346.

14   Segundo Robin Law, a denominação iorubá (ou ioruba) surgiu apenas no século XIX como resultado de estudos linguísticos europeus. Portanto, seria um anacronismo usar o termo iorubá para os séculos anteriores, com o qual os povos da região ainda não se identificavam. Já a designação nagô, pelo qual os iorubá passaram a ser conhecidos na Bahia, esse, sim, era um termo mais antigo, atestado em documentos europeus do começo do século XVIII. Neste livro, o termo iorubá, apesar do seu óbvio anacronismo, é usado para facilitar a compreensão do leitor.

15   Luis Nicolau Parés, "Africanos ocidentais", em *Dicionário da escravidão e liberdade*, p. 83.

16   Hugh Thomas, *The Slave Trade*, p. 352.

17   Pierre Verger, *Fluxo e refluxo*, pp. 146-147.

18   Carlos da Silva Júnior, "Interações atlânticas entre Salvador e Porto Novo (Costa da Mina) no século XVIII", *Revista da História*. São Paulo, número 176, 2017-2018.

CAPÍTULO 15: CONVERSA DE REIS

1   Pioneiro do jornalismo em Portugal e autor de inúmeros relatos históricos da época, José Freire Monterroio Mascarenhas era redator do jornal *Gazeta de Lisboa*. Sua descrição da embaixada do Daomé em Salvador, publicada em 1751, foi reproduzida por Pierre Verger em *Fluxo e refluxo*, pp. 258-262.

2   Pierre Verger, *Fluxo e refluxo*, p. 174.

3   Pierre Verger, *Fluxo e refluxo*, pp. 188-189 e 257.

4   James H. Sweet, *Domingos Álvares, African Healing, and the Intellectual History of the Atlantic World*, pp. 219-222.

5   Pierre Verger, *Fluxo e refluxo*, pp. 270-271.

6   Os textos das cartas dos reis do Daomé compilados e analisados pelo historiador Luís Nicolau Parés estão disponíveis em http://www.scielo.br/scielo. php?script=sci_arttext&pid=S0002-05912013000100009.

7   Pierre Verger, *Fluxo e refluxo*, pp. 239-240.

NOTAS

8 Mariza de Carvalho Soares, "Entre irmãos: as 'galanterias" do rei Adandozan do Daomé ao príncipe d. João de Portugal, 1810, em Myriam Cottias e Hebe Mattos (organizadoras); *Escravidão e subjetividades no Atlântico luso-brasileiro e francês (séculos XVII–XX)*, 2016, edição digital gratuita disponível em https://books.openedition.org/oep/788.

CAPÍTULO 16: TRAFICANTE ESCRAVIZADO

1 Pierre Verger, *Os libertos: sete caminhos na liberdade de escravos da Bahia no século XIX*, pp. 12 e 105-106.

2 Pierre Verger, *Fluxo e refluxo*, pp. 211 e 264.

3 Alberto da Costa e Silva, *Francisco Félix de Souza: mercador de escravos*, p. 487.

4 Daniele Santos de Souza, *Tráfico, escravidão e liberdade na Bahia nos "anos de ouro" do comércio negreiro (c.1680–c.1790)*, 2018.

5 Carlos da Silva Júnior, "Interações atlânticas entre Salvador e Porto Novo (Costa da Mina) no século XVIII, *Revista de História*, São Paulo, número 176, 2017-2018.

CAPÍTULO 17: ÁFRICAS BRASILEIRAS

1 Gustavo Werneck, "Obra revela 'cenas africanas' em porão de Ouro Preto; escravo pode ser o autor", *Estado de Minas*, 29 de setembro de 2019. Disponível em https://www.em.com.br/app/noticia/gerais/2019/09/29/interna_gerais, 1088821/obra-revela-cenas-africanas-em-porao-de-ouro-preto-escravo-pode-s.shtml

2 Na época da escrita deste livro, Angelo Oswaldo preparava sua volta à Prefeitura de Ouro Preto, pela quarta vez. Angelo Oswaldo elegeu-se para um quarto mandato à frente da prefeitura de Ouro Preto em 2020, quando este livro estava em fase final de escrita

3 Jerôme Souty, *Pierre Fatumbi Verger: do olhar livre ao conhecimento iniciático*, pp. 235-323.

4 O orixá Omolu é também conhecido como Obaluaiê, na versão nagô/iorubá do candomblé, e Sakpatá ou Azonsu, na tradição jeje-mahi.

5 A lenda de Chico Rei, nunca comprovada em documentos ou fontes históricas, foi citada em uma nota de rodapé do livro *História antiga de Minas*, de Diogo de Vasconcelos, em 1904. Com base nessa nota, Agripa de Vasconcelos escreveu o romance *Chico Rei*, de 1966. O personagem foi também tema do samba-enredo da escola Acadêmicos do Salgueiro no carnaval de 1964.

ESCRAVIDÃO VOL. II

6   Orlando Patterson, *Slavery and Social Death: a Comparative Study*, 1982.

7   Roger Bastide, *The African religions of Brazil*, p. 67.

8   John Thornton, *Africa and Africans in the Making of the Atlantic World, 1400-1800*, edição digital do Kindle, p. 211.

9   Luiz Felipe de Alencastro, *O trato dos viventes*, p. 313.

10 Herbert S. Klein e Francisco Vidal Luna, *Escravismo brasileiro*, p. 203.

11 Richard Price, "The Concept of Creolization", em *The Cambridge World History of Slavery, AD 1420-AD 1804*, v. 3, capítulo 20.

12 Eduardo França Paiva, "Depois do cativeiro: a vida dos libertos nas Minas Gerais do século XVIII", em *História de Minas Gerais*, v. 1, p. 519.

13 Citado em Lilia Moritz Schwarcz, *Nem preto nem branco, muito pelo contrário*, edição digital do Kindle, posição 1331.

14 Gilberto Freyre, *Casa-grande & senzala*, p. 416-417.

15 André João Antonil, *Cultura e opulência do Brasil*, p. 106.

16 Citações de Tollenare e Vilhena em Luís Vianna Filho, *O negro na Bahia*, p. 83.

17 Hebe Maria Mattos de Castro, *Das cores do silêncio: os significados da liberdade no Sudeste escravista - Brasil século XIX*, p. 34.

18 Larissa Viana, *O idioma da mestiçagem*, p. 37, usando como referência A. J. R Russell-Wood, *Escravos e libertos no Brasil colonial*, 2005.

19 André João Antonil, *Cultura e opulência do Brasil*, p. 106.

20 Silvia Hunold Lara, *Fragmentos setecentistas*, p. 169.

21 Larissa Viana, *O idioma da mestiçagem*, p. 155-158.

22 Katia Mattoso, *Ser escravo no Brasil*, p. 152.

23 Keto (ou queto) é uma região da atual República do Benim. No tempo da escravidão, era uma das capitais dos estados iorubás (ou iorubanos). Renato da Silveira, *O candomblé da Barroquinha: o processo de constituição do primeiro terreiro baiano de Keto*, p. 202.

24 Mariza de Carvalho Soares, *Devotos da cor*, pp. 183-185 e 216-225.

CAPÍTULO 18: O SAGRADO

1   Minha gratidão à professora doutora Carla Ramos Munzanzu e à cineasta, poeta e jornalista Urânia Muzanzu, vudunsi do terreiro Bogun, de Salvador,

NOTAS

minhas amigas queridas, por terem me acompanhado e guiado em uma inesquecível visita ao *Humpame Ayono Huntoloji* de Cachoeira durante as pesquisas para este livro.

2   A história do encontro de Gaiaku Luiza e Caymmi é aqui relatada com base em Nívea Alves dos Santos, *Entre ventos e tempestades: os caminhos de uma gaiaku de Oiá*, dissertação apresentada ao Programa Multidisciplinar de Pós-Graduação em Estudos Étnicos e Africanos da Universidade Federal da Bahia, em 2013.

3   Luís Nicolau Parés, *A formação do candomblé: história e ritual da nação jeje na Bahia*, p. 321.

4   Eduardo França Paiva, Depois do cativeiro: a vida dos libertos nas Minas Gerais do século XVIII, em *História de Minas Gerais*, v. 1, p. 515-516.

5   Jérôme Souty, *Pierre Fatumbi Verger: do olhar livre ao conhecimento iniciático*, p. 194.

6   Neste e no parágrafo seguinte, sigo o excelente resumo de Alberto da Costa e Silva em *A África explicada aos meus filhos*, pp. 62-64.

7   Luis Nicolau Parés, "Religiosidades", em *Dicionário da escravidão e liberdade*, p. 377.

8   Roger Bastide, *The African Religions of Brazil*, pp. 188-189, 261 e 278.

9   José Ramos Tinhorão, *Os negros em Portugal: uma presença silenciosa*, pp. 123-125.

10   Anderson José Machado de Oliveira, "Devoção negra", em *Revista da Biblioteca Nacional*, edição especial número 6, julho de 2011, pp. 31-38.

CAPÍTULO 19: IRMÃOS, REIS E RAINHAS

1   Silvia Hunold Lara, *Fragmentos setecentistas*, p. 207.

2   Fernanda Aparecida Domingos Pinheiro, *Confrades do Rosário*, citada por Herbert S. Klein; Francisco Vidal Luna em *Escravismo brasileiro*, p. 261.

3   Outra hipótese levantada por José Ramos Tinhorão para a devoção à Nossa Senhora do Rosário entre os africanos escravizados estaria na associação entre as contas do rosário e as contas de Ifá, usadas em um método sagrado de adivinhação comum entre os povos iorubanos, no interior da atual Nigéria. A dificuldade de se confirmar a associação, nesse caso, está no fato de que apenas escravos originários dessa região conheciam as contas de Ifá, enquanto Nossa Senhora do Rosário era cultuada também em Angola e por cativos chegados ao Brasil de outras regiões da África, que nada tinham a ver com o sistema de crenças iorubanos.

4   Lucilene Reginaldo, "Irmandades", em *Dicionário da escravidão e liberdade*, pp. 268-274.

ESCRAVIDÃO VOL. II

5   Larissa Viana, *O idioma da mestiçagem*, pp. 152-153.

6   Donald Ramos, "O quilombo e o sistema escravista em Minas Gerais no século XVIII", em *Liberdade por um fio*, pp. 164-168.

7   Mariza de Carvalho Soares, *Devotos da cor*, pp. 183-185, 216-225 e 278.

8   Mariza da Carvalho Soares, *Devotos da cor*, p. 169.

9   Citado por Silvia Hunold Lara em *Fragmentos setecentistas*, p. 210.

10 Mariza de Carvalho Soares, *Devotos da cor*, pp. 160-161.

11 Marina de Mello e Souza. *Reis negros no Brasil escravista. História da festa de coroação de rei congo*, 2002.

12 Mariza de Carvalho Soares, *Devotos da cor*, pp. 190-199.

13 Citado em Silvia Hunold Lara, *Fragmentos setecentistas*, p. 214.

14 Mariza de Carvalho Soares, *Devotos da cor*, pp. 154-157.

CAPÍTULO 20: O TRABALHO

1   Pierre Verger, *Fluxo e refluxo*, p. 167.

2   Silvia Hunold Lara, *Campos da violência*, pp. 185-187.

3   Citado em Leila Mezan Algranti, "Família e vida doméstica", em *História da vida privada no Brasil*, v. 1, p. 110.

4   Descrições de senzalas em Elizabeth Abbott, *Sugar: a Bittersweet History*, edição digital do Kindle, 2008; e Clóvis Moura, *Dicionário da escravidão negra no Brasil*, p. 375.

5   Júnia Nogueira Furtado, *Chica da Silva e o contratador de diamantes*, p. 148.

6   Charles Boxer, *Idade de ouro do Brasil*, p. 193-194.

7   João José Reis, *Ganhadores*, edição digital do Kindle, posições 116-120.

8   Mary C. Karasch, *A vida dos escravos no Rio de Janeiro, 1808-1850*, pp. 139-140.

9   Citado em João José Reis, *Ganhadores*, edição digital do Kindle, posição 153.

10 Jean Marcel Carvalho França, *Visões do Rio de Janeiro colonial*, p. 93.

11 João Fragoso e Ana Rios, "Slavery and Politics in Colonial Portuguese America: The Sixteenth to the Eighteenth Centuries", em David Eltis and Stanley L. Engerman, *The Cambridge World History of Slavery: Volume 3, AD 1420–AD 1804*, edição digital do Kindle. pp. 353-366.

NOTAS

12 Mary C. Karasch, *A vida dos escravos no Rio de Janeiro 1808-1850*, p. 260.

13 Herbert S. Klein, *The Atlantic Slave Trade – New Approaches to the Americas*, edição digital do Kindle, pp. 38 e 86-87.

14 Francisco Vidal Luna; Herbert S. Klein, *Escravismo no Brasil*, pp. 130-131.

15 Clóvis Moura, *Dicionário da escravidão negra no Brasil*, p. 25.

16 André João Antonil, *Cultura e opulência do Brasil*, p. 109.

17 Jorge Benci, *Economia cristã dos senhores no governo dos escravos*, p. 55.

18 Citações de viajantes em Clóvis Moura, *Dicionário da escravidão negra no Brasil*, pp. 25-27.

19 Flávio dos Santos Gomes, *Mocambos e quilombos*, pp. 30-31.

20 Ciro Flamarion Cardoso, *Escravo ou camponês? O proto-campesinato negro nas américas*, 1987.

CAPÍTULO 21: A VIOLÊNCIA

1 Silvia Hunold Lara, *Campos da violência*, pp. 53-54; Jorge Benci, *Economia cristã dos senhores no governo dos escravos*, 1977.

2 Arthur Ramos, *Castigos de escravos, a aculturação negra no Brasil*, p. 79.

3 "Um regimento de feitor-mor de engenho", de 1663, citado em Silvia Hunold Lara, *Campos da violência*, p. 75.

4 Kátia Mattoso, *Ser escravo no Brasil*, 1990.

5 Jorge Benci, *Economia cristã dos senhores no governo dos escravos*, pp. 125-128.

6 Silvia Hunold Lara, *Campos da violência*, pp. 64-65.

7 Manuel Ribeiro Rocha, *Etíope resgatado*, p. 132.

8 Jorge Benci, *Economia cristã...*, p. 165.

9 Emilia Viotti da Costa, *Da senzala à colônia*, p. 332.

10 Silvia Hunold Lara, *Campos da Violência*, pp. 61-62.

11 Luiz Mott, "A tortura dos escravos na Casa da Torre: um documento inédito dos arquivos da inquisição", citado em Silvia Hunold Lara, *Campos da violência*, p. 76.

12 Citado em Silvia Hunold Lara, *Campos da violência*, p. 67.

ESCRAVIDÃO VOL. II

CAPÍTULO 22: O SONHO

1   Capítulo *Os números*, p. 261.

2   George Reid Andrews. *Slavery and Race Relations in Brazil*, pp. 6-7; Orlando Patterson, *Slavery and Social Death: A Comparative Study*, p. 273.

3   Frank Tannenbaum, *Slave and citizen*, edição digital do Kindle, posição 738.

4   Herbert Klein, *The Atlantic Slave Trade: New Approaches to the Americas*, p. 36.

5   Herbert S. Klein; Francisco Vidal Luna, *Escravismo no Brasil*, pp. 276-277.

6   A. C. de C. M. Saunders, *A Social History of Black Slaves and Freedmen in Portugal, 1441-1555*, pp. 138-139.

7   Robert W. Slenes, *Na senzala, uma flor*, p. 62.

8   Donald Ramos, "O quilombo e o sistema escravista em Minas Gerais do século XVIII", em *Liberdade por um fio*, p. 172.

9   Eduardo França Paiva, "Depois do cativeiro: a vida dos libertos nas Minas Gerais do século XVIII", em *História de Minas Gerais*, v. 1, p. 505.

10   Casos citados por James H. Sweet em *Domingos Álvares, African Healing, and the Intellectual History of the Atlantic World*, pp. 91-94.

11   Citado em Mariza de Carvalho Soares, *Devotos da cor*, p. 221.

12   Clóvis Moura, *Dicionário da escravidão negra no Brasil*, p. 24.

13   Júnia Ferreira Furtado, *Chica da Silva e o contratador de diamantes: o outro lado do mito*, pp. 111-112.

14   Larissa Viana, *O idioma da mestiçagem*, p. 180-181.

15   Nireu Cavalcanti, *O Rio de Janeiro setecentista*, p. 121-126.

16   Júnia Ferreira Furtado, *Chica da Silva e o contratador...*, pp. 21-22.

17   Eduardo França Paiva, *Depois do cativeiro*, p. 508.

18   James H. Sweet, *Domingos Álvares, African Healing, and the Intellectual History of the Atlantic World*, p. 159.

19   Roberto Guedes, "De ex-escravo a elite escravista: a trajetória e ascensão social do pardo alferes Joaquim Barbosa Neves", citado por Herbert S. Klein e Francisco Vidal Luna em *Escravismo brasileiro*, p. 314.

NOTAS

CAPÍTULO 23: A FAMÍLIA ESCRAVA

1   Auto de casamento de Joaquim Crioulo e Feliciana Crioula, Cúria Metropolitana de Pouso Alegre, 30/10/1820, maços 37 a 61, citado por Isaías Pascoal em "Família escrava: ninho acolhedor?", *Fênix – Revista de história e estudos culturais*. Janeiro/ fevereiro/ março de 2008, v. 5, p. 10.

2   A historiadora norte-americana Sandra Lauderdale Graham conta uma história semelhante a essa, ocorrida no Vale do Paraíba na primeira metade do século XIX. Forçada a se casar com outro cativo, a escrava Caetana resistiu tão obstinadamente às ordens do seu senhor que o caso foi parar no tribunal eclesiástico. Sandra Lauderdale Graham, *Caetana diz não: histórias de mulheres da sociedade escravista brasileira*, 2005.

3   Joaquim Nabuco, *O abolicionismo*, p. 141.

4   Essa e a citação a seguir são de Robert W. Slenes em *Na senzala, uma flor*, pp. 139-143.

5   Herbert S. Klein e Francisco Vidal Luna, *Escravismo no Brasil*, p. 229.

6   Robert W. Slenes, *Na senzala, uma flor*, p. 56.

7   Manolo Florentino; José Roberto Góes, *A paz das senzalas*, pp. 36-37.

8   Manolo Florentino e Márcia Amantino, "Runways and Quilombolas in the Americas", em David Eltis and Stanley L. Engerman (org.), *The Cambridge World History of Slavery: Volume 3*, AD 1420–AD 1804, pp. 711-716

9   Manolo Florentino; José Roberto Góes, *A paz das senzalas*, pp. 110 e 116.

10   João Fragoso e Ana Rios, *The Cambridge World History of Slavery, Volume 3*, AD 1420–AD 1804, cap. 14.

11   Herbert Klein e Francisco Vidal Luna, *Escravismo no Brasil*, p. 254.

12   Carlos Magno Guimarães, *A negação da ordem escravista*, p. 15; Donald Ramos, "O quilombo e o sistema escravista em Minas Gerais no século XVIII", em *Liberdade por um fio*, p. 173.

13   Tarcísio R. Botelho, "A família escrava em Minas Gerais no século XVIII", em *História de Minas Gerais*, v. 1, pp. 457-476.

14   Eduardo França Paiva, "Depois do cativeiro: a vida dos libertos nas Minas Gerais do século XVIII", em *História de Minas Gerais*, v. 1, pp. 511-513.

15   Pesquisas citadas em Herbert S. Klein; Francisco Vidal Luna, *Escravismo no Brasil*, pp. 250-253; e Robert W. Slenes, *Na senzala, uma flor*, p. 141.

16   Auguste de Saint-Hilaire, *Viagem pelas províncias do Rio de Janeiro e Minas Gerais*, p. 53.

ESCRAVIDÃO VOL. II

17   Ana Paula dos Santos Rangel, "A escolha do cônjuge: o casamento escravo no termo de Barbacena", citado por Herbert S. Klein e Francisco Vidal Luna em *Escravismo no Brasil*, p. 238.

18   Katia Mattoso, "Família e sociedade na Bahia do século XIX", citado por Francisco Vidal Luna em *Escravismo no Brasil*, p. 239.

19   Robert W. Slenes, *Na senzala, uma flor*, p. 91.

CAPÍTULO 24: AS MULHERES

1   Charles Boxer, *A idade de ouro do Brasil*, p. 151.

2   Sheila de Castro Faria, "Mulheres", em *Dicionário do Brasil colonial (1500--1808)*, pp. 414–416.

3   Gilberto Freyre, *Casa-Grande & Senzala*, p. 161 e 367.

4   Nina Rodrigues, *Os africanos no Brasil*, p. 239.

5   Esta e a próxima citação são de Gilberto Freyre em *Casa-Grande & Senzala*, pp. 419– 435.

6   Leila Mezan Algranti, "Famílias e vida doméstica", em *História da vida privada no Brasil*, v. 1, pp. 83–154.

7   Mary Del Priore, "Ritos da vida privada", em *História da vida privada no Brasil*, v. 1, p. 289.

8   Nireu Cavalcanti, *O Rio de Janeiro Setecentista*, p. 94; Pierre Verger, *Fluxo e refluxo*, p. 63; Silvia Hunold Lara, *Fragmentos setecentistas*, p. 94–97.

9   Citado em Gilberto Freyre, *Casa-Grande & Senzala*, p. 528–529.

10   Citado em Paulo César Garcez Martins, *Através da rótula*, p. 106.

11   Charles Boxer, *A idade de ouro do Brasil*, pp. 152.

12   Eduardo França Paiva, "Depois do cativeiro: a vida dos libertos nas Minas Gerais do século XVIII, em *História de Minas Gerais*, v. 1, p. 516–517.

13   Larissa Viana, *O idioma da mestiçagem*, pp. 194–195.

14   Números citados em Júnia Ferreira Furtado, *Chica da Silva e o contratador de diamantes: o outro lado do mito*, p. 69.

15   Eduardo França Paiva, "Depois do cativeiro: a vida dos libertos nas Minas Gerais do século XVIII", em *História de Minas Gerais*, v. 1, p. 505.

NOTAS

CAPÍTULO 25: CHICA NA TERRA DOS DIAMANTES

1   João José Reis, *A morte é uma festa, ritos fúnebres e revolta popular no Brasil do século* XIX, 1991.

2   Descrição baseada em Cláudia Rodrigues, Mortes e rituais fúnebres, em *Dicionário da escravidão e liberdade*, p. 324; Júnia Ferreira Furtado, *Chica da Silva e o contratador de diamantes: o outro lado do mito*, p. 245.

3   Charles Boxer, *A idade de ouro do Brasil*, p. 195, que reproduz descrições de Joaquim Felício dos Santos em *Memórias do Distrito Diamantino*.

4   Júnia Ferreira Furtado, *Chica da Silva e o contratador de diamantes: o outro lado do mito*, 2003.

5   Roberto B. Martins, *Crescendo em silêncio: a incrível economia escravista de Minas Gerais no século* XIX, pp. 54–60; Américo Antunes, *Do diamante ao aço: o ilustrado intendente Câmara e a verdadeira história da primeira fábrica de ferro do Brasil*, pp. 64–83; Júnia Ferreira Furtado, "O distrito dos diamantes: uma terra de estrelas", em *História de Minas Gerais: as minas setecentistas*, v. 1, pp. 303-320.

6   Charles Boxer, *A idade de ouro do Brasil*, p. 197.

7   Charles Boxer, *A idade de ouro do Brasil*, p. 198.

8   Júnia Ferreira Furtado, *Chica da Silva e o contratador de diamantes: o outro lado do mito*, p. 35.

9   O sargento-mor João Fernandes de Oliveira também arrematou, em sociedade com Francisco Ferreira da Silva, o primeiro contrato, de 1740, e o segundo, em 1744. O terceiro contratador foi Felisberto Caldeira Brandt, em sociedade com Alberto Luís Pereira e Conrado Caldeira Brandt. Acusado de contrabandear diamantes e mergulhado em dívidas, Felisberto foi expulso do Distrito Diamantino e remetido a uma prisão de Lisboa, onde morreu. O quarto e o quinto contratos, válidos entre 1753 e 1761, voltaram novamente para as mãos do sargento-mor João Fernandes de Oliveira, em sociedade com Antônio dos Santos Pinto e Domingos de Basto Viana. Residindo em Lisboa, João Fernandes preferiu mandar o filho desembargador para cuidar dos negócios em Minas Gerais. No sexto, último e mais longo contrato, entre 1662 e 1771, pai e filho eram sócios.

10   Descrições do ambiente e da vida no Arraial de Tijuco, neste e nos dois parágrafos seguintes, em Júnia Ferreira Furtado, *Chica da Silva e o contratador de diamantes: o outro lado do mito*, pp. 39–55.

11   Sigo também aqui as descrições de Júnia Ferreira Furtado em *Chica da Silva e o contratador de diamantes: o outro lado do mito*, pp. 128–142.

12   Joaquim Felício dos Santos, *Memórias do Distrito Diamantino*, pp. 84–85.

ESCRAVIDÃO VOL. II

13   Charles Boxer, *A idade de ouro do Brasil*, pp. 194–195.

14   Joaquim Felício dos Santos, *Memórias do Distrito Diamantino*, p. 161.

15   Ibidem, p. 128

16   Os detalhes do processo estão em Júnia Ferreira Furtado, *Chica da Silva e o contratador de diamantes: o outro lado do mito*, pp. 58–63.

CAPÍTULO 26: FUGITIVOS E REBELDES

1   No município de Patos, Sertão da Paraíba, existe outra capela de Cruz da Menina, dentro de um parque religioso mantido pela diocese local. Apesar do nome, são histórias diferentes. Também considerada santa e chamada Francisca, a menina de Patos teria morrido em 1923 ao ser espancada pela madrasta, Domila Emerenciano de Araújo.

2   O procedimento de identificação, reconhecimento, delimitação, demarcação e titulação das terras ocupadas pelos quilombolas foi regulamentado pelo decreto 4.887 de 20 de novembro de 2003. Segundo a Fundação Palmares, além das comunidades atualmente certificadas, existem centenas que ainda aguardam reconhecimento oficial. Estima-se que o total possa passar de 5 mil.

3   A lista completa das maiores propriedades e grupos agrícolas do país está em https://www.comprerural.com/top-10-as-maiores-fazendas-do-brasil; e https://blog.rodeowest.com.br/curiosidades-rodeio/top-10-maiores-fazendas-brasil/.

4   Flávio dos Santos Gomes, *Mocambos e quilombos: uma história do campesinato negro no Brasil*, p. 10.

5   Mary Karasch, "Os quilombos do ouro na capitania de Goiás", em João José Reis: Flávio dos Santos Gomes (org.), *Liberdade por um fio*, pp. 254-257.

6   Joaquim Felício dos Santos, *Memórias do Distrito Diamantino*, p. 80.

7   Carlos Magno Guimarães, *Escravidão e quilombos nas Minas Gerais do século XVIII*, em *História de Minas Gerais*, v. 1, p. 450.

8   Charles Boxer, *Idade de ouro do Brasil*, pp. 158-159.

9   Carlos Magno Guimarães, "Mineração, quilombos e Palmares: Minas Gerais no século XVIII", em *Liberdade por um fio*, pp. 142-149.

10   Luiza Rios Ricci Volpato, "Quilombos em Mato Grosso: resistência negra em área de fronteira", em *Liberdade por um fio*, pp. 213-239.

11   Herbert S. Klein; Francisco Vidal Luna, *Escravismo no Brasil*, pp. 211-212.

12   Flávio dos Santos Gomes, *Mocambos e quilombos*, p. 13.

NOTAS

13 Citado em Carlos Magno Guimarães, "Mineração, quilombos e Palmares: Minas Gerais do século XVIII", em *Liberdade por um fio*, p. 159.

14 Mary Karasch, "Os quilombos na capitania de Goiás", em *Liberdade por um fio*, pp. 249-252.

15 Stuart B. Schwartz, *Slaves, Peasants, and Rebels: Reconsidering Brazilian Slavery*, pp. 50-55 e 59-63.

16 João Fragoso e Ana Rios, "Slavery and Politics in Colonial Portuguese America: The Sixteenth to the Eighteenth Centuries", em David Eltis and Stanley L. Engerman, *The Cambridge World History of Slavery: Volume 3*, AD *1420*–AD *1804*, edição digital do Kindle. pp. 353-366.

17 Silvia Hunold Lara, *Campos da violência*, pp. 152-154.

18 Carlos Magno Guimarães, *A negação da ordem escravista*, 1988.

19 Liana Maria Reis, "Criminalidade escrava nas Minas Gerais setecentistas", em *História de Minas Gerais*, v. 1, p. 477.

20 Luiz Mott, "Santo Antônio, o Divino, capitão do mato", em *Liberdade por um fio*, p. 123.

21 Carlos Magno Guimarães, *A negação da ordem escravista*, pp. 69-70.

22 A referência do valor do ouro aqui usada é em meados do mês de abril de 2020, de 277 reais o grama.

23 Exemplos de recompensas recebidas por capitães do mato citados em Donald Ramos, "O quilombo e o sistema escravista em Minas Gerais do século XVIII"; e Laura de Mello e Souza, "Violência e práticas culturais no cotidiano de uma expedição contra quilombolas, Minas Gerais, 1769", ambos em *Liberdade por um fio*, pp. 180 e 193-212.

24 John Russell-Wood, *Histórias do Atlântico português*, p. 347.

25 Stuart B. Schwartz, "Cantos e quilombos numa conspiração de escravos haussás: Bahia, 1814", em *Liberdade por um fio*, p. 376.

26 Carlos Magno Guimarães, "A negação da ordem escravista", pp. 67-69; Carlos Magno Guimarães, "Mineração, quilombos e Palmares: Minas Gerais do século XVIII, em *Liberdade por um fio*, p. 151.

27 Laura de Mello e Souza, "Violência e práticas culturais no cotidiano de uma expedição contra quilombolas, Minas Gerais, 1769", em *Liberdade por um fio*, *História dos quilombos no Brasil*, pp. 196-206.

28 Donald Ramos, "O quilombo e o sistema escravista em Minas Gerais no século XVIII", em *Liberdade por um fio*, pp. 165-167.

ESCRAVIDÃO VOL. II

29 Manolo Florentino e Márcia Amantino, "Runways and Quilombolas in the Americas", em David Eltis and Stanley L. Engerman (org.), *The Cambridge World History of Slavery: Volume 3*, AD 1420–AD 1804, p. 723.

30 Flávio dos Santos Gomes, "Quilombos do Rio de Janeiro no século XIX", em *Liberdade por um fio*, pp. 263-290.

31 João José Reis, "Escravos e coiteiros no Quilombo do Oitizeiro: Bahia, 1806", em *Liberdade por um fio*, pp. 332-372.

CAPÍTULO 27: O MEDO

1 Descrição baseada em C. L. R. James, *The Black Jacobins*, pp. 49-55.

2 Resumo da conjuntura da época baseada em João Pedro Marques, *Revoltas escravas*, pp. 35-37.

3 Citações de C. L. R. James em *The Black Jacobins*, p. 20.

4 Números de Erick Williams em *Capitalism and Slavery*, edição digital do Kindle, posição 4439; Daniel B. Domingues da Silva em *The Atlantic Slave Trade From West Central Africa, 1780-1867*, pp. 53-54.

5 Citado em Silvia Hunold Lara, *Fragmentos setecentistas*, pp. 160-161.

6 Citações em Silvia Hunold Lara, *Campos da violência*, p. 35.

7 Resumo da Revolta dos Alfaiates em Kenneth Maxwell, *A devassa da devassa*, p. 244; e Antonio Risério, *Uma história da cidade da Bahia*, pp. 263-276.

CAPÍTULO 28: A LIBERDADE É BRANCA

1 Sigo aqui as descrições de Kanneth Maxwell em *A devassa da devassa*, p. 141-156; e Lucas Figueiredo em *O Tiradentes: uma biografia de José Joaquim da Silva Xavier*, pp. 203-219.

2 Lilia M. Schwarcz; Heloisa Murgel Starling, *Brasil: uma biografia*, pp. 141-147.

3 Números, já citados na introdução deste livro, de Douglas Cole Libby, "As populações escravas das Minas setecentistas: um balanço preliminar", em *Minas setecentistas*, pp. 407-435; Lucas Figueiredo, *Boa Ventura*, p. 251-255; e Herbert Klein, *The Atlantic Slave Trade: New Approaches to the Americas*, p. 36.

4 Hugh Thomas, *The Slave Trade*, pp. 545-546.

5 John Locke, "The Second Treatise of Government and a Letter Concerning Toleration", citado em Hugh Thomas, *The Slave* Trade, pp. 198 a 206.

6 Lista dos inconfidentes donos de escravos disponível em Lucas Figueiredo,

NOTAS

O Tiradentes, pp. 214-216.

7   Kenneth Maxwell, *A devassa da devassa*, p. 156.

8   Lucas Figueiredo, *O Tiradentes*, pp. 369-384.

CAPÍTULO 29: QUEBRANDO OS GRILHÕES

1   Hugh Thomas, *The Slave Trade*, pp. 235-248; William St Clair, *The Grand Slave Emporium*, pp. 84-85.

2   Kenneth Morgan, *Slavery, Atlantic Trade and the British Economy, 1660-1800, 2000*; Marcus Rediker, *The Slave Ship: A Human History*, edição digital do Kindle, posições 953-958; Eric Williams, *Capitalism and Slavery*, edição digital do Kindle, posições 1630 e 1675; Hugh Thomas, *The Slave Trade*, pp. 246-249; Frank Tannenbaum, *Slave and Citizen*, edição digital do Kindle, posição 199; David Brion Davis, *Inhuman Bondage: The Rise and Fall of Slavery in the New World,* edição digital do Kindle, p. 142.

3   Resumo baseado em Seymour Drescher, *Econocide: British Slavery in the Era of Abolition*, pp. 3-4.

4   Eric Williams, *Capitalism and Slavery*, 1944.

5   A nota de vinte dólares com a imagem de Harriet Tubman deveria entrar em circulação nos Estados Unidos em 2020, mas foi adiada por tempo indefinido pelo Tesouro norte-americano após a posse de Donald Trump.

6   Seymour Drescher, *Econocide: British Slavery in the Era of Abolition*, 1977.

7   William Hague, *William Wilberforce: The Life of the Great Anti-Slave Trade Campaigner,* p. 119.

8   João Pedro Marques, *Revoltas escravas: mitos e mal-entendidos*, pp. 29-31; João José Reis, "Escravos e coiteiros no quilombo do Oitizeiro: Bahia, 1806", em *Liberdade por um fio*, pp. 332-372.

9   A. C. De C. M. Saunders, *A Social History of Black Slaves and Freedmen in Portugal, 1441-1555*, p. 43.

10   Christopher Leslie Brown, *Moral Capital: Foundations of British Abolitionism*, pp. 34-55.

11   Richard S. Reddie, *Abolition! The Struggle to Abolish Slavery in the British Colonies,* pp. 127-143; James Walvin, *A Short History of the Slavery*, pp. 147-192.

12   David Brion Davis, *Inhuman Bondage: The Rise and Fall of Slavery in the New World*, edição digital do Kindle, p. 1.

ESCRAVIDÃO VOL. II

13 Michael Jordan, *The great Abolition Sham: The True Story of the End of the British Slave Trade*, pp. 87-101.

14 João Pedro Marques, *Revoltas escravas: mistificações e mal-entendidos*, pp. 34-35.

15 Arqueação bruta, ou tonelagem, é a medida do volume total do navio e de todos os seus compartimentos fechados.

16 Daniel B. Domingues da Silva, *The Atlantic Slave Trade from West Central Africa, 1780-1867*, edição digital do Kindle, pp. 63-64.

17 Silvia Hunold Lara, *Fragmentos setecentistas*, pp. 154-155.

CAPÍTULO 30: O NAUFRÁGIO

1 Kenneth Maxwell, *A devassa da devassa*, pp. 65-66.

2 Charles Boxer, *O império marítimo português, 1415-1825*, p. 317.

3 Silvia Hunold Lara, *Fragmentos setecentistas*, p. 153.

4 Kenneth Maxwell, *A devassa da devassa*, p. 24.

5 István Jancsó, "A sedução da liberdade: cotidiano e contestação política no final do século xviii", em *História da vida privada*, pp. 388-389.

6 Oliveira Lima, *D. João vi no Brasil*, p. 45

CAPÍTULO 31: O PRESENTE

1 A estimativa é de sir Henry Chamberlain, *Views and costumes of the city and neighbourhood of Rio de Janeiro*, capítulo "The Slave Market", sem numeração de página. Mary Karasch, em *A vida dos escravos no Rio de Janeiro: 1808-1850*, catalogou 225.047 desembarcados entre 1800 e 1816, o que daria uma média anual de 14 mil.

2 Jean Marcel Carvalho França, *Outras visões do Rio de Janeiro colonial*, p. 277.

3 Manolo Florentino, *Em costas negras*, p. 59.

4 João Luís Ribeiro Fragoso, *Homens de grossa aventura*, p. 181.

5 Jurandir Malerba, *A corte no exílio*, p. 216.

6 Pedro Calmon, *O rei do Brasil: vida de dom João vi*, p. 149.

7 John Armitage, *História do Brasil*, p. 33.

8 João Luís Ribeiro Fragoso, *Homens de grossa aventura*, p. 288.

BIBLIOGRAFIA

Fontes citadas ou utilizadas neste segundo volume da trilogia:

ABBOTT, Elizabeth. Sugar: a *Bittersweet History*. Londres: Duckworth Publishers, 2008.

ALENCASTRO, Luiz Felipe de. *O trato dos viventes: formação do Brasil no Atlântico Sul*. São Paulo: Companhia das Letras, 2000.

ALENCASTRO, Luiz Felipe de (organização); NOVAIS, Fernando A. (coordenação geral). *História da vida privada no Brasil, v. 2 – Império: a corte e a modernidade nacional*. São Paulo: Companhia das Letras, 1997.

ANDREWS, George Reid. *Slavery and Race Relations in Brazil*. Albuquerque: The University of New Mexico, 1997.

ANTONIL, André João (João Antônio Andreoni). *Cultura e opulência no Brasil por suas drogas e minas*. Brasília: Senado Federal, 2011.

ANTUNES, Américo. *Do diamante ao aço: o ilustrado intendente Câmara e a verdadeira história da primeira fábrica de ferro do Brasil*. São Paulo: Alameda, 2018.

ARMITAGE, John. *História do Brasil. Desde o período da chegada da família de Bragança, em 1808, até a abdicação de D. Pedro I, em 1831, compilada à vista dos documentos públicos e outras fontes originais formando uma continuação da História do Brasil, de Southey*. Belo Horizonte: Itatiaia; São Paulo: Edusp, 1981.

AVILA, Renata Bezerra de Medeiros. *Desordem na Ordem? Considerações sobre ilicitudes e descaminhos entre beneditinos setecentistas*, XIV Encontro Regional da Anpuh-Rio, Memória e Patrimônio.

AZEVEDO, Célia Maria Marinho de. *"Onda negra, medo branco: o negro no imaginário das elites - século XIX"*. Rio de Janeiro: Paz e Terra, 1987.

BASTIDE, Roger. *O candomblé da Bahia: rito nagô.* (tradução de Maria Isaura Pereira de Queiroz). São Paulo: Companhia das Letras, 2001.

BASTIDE, Roger. *The African Religions of Brazil: Toward a Sociology of the Interpenetration of Civilizations.* Baltimore: The Johns Hopkins University Press, 2007.

BECKERT, Sven. *Empire of Cotton: a Global History.* Nova York: Alfred A. Knopf, 2014.

BENCI, Jorge. *Economia cristã dos senhores no governo dos escravos.* São Paulo: Editorial Grijaldo, 1977.

BERKENBROCK, Volney J., *A experiência dos orixás: um estudo sobre a experiência religiosa no candomblé.* Petrópolis: Vozes, 2007.

BLACKBURN, Robin. *A queda do escravismo colonial, 1776-1848.* Rio de Janeiro: Record, 2002.

BOTELHO, André; SCHWARCZ, Lilia Moritz. *Um enigma chamado Brasil: 29 intérpretes e um país.* São Paulo: Companhia das Letras, 2009.

BOXER, C. R. *A idade de ouro do Brasil: dores do crescimento de uma sociedade colonial.* São Paulo: Companhia Editora Nacional, 1963.

BOXER, C. R. *O império marítimo português 1415-1825.* Lisboa: Edições 70, 1969.

BROWN, Christopher Leslie. *Moral capital: foundations of British abolition.* Chapel Hill: University of North Carolina Press, 2006.

BURNE, Jerome (editor); LEGRAND, Jacques (idealizador e coordenador). *Chronicle of the World – The Ultimate Record of World History.* Londres: Dorling Kindersley Limited, 1996.

CALDEIRA, Arlindo Manuel. *Escravos e traficantes no império português: o comércio negreiro português no Atlântico durante os séculos xv a xix.* Lisboa: Esfera dos Livros, 2013.

CALDEIRA, Jorge. *História da riqueza no Brasil: cinco séculos de pessoas, costumes e governos.* Rio de Janeiro: Estação Brasil, 2017.

CALMON, Pedro. *O rei do Brasil, vida de D. João vi.* São Paulo: Companhia Editora Nacional, 1943.

CALÓGERAS, J. Pandiá. *Formação histórica do Brasil.* São Paulo: Companhia Editora Nacional, 1957.

CANDIDO, Mariana P. *An African Slaving Port and the Atlantic World: Benguela and Its Hinterland.* Nova York: Cambridge University Press, 2013.

CANOVA, Loiva. "Antônio Rolim de Moura: um ilustrado na Capitania de Mato Grosso". *Coletâneas do nosso tempo,* v. vii, Rondonópolis, 2008.

CARDOSO, Ciro Flamarion. *Escravo ou camponês? O proto-campesinato negro nas Américas.* São Paulo: Brasiliense, 1987.

BIBLIOGRAFIA

CASTRO, Hebe Maria Mattos de. *Das cores do silêncio: os significados a liberdade no Sudeste escravista, Brasil, século XIX.* Rio de Janeiro: Arquivo Nacional, 1995.

CASTRO, Yeda Pessoa de. *Falares africanos na Bahia: um vocabulário Afro-Brasileiro.* Rio de Janeiro: Topbooks, 2001.

CASTRO, Yeda Pessoa de. *A língua mina-jeje no Brasil: um falar africano em Ouro Preto do século XVIII.* Belo Horizonte: Fundação João Pinheiro; Secretaria de Estado da Cultura, 2002.

CAVALCANTI, Nireu. *O Rio de Janeiro setecentista – a vida e a construção da cidade, da invasão francesa até a chegada da corte.* Rio de Janeiro: Jorge Zahar, 2004.

CHADE, Jamil. "O lucro da escravidão: Suíça abre discussão para reparar dinheiro que o país ganhou com comércio de escravos nas Américas", artigo para o portal UOL, publicado em 17 de fevereiro de 2020.

CHAMBERLAIN, Sir Henry. *Views and Costumes of the City and Neighbourhood of Rio de Janeiro, Brazil from Drawings Taken by Leitenant Chamberlain, of the Royal Artillary During the Years of 1819 and 1820.* Londres: Columbia Press, 1822.

CHRISTOPHER, Emma. *Slave Ship Sailors and Their Captive Cargoes, 1730-1807.* Nova York: Cambridge University Press, 2006.

CONRAD, Robert Edgar. *Children of God's Fire: A Documentary History of Black Slavery in Brazil.* University Park: The Pennsylvania State University Press, 2006.

CONRAD, Robert Edgar. *Tumbeiros: o tráfico de escravos para o Brasil.* São Paulo: Brasiliense, 1985.

CONRAD, Robert Edgar. *World of Sorrow: The African Slave Trade to Brazil.* Baton Rouge: Louisiana State University Press, 1986.

COSTA, Emília Viotti da. *Da senzala à colônia.* São Paulo: Editora Unesp, 2010.

COSTA, Iraci Del Neto da; LUNA, Francisco Vidal. *Minas colonial: economia e sociedade.* São Paulo: Fipe/Pioneira, 1982.

COTTIAS, Myriam; MATTOS, Hebe (organizadoras). *Escravidão e subjetividades no Atlântico luso-brasileiro e francês (séculos XVII-XX).* Marselha: Opten Edition Press, 2016. Edição digital gratuita disponível em: https://books.openedition.org/oep/788.

CURTIN, Philip D. *The Atlantic Slave Trade: A Census.* Madison: The University of Wisconsin Press, 1969.

DALZEL, Archibald. *The History of Dahomey, An Inland Kingdom of Africa – Compiled From Authentic Memoirs; With An Introduction and Notes.* Reprodução da Biblioteca Britânica, Londres, 1793.

DAVIS, David Brion. *Inhuman Bondage: The Rise and Fall of Slavery in the New World.* Nova York: Oxford University Press, 2006.

DAVIS, David Brion. *The Problem of Slavery in the Age of Revolution, 1770-1823.* Ithaca e Londres: Cornell University Press, 1975.

DEAN, Warren. *A ferro e fogo: a história e a devastação da Mata Atlântica brasileira*. São Paulo: Companhia das Letras, 1996.

DEGLER, Carl N. *Nem preto nem branco: escravidão e relações raciais no Brasil e nos EUA*. Rio de Janeiro: Editorial Labor do Brasil, 1976.

DIÁRIO de viagem do conde de Assumar, *Revista do Iphan*, número 03, 1939.

DRESCHER, Seymour. *Abolição: uma história da escravidão e ao antiescravismo*. São Paulo: Editora Unesp, 2011.

DRESCHER, Seymour. Econocide: *British slavery in the Era of Abolition*. Pittsburgh: University of Pittsburgh Press, 1977.

DUNCAN, John. *Travels in Western Africa, in 1845&1846, Comprising a Journey from Whydah, Through the Kingdom of Dahomey, to Adofoodia, in the Interior* (dois volumes). Londres: Richard Bentley, 1847.

ELTIS, David. *Economic Growth and the Ending of the Transatlantic Slave Trade*. Nova York: Oxford University Press, 1987.

ELTIS, David; RICHARDSON, David (editores). *Extending the Frontiers: Essays on the New Transatlantic Slave Trade Database*. New Haven: Yale University Press, 2008.

ELTIS, David; ENGERMAN, Stanley I (editores). *The Cambridge World History of Slavery, volume 3, ad 1420–ad 1804*. Nova York: Cambridge University Press, 2011.

ELTIS, David. *The Rise of African Slavery in the Americas*. Cambridge: Cambridge University Press, 2000.

EQUIANO, Olaudah. *The Interesting Narrative and Other Writings*. Nova York: Penguin Books, 1995.

FALCONBRIDGE, Alexander. *An Account of the Slave Trade on the Coast of Africa* (fac-símile da primeira edição de 1788. Nova York: AMS Press, 1973.

FAUSTO, Boris. *História do Brasil*. São Paulo: Edusp/FDE, 1995.

FERREIRA, Roquinaldo. *Cross-Cultural Exchange in the Atlantic World: Angola and Brazil During the Era of the Slave Trade*. Nova York: Cambridge University Press, 2012.

FIGUEIREDO, Lucas. *Boa ventura! A corrida do ouro no Brasil (1697-1810)*. Rio de Janeiro: Record, 2011.

FIGUEIREDO, Lucas. *O Tiradentes: uma biografia de Joaquim José da Silva Xavier*. São Paulo: Companhia das Letras, 2018.

FLORENTINO, Manolo Garcia; GÓES, José Roberto Pinto de. *A paz das senzalas: famílias escravas e tráfico atlântico, Rio de Janeiro, c. 1790-c. 1850*. Rio de Janeiro: Civilização Brasileira, 1997.

FLORENTINO, Manolo Garcia. *Em costas negras: uma história do tráfico atlântico de escravos entre a África e o Rio de Janeiro (séculos XVIII e XIX)*. Rio de Janeiro: Arquivo Nacional, 1995.

BIBLIOGRAFIA

FLORENTINO, Manolo Garcia; MACHADO, Cecilia (org.). *Ensaios sobre a escravidão (I)*. Belo Horizonte: Editora UFMG, 2003.

FRAGOSO, João Luís Ribeiro. *Homens de grossa aventura: acumulação e hierarquia na praça mercantil do Rio de Janeiro (1790-1830)*. Rio de Janeiro: Arquivo Nacional, 1992.

FRANÇA, Jean Marcel Carvalho. *A construção do Brasil na literatura de viagem dos séculos XV, XVII e XVIII, antologia de textos (1591-1808)*. Rio de Janeiro: EdUerj; José Olympio, 1999.

FRANÇA, Jean Marcel Carvalho (edição, estudo e notas). *A livraria de Frei Gaspar da Madre de Deus*. São Paulo: Cultura Acadêmica, 2019 (Coleção Memória Atlântica, III).

FRANÇA, Jean Marcel Carvalho. *Mulheres viajantes no Brasil (1764-1820)*. Rio de Janeiro: José Olympio, 2008.

FRANÇA, Jean Marcel Carvalho. *Outras visões do Rio de Janeiro colonial (1582-1808)*. Rio de Janeiro: José Olympio, 2000.

FRANÇA, Jean Marcel Carvalho. *Piratas no Brasil: as incríveis histórias dos ladrões dos mares que pilharam nosso litoral*. São Paulo: Globo Livros, 2014.

FRANÇA, Jean Marcel Carvalho. *Visões do Rio de Janeiro colonial (1531-1800)*. Rio de Janeiro: EdUerj; José Olympio, 1999.

FREYRE, Gilberto. *Casa-Grande & Senzala: a formação da família brasileira sob o regime da economia patriarcal*. Apresentação de Fernando Henrique Cardoso. São Paulo: Global, 2006.

FURTADO, Júnia Ferreira. *Chica da Silva e o contratador de diamantes: o outro lado do mito*. São Paulo: Companhia das Letras, 2003.

FURTADO, Júnia Ferreira. *Homens de negócio: a interiorização da metrópole e do comércio nas minas setecentistas*. São Paulo: Hucitec, 2006.

GOMES, Flávio dos Santos. *Mocambos e quilombos: uma história do campesinato negro no Brasil*. São Paulo: Claro Enigma, 2015.

GORENDER, Jacob. *O escravismo colonial* (série Ensaios, 29). São Paulo: Ática, 1978.

GOULART, Maurício. *Escravidão africana no Brasil (das origens à extinção do tráfico)*. São Paulo: Martins Fontes, 1949.

GUIMARÃES, Carlos Magno. *A negação da ordem escravista: quilombos em Minas Gerais no século XVIII*. São Paulo: Ícone Editora, 1988.

HAGUE, William. *William Wilberforce: The Life of the Great Anti-Slave Trade Campaigner*. Londres: Harper Perennial, 2008.

HALL, Gwendolyn Midlo. *Escravidão e etnias africanas nas Américas: restaurando os elos*. Petrópolis: Vozes, 2017.

ESCRAVIDÃO VOL. II

HARMS, Robert. *The Diligent: A Voyage Through the Worlds of the Slave Trade.* Nova York: Basic Books, 2002.

HAWKINS, Joseph. *A History of a Voyage to the Coast of Africa and Travels Into the Interior of That Country Containing Particular Descriptions of the Climate and Inhabitants, And Interesting Particulars Concerning the Slave Trade* (edição fac-similar). Londres: Frank Cass & Co. Ltd., 1970.

HAWTHORNE, Walter. *From Africa to Brazil: Culture, Identity, and an Atlantic Slave Trade, 1600-1830.* Cambridge: Cambridge University Press, 2010.

HENDERSON, James. *A History of Brazil Comprising its Geography, Commerce, Colonization, Aboriginal Inhabitants.* Londres: Longman, 1821.

HOLANDA, Sérgio Buarque de. *História Geral da Civilização Brasileira.* São Paulo: Difel, 1967.

HOLANDA, Sérgio Buarque de. *Raízes do Brasil.* Rio de Janeiro: José Olympio, 1987.

HOCHSCHILD, Adam. *Bury the Chains: The British Struggle to Abolish Slavery.* Londres: Pan Books, 2005.

ISERT, Paul Erdmann. *Letters on West Africa and the Slave Trade: Paul Erdmann Insert's journey to Guinea and the Caribbean Islands in Columbia (1788).* Traduzido do alemão para o inglês e editado por *Selena Axelrod Winsness.* Oxford: Oxford University Press/The British Academy, 1992.

JAMES, C. L. R. *The Black Jacobins.* Londres: Penguin Books, 2001.

JORDAN, Michael. *The Great Abolition Sham: The True Story of the End of the British Slave Trade.* Stroud, Gloucestershire: Sutton Publishing, 2005.

KARASCH, Mary C. *A vida dos escravos no Rio de Janeiro, 1808-1850.* São Paulo: Companhia das Letras, 2000.

KLEIN, Herbert S. *Escravidão africana - América Latina e Caribe.* São Paulo: Brasiliense, 1987.

KLEIN, Herbert S. *The Atlantic Slave Trade: New Approaches to the Americas.* Nova York: Cambridge University Press, 2010.

LARA, Silvia Hunold. *Campos da violência: escravos e senhores na capitania do Rio de Janeiro, 1750-1808.* Rio de Janeiro: Paz e Terra, 1988.

LARA, Silvia Hunold. *Fragmentos setecentistas: escravidão, cultura e poder na América portuguesa.* São Paulo: Companhia das Letras, 2007.

LAW, Robin. *The Slave Coast of West Africa, 1550-1750. The Impact of the Atlantic Slave Trade on the African Society.* Oxford: Clarendon Press, 1991.

LIMA, Manuel de Oliveira. *D. João VI no Brasil* (1808), 3ª ed. Rio de Janeiro: Topbooks, 1996

LISANTI FILHO, Luís. *Negócios coloniais (uma correspondência comercial do século*

BIBLIOGRAFIA

XVIII),v. I e II. Brasília: Ministério da Fazenda; São Paulo, Visão Editorial; 1973. Disponível em: https://archive.org/details/negcioscoloniais1973vol2/mode/2up.

LODY, Raul. *O povo do santo: religião, história e cultura dos orixás, voduns, inquices e caboclos*. São Paulo: Martins Fontes, 2006.

LOPEZ, Adriana; MOTA, Carlos Guilherme. *História do Brasil: uma interpretação*. São Paulo: Editora Senac, 2008.

LOURENÇO, Paula; PEREIRA, Ana Cristina; TRONI, Joana. *Amantes dos reis de Portugal*. Lisboa: A Esfera dos Livros, 2008.

LOVEJOY, Paul E. *Transformations in Slavery: A History of Slavery in Africa*. 2ª edição. Nova York: Cambridge University Press, 2000.

LUNA, Francisco Vidal; KLEIN, Herbert S. *Escravismo no Brasil*. São Paulo: Edusp/ Imprensa Oficial do Estado de São Paulo, 2010.

M'BOKOLO, Elikia. *África negra: história e civilizações, tomo I (até o século XVIII)*. Salvador: Edufba; São Paulo: Casa das Áfricas, 2008.

MACHADO, Maria Helena P. T. *Crime e escravidão: trabalho, luta, resistência nas lavouras paulistas, 1830-1888*. São Paulo: Brasiliense, 1987.

MACHADO FILHO, Aires da Mata. *O negro e o garimpo em Minas Gerais*. Belo Horizonte: Itatiaia; São Paulo: Edusp, 1985.

MAKINO, Miyoko; SOUSA, Jonas Soares de (org.). *Diário de navegação de Teotônio José Juzarte*. São Paulo: Edusp/Imprensa Oficial, 2000.

MALERBA, Jurandir. *A corte no exílio: civilização e poder no Brasil às vésperas de Independência (1808 a 1822)*. São Paulo: Companhia das Letras, 2000.

MALHEIRO, Perdigão. *A escravidão africana no Brasil*. São Paulo: Obelisco, 1964.

MANNING, Patrick. *Slavery and African Life: Occidental, Oriental, and African Slave Trades*. Nova York: Cambridge University Press, 1990.

MARINS, Paulo Cézar Garcez. *Através da rótula: sociedade e arquitetura urbana no Brasil, séculos XVII a XX*. São Paulo: Humanitas/FFLCH/USP, 2001.

MARQUES, João Pedro. *Escravatura: perguntas e respostas*. Lisboa: Guerra & Paz, 2017.

MARQUES, João Pedro. *Portugal e a escravatura dos africanos*. Lisboa: Imprensa de Ciências Sociais, 2004.

MARQUES, João Pedro. *Revoltas escravas: mistificações e mal-entendidos*. Lisboa: Guerra & Paz, 2006.

MARQUESE, Rafael de Bivar. *Feitores do corpo, missionários da mente: senhores, letrados e o controle dos escravos nas Américas, 1660–1860*. São Paulo: Companhia das Letras, 2004.

MARTINS, Roberto B. *Crescendo em silêncio: a incrível economia escravista de Minas Gerais no século XIX*. Belo Horizonte: Icam – Abphe, 2018.

MATTOSO, Katia M. de Queirós. *Ser escravo no Brasil*. Rio de Janeiro: Editora Brasiliense, 1988.

MAWE, John. *Viagens ao interior do Brasil*. Belo Horizonte: Itatiaia; São Paulo: Edusp, 1978.

MAXWELL, Kenneth. *A Devassa da devassa – a Inconfidência Mineira: Brasil e Portugal (1750-1808)*. São Paulo: Paz e Terra, 2005.

MILLER, Joseph C. *Way of Death: Merchant Capitalism and the Angolan Slave Trade, 1730-1830*. Madison: The University of Wisconsin Press, 1988.

MORGAN, Kenneth. *Slavery, Atlantic Trade and the British Economy, 1660-1800*. Nova York: Cambridge University Press, 2000.

MOURA, Clóvis. *Dicionário da escravidão negra no Brasil*. São Paulo: Editora da Universidade de São Paulo, 2013.

NABUCO, Joaquim. *Joaquim Nabuco essencial*. Organização e introdução de Evaldo Cabral de Melo. São Paulo: Penguin Classics/Companhia das Letras, 2010.

NABUCO, Joaquim, *O abolicionismo*, Petrópolis: Vozes, 1977.

OLIVEIRA, Maria Lêda. *A história do Brasil de Frei Vicente do Salvador: história e política no império português do século XVII*. Rio de Janeiro: Versal; São Paulo: Odebrecht, 2008.

OLIVEIRA, Anderson José Machado de. Devoção negra, em *Revista da Biblioteca Nacional*, edição especial n° 6, 2010.

PARÉS, Luis Nicolau. *A formação do candomblé: história e ritual da nação jeje na Bahia*. Campinas: Editora da Unicamp, 2007.

PARÉS, Luis Nicolau. *Cartas do Daomé: uma introdução*. Salvador: Afro-Ásia, n. 47, 2013. Disponível em: http://www.scielo.br/scielo.php?script=sci_arttext&pid=S0002-05912013000100009.

PARÉS, Luis Nicolau. *O rei, o pai e a morte: a religião vodum na antiga Costa dos Escravos na África Ocidental*. São Paulo: Companhia das Letras, 2016.

PASCOAL, Isaías. "Família escrava: ninho acolhedor?", em *Fênix – Revista de História e Estudos Culturais*, janeiro/ fevereiro/ março de 2008, v. 5.

PATTERSON, Orlando. *Slavery and Social Death. A Comparative Study*. Cambridge: Harvard University Press, 1982.

PEREIRA, Júlio César da Silva. *À flor da terra: o cemitério dos pretos novos no Rio de Janeiro*. Rio de Janeiro: Garamond, 2014.

PEREIRA, Marco Aurélio de Paula. "Fortunas e infortúnios ultramarinos: alguns casos de enriquecimento e conflitos políticos de governadores na América portuguesa" em *Vária História*, v. 28, n° 47, janeiro/junho de 2012.

PINTO, Virgílio Noya. *O ouro brasileiro e o comércio anglo-português: uma contribui-

BIBLIOGRAFIA

ção aos estudos da economia atlântica no século xVIII. São Paulo: Editora Nacional; Brasília: INL, 1979.

PIROLA, Ricardo Figueiredo. *Senzala insurgente.* Campinas: Editora da Unicamp, 2011.

PRICE, Richard (editor). *Maroon Societies: Rebel Slave Communities in the Americas.* Baltimore: The Johns Hopkins University Press, 1996.

PRIORE, Mary Del. *História das mulheres no Brasil.* São Paulo: Contexto, 2004.

PRIORE, Mary del. *Histórias da gente brasileira* (vols. 1 e 2). São Paulo: Leya, 2016.

QUIRINO, Manuel. *A raça africana e seus costumes.* Salvador: Livraria Progresso Editora, 1955.

RAMOS, Arthur. *As culturas negras no Novo Mundo.* Maceió: Edufal, 2013.

RAMOS, Arthur. *Castigos de escravos; aculturação negra no Brasil.* São Paulo: Companhia Editora Nacional, 1942.

REDDIE, Richard S. *Abolition! The Struggle to Abolish Slavery in the British Colonies.* Oxford, Lion Book, 2007.

REDIKER, Marcus. *The Slave Ship: A Human History.* Nova York: Viking Penguin, 2007.

REIS, João José. *A morte é uma festa: ritos fúnebres e revolta popular no Brasil do século xIx.* São Paulo: Companhia das Letras, 1991.

REIS, João José (org.). *Escravidão & invenção da liberdade: estudos sobre o negro no Brasil.* São Paulo: Editora Brasiliense, 1988.

REIS, João José. *Ganhadores: a greve negra de 1857 na Bahia.* São Paulo: Companhia das Letras, 2019.

REIS, João José; GOMES, Flávio dos Santos. *Liberdade por um fio: história dos quilombos no Brasil.* São Paulo: Companhia das Letras, 1996.

REIS, João José. *Rebelião escrava no Brasil: a história do levante dos Malês em 1835*, edição revista e ampliada. São Paulo: Companhia das Letras, 2003.

REISS, Tom. *The Black Count: Glory, Revolution, Betrayal, and the Real Count of Monte Cristo.* Nova York: Crown, 2012.

RESENDE, Maria Efigênia Lage de; VILLALVA, Luiz Carlos (org.). *História de Minas Gerais: as minas setecentistas, vol. 1.* Belo Horizonte: Autêntica/Companhia do Tempo, 2007.

REVISTA DE CULTURA EM MS. Fundação de Cultura de Mato Grosso do Sul, n° 5, 2012.

RISÉRIO, Antônio. *Uma história da cidade da Bahia.* Rio de Janeiro: Versal Editores, 2004.

ROCHA, Manuel Ribeiro. *Ethiope resgatado, empenhado, sustentado, corrigido, instruído.* São Paulo: Editora da Unesp, 2017.

ESCRAVIDÃO VOL. II

RODRIGUES, Jaime. *De costa a costa: escravos, marinheiros e intermediários do tráfico negreiro de Angola ao Rio de Janeiro (1780-1860)*. São Paulo: Companhia das Letras, 2005.

RODRIGUES, Nina. *Os africanos no Brasil*. São Paulo: Madras, 2008.

ROMEIRO, Adriana. *Corrupção e poder no Brasil: uma história – séculos XVI a XVIII*. Belo Horizonte: Autêntica, 2018.

RUSSEL-WOOD, Anthony John R. *Histórias do atlântico português*. São Paulo: Editora Unesp, 2014.

SAINT-HILAIRE, August. *Viagem pelas províncias do Rio de Janeiro e Minas Gerais*. Belo Horizonte: Itatiaia; São Paulo: editora da Universidade de São Paulo, 1975.

SANTOS, Joaquim Felício dos. *Memórias do Distrito Diamantino da Comarca do Serro Frio*. Belo Horizonte: Itatiaia; São Paulo: Edusp, 1976.

SANTOS, Nívea Alves dos. *Entre ventos e tempestades: os caminhos de uma gaiaku de Oiá*. Dissertação mestrado apresentada ao Programa Multidisciplinar de Pós-Graduação em Estudos Étnicos e Africanos da Universidade Federal da Bahia. Salvador: 2013.

SAUNDERS, A. C. De C. M. *A Social History of Black Slaves and Freedmen in Portugal, 1441-1555*. Nova York: Cambridge University Press, 1982.

SCHWARCZ, Lília Mortiz. *A longa viagem da biblioteca dos reis: do terremoto de Lisboa à Independência do Brasil*. São Paulo: Companhia das Letras, 2002.

SCHWARCZ, Lilia Moritz; STARLING, Heloisa Murgel. *Brasil: uma biografia*. São Paulo: Companhia das Letras, 2015.

SCHWARCZ, Lilia Moritz; GOMES, Flávio. *Dicionário da escravidão e liberdade*. São Paulo: Companhia das Letras, 2018.

SCHWARCZ, Lilia Moritz. *Nem preto nem branco, muito pelo contrário: cor e raça na sociabilidade brasileira*. São Paulo: Claro Enigma, 2013.

SCHWARTZ, Stuart B. *Slaves, Peasants, and Rebels: Reconsidering Brazilian Slavery*. Chicago: University of Illinois Press, 1996.

SCHWARTZ, Stuart B. *Sugar Plantations in the Formation of Brazilian Society: Bahia, 1550-1835*. Cambridge: Cambridge University Press, 1985.

SKIDMORE, Thomas E. *Uma história do Brasil*. São Paulo: Paz e Terra, 1998.

SILVA, Alberto da Costa e. *A África explicada aos meus filhos*. Rio de Janeiro: Nova Fronteira, 2013.

SILVA, Alberto da Costa e. *A enxada e a lança: a África antes dos portugueses*. Rio de Janeiro: Nova Fronteira, 2011.

SILVA, Alberto da Costa e. *A manilha e o libambo: a África e a escravidão, de 1500 a 1700*. Rio de Janeiro: Nova Fronteira, 2002.

SILVA, Alberto da Costa e. *Um rio chamado Atlântico: a África no Brasil e o Brasil na*

África. Rio de Janeiro: Nova Fronteira/Editora da UFRJ, 2003.

SILVA JUNIOR, Carlos da. "Interações atlânticas entre Salvador e Porto Novo (Costa da Mina) no século XVIII", *Revista da História*, n⁰ 176, 2017-2018.

SILVA, Daniel B. Domingues da. *The Atlantic Slave Trade from West Central Africa, 1780 – 1867* (Edição do Kindle). Nova York: Cambridge University Press, 2017.

SILVA, Martiniano José. *Quilombos do Brasil Central: violência e resistência escrava*. Goiânia: Kelps, 2008.

SILVEIRA, Renato da. *O candomblé da Barroquinha: o processo de constituição do primeiro terreiro baiano de Keto*. Salvador: Edições Maianga, 2006.

SLENES, Robert W. *Na senzala uma flor: esperanças e recordações na formação da família escrava*. Campinas: Editora da Unicamp, 2011.

SMALLWOOD, Stephanie E. *Saltwater Slavery: A Middle Passage from Africa to American Diaspora*. Londres: Harvard University Press, 2007.

SOARES, Mariza de Carvalho. *Devotos da cor: identidade étnica, religiosidade e escravidão no Rio de Janeiro, século XVIII*. Rio de Janeiro: Civilização Brasileira, 2000.

SOARES, Mariza de Carvalho (org.). *Diálogos Makii de Francisco Alves de Souza: manuscritos de uma congregação católica de africanos mina, 1786*. São Paulo: Chão Editora, 2019.

SOUTY, Jerôme. *Pierre Fatumbi Verger: do olhar livre ao conhecimento iniciático*. São Paulo: Terceiro Nome, 2011.

SOUZA, Daniele Santos de. *Tráfico, escravidão e liberdade na Bahia nos "anos de ouro" do comércio negreiro (c.1680-c.1790)*, tese de doutorado em História Social. Salvador: Universidade Federal da Bahia, 2018.

SOUZA, Jonas Soares de. *A cidade e o rio: Araritaguaba, o Porto Feliz*. São Paulo: Narrativa Um, 2019.

SOUZA, Laura de Mello e. *O diabo e a terra de Santa Cruz: feitiçaria e religiosidade popular no Brasil colonial*. São Paulo: Companhia das Letras, 1986.

SOUZA, Marina de Mello e. *Reis negros no Brasil escravista: história da festa de coroação de rei congo*. Belo Horizonte: Editora UFMG, 2002.

ST CLAIRE, William. *The Grand Slave Emporium: Cape Coast Castle and the British Slave Trade*. Londres: Profile Books, 2006.

SWEET, James H. *Domingos Álvares, African Healing and the Intellectual History of the Atlantic World*. Chapel Hill: The University of North Carolina Press, 2011.

TANNENBAUM, Frank. *Slave and Citizen: The Negro in the Americas*. Nova York: Vintage Books, 1946.

TINHORÃO, José Ramos. *Festa de negro em devoção de branco: do carnaval na procissão ao teatro no círio*. São Paulo: Editora Unesp, 2012.

TINHORÃO, José Ramos. *Os negros em Portugal: uma presença silenciosa*. Lisboa: Editorial Caminho, 1988.

THOMAS, Hugh. *The Slave Trade: The History of the Atlantic Slave Trade 1440-1870*. Londres: Phoenix, 2006.

THORNTON, John. *Africa and Africans in the Making of the Atlantic World, 1400-1800*. Nova York: Cambridge University Press, 1992.

VAINFAS, Ronaldo (organizador). *Dicionário do Brasil imperial (1822-1889)*. Rio de Janeiro: Objetiva, 2002.

VAINFAS, Ronaldo. *Ideologia e escravidão: os letrados e a sociedade escravista no Brasil colonial*. Petrópolis: Editora Vozes, 1986.

VARNHAGEN, Francisco Adolfo de. *História geral do Brasil – antes de sua separação e independência de Portugal, vol. v*. Revisão e notas de Rodolfo Garcia. São Paulo: Melhoramentos, 1956.

VASCONCELOS, Agripa. *Chico Rei*. Belo Horizonte: Itatiaia, 2002.

VENÂNCIO, José Carlos. *A economia de Luanda e Hinterland no século xviii: um estudo de sociologia histórica*. Lisboa: Editorial Estampa, 1996.

VERGER, Pierre. *Fluxo e refluxo: do tráfico de escravos entre o Golfo do Benin e a Bahia de Todos os Santos dos séculos xviii a xix*. São Paulo: Corrupio, 1987.

VERGER, Pierre. *Os libertos: sete caminhos na liberdade de escravos da Bahia no século xix*. São Paulo: Corrupio, 1992.

VIANA FILHO, Luiz. *O negro na Bahia (um ensaio clássico sobre a escravidão)*.Edição comemorativa ao centenário de nascimento do autor. Salvador: Edufba, 2008.

VIANA, Larissa. *O idioma da mestiçagem: as irmandades de pardos na América Portuguesa*. Campinas: Editora da Unicamp, 2007.

WALVIN, James. *A Short History of Slavery*. Londres: Penguin Books, 2007.

WALVIN, James. *The Trader, the Owner, the Slave: Parallel Lives in the Age of Slavery*. Londres: Vintage Books, 2007.

WERNECK, Gustavo. "Obra revela 'cenas africanas' em porão de Ouro Preto; escravo pode ser o autor", jornal *Estado de Minas*, 19 de setembro de 2019.

WILLIAMS, Eric. *Capitalism and Slavery*. Philadelphia: The Great Library Collection by R. P. Pryne, 2015.

ÍNDICE ONOMÁSTICO

abade Raynal, vide Guilherme Thomas François Raynal, 406
Abiodun, rei, 246
Adandozan, rei, 229, 236-238, 240
Afonso, Maria, 323
Agaja, rei, 12, 211-219, 222, 225, 229, 231
Agonglô, rei, 220, 235, 237
Agostinho, José, 376
Albergaria, Lopo Soares de, 152
Albuquerque, Paulo Caetano de, 164
Aleijadinho, vide Antônio Francisco Lisboa, 14, 24, 253, 332
Alencastro, Luiz Felipe de, 255
Alfredo, João, conselheiro, 25
Algranti, Leila Mezan, 354
Almeida, Cipriano José Barata de, 411, 413
Almeida, Lourenço de, 155-156, 165, 358-359, 388, 394, 397
Almeida, Luís Beltrão de Gouveia de, 368
Almeida, Miguel de Carvalho, 129
Almeida, Paula Teresa da Silva e, madre, 62
Álvares, Domingos, 54, 56
Alverne, Francisco de Monte, 105
Amantino, Márcia, 338-339
Amaral, Francisco, 74
Ana, rainha, 428
Anderson, Aeneas, 143
Andrade, Francisco de Paula Freire de, 415
Andrade, Gomes Freire de, conde de Bobadela, 43, 135, 386, 389
Andrade, Maria Correia de, 344
Angola, Antônio, 342
Angola, Dorotheia, 360
Angola, Maria, 425
Angola, Mariana, 326
Antonieta, Maria, 15, 402, 421
Antonil, André João, padre, 34, 65, 73, 74, 79, 80, 81, 87, 89, 92-94, 96, 106, 108, 124-125, 134, 157, 202, 249, 259, 262, 307

Aragão, Garcia d'Ávila Pereira, 103, 317
Araújo, Manoel Carvalho de, 342
Araújo, Manoel Gomes de, 317, 343
Araújo, Nabuco de, 340
Armitage, John, 459
Assis, Machado de, 331
Ataíde, Luís Peregrino de, conde de Atouguia, 229
Aveiro, João Afonso de, 197
Avé-Lallemant, Robert, 301
Ayikpé, Dé, 188
Azevedo, André Álvares de, 396
Azevedo, Domingos Moreira de, 396
Azevedo, Inês Maria de, 372
Babo, Lamartine, 31
Bach, Johann Sebastian, 13
Bangelas, 425
Banha, Antônio Rodrigues, 155
barão de Paty do Alferes, vide Francisco Peixoto de Lacerda Werneck, 310
Barbalho, Jerônimo, 303
Barbinais, Le Gentil de, 140
Baretti, Giuseppe Marco Antônio, 57
Barreto, Tomás Rubim de Barros, 368
Barros, Arthur Paes de, 37
Barros, Bento, 343
Barros, Fernando Paes de, 37
Barros, João Martins de, 112
Barrow, John, 121, 123
Basílio, João, 222, 231
Bastide, Roger, 254, 275
Batista, Joana, 327
Belas, Antônio João, 396
Benci, Jorge, 124, 308, 311, 315-316
Benevides, Salvador Correia de Sá e, 303
Benezet, Anthony, 438, 442
Bigode, 103
Blanchardière, René Courte de La, 301
Bluteau, Raphael, 32
Bolonha, José de, 445

Bonaparte, Napoleão, 16, 239, 407, 421-422, 443, 454-457
Borges, Manoel Vieira, 343
Bosman, Willem, 201
Botelho, Tarcísio R., 341, 343
Botelho, Vicente, 105
Bougainville, Louis Antoine de, 74
Bourcard, Christophe, 190
Boxer, Charles, 69, 92, 97, 156, 359, 369, 451
Brant, Felisberto Caldeira, marquês de Barbacena, 304
Brito, Bento Simões de, 395
Brito, Marcos José de Noronha e, conde dos Arcos, 110
Brookes Jr, Joseph, 441
Brown, Christopher Leslie, 437
Cabral, Luís de Mendonça, 373
Cabral, Manuel, 64
Cabral, Pedro Álvares, 19, 67, 128, 169, 276, 436
Cáceres, Luís Albuquerque de Melo Pereira e, 42
Caetano, Francisco, 425
Caldas, Sebastião de Castro, 72
Caldcleugh, Alexander, 349, 353
Caldeira, Joaquim, 304
Calmon, Francisco, 126
Calógeras, Pandiá, 76
Caminha, Pero Vaz de, 14
Camundongo, João, 425
Cândido, Mariana, 161
Cardoso, Ciro Flamarion, 310
Carrère, J. B. F., 57
Carvalha, Maria, 372
Carvalho, Ana Rosa Falcão de, 340
Carvalho, João Teixeira de, 163
Carvalho, Luciano Rodrigues de, 345
Castelo, Rodrigo de, 71
Castro, André de Mello e, conde de Galveias, 158
Castro, Fernando José de Portugal e, 235, 236, 401, 411, 445
Castro, Leonardo Azevedo de, 292
Castro, Martinho de Melo e, 159, 410, 447, 455
Catarina da Rússia, rainha, 13
Cavalcanti, Nireu, 328
Caymmi, Dorival, 268
Chadakogundo, Béhanzin, 225
Clarkson, Thomas, 439
Clemente XI, papa, 61
Clemente XIII, papa, 252
Coelho, Manoel Jorge, 343
Collaço, Matheus, 155
Collingwood, Luke, 440
Companhia de Comércio de Midelburgo, 12
Companhia Francesa das Índias, 207
Companhia Geral de Comércio de Pernambuco e Paraíba, 13, 121, 168
Companhia Geral de Comércio do Grão-Pará e Maranhão (CGCGPM), 13, 121, 168
Companhia Holandesa das Índias Ocidentais (WIC), 177, 184, 207, 311, 315
conde da Cunha, vide Antônio Álvares da Cunha, 117, 133, 141, 291
conde de Assumar, vide Pedro de Almeida Portugal, 91, 100, 104, 125, 155, 455
conde de Atouguia, vide Luís Peregrino de Ataíde, 229, 232

conde de Bobadela, vide Gomes Freire de Andrade, 43, 135, 141
conde de Galveias, vide André de Mello e Castro, 7, 158, 232, 295, 375
conde de Linhares, vide Rodrigo de Sousa Coutinho, 456
conde de Rezende, 410
conde de Ribeira Grande, 61
conde de Sabugosa, vide Luís César de Meneses, 63, 304
conde de Valadares, vide Miguel Luís de Meneses, 398
conde do Prado, 358
conde dos Arcos, vide Marcos José de Noronha e Brito, 110, 379, 384
condessa da Calheta, 153
Cook, James, 14, 123
Coralina, Cora, 41
Correal, Francisco, 101
Correia, Alexandre, 344
Cortes, João Roiz, 397
Costa, Cláudio Manuel da, 424, 426
Costa, Domingos da, 367
Costa, Emilia Viotti da, 316
Costa, Manoel Rodrigues da, 398
Costa, Maria da, 367
Costa, Pedro da, 327
Costa, Rodrigo da, 95
Costa, Teodózio Rodrigues da, 225
Coutinho, Antônio Luís Gonçalves da Câmara, 59
Coutinho, Bento do Amaral, 148
Coutinho, Francisco de Sousa, 136
Coutinho, Rodrigo de Sousa, conde de Linhares, 136, 456
Couto, Luís do, 73
Couto, Manuel Vieira, 129, 367
Crioulo, Joaquim, 333
Cubellos, Antônio, 199
Cugoano, Ottobah, 433
Cunha, Antônio Álvares da, conde da Cunha, 291
Dampier, William, 63, 101, 139
Dantas, Lucas, 412-413
Danton, Georges-Jacques, 421
Darwin, Charles, 309
Davis, David Brion, 29, 438
Debret, Jean-Baptiste, 292, 309, 312, 336
Defoe, Daniel, 428
Desterro, Antônio do, 326
Desterro, Feliciana Antônio do, 326
Deus, João de, 412-413
Diderot, Denis, 420
Diocleciano, imperador, 281
dom Gaspar, 62
dom Henrique, o Navegador, 22
dom João de Lencastre, 93, 162
dom João V, rei de Portugal, 11, 53, 58, 60-65, 76, 151, 153, 155-157, 226, 449
dom João VI, 15, 164, 236, 332
dom José I, rei, 14, 42, 168, 449, 452
dom Lourenço de Almeida, 155, 165, 358, 388, 394, 397
dom Manuel I, rei, 58, 236, 262, 283
dom Marcos José de Noronha e Brito, 110
dom Pedro I, 324
dom Pedro II, rei, 70, 157, 263, 325, 332,
dom Pedro, infante, 126

ÍNDICE ONOMÁSTICO

Douglass, Frederick, 434
Drescher, Seymour, 434
Du Clerc, Jean-François, 147
Duguay-Trouin, 148-149
Duncan, John, 221
Equiano, Olaudah, vide Gustavus Vassa, 433
Eschwege, Guilherme de, 370
Eschwege, Von, 45
Fahrenheit, Daniel, 12
Faria, Sheila de Castro, 350
Faro, Luís Antônio Furtado de Castro do Rio de
    Mendonça e, visconde de Barbacena, 417
Felipe v, rei, 428
Ferrão, Manuel, 326
Ferreira, João Alves, 117
Ferreira, João de Sá, 345
Ferreira, José, 396
Ferreira, Luís Gomes, 297
Ferreira, Manuel da Silva, 390
Ferreira, Tomás, 74
Fialho, José, 354-355
Figueiredo, Lucas, 120, 426
Figueiredo, Manuel Pires de, 374
Florence, Hercule, 111
Fonseca, Antônio Isidoro da, 135
Fonseca, Deodoro da, 40
Fonseca, João Severiano da, 40
Fox, George, 437
Fragoso, João, 304, 339
França, Jean Marcel Carvalho, 135, 148
Franklin, Benjamin, 13, 423, 439
Freitas, Josefa Maria de, 372-373
Freitas, Martinho Vieira de, 104
Freyre, Gilberto, 28, 137, 258, 307, 350
Frézier, Amédée François, 122
Fróes, Antônio Rodrigues, 360
Fróes, José Rodrigues, 360
Furtado, Francisco Xavier de Mendonça, 168
Furtado, Júnia Ferreira, 129, 327, 365-366, 372-373
Furtado, Mendonça, 168
Galvão, José, Montanha, 110
Gama, Luís, 332, 434
Garcia, Domingos, 99
Garcia, José Maurício Nunes, 332
Garcia, Manolo Florentino, 144, 337-339, 458
Garnerin, André-Jacques, 15
Gato, Manuel de Borba, 71
Gelásio, papa, 252, 281
George I, rei, 217, 222
George II, rei, 218
Gildemeester, Daniel, 370
Glória, Ângela Pereira da, 326
Góes, José Roberto, 337, 339
Gomes, Flávio dos Santos, 310, 388, 399
Gomes, Francisca, 360
Gomes, Joanna, 360
Gomes, Manoel, 317
Gonçalves, Isabel, 360
Gonzaga, Tomás Antônio, 416, 418
Gregson, James, 441
Guillotin, Joseph-Ignace, 421
Guimarães, Carlos Magno, 384, 392, 397
Gusmão, Alexandre de, 42
Gutierrez, Ângela, 18
Hall, Gwendolyn Midlo, 84

Halley, Edmund, 11
Hamilton, George, 169
Händel, Georg Friedrich, 12
Harms, Robert, 201
Hassar, 216
Henniker, John, 222
Henrique, Manuel, o Mão de Luva, 110
Herschel, William, 14
Holanda, Sérgio Buarque de, 459
Homem, Francisco de Sales Torres, 332
Huffon, rei, 207-208, 212, 231
Humboldt, Alexander von, 136
Hume, David, 420, 422
Hypólito, Marcelo, 251-254
Instituto Pretos Novos, 26
Irmandade da Costa, 11
Isabel, princesa, 25, 332
Isert, Paul Erdmann, 181, 190, 204
James, William, 175
Jancsó, István, 454
Jardim, Quintiliano Álvares Teixeira, 164
Jefferson, Thomas, 16, 408, 420, 423
Jesus, Ana Maria de, 339
Jesus, Mariana de, 366
João, Gonçalo, 62
Joaquina, Carlota, 390, 453
Jorge III, rei, 183
Júnior, Carlos da Silva, 247
Kant, Immanuel, 14, 422
Karasch, Mary, 49, 50, 300, 302, 305
Kindersley, Jemima, 137, 353
Klein, Herbert S., 188, 256, 306-307, 337
Koster, Henry, 161, 308, 353
Laet, Johannes de, 311, 315
Lambe, Bulfinch, 211, 216, 218-219
Lara, Silvia Hunold, 126, 295, 311, 392
Lavoisier, Antoine-Laurent de, 421
Law, Robin, 197, 219-221, 223
Leite, José Correia, 99
Leite, Maximiano de Oliveira, 416
Leme, Fernão Dias Paes, 70-71
Leme, Paschoal Moreira Cabral, 38
Lima, Antônio José de, 333
Lima, Beto Ferraz de, 397
Lima, Inácio Pinto de, 251
Lima, João da Costa, 174
Lincoln, Abraham, 321
Lira, Manuel Faustino dos Santos, 413
Lisboa, Antônio Francisco, "Aleijadinho", 14, 24,
    253, 332
Lisboa, Manuel Francisco, 253
Lobo, Bernardo da Fonseca, 155
Locke, John, 420, 422
Lopes, Elias Antônio, 461
Lovejoy, Paul E., 173, 183
Luís XIV, rei, 12, 61, 148
Luís XVI, rei, 15, 402, 405, 421
Luís, Gregório, 390-391
Luna, Francisco Vidal, 256, 307, 337, 340
Lunardi, Vincent, 14
Macartney, George, lorde, 123
Macedo, João Rodrigues de, 45, 415
Machado, Maria Helena Pereira Toledo, 29
Machado, Simão Ferreira, 44
Maciel, José Álvares, 415

509

ESCRAVIDÃO VOL. II

Malheiro, Basílio de Brito, 424
Malheiro, Perdigão, 335
Marchais, Reynaud Des, 201-202
Marchionni, Bartolomeu, 19
Maria I, 14, 126, 159, 220, 235, 237, 452-453, 455-456
Maria, Agostinho de Santa, frei, 287
Marim, Castro, 38
marquês de Alorna, vide Pedro de Almeida Portugal, 91, 455
marquês de Barbacena, vide Felisberto Caldeira Brant, 304
marquês de Condorcet, 404
marquês de Lafayette, 420
marquês de Lavradio, vide Luís Almeida Soares Portugal, 290
marquês de Pombal, vide Sebastião José de Carvalho e Melo, 13, 42-43, 168, 177, 227, 263, 449, 453
marquês de Valença, 203
Marques, João Pedro, 404, 440
Marques, Jozeph Vieira, 194
Martins, Roberto B., 46
Martius, Karl Friedrich Philipp von, 126
Mascarenhas, José Freire Monterroio, 229-230, 233-234
Massé, João, 149
Mateus, Morgado de, 42
Mattos, Francisco de, 394
Mattos, Gregório de, Boca do Inferno, 139
Mattoso, Kátia, 313
Mawe, John, 160, 298, 309
Maxwell, Kenneth, 424
Melchíades, papa, 252
Mello, Manuel de, 390
Mello, Pedro, 154
Melo, Carlos Correia de Toledo e, 416
Melo, José de, 327
Melo, Sebastião José de Carvalho e, marquês de Pombal, 13, 42, 168, 227, 449
Mendonça, Afonso Furtado de Castro do Rio de, visconde de Barbacena, 67
Meneses, Luís César de, conde de Sabugosa, 63, 174
Meneses, Manuel da Cunha e, 245
Meneses, Rodrigo César de, 38
Meneses, Vasco Fernandes César de, visconde de Sabugosa, 63, 85, 164, 225
Menezes, Artur de Sá e, 71-72, 157
Mesquita, Joaquim Emérico Lobo de, 332, 374
Methuen, John, 164
Miller, Joseph, 161
Mina, Antônio, 326
Mina, Francisca, 343
Mina, Maria, 326
Mina, Miguel, 360
Mina, Thereza, 64
Miranda, Carmen, 268
Monte, Ignácio Gonçalves do, 291
Monteiro, Luis Vahia, o Onça, 63, 151, 153-154, 161
Montesquieu, 420, 422
Morais, Francisco de Castro, 134, 148
Mott, Luiz, 317, 393
Moura, Alexandre, 393
Moura, Antônio Rolim de, 39, 109
Moura, Clóvis, 307, 327
Mourão, Luís Antônio Botelho de Sousa e, 112

Mozart, Wolfgang Amadeus, 14
Nabuco, Joaquim, 335, 340
Nadir, Churumá, 229-230, 233, 235
Nassau, Maurício de, 315
Neves, Joaquim Barbosa, 331
Newton, Isaac, 428
Newton, John, 14, 439
Noronha, Fernando de, 19
Norris, Robert, 220
Nova, João Gonçalves da Vila, 361
Nunes, Antônio Duarte, 328
Nunes, Simão, 323
Obama, Barack, 187, 434, 448
Oliveira, Francisca da Silva de, vide Chica da Silva, 364, 368
Oliveira, João de, 242-247
Oliveira, João Fernandes de, 365, 367-368, 371-372, 374, 376
Ornelas, Paim da Câmara, 163
Oswaldo, Angelo, 250
padre Toledo, vide Carlos Correia de Toledo e Melo, 416, 424
Pais, Garcia Rodrigues, 73
Paiva, Eduardo França, 257, 272-273, 330, 344, 360, 362
Palmares, Zumbi dos, 22, 26, 364, 385
Pamplona, Inácio Correia, 397, 424-425
Pandeiro, Jackson do, 380
Pardinho, Rafael Pires, 368
Pardo, Alexandre, 424, 426
Parés, Luís Nicolau, 224, 270, 275
Pascoal, Isaías, 334
Passos, Philipe, 250
Patrocínio, José do, 332, 434
Pedro, o Grande, 12
Pedroso, Felipe, 99
Peixoto, Alvarenga, 415, 419, 424
Peixoto, Antônio Costa, 86
Peixoto, Inácio José Alvarenga, 415
Pennington, James William Charles, 434
Pereira, Manuel João, 447
Pereira, Mariana, 372
Pereira, Severino, 395
Pinheiro, Francisco, 193-195, 199-200
Pinta, Luísa, 54, 56
Pinto, Dionízio Marques, 394
Pinto, José Vaz, 101
Pires, Vicente Ferreira, 220
Pitt, William, 435
Pontes, Silva, 391-392
Portugal, Luís Almeida Soares, marquês de Lavradio, 290
Portugal, Pedro de Almeida, marquês de Alorna, conde de Assumar, 91, 125, 155, 455
Prado, Bartolomeu Bueno do, 383, 386, 394, 398
Price, Richard, 256
Queimado, Francisco, 343
Queiroz, Amaro de, 396
Queiroz, José de, 396
Quitéria, Ana, 373
Quitéria, Maria, 373, 395
Quitéria, Rita, 373
Rabelo, Bento José, 317
Ramos, Arthur, 160, 312, 314
Ramos, Donald, 286-288, 324, 398
Ramos, Graciliano, 380

ÍNDICE ONOMÁSTICO

Ratton, Jácome, 57
Raynal, Guilherme Thomas François, 406
Real Extração de Diamantes, 373
Real, Diogo de Mendonça Corte, 165
Rebelo, Bento, 389
Rebouças, André, 332, 434
Rego, Sebastião Fernandes do, 151
Rei, Chico, 252-253
Reis, João José, 400
Reis, Joaquim Silvério dos, 15, 424-425
Reis, Manoel Martins Couto, 126
Reis, Maria Firmina dos, 434
reverendo prior de São Domingos, 284
Ribeiro, José Pereira, 164
Ribeyrolles, Charles, 336
Rios, Ana, 304, 339
Roberts, Bartholomew, 206
Robespierre, Maximilien de, 421
Rocha, José Ribeiro, 124
Rocha, Luiza Franquelina da, 268
Rocha, Manoel Ribeiro, 316
Rocha, Regina Maria da, 269
Rodrigues, Nina, 351
Roggeveen, Jacob, 12
Rolim, José da Silva de Oliveira, 416
Romeiro, Adriana, 98, 101, 152
Rosa, Manoel Mosqueira da, 101
Rousseau, Jean-Jacques, 13, 420
Royal African Company (RAC), 177, 204, 216
Rugendas, Johann Moritz, 312, 336
Russell-Wood, John, 84
Sá, Antônio Caetano de, 367
Saint-Hilaire, Auguste de, 346, 374
Salvador, Vicente de, frei, 40
Sancho, Charles Ignatius, 433
Santiago, Felipe de, 156
Santos, Antônio Cardoso dos, 245
Santos, Felipe dos, 105
Santos, Joaquim Felício dos, 376
Sardinha, Antônio Correia, 343
Sardinha, Manuel Pires, 129, 367, 371, 374
Schwartz, Stuart B., 395
Sharp, Granville, 439
Silva, Amaro Velho da, 460
Silva, Braz Balthazar da, 131, 397
Silva, Chica da, vide Francisca da Silva Oliveira, 15, 129, 362, 364-368, 371-374, 376
Silva, José Bonifácio de Andrada e, 351
Silva, Liliam Ramos da, 33
Silva, Luiz Vieira da, 188
Silva, Pascoal da, 103-105
Silva-Tarouca, duque, 35, 43
Silveira, Antônio da Cunha, 304
Sintra, Domingos Jorge de, 330
Slenes, Robert W., 323, 337, 347
Smith, Adam, 14
Snelgrave, William, 213-216, 218, 221
Soares, Luiza da Silva, 36
Soares, Mariza de Carvalho, 30, 290-291
Societé d'Angola, 12
Société des Amis des Noirs (Sociedade dos Amigos dos Negros), 404
Sousa, Sancho de Faro e, visconde de Vimieiro, 77
South Sea Company (Companhia dos Mares do Sul), 12, 190, 428

Souza, Bento de Arousio e, 205
Souza, Francisca Arcângela de, 424
Souza, Gabriel Soares de, 67
Souza, João Correa de, 162
Souza, Laura Mello e, 397
Souza, Luís de Vasconcelos e, 128, 170, 455
Soveral, Manuel de Almeida de Vasconcelos de, 161
Sozo, rei, 216-217
Spix, Johann Baptist von, 126
Sweet, James H., 68, 175, 235
Swift, Jonathan, 12, 428
Taborda, Manuel Ribeiro, 129
Taunay, Afonso d'Escragnolle, 113
Tegbesso, rei, 188, 219, 225, 229, 231-232
Teixeira, Francisco, 130
Teotônio, José Juzarte, 112
Tinhorão, José Ramos, 276
Tollenare, Louis-François de, 259, 296
Torres, Elói, frei, 155
Torres, Joseph, 164-165
Tubman, Harriet, 434
Tuckey, James, 458
Tutu, Osei, rei, 12, 182
Urbano VIII, papa, 125, 280
Valença, João, 31
Valença, Raul, 31
Varnhagen, Francisco Adolfo de, 157
Vasques, Martins Correia, 303
Vasques, Tomas Correia, 303
Vassa, Gustavus, vide Olaudah Equiano, 433
Veiga, Luiz Gonzaga das Virgens e, 412
Veloso, Vitoriano Gonçalves, 426
Verger, Pierre, 242-243, 251, 272
Viana, Larissa, 283, 360-361
Viana, Manuel Nunes, 102
Vide, Sebastião Monteiro da, 45, 352
Vieira, Antônio, padre, 59, 124
Vieira, Domingos de Abreu, 426
Vieira, Francisco Félix, 387
Vieira, José Inácio Vaz, 460
Vilhena, Luiz dos Santos, 144, 259, 262
visconde de Barbacena, vide Afonso Furtado de Castro do Rio de Mendonça, 67, 70
visconde de Barbacena, vide Luís Antônio Furtado de Castro do Rio de Mendonça e Faro, 417, 425
visconde de Sabugosa, vide Vasco Fernandes César de Meneses, 225
visconde de Vimieiro, vide Sancho de Faro e Sousa, 95
Vítor, papa, 252
Vivas, José Ferreira, 317
Volta, Alessandro, 16
Voltaire, François-Marie, 420
Warville, Jacques-Pierre Brissot de, 404
Watt, James, 14
Wegbaja, 218
Werneck, Francisco Peixoto de Lacerda, barão de Paty do Alferes, 310
Wesley, John, 12, 439
Weyborne, Petley, 204
Wilberforce, William, 222, 439
Williams, Eric, 432, 434-435
Xavier, Joaquim José da Silva, o Tiradentes, 15, 22, 105, 110, 250, 416, 425
Zacarias, 82

ESTE LIVRO, COMPOSTO NA FONTE MERCURY TEXT,
FOI IMPRESSO EM PAPEL IVORY SLIM 65G/M², NA COAN.
TUBARÃO, FEVEREIRO DE 2025.